o pêndulo de Foucault

Obras do autor publicadas pela Editora Record

Ficção
Baudolino
O cemitério de Praga
A ilha do dia anterior
O nome da rosa
Número zero
O pêndulo de Foucault

Não ficção
Arte e beleza na estética medieval
Cinco escritos morais
Confissões de um jovem romancista
Construir o inimigo e outros escritos ocasionais
Da árvore ao labirinto
A definição da arte
Diário mínimo
Em que creem os que não creem?
Entre a mentira e a ironia
História da beleza
História da feiura
História das terras e lugares lendários
O fascismo eterno
A memória vegetal
Migração e intolerância
Nos ombros dos gigantes
Pape Satàn aleppe: Crônicas de uma sociedade líquida
A passo de caranguejo
Quase a mesma coisa
Vertigem das listas
Não contem com o fim do livro – com Jean-Claude Carrière

UMBERTO ECO

o pêndulo de Foucault

TRADUÇÃO DE IVO BARROSO

1ª edição

EDITORA RECORD
RIO DE JANEIRO • SÃO PAULO
2022

CIP-BRASIL. CATALOGAÇÃO NA PUBLICAÇÃO
SINDICATO NACIONAL DOS EDITORES DE LIVROS, RJ

E22p   Eco, Umberto, 1932-2016
   O pêndulo de Foucault / Umberto Eco; tradução de Ivo Barroso. – 1ª ed. –
Rio de Janeiro: Record, 2022.

   Tradução de: Il pendolo di Foucault
   ISBN 978-65-5587-520-1

   1. Ficção italiana. I. Barroso, Ivo. II. Título.

22-78174   CDD: 853
                                            CDU: 82-31(450)

Gabriela Faray Ferreira Lopes – Bibliotecária – CRB-7/6643

Título original em italiano:
Il pendolo di Foucault

Projeto gráfico de capa e box: Leonardo Iaccarino

IL PENDOLO DI FOUCAULT
by Umberto Eco, 1988
© 2018 La nave di Teseo Editore, Milano

Texto revisado segundo o Acordo Ortográfico da Língua Portuguesa de 1990.

Todos os direitos reservados. Proibida a reprodução, no todo ou em parte, através de quaisquer meios. Os direitos morais do autor foram assegurados.

Direitos exclusivos de publicação em língua portuguesa somente para o Brasil adquiridos pela
EDITORA RECORD LTDA.
Rua Argentina, 171 – Rio de Janeiro, RJ – 20921-380 – Tel.: (21) 2585-2000, que se reserva a propriedade literária desta tradução.

Impresso no Brasil

ISBN 978-65-5587-520-1

Seja um leitor preferencial Record.
Cadastre-se no site www.record.com.br
e receba informações sobre nossos
lançamentos e nossas promoções.

Atendimento e venda direta ao leitor:
sac@record.com.br

Foi somente para vós, filhos da doutrina e da sabedoria, que escrevemos esta obra. Perscrutai o livro, concentrai-vos naquela intenção que fragmentamos e dispersamos por várias de suas partes; mas o que ocultamos num lugar manifestamos em outro, de modo a ser apreendido pelo vosso entendimento.

(Heinrich Cornelius Agrippa von Nettesheim,
De occulta philosophia, 3, 65)

A superstição atrai o azar.

(Raymond Smullyan, *5000 B.C.*, 1.3.8)

SUMÁRIO

1. KETER   13

    1. Quando a luz do infinito   15
    2. Temos diversos e curiosos relógios   22

2. HOKMAH   33

    3. *In hanc utilitatem clementes angeli*   35
    4. Quem tenta penetrar no Rosal dos Filósofos   42
    5. Com as vinte e duas letras fundamentais   46
    6. Judá Leon deu-se a permutações   56

3. BINAH   61

    7. Não espereis demasiado o fim do mundo   63
    8. Vindo das luzes e dos deuses   68
    9. Na mão direita segurava uma corneta   74
    10. Por fim, não se infere cabalisticamente de *vinum*   77
    11. Sua esterilidade era infinita   84
    12. *Sub umbra alarum tuarum*   89
    13. *Li frere, li mestre du Temple*   96
    14. Teria também confessado ter morto Nosso Senhor   112
    15. Irei vos buscar socorro junto ao conde de Anjou   123
    16. Antes da prisão só havia estado na ordem durante nove meses   129
    17. Assim desapareceram os cavaleiros do Templo   136
    18. Uma enorme massa tremendamente perfurada por túneis e cavernas   142
    19. A Ordem não deixou um instante jamais de subsistir   149
    20. O centro invisível, o soberano que deve despertar   158

21. O Graal... é um peso tão grande	167
22. Não queiram que se lhes fizessem mais perguntas	171

4. HESED 177

23. A analogia dos contrários	179
24. *Sauvez la faible Aischa*	183
25. ... estes misteriosos iniciados	188
26. Todas as tradições da Terra	191
27. Contando um dia que conhecera Pôncio Pilatos	197
28. Há um corpo que abrange todo o conjunto do mundo	202
29. Pelo simples fato de mudarem e ocultarem seu nome	207
30. E a já famosa fraternidade dos rosa-cruzes	213
31. É provável que a maioria dos pretensos rosa-cruzes	220
32. *Valentiniani... per ambiguitates bilingues*	224
33. As visões são brancas, azuis, branco-vermelho-claras	227

5. GEBURAH 235

34. Beydelus, Demeymes, Adulex	237
35. Chamo-me Lia	245
36. Seja-me permitido no entanto dar um conselho	249
37. Quem quiser refletir sobre estas quatro coisas	256
38. Mestre Secreto, Mestre Perfeito	260
39. Cavaleiro dos Planisférios	266
40. Os covardes morrem muitas vezes	273
41. No ponto em que o Abismo	276
42. Estamos todos de acordo	282
43. Pessoas que encontramos pela rua	286
44. Invoca as forças	291
45. Daí decorre uma extraordinária pergunta	294
46. Chegarás junto à rã várias vezes	300
47. Os sentidos despertos e a memória percutida	305
48. Uma boa aproximação	311
49. Uma cavalaria templar e iniciática	316
50. Sou a primeira e a última	321
51. Quando então alguma Sumidade Cabalística	329

52.	Um tabuleiro de xadrez colossal que se estende sob a Terra	333
53.	Não podendo dirigir abertamente os destinos terrestres	336
54.	O príncipe das trevas	344
55.	Chamo teatro	347
56.	Começou a soar sua esplêndida corneta	354
57.	De três em três árvores, estava apenas uma lanterna	360
58.	É a alquimia uma casta meretriz	369
59.	E se tais monstros são gerados	374
60.	Pobre néscio!	376
61.	Esse Velo de Ouro	380
62.	Consideremos como sociedades druídicas	383
63.	Em que te faz pensar aquele peixe?	387

6. TIFERET 393

64.	Sonhar que se mora numa cidade... desconhecida	395
65.	Uma estrutura de seis metros de lado	399
66.	Se nossa hipótese é correta	404
67.	Da Rosa, nada digamos agora	409
68.	Que tuas vestes sejam cândidas	414
69.	*Elles deviennent le Diable*	421
70.	Recordemos as alusões secretas	423
71.	Não sabemos tampouco com certeza	427
72.	*Nos inuisibles pretendus*	431
73.	Outro caso curioso	435
74.	Embora a vontade seja boa	447
75.	Os Iniciados estão no limite de tal via	451
76.	Diletantismo	457
77.	Essa erva é chamada Arrancadiabo	466
78.	Direi que este monstruoso cruzamento	469
79.	Abriu seu cofrezinho	473
80.	Quando sobrevém o Branco	476
81.	Seriam capazes de fazer saltar aos ares a superfície do planeta	478
82.	A Terra é um corpo magnético	482
83.	Um mapa não é o território	487
84.	Seguindo os desenhos de Verulâmio	491
85.	Phileas Fogg. Um nome que é uma firma	494

86. É a eles que Eiffel recorre	496
87. É uma coincidência curiosa	498
88. O Templarismo é Jesuitismo	501
89. Formou-se no seio das trevas mais densas	506
90. Todas as infâmias atribuídas aos templários	508
91. Como haveis desmascarado bem aquelas seitas infernais	511
92. Com todo o poder e o terror de Satã	513
93. Ao passo que nós nos mantemos por trás dos bastidores	515
94. *En avoit-il le moindre soupçon?*	517
95. Que são os Judeus Cabalistas	519
96. Uma cobertura é sempre necessária	522
97. *Ego sum qui sum*	526
98. Sua gnose racista, seus ritos	538
99. O guenonismo mais as divisões blindadas	542
100. Eu declaro que a Terra é oca	544
101. *Qui operatur in Cabala*	548
102. Um muro muito grande e alto	550
103. Teu nome secreto será de 36 letras	554
104. Estes textos não se destinam ao comum dos mortais	558
105. *Delirat lingua, labat mens*	561
106. A lista nº 5	565

7. NEZAH	577

107. Não vês aquele negro cão?	579
108. Há diversos Poderes em ação?	585
109. São Germano... muito sutil e espirituoso	593
110. ... se enganaram nos movimentos e caminharam para trás	599
111. *C'est une leçon par la suite*	604

8. HOD	609

112. Para as nossas Cerimônias	611
113. A nossa causa é um segredo	617
114. O pêndulo ideal	635
115. Se os olhos pudessem ver os demônios	638
116. *Je voudrais être la tour*	643
117. Tem a loucura um grande pavilhão	647

9. JESOD 651

118. A teoria social da conspiração 653
119. Quando a guirlanda que rodeava a corneta começou a arder 662

10. MALKUT 673

120. Mas o mal está em que eles têm por certo que estão na luz 675

Índice das ilustrações 679

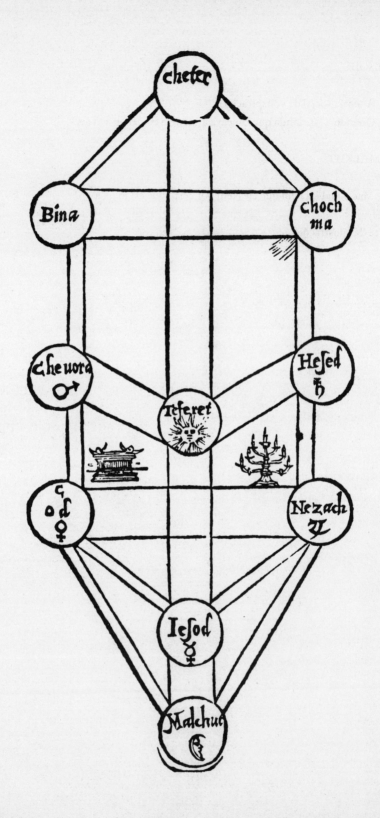

Parte 1

KETER

1

QUANDO A LUZ DO INFINITO

ב) והנה בהיות אור הא״ס נמשך,
בבחינת (ה) קו ישר תוך החלל
הנ״ל, לא נמשך ונתפשט (ו) תיכף
עד למטה, אמנם היה מתפשט לאט
לאט, רצוני לומר, כי בתחילה הת־
חיל קו האור להתפשט, ושם תיכף
(ז) בתחילת התפשטותו בסוד קו,
נתפשט ונמשך ונעשה, כעין (ח)
גלגל אחד עגול מסביב.

Foi então que vi o Pêndulo.

A esfera, móvel na extremidade de um longo fio fixado à abóbada do coro, descrevia suas amplas oscilações em isócrona majestade.

Eu sabia — mas qualquer um teria podido concluir pela magia daquele plácido respirar — que o período era regulado pela correlação entre a raiz quadrada do comprimento do fio e a do número π, que, embora irracional para as mentes sublunares, relaciona, por alguma razão divina, a circunferência ao diâmetro de todos os círculos possíveis — de modo que o oscilar de uma esfera de um polo a outro decorre de uma arcana conspiração entre a mais intemporal das medidas, a unidade do ponto de suspensão, a dualidade de uma dimensão abstrata, a natureza terciária do π, o tetrágono secreto da raiz e a perfeição do círculo.

Sabia também que na vertical do ponto de suspensão, na base, um dispositivo magnético, transmitindo sua atração a um cilindro oculto no cerne da esfera, garantia a permanência do movimento, artifício disposto para contrabalançar as resistências da matéria, mas que não se opunha às leis do Pêndulo; antes, lhes permitia manifestarem-se, porque, no vácuo, qualquer ponto material pesado, suspenso da extremidade de um fio inextensível e sem peso, que não sofresse a resistência do ar nem o atrito com seu ponto de apoio, teria oscilado de modo regular por toda a eternidade.

A esfera de cobre emitia pálidos reflexos cambiantes sob a incidência dos últimos raios de sol que penetravam pelos vitrais. Se, como outrora, sua ponta estivesse roçando uma camada de areia úmida espalhada sobre o pavimento do coro, teria desenhado a cada oscilação um leve sulco no solo, e o sulco, mudando infinitesimalmente de direção a cada instante, ter-se-ia alargado sempre em forma de brecha, de vala, deixando adivinhar uma simetria radiada — como um esqueleto de mandala, a estrutura invisível de um pentáculo, de uma estrela, de uma rosa mística. Não melhor talvez o revés, registrado na extensão do deserto, dos traços que deixaram caravanas infinitas e erráticas. Uma história de lentas e milenárias migrações, talvez da mesma forma como se deslocaram os atlântidas do continente Mu, numa peregrinação obstinada e possessiva, da Tasmânia à Groenlândia, do Capricórnio ao Câncer, da ilha do Príncipe Eduardo ao Svalbard. A ponta repetia, narrava novamente num tempo bastante compacto, o que eles haviam feito entre uma e outra glaciação, ou que talvez ainda fizessem, agora mensageiros dos Senhores — quem sabe no percurso entre Samoa e Zemlia, a ponta, na sua posição de equilíbrio, aflorasse Agarttha, o Centro do Mundo. E intuí que um plano único unia Avalon, a hiperbórea, ao deserto austral que abriga o enigma de Ayers Rock.

Naquele momento, às quatro da tarde de 23 de junho, o Pêndulo amortecia a própria velocidade numa extremidade do plano de oscilação, para recair indolente em direção ao centro, readquirir velocidade a meio do percurso e desferir seus golpes de sabre confidentes no quadrado oculto das forças que o destino lhe apontava.

Se eu permanecesse muito tempo, resistente ao passar das horas, a fixar aquela cabeça de pássaro, aquele ápice de lança, aquele elmo emborcado, enquanto desenhava no vazio as suas diagonais, aflorando os pontos opostos de sua astigmática circunferência, teria sido vítima de uma ilusão fabulatória, pois o Pêndulo me levaria a crer que o plano de oscilação teria realizado uma rotação completa, tornando ao ponto de partida, em 32 horas, descrevendo uma elipse achatada — elipse que girasse em torno de seu próprio centro com uma velocidade angular uniforme, proporcional ao seno da latitude. Como teria girado se o ponto fosse fixado ao alto da cúpula do Templo de Salomão? Talvez os Cavaleiros tivessem experimentado também lá. Talvez o cálculo, o significado final, não houvesse modificado. Talvez a igreja abacial de Saint-Martin-des-Champs fosse o verdadeiro Templo. Contudo, a experiência só teria sido perfeita no Polo, único lugar em que o ponto de suspensão incide sobre o prolongamento do eixo de rotação da Terra, no qual o Pêndulo realizaria seu círculo aparente em 24 horas.

Mas não era esse desvio da Lei, que de resto a própria Lei previa, não era essa violação da medida áurea que tornava menos admirável o prodígio. Eu sabia que a Terra estava rodando, e eu com ela, e Saint-Martin-des-Champs e Paris inteira comigo, e juntos rodávamos sob o Pêndulo, que na realidade não mudava jamais a direção do próprio plano, porque lá em cima, de onde pendia, e ao longo do infinito prolongamento ideal do fio, para o alto em direção às mais remotas galáxias, estava, imóvel por toda a eternidade, o Ponto Fixo.

A Terra girava, mas o lugar onde o fio estava ancorado era o único ponto fixo do universo.

Por isso, não era propriamente à Terra que o meu olhar se dirigia, mas ao alto, lá onde se celebrava o mistério da imobilidade absoluta. O Pêndulo dizia-me que, embora tudo se movesse, o globo, o sistema solar, as nebulosas, os buracos negros e todos os filhos da grande emanação cósmica, desde os éons primitivos à matéria mais viscosa, um único ponto permanecia, eixo, cavilha, engate ideal, deixando que o universo se movesse em torno dele. E eu participava agora daquela experiência suprema, eu que, embora me movesse com tudo e com o todo, podia ver o Quid, o Não Movente, a Rocha, a Garantia, a caligem luminosíssima que não é corpo, não tem figura forma peso quantidade ou qualidade, e não vê, não sente, não é apreendido pela sensibilidade, não é um lugar, nem um tempo ou um espaço, não é alma, inteligência, imaginação, opinião, número, ordem, medida, substância, eternidade, não é treva nem luz, não é erro nem verdade.

Chamou-me a atenção um diálogo, preciso e desenvolvido, entre um rapaz de óculos e uma jovem que infelizmente não os tinha.

"É o pêndulo de Foucault", dizia. "Foi primeiro experimentado numa cave em 1851, depois no Observatoire, e em seguida sob a cúpula do Panthéon, com um fio de 67 metros e uma esfera de 28 quilos. Finalmente, desde 1855 está aqui, em formato reduzido, e pende daquele furo, na travessa da abóbada."

"E para que serve, só para ficar balançando?"

"Serve para demonstrar a rotação da Terra. Se considerarmos que o ponto de suspensão permanece fixo..."

"Mas por que permanece fixo?"

"Porque um ponto... como direi... no seu ponto central, quer dizer, todo ponto que esteja no meio dos pontos que você vê, bem, aquele ponto — o ponto geométrico — você não vê, não tem dimensão, e portanto não tendo dimensão não pode mover-se nem à esquerda nem à direita, nem para baixo nem para cima. Consequentemente, não gira. Entendeu? Se um ponto não tem dimensão, não pode sequer girar em torno de si mesmo. Nem mesmo este..."

"Nem com a Terra girando?"

"A Terra gira, mas o ponto, não. Se lhe agrada, é assim, se não, dane-se. Está bem?"

"Problema dele."

Miserável. Tinha sobre a cabeça o único lugar estável do cosmo, o único ponto resgatado da maldição do *panta rei*, e pensava que fosse problema Dele, e não dela. Mas logo em seguida o casal se afastou — ele, tendo estudado nesses manuais que lhe obscureceram as possibilidades de maravilhar-se; ela, inerte, inacessível ao arrepio do infinito, ambos sem terem registrado na memória a experiência terrificante daquele seu encontro — primeiro e último — com o Uno, o En-sof, o Indizível. Como não cair de joelhos diante do altar daquela certeza?

Quanto a mim, fitava-o com reverência e temor. Naquele momento, estava convencido de que Jacopo Belbo tinha razão. Quando me falava do Pêndulo, eu atribuía sua emoção a um devaneio estético, àquele câncer que estava tomando forma, informe, em sua alma, transformando, passo a passo, sem que ele se desse conta, o seu jogo em realidade. Mas se tinha razão quanto ao Pêndulo, talvez fosse verdade todo o resto, o Plano, a Conspiração Universal, e era justo que tivesse vindo ali na vigília do solstício de verão. Jacopo Belbo não era louco, simplesmente havia descoberto por brincadeira, pelo Jogo, a suma verdade.

É que a experiência do Numinoso não pode durar muito tempo sem transtornar a mente.

Procurei então distrair o olhar, seguindo a curva que, dos capitéis das colunas dispostas em semicírculo, apontava ao longo das nervuras da abóbada em direção à chave, repetindo o mistério da ogiva, que se sustém sobre uma ausência, suprema hipocrisia estática, e faz parecer às colunas que elas erguem para o alto os espigões, e a estes, rechaçados pela chave, que fixam as colunas à terra, sendo por sua vez a abóbada um todo e um nada, efeito e causa ao mesmo tempo. Mas me dei conta de que negligenciar o Pêndulo, pendente da abóbada, e admirar a abóbada, era o mesmo que abster-se de beber no manancial para inebriar-se na fonte.

O coro da igreja de Saint-Martin-des-Champs só existia para que pudesse existir, por virtude da Lei, o Pêndulo, e este existia para que existisse aquele. Não se pode fugir a um infinito, disse comigo, fugindo em direção a outro infinito; não se foge da revelação do idêntico, na ilusão de que se pode encontrar o diverso.

Sempre sem poder desviar os olhos da chave da abóbada, retrocedi, passo a passo — pois que em poucos minutos, tão logo entrei, tinha gravado o percurso na memória, e as grandes tartarugas de metal enfileiradas nas laterais eram imponentes o bastante para assinalar sua presença pelo canto do olho. Recuei ao longo da nave, em direção à porta principal, e novamente senti sobre minha cabeça aqueles ameaçadores pássaros pré-históricos de tecido esfrangalhado e fios metálicos, aquelas libélulas malignas que uma vontade oculta havia feito pender do teto da nave. Eu os tomava por metáforas sapienciais, bem mais significantes e alusivas do que o pretexto didascálico fingia querer que fossem. Voos de insetos e répteis jurássicos, alegoria das longas migrações que o Pêndulo em terra estava reencetando, arcontes, emanações perversas, eis que mergulhavam contra mim com seus compridos bicos de arqueoptérix — o aeroplano de Breguet, o de Bleriot, o de Esnault e o helicóptero de Dufaux.

É dessa forma na verdade que se entra no Conservatoire des Arts et Métiers, em Paris, depois de se haver passado por um pátio setecentista, e avançando pela velha igreja abacial, engastada no complexo mais tardio, tal como foi outrora engastada no priorato de origem. Ao entrarmos, somos ofuscados por essa conspiração que congrega o universo superior das ogivas celestes e o mundo octânico dos devoradores de óleos minerais.

Espalhados pelo chão, um cortejo de veículos automóveis, bicicletas e carroças a vapor; no alto, ameaçam as máquinas aéreas dos pioneiros da aviação, e em alguns casos os objetos expostos são os originais, embora descascados ou corroídos pelo tempo, e ali todos juntos aparecem, na luz ambígua, em parte natural e em parte elétrica, como cobertos por uma pátina, por um verniz de violino antigo; vez por outra surgem esqueletos, chassis, desarticulações de bielas e manículas que ameaçam inenarráveis torturas, e te pões a imaginar-te atado a essas camas de suplício donde pode surgir de repente algo que te embarafuste a carne e te leve à confissão fatal.

E para além dessa sequência de antigos objetos móveis, agora imóveis, de alma enferrujada, puros signos de um orgulho tecnológico que os quiseram expostos à reverência do público, velado à esquerda por uma estátua da Liberdade, modelo reduzido daquela que Bartholdi havia projetado para um outro mundo, e à direita por uma estátua de Pascal, abre-se o coro, onde, fazendo coroa às oscilações do Pêndulo, encontra-se o pesadelo de um entomólogo enfermo — quelas, mandíbulas, antenas, proglótides, asas, patas –, um cemitério de cadáveres mecânicos que poderiam voltar a funcionar todos ao mesmo tempo — magnetos, transformadores monofásicos, turbinas, grupos conversores, máquinas a vapor, dínamos — e, ao fundo, além do Pêndulo, no ambulacro, ídolos assírios, caldeus, cartagineses, grandes Baals de ventres outrora incandescentes, virgens de Nuremberg com seus corações hirtos de cravos postos a nu, aquilo que no passado foram motores de avião — indizível coroa de simulacros que jazem em adoração ao Pêndulo, como se os filhos da Razão e das Luzes tivessem sido condenados a custodiar pela eternidade o próprio símbolo da Tradição e da Sabedoria.

E os turistas enfadados, que pagam seus nove francos no caixa e entram de graça nos domingos, poderão acaso pensar que os velhos senhores do século XIX, com a barba amarelecida pela nicotina, o colete amarrotado e sebento, a gravata negra e desbotada, a sobrecasaca cheirando a rapé, os dedos escurecidos pelos ácidos, a mente azedada pelas invejas acadêmicas, fantasmas de *vaudeville* que se chamavam reciprocamente de *cher maître*, haviam colocado tais objetos sob aquela abóbada por uma virtuosa vontade expositiva, para satisfação do contribuinte burguês e radical, para celebrar os magníficos feitos do progresso? Não, de modo algum; desde o princípio como priorado e em seguida como museu revolucionário, Saint-Martin-des-Champs tinha sido concebido como silogeu das ciências ocultas, e todos aqueles aeroplanos, aquelas máquinas automotrizes, aqueles esqueletos eletromagnéticos estavam ali a entreter um diálogo cuja fórmula ainda me escapava.

Deveria crer, como me propunha hipocritamente o catálogo da exposição, que o belo empreendimento fora idealizado pelos senhores da Convenção para tornar acessível à massa um santuário de todas as artes e ofícios, quando me era assaz evidente que o projeto, as próprias palavras usadas, eram as mesmas com que Francis Bacon descrevera a Casa de Salomão em sua Nova Atlântida?

Seria possível que apenas eu — eu e Jacopo Belbo, e Diotallevi — houvéssemos intuído a verdade? Naquela noite talvez obtivesse a resposta. Aconteceu que havia conseguido permanecer no museu além da hora de encerramento, e aguardava agora dar meia-noite.

Por onde Eles haveriam de entrar era algo que ainda não sabia — suspeitava que ao longo da rede de esgotos de Paris um conduto qualquer ligasse um ponto do museu a outro ponto da cidade, provavelmente próximo a Porte-Saint-Denis — mas sabia com certeza que, se tivesse saído do museu, não haveria de conseguir entrar por aquela parte. Por isso, devia esconder-me e permanecer lá dentro.

Procurei fugir ao fascínio do lugar e tratei de observar a nave com olhos frios. Naquele instante, não buscava uma revelação, mas sim uma informação. Imaginava que nas outras salas seria difícil encontrar um canto onde pudesse fugir ao controle dos vigias (é seu dever, na hora de fechar, percorrer as salas para verificar se algum ladrão não se esconde em algum canto), mas poderia haver melhor maneira de ocultar-se do que como passageiro aqui na nave atulhada de veículos? Esconder-se, vivo, num veículo morto. Já havíamos feito tantos ardis, que não custava nada tentar mais este.

Coragem, ânimo, disse para mim mesmo; não pense mais na Sapiência: peça ajuda à Ciência.

2

TEMOS DIVERSOS E CURIOSOS RELÓGIOS

Temos diversos e curiosos Relógios, e outros que desenvolvem
Movimentos Alternativos... E temos também Casas de
Ludibriar os Sentidos, com as quais realizamos toda espécie
de Manipulações, Falsas Aparições, Ilusões e Imposturas...
Tais são, meu filho, as riquezas da Casa de Salomão.

(Francis Bacon, *New Atlantis*, ed. Rawley,
Londres, 1627, pp. 41-42.)

Tinha readquirido o controle dos nervos e da imaginação. Devia jogar com ironia, como havia feito poucos dias antes, sem me deixar comprometer. Estava num museu e precisava ser dramaticamente astuto e lúcido.

Olhei confiante para os aviões que pairavam sobre mim: poderia embarafustar-me na carlinga de um biplano e esperar a noite como se estivesse sobrevoando a Mancha, pregustando a Legião de Honra. Os nomes dos automóveis ao meu redor soavam-me afetuosamente nostálgicos... Hispano Suíça 1932, belo e acolhedor. Mas era de evitar-se porque estava próximo demais do caixa, conquanto pudesse enganar o bilheteiro se me apresentasse de *knickerbocker*, cedendo passagem a uma senhora de *tailleur* creme, com longa echarpe em volta do pescoço filiforme e um chapeuzinho *à cloche* cobrindo os seus cabelos de corte *à la garçonne*. O Citroën C 64 de 1931 era exposto apenas em corte vertical, belo modelo escolástico, mas esconderijo irrisório. Sem mencionar o carro a vapor de Cugnot, enorme, só caldeira, ou silencioso que fosse. Era preciso observar à direita, onde estavam junto à parede os velocípedes de grandes rodas florais, as *draisiennes* de quadro chato, as patinetes, que evocavam cavalheiros de cartola a percorrer o Bois de Boulogne, como verdadeiros arautos do progresso.

Em frente aos velocípedes, havia boas carrocerias, atraentes esconderijos. Talvez não a Panhard Dynavia de 1945, transparente demais e exígua no seu torneado aerodinâmico, mas era de se considerar a alta Peugeot 1906, uma mansarda, uma alcova. Uma vez lá dentro, afundado nos assentos de couro, ninguém poderia suspeitar minha presença. O difícil era entrar nela, pois um dos guardiães estava sentado a um banco bem à sua frente, de costas voltadas para as bicicletas. Eu subiria no estribo, um tanto empachado pelo sobretudo de gola de pelúcia, enquanto ele, de botas de cano longo, boné de viseira à mão, me abriria obsequioso a portinhola...

Concentrei-me por um instante na Obéissante 1873, o primeiro veículo francês de tração mecânica, para 12 passageiros. Se a Peugeot era um apartamento, este era um palácio. Mas longe de pensar que seria possível entrar nele sem chamar a atenção de todo mundo. Como é difícil esconder-se quando os esconderijos são os quadros de uma exposição.

Voltei a atravessar a sala: a estátua da Liberdade erguia-se, "*éclairant le monde*", sobre um pedestal de quase 2 metros, concebida como uma proa com remate afilado. Ocultava em seu interior uma espécie de guarita, dentro da qual se podia ver em frente, através de uma vigia de proa, um quadro iluminado da baía de Nova York. Bom ponto de observação para quando chegasse a meia-noite, pois que se poderia dominar na escuridão o coro à esquerda e a nave à direita, a retaguarda protegida por uma grande estátua de pedra de Gramme, com a face voltada para os outros corredores, colocada como estava numa espécie de transepto. Mas em plena luz podia-se perceber perfeitamente se a guarita estava ou não vazia, e qualquer vigia normal decerto daria uma espiada repentina ali, por desencargo de consciência, depois de evacuar os visitantes.

Não dispunha de muito tempo; às cinco e meia iriam fechar. Apressei-me em recorrer o ambulacro. Nenhum dos motores poderia prover esconderijo. Tampouco, à direita, os grandes aparelhos de armação de navios, relíquias de algum Lusitânia engolido pelas águas, nem o imenso motor a gás de Lenoir, com sua variedade de rodas dentadas. Não, ainda mais agora, que a luz amortecia e penetrava de modo equóreo pelos cinzentos vitrais e eu me sentia novamente presa do medo de esconder-me entre esses monstros e ter de enfrentá-los logo mais no escuro, à luz de minha lanterna elétrica, renascidos nas trevas, a ansiar por uma grave respiração telúrica, ossos e vísceras já sem pele, estralejantes e fétidos de uma baba oleosa. Naquela mostra, que eu começava a achar imunda, de genitais a Diesel e vaginas em turbina, gargantas inorgânicas que outrora arrotavam — e que talvez viessem esta noite novamente a arrotar — chamas, vapores, sibilos, ou então volteavam indolentes como pipas, zunindo como cigarras, entre aquelas manifestações esqueléticas de pura funcionalidade abstrata, autômatos capazes de descascar, segar, remover, partir, cortar em fatias, acelerar, ir de encontro, engolir estilhaços, soluçar em cilindros, desarticular-se como marionetes sinistras, fazer tambores rodar, converter frequências, transformar energias, rodar volantes — como teria podido sobreviver? Haveriam de enfrentar-me, instigados pelos Senhores do Mundo, que as utilizaram para falar dos erros da criação, dispositivos inúteis, ídolos dos patrões do baixo universo — como poderia resistir sem vacilar?

Eu devia ir-me embora, ir embora, era tudo uma loucura, estava caindo no jogo que fizera Jacopo Belbo perder o juízo, também eu, o homem incrédulo...

Não sei se fiz bem em permanecer ali aquela noite. Senão, hoje saberia apenas o início, mas não o fim da história. Ou melhor, não estaria aqui, isolado nesta colina, enquanto os cães ladram ao longe, lá embaixo no vale, a perguntar-me se meu fim havia deveras chegado ou se ainda estava por vir.

Decidi prosseguir. Saí da igreja dobrando à esquerda junto à estátua de Gramme e entrando por uma galeria. Estava na seção de ferrovias, e as miniaturas de locomotivas e vagões me pareceram tranquilos brinquedos, fragmentos de uma Bengodi, de uma Madurodam, de uma Itália em miniatura... Agora já estava me habituando àquela alternância de angústia e confiança, terror e desencanto (não se trata de fato de um início de doença?), e pensei que as visões da igreja me haviam perturbado porque chegara a elas seduzido pelas páginas de Jacopo Belbo, que as decifrara à custa de tantos volteios enigmáticos — e que no entanto sabia fictícios. Estava num museu da técnica; dizia para mim, estás num museu da técnica, uma coisa honesta, talvez um pouco obtusa, mas num reino de mortos inofensivos, tal como são os museus; ninguém jamais foi devorado pela Gioconda — monstro andrógino, Medusa só para estetas — e muito menos será devorado pela máquina de Watt, que só podia espantar os aristocratas ossiânicos e neogóticos, e por isso surge assim tão pateticamente comprometedora, toda funções e elegâncias coríntias, manivela e capitel, caldeira e coluna, roda e tímpano. Jacopo Belbo, embora distante, estava procurando arrastar-me na armadilha alucinatória que o havia perdido. É preciso, eu me dizia, comportar-se como um cientista. Porventura o vulcanólogo se queima como Empédocles? Frazer fugiria perseguido no bosque de Nemi? Ora, tu és o Sam Spade, não é mesmo? Deves explorar apenas os *bas-fonds*, é mister. A mulher que te conquistou deve morrer antes do fim, possivelmente pela tua mão. Adeus, Emily, tudo foi bom, mas eras um autômato sem entranhas.

Ocorre, porém, que a galeria dos transportes vai desembocar no átrio de Lavoisier, fronteiro à grande escadaria que leva aos pisos superiores.

Aquele conjunto de redomas, aquela espécie de altar alquímico ao centro, aquela liturgia de civilizada macumba setecentista, não eram resultantes de uma disposição casual, mas, antes, um estratagema simbólico.

Em primeiro lugar, a abundância de espelhos. Se há espelho, é natural quereres ver-te nele. Mas nestes não te vês. Tu te procuras, buscas tua posição no espaço na qual o espelho te diga "estás aqui, e és tu mesmo", e acabas te danando todo, te aborrecendo, porque os espelhos de Lavoisier, sejam côncavos ou convexos, te desiludem, escarnecem de ti: arredando-te, tu te encontras, mas depois te deslocas e te perdes. Aquele teatro catóptrico fora disposto para tolher-te toda identidade e fazer com que te sintas inseguro de teu lugar. Como se te dissesse: não és o Pêndulo nem estás no lugar do Pêndulo. E te sentes não apenas inseguro de ti, mas igualmente dos objetos colocados entre ti e outro espelho. É verdade que a física sabe o que é e por que isso ocorre: basta colocar um espelho côncavo que recolha os raios emanados do objeto — nesse caso, um alambique sobre uma panela de cobre — e o espelho reenviará os raios incidentes de modo que não vejas o objeto, bem delineado, dentro do espelho, mas tenhas dele uma intuição fantomica, evanescente, a meio-termo, e invertido, fora do espelho. Naturalmente, bastará que te movas um pouco para que o efeito desvaneça.

Mas, de repente, me vi, invertido noutro espelho.

Insustentável.

O que pretendia dizer Lavoisier, o que queriam sugerir os registros do Conservatoire? Desde a Idade Média árabe, desde Al-Hazen, conhecemos todas as magias dos espelhos. Valia a pena fazer a Enciclopédia, e o Século das Luzes, e a Revolução, só para afirmar que basta flexionar a superfície de um espelho para se precipitar no imaginário? E no caso do espelho normal, não será igualmente ilusório este outro que te olha de dentro, condenado perpetuamente a uma imagem invertida todas as manhãs quando te barbeias? Valeria a pena dizer-te apenas isto, nesta sala, ou não o teria dito para sugerir-te que observes de maneira distinta todo o resto — as vitrinas, os instrumentos que simulam celebrar os primórdios da física e da química iluminista?

Máscara de couro para proteção do rosto nas experiências de calcinação. Mas, de fato? Será mesmo que o senhor dos círios se enfiava naquela fantasia de rato de esgoto, naquele capacete de invasor ultraterreno, apenas para não irritar os olhos? *Oh, how delicate, doctor Lavoisier.* Se queria estudar a teoria cinética dos gases, para que haveria de reconstituir tão minuciosamente a pequena eolípila, um canudinho sobre uma esfera que, aquecida, roda vomitando vapor, quando a primitiva eolípila foi construída por Héron de Alexandria, no tempo da Gnose, como subsídio para as estátuas falantes e outros prodígios dos sacerdotes egípcios?

E o que era aquele aparelho para estudar a fermentação pútrida, de 1781, bela alusão aos putrefatos bastardos do Demiurgo? Uma sequência de tubos vítreos que, saindo de um útero em forma de bola, passam por esferas e condutos, sustentados por forquilhas, para dentro de duas ampolas, de uma das quais transmitem uma essência qualquer de uma para outra através de serpentinas que desembocam no vácuo... Fermentação pútrida? *Balneum Mariae*, sublimação do mercúrio, *mysterium conjunctionis*, produção do Elixir!

E a máquina para estudar a fermentação (de novo) do vinho? Um conjunto de arcos de cristal, que vai de forno a forno, saindo de um alambique para terminar em outro? E aqueles óculos minúsculos, a diminuta clepsidra e o reduzido eletroscópio, a lente, o bisturi de laboratório que lembra um dos caracteres cuneiformes, a espátula com alavanca de expulsão, a lâmina de vidro, o cadinho de terra refratária de 3 centímetros para produzir um homúnculo do tamanho de um gnomo, útero infinitesimal para clonações, os estojos de acaju cheios de pacotinhos brancos, iguais aos papelotes dos boticários do interior, envoltos em pergaminhos vincados de caracteres intraduzíveis, como espécimens mineralógicos (assim se diz), mas na verdade fragmentos da Síndrome de Basílides, relicários com o prepúcio de Hermes Trismegisto, e o martelo de tapeceiro comprido e fino para bater o início de um brevíssimo dia de juízo, uma hasta de quintessências a realizar-se entre o Pequeno Povo dos Elfos de Avalon, o inefável e miniatural aparelho para analisar a combustão dos óleos, os glóbulos de vidro dispostos em pétalas de quadrifólios, e outros quadrifólios coligados uns aos outros por tubos de ouro, e os quadrifólios a outros tubos de cristal, e estes a um cilindro de cobre, e ainda — a prumo embaixo — outro cilindro de ouro e vidro, e mais tubos, descendentes, apêndices pênseis, testículos, glândulas, excrescências, cristas... É esta a química moderna? E por causa disso acontecia guilhotinarem o autor, quando se sabe que nada se cria e tudo se transforma? Ou o matavam para fazê-lo calar sobre aquilo que fingia revelar, como Newton, que nos estendeu tantas asas, mas que continuava a refletir sobre a Cabala e as essências qualitativas?

A sala Lavoisier do Conservatoire é uma confissão, uma mensagem cifrada, um epítome do próprio conservatório, irrisão do orgulho do forte pensamento da razão moderna, sussurro de outros mistérios. Jacopo Belbo tinha razão, a Razão estava errada.

Devia apressar-me, iminente a hora. Lá estavam o metro, o quilo, as medidas, falsas garantias de garantia. Eu aprendera com Agliè que o segredo das Pirâmides é revelado não pelos cálculos em metros, mas pelos cúbitos antigos. Eis as máquinas aritméticas, triunfo fictício do quantitativo, na verdade promessa das qualidades ocultas dos números, retorno à origem do Notarikon dos rabinos em fuga pelas landes da Europa. Astronomia, relógios, autômatos, gritos e sussurros a entreter-me em meio àquelas novas revelações. Estava prestes a penetrar no cerne de uma mensagem secreta em forma de Theatrum racionalista, exploraria depois, entre a hora de fechar e a meia-noite, aqueles objetos que à luz oblíqua do ocaso assumiriam seu verdadeiro vulto, figuras, e não instrumentos.

Em cima, atravessando as salas dos ofícios, da energia, da eletricidade, não encontrei vitrina em que pudesse esconder-me. Agora que pouco a pouco ia descobrindo ou intuindo o sentido daquelas sequências, vi-me tomado de ânsia por não haver tempo para encontrar um esconderijo de onde pudesse presenciar a revelação noturna de sua razão secreta. Movia-me agora como um homem perseguido — pelo relógio e pelo avanço horrendo do número. A terra girava inexorável, a hora chegava, em breve estariam a minha procura.

Foi aí que, atravessando a galeria de instrumentos elétricos, cheguei à saleta dos vidros. Que razão ilógica havia disposto para que houvesse, além dos aparelhos mais avançados e custosos do engenho moderno, uma zona reservada a práticas conhecidas pelos fenícios, milênios antes? Era uma sala de coleções, onde se alternavam as porcelanas chinesas e os vasos andróginos de Lalique, cerâmica, maiólicas, faianças e muranos e, ao fundo, num armário enorme, em tamanho natural e a três dimensões, um leão que esmagava uma serpente. A razão aparente daquela presença era que o conjunto figurava inteiramente produzido em pasta de vidro, porém sua razão emblemática devia ser bem outra... Procurava lembrar-me onde já havia contemplado aquela imagem. Logo lembrei. O Demiurgo, odioso produto da Sophia, o primeiro arconte, Ildabaoth, responsável pelo mundo e sua radical imperfeição, tinha a forma de uma serpente e de um leão, e seus olhos emitiam luz de fogo. Era bem possível que o Conservatoire inteiro fosse uma imagem do processo infame pelo qual, da plenitude do princípio primitivo, o Pêndulo, e do fulgor do Pleroma, de éon em éon, o Ogdóade se desprende e alcança o reino cósmico, onde reina o Mal. Mas agora aquela serpente, e aquele leão, me estavam dizendo que minha viagem iniciática — pobre de mim, *à rebours* — havia então terminado, e dentro em pouco eu iria rever o mundo, não como devesse ser, mas como de fato é.

Com efeito, notei que no ângulo direito, contra uma janela, estava a guarita do Periscópio. Entrei. Achei-me diante de uma lâmina de vidro, como uma prancha de comando, sobre a qual via moverem-se imagens de um filme, bastante desfocadas — a seção longitudinal de uma cidade. Logo ocorreu-me que a imagem era a projeção de outra tela, posta sobre a minha cabeça, onde aparecia invertida, e que esta segunda tela era a ocular de um periscópio primitivo, feito por assim dizer com dois caixotes engastados em ângulo obtuso, sendo que o mais longo se estendia em forma de tubo para o exterior da guarita, bem em cima de minha cabeça, apontando para as minhas costas, alcançando uma janela superior, da qual, certamente em virtude de um jogo interno de lentes que lhe permitia um grande ângulo de visão, captava as imagens externas. Calculando o percurso que havia feito ao subir, compreendi que o periscópio me permitia observar o exterior como se estivesse olhando a partir dos vitrais superiores da abside de Saint-Martin — como se olhasse suspenso do Pêndulo, a última visão de um enforcado. Adaptei melhor a pupila àquela imagem fosca: podia agora distinguir a rue Vaucanson, sobre a qual dava o coro, e a rue Conté, que perlongava idealmente a nave. A rue Conté desemboca na rue Montgolfier à esquerda e a rue de Turbigo à direita, com um bar em cada esquina, o Week End e o La Rotonde, havendo defronte uma fachada onde sobressaía um letreiro, que decifrei com dificuldade, LES CREATIONS JACSAM. O periscópio. Não me pareceu óbvio que estivesse na sala das vidrarias, pois lhe assentava melhor que figurasse em meio aos instrumentos ópticos, sinal de que era importante que a prospecção do exterior fosse apreciada naquele local, embora ainda não atinasse com a razão da escolha. Por que esse cubículo, positivístico e verniano, junto ao chamariz emblemático do leão e da serpente?

Em todo caso, se tivesse força e coragem de permanecer ali ainda por alguns décimos de segundo, talvez o vigia não me pudesse ver.

Permaneci, submerso, por um tempo que pareceu longuíssimo. Ouvia os passos dos retardatários, dos últimos vigias. Fui tentado a aninhar-me sob a prancha, para melhor fugir a alguma eventual olhadela ao acaso, mas me contive, pois, permanecendo de pé, se alguém me houvesse flagrado, sempre poderia fingir que era um visitante absorto, que ali ficou a inebriar-se do prodígio.

Logo depois, as luzes se apagaram e a sala ficou envolta na penumbra, a guarita se tornou menos escura, iluminada tenuemente pela tela que eu continuava a fitar, como se representasse meu último contato com o mundo.

A prudência pedia que eu permanecesse de pé, ou agachado, se os pés me doessem, pelo menos duas horas. A hora de encerramento para os visitantes não coincide com a de saída dos empregados. Surpreendeu-me o medo da limpeza: e se agora começassem a limpar todas as salas, palmo a palmo? Depois pensei, já que o museu abria tarde pela manhã, que decerto os serventes prefeririam trabalhar à luz do dia e não de noite. Assim devia ser, pelo menos nas salas superiores, pois eu não ouvia passar ninguém. Apenas alguns murmúrios distantes, algum barulho seco, talvez de portas que se fechavam. Devia manter-me firme. Teria tempo de alcançar a igreja entre as dez e as onze, ou mesmo mais tarde, pois os Senhores só haveriam de chegar por volta da meia-noite.

Naquele momento um grupo de jovens saía da Rotonde. Uma jovem foi seguindo pela rue Conté e virou para a rue Montgolfier. Não era uma zona muito frequentada; como haveria de resistir horas a fio contemplando o mundo insípido que tinha às minhas costas? Mas se o periscópio estava ali, não era para enviar-me mensagens de secreta importância? Senti vir-me a necessidade de urinar: precisava não pensar naquilo; era um fator de tensão.

Quantas coisas vêm à mente quando se está sozinho, clandestino, em frente a um periscópio. Deve ser a mesma sensação de quem se esconde no escaler de um navio para emigrar em busca de um país distante. Com efeito, a meta final seria a estátua da Liberdade, com o quadro iluminado de Nova York. Poderia sobrevir-me a sonolência, o que seria um benefício. Não, porque talvez pudesse acordar tarde demais...

O mais terrível teria sido uma crise de angústia: quando tens a certeza de que dali a instantes gritará. Periscópio, submersível, bloqueado no fundo, talvez ao teu redor já naveguem grandes peixes negros abissais e não os vês, e sabes apenas que te falta o ar.

Respire profundamente várias vezes. Concentração. A única coisa que nesses momentos não te trai é o rol da lavadeira. Voltar ao terra a terra, agendar os fatos, individualizar as causas, os efeitos. Cheguei a este ponto por isto, e por este outro motivo...

Sobrevieram-me lembranças, nítidas, precisas, ordenadas. As lembranças dos frenéticos três últimos dias depois dos dois últimos anos, confundidos com recordações de quarenta anos antes, como as encontrei violentando o cérebro eletrônico de Jacopo Belbo.

Recordo (e recordava), para dar um sentido à desordem de nossa criação desordenada. De novo, como naquela noite no periscópio, me concentro em um ponto remoto da mente para dali arrancar uma história. Como o Pêndulo. Diotallevi já me tinha dito que a primeira *sefirah* é Keter, a Coroa, origem de tudo, vácuo primordial. Primeiro criou um ponto, que se tornou o Pensamento, onde imprimiu todas as figuras... Era e não era, encerrado no nome e esquecido no nome, não tinha ainda outra designação que "*Quid*?", puro desejo de ser chamado por um nome... No princípio traçou signos no vento, uma chama escura brotou de seu fundo mais secreto, como uma névoa incolor que desse forma ao informe, e mal esta começou a expandir-se, de seu centro emergiu um manancial flamante que se derramava para iluminar as *sefirot* inferiores, descendo em direção do Reino.

Mas talvez nesse *tsimtsum*, nesse retiro, nessa solitude, dizia Diotallevi, já houvesse a promessa do *tiqqun*, a promessa do retorno.

Parte 2

HOKMAH

3

IN HANC UTILITATEM CLEMENTES ANGELI

> *In hanc utilitatem clementes angeli saepe figuras, characteres, formas et voces invenerunt proposueruntque nobis mortalibus et ignotas et stupendas nullius rei iuxta consuetum linguae usum significativas, sed per rationis nostrae summam admirationem in assiduam intelligibilium pervestigationem, deinde in illorum ipsorum venerationem et amorem inductivas.*
>
> (Johannes Reuchlin, *De arte cabalistica*,
> Hagenhau, 1517, III)

Fora dois dias antes. Aquela quinta-feira eu estava refestelado na cama, sem ânimo para levantar. Havia chegado na tarde anterior e telefonara para a editora. Diotallevi continuava no hospital e Gudrun se mostrava pessimista: ele estava na mesma, ou seja, cada vez pior. Eu não ousava ir visitá-lo.

Quanto a Belbo, não estava no escritório. Gudrun me informou que ele havia telefonado dizendo que estaria fora por motivos de família. Que família? O fato estranho é que havia levado consigo o *word processor* — Abulafia, como agora o chamava — juntamente com a impressora. Gudrun disse-me que ele os havia levado para casa a fim de terminar um trabalho. Para que tanto empenho? Não podia trabalhar no escritório?

Senti-me deslocado. Lia e o menino só voltariam na semana seguinte. Na noite anterior, dei uma passada no Pílades, mas não encontrei ninguém.

Fui despertado pelo telefone. Era Belbo, com voz alterada e distante.

"Então? De onde está telefonando? Achei que tinha ido visitar seus parentes nos cafundós do judas."

"Não brinque, Casaubon, o assunto é sério. Estou em Paris."

"Em Paris? Mas eu é que devo ir a Paris! Sou eu que devo visitar o Conservatoire!"

"Não brinque, estou dizendo. Estou numa cabina... ou melhor, num bar, de modo que não posso falar por muito tempo..."

"Se você não tem moedas, peça uma ligação a cobrar. Estou em casa e posso esperar."

"Não se trata de moedas. Estou em apuros." Começava a falar às pressas, para não me dar tempo de interrompê-lo. "O Plano. O Plano é verdadeiro. Por favor, não me diga coisas óbvias. Estou sendo procurado."

"Por quem?" Custava-me ainda compreender.

"Ora, Casaubon, pelos templários; sei que você não vai querer acreditar em mim, mas é tudo verdade. Eles pensam que eu tenho o mapa, me apertaram, obrigaram-me a vir a Paris. Sábado à meia-noite querem que eu esteja no Conservatoire, sábado — entendeu? — a noite de São João..." Falava de maneira desconexa e eu não conseguia acompanhá-lo. "Eu não quero ir lá, Casaubon, estou fugindo, são capazes de me matar. Você deve avisar o De Angelis — não, o De Angelis é inútil — nada de polícia, pelo amor de Deus..."

"E então?"

"Então, não sei; leia os disquetes, no Abulafia, nos últimos dias deixei tudo gravado ali, até mesmo o que aconteceu neste último mês. Você não estava, não sabia a quem contar, fiquei escrevendo durante três dias e três noites... Ouça, vá ao escritório, na gaveta da minha escrivaninha há um envelope com duas chaves. Ignore a grande, pois é a chave da casa de campo, mas a menor é do apartamento de Milão; vá lá e leia tudo, depois você decide, ou melhor, depois nos falamos, sei lá, não sei bem o que fazer..."

"Está bem, vou lá e leio. Mas, depois, como encontro você?"

"Não sei ainda, estou mudando toda noite de hotel. Sugiro que você faça isso tudo hoje e me espere em minha casa amanhã de manhã, que eu tento telefonar para lá, se puder. Meu deus, a senha..."

Ouvi uns ruídos, a voz de Belbo aproximava-se e afastava-se com intensidades variáveis, como se alguém lhe tentasse arrancar o aparelho.

"Belbo! Que está havendo?"

"Me acharam. A senha..."

Um golpe seco, igual a um disparo. Devia ser o fone que caíra e batera contra a parede da cabina ou sobre aquelas prateleiras que ficam embaixo do telefone. Um alvoroço. Depois o clique do aparelho desligado. Certamente não por Belbo.

Meti-me rápido embaixo da ducha. Precisava despertar. Não percebia o que estava acontecendo. O Plano era verdadeiro? Que absurdo, nós o havíamos inventado. Quem capturara Belbo? Os rosa-cruzes, o conde de San Germano, a Okrana, os Cavaleiros do Templo, os Assassinos? Àquela altura tudo era possível, já que tudo era inverossímil. Podia ser que Belbo tivesse perdido a razão, pois nesses últimos tempos andava muito tenso, não sei se por causa de Lorenza Pellegrini ou porque estivesse cada vez mais fascinado pela sua imaginação — ou melhor, o Plano era comum, nosso, meu, dele, de Diotallevi, mas era ele que parecia havê-lo levado, agora, para além dos limites da brincadeira. Inútil elaborar outras hipóteses. Fui até a editora, Gudrun acolheu-me com observações ácidas, dizendo que tinha agora que carregar tudo nas costas, encontrei o envelope, as chaves e corri para o apartamento de Belbo.

Cheiro de casa fechada, de guimbas envelhecidas nos cinzeiros atulhados até a boca, a pia da cozinha repleta de pratos sujos, a lixeira transbordando embalagens rasgadas. Numa prateleira do estúdio, três garrafas de uísque vazias, a quarta ainda com dois dedos de álcool. Era a casa de alguém que havia passado os últimos dias sem sair, comendo o que havia, trabalhando como um louco, com frenesi.

Eram dois cômodos ao todo, repletos de livros amontoados em todos os cantos, alguns servindo de calço às prateleiras que vergavam ao peso deles. Vi logo a mesa do computador, com a impressora ao lado, e o estojo de disquetes. Poucos quadros nos espaços de parede não ocupados pelas estantes, e bem em frente à mesa uma gravura seiscentista, reprodução emoldurada com carinho, de uma alegoria cuja presença eu não havia notado no mês anterior, quando lá fui beber uma cerveja, antes de sair de férias.

Sobre a mesa, uma foto de Lorenza Pellegrini, com uma dedicatória em letras miúdas e um tanto infantis. Só se via o rosto, mas o olhar, já o olhar, me perturbava. Num movimento indistinto de delicadeza (ou de ciúme?), voltei à foto sem ler a dedicatória.

Havia algumas fichas. Nelas procurei algo que pudesse interessar, mas eram apenas índices, planejamentos editoriais. Mas em meio àqueles documentos encontrei o impresso de um *file* que, a julgar pela data, devia ter nascido das primeiras experiências com o *word processor*. De fato, intitulava-se "Abu". Lembrei-me de quando Abulafia chegou na editora e do entusiasmo quase infantil de Belbo, dos muxoxos de Gudrun e das ironias de Diotallevi.

"Abu" fora certamente a resposta pessoal de Belbo aos seus detratores, uma grande diversão, de neófito, mas dizia muito do furor combinatório com que se aproximou da máquina. Belbo, que sempre afirmava, com seu sorriso pálido, que, a partir do momento em que havia descoberto não poder ser protagonista, havia decidido ser espectador inteligente — é inútil escrever quando não se tem uma poderosa motivação, é melhor reescrever os livros dos outros, como faz um bom editor —, havia encontrado na máquina uma espécie de alucinógeno; punha-se a dedilhar sobre o teclado como se fizesse variação sobre o tema de *Petit Montagnard* no velho piano de sua casa, sem o menor temor de ser julgado. Não pensava criar: ele, tão aterrorizado pela escrita, sabia que aquilo não era criação, mas prova de eficiência eletrônica, um exercício. Mas, esquecendo-se de seus próprios fantasmas habituais, estava encontrando naquela brincadeira a fórmula para exercitar o retorno da adolescência, comum aos cinquentões. Em todo caso, e de qualquer modo, seu pessimismo natural, seu difícil acerto de contas com o passado, se haviam diluído no diálogo com uma memória mineral, objetiva, obediente, irresponsável, transistorizada, tão humanamente desumana que lhe permitisse não se dar conta de seu costumeiro "mal da vida".

filename: Abu

Ó que bela manhã de fins de novembro, no princípio era o verbo, canta-me ó deusa do pélide Aquiles as damas os cavaleiros as armas os amores. Ponto e vai ao princípio sozinho. Prova prova prova parakaló parakaló, com o programa certo faz até anagramas, e se você escreveu um romance inteiro sobre um herói sulista que se chama Rhett Butler e uma jovem caprichosa de nome Scarlett O'Hara, e depois não gosta, basta digitar um comando que Abu transforma o Rhett Butler em príncipe Andrei, a Scarlett em Natascha, Atlanta em Moscou, e terá escrito guerra e paz.

Abu vai fazer uma coisa: bato esta frase e ordeno-lhe que mude cada "a" em "akka" e cada "o" em "ulla", e lá vem uma frase que parece finlandês:

Akkabu fakkaz akkagullarakka umakka cullaisakka: bakkatulla estakka frakkase e ullardenulla akka Akkabu mudakkar cakkadakka "akka" em "akkakkakka" e cakkadakka "ulla" em "ullakka", e lakká vem umakka frakkase que pakkarece finlakkandês.

Ó ventura, ó vertigem da diferença, ó meu leitor/escritor vítima ideal de uma ideal insônia, ó vigília de finnegan, ó animal gracioso e benigno. Não te ajuda a pensar, mas te ajuda a pensar por ele. Uma máquina totalmente espiritual. Escrever com pena de ganso deve arranhar os suados pergaminhos e requer que se a molhe a cada instante, os pensamentos se sobrepõem e o pulso não mantém a linha; escrever à máquina as letras se acavalam, não podes avançar à velocidade de tua sinapse, mas apenas ao ritmo acanhado da mecânica. Com isto, com este (esta?) ao contrário os dedos fantasiam, a mente aflora o teclado, voando nas asas douradas, avalias finalmente a severa razão crítica logo à felicidade do primeiro toque.

Veaj peg este bloco fe tertalogua ortolaquina em memoria reponsde deum farloia sutil paraminguento, e apartune legalgitismamente num tlecando ao fim desis mesmo,

Veja, estava batendo às cegas, e agora tomei aquele bloco de teratologia ortográfica e comandei a máquina para repetir tudo desde o princípio, fazendo as correções, de modo que este aparecesse agora totalmente legível, perfeito, extraindo daquele angu um Puro Frumento.

Poderia arrepender-me e jogar fora esse primeiro bloco: deixo-o aqui apenas para mostrar como podem nesta tela coexistir o ser e o dever ser, contingência e necessidade. Contudo, poderia subtrair o bloco indesejado ao texto visível, mas não à memória, conservando assim o arquivo dos meus remorsos, roubando aos freudianos onívoros e aos virtuosos das variantes o prazer das conjecturas, a própria ocupação e a glória acadêmica.

Muito melhor que a memória verdadeira, porque esta, quiçá a preço de duro exercício, aprende a lembrar mas não a esquecer. Diotallevi ficou sefarditicamente louco com aqueles palácios de grandes escadarias, e a estátua de um guerreiro que perpetra crime horrível contra a mulher indefesa, depois corredores com centenas de quartos, cada qual com a representação de um portento, aparições súbitas, acontecimentos inquietantes, múmias animadas, e a cada imagem, fácil de gravar, pode-se associar um pensamento, uma categoria, um elemento da alfaia cósmica, decerto um silogismo, um sorites desmedido, cadeias de apotegmas, colares de hipálages, rosários de zeugmas, danças de histeron-próteron, lógoi apofânticos, hierarquias de *stoicheias*, precessões de equinócios, paralaxes, herbários, genealogias de gimnosofistas — *ad infinitum* — ó Raimundo, ó Camilo, que vos bastava repassar na mente as vossas visões e logo reconstruíeis a grande cadeia do ser, em *love and joy*, pois tudo aquilo que se desencadeia no universo em vossa mente já estava reunido em volume, e Proust vos teria feito sorrir. Mas quando juntamente com Diotallevi pensávamos construir uma *ars oblivionalis*, não conseguimos chegar a encontrar as regras para o esquecimento. É inútil, podes andar em busca do tempo perdido seguindo lábeis indícios como o Pequeno Polegar no bosque, mas não consegues perder de propósito o tempo reencontrado, como uma ideia fixa. Não existe uma técnica do esquecimento, estamos ainda nos processos naturais causais — lesões cerebrais, amnésia ou a improvisação manual, sei lá, uma viagem, o álcool, a sonoterapia, o suicídio.

Abu pode, ao contrário, conceder-te pequenos suicídios locais, amnésias provisórias, afasias indolores.

Onde estavas ontem à noite, L

Muito bem, leitor indiscreto, tu jamais saberás, mas aquela linha interrompida aí em cima era exatamente o início de uma longa frase que escrevi de fato mas que depois preferi não ter escrito (e nem mesmo pensado), porque queria que o escrito não tivesse sequer acontecido. Bastou um comando para que uma baba lactiginosa se espalhasse sobre o texto fatal e inoportuno, apertei a tecla "cancelar" e pssst, tudo desapareceu.

Mas não basta. O trágico do suicida é que, mal ele salta da janela, entre o sétimo e o sexto andares, raciocina: "Ah, se pudesse voltar atrás!" Mas em vão. Jamais aconteceu. Splash. Abu, ao contrário, é indulgente, permite a resipiscência, poderia em seguida recuperar meu texto desaparecido se decidisse em tempo e comprimisse a tecla de recuperação. Que alívio. Só de saber que, se quiser, poderei recordar, esqueço num minuto.

Não mais andarei pelos barezinhos a desintegrar naves espaciais com os projéteis tracejantes, já que o monstro não te desintegra. Faz melhor que isso, desintegra os pensamentos. É uma galáxia de milhares e milhares de asteroides, todos enfileirados, brancos ou verdes, acredite se quiser. Fiat Lux, Big Bang, sete dias, sete minutos, sete segundos, e nasce diante de teus olhos um universo em perene liquefação, onde não existem nem mesmo linhas cosmológicas precisas e vínculos temporais, nada senão *numerus Clausius*, aqui se vai para trás mesmo no tempo, os caracteres surgem e reafloram com ar indolente, brotam do nada e dóceis a ele retornam, e quando voltas a chamar, concatenas, cancelas, dissolvem-se e reectoplasmam-se em seu lugar natural, é uma sinfonia submarina de enlaçamentos e fraturas moles, uma dança gelatinosa de cometas autófagos, como o lúcio do Yellow Submarine; premes a falangeta e o irreparável começa a escorregar para trás na direção de uma palavra voraz desaparecendo em suas fauces, que a suga e swrrlurp, lá se foi, se não paras, ela se come a si mesma e se engorda de seu nada, buraco negro de Cheshire.

E se escreves algo que o pudor não queira, tudo acaba no disquete, neste imprimes uma palavra de ordem, e pronto, ninguém mais te poderá ler, ótimo para os agentes secretos, escreves a mensagem, pões a ressalva e terminado, metes o disco no bolso e vais à vida, que nem mesmo Torquemada poderá saber o que escreveste, apenas tu e o outro (o Outro?). Supõe também que te torturam, finges que vais confessar e digitas a palavra, mas em vez disso comprimes uma tecla oculta e a mensagem lá se foi.

Ora, eu havia escrito algo, movi o polegar por engano, desapareceu tudo. Que era? Não me lembro. Sei que não estava revelando Mensagem alguma. Mas quem sabe a seguir.

4

QUEM TENTA PENETRAR NO ROSAL DOS FILÓSOFOS

*Quem tenta penetrar no Rosal dos Filósofos sem possuir a
chave lembra o homem que procura caminhar sem pés.*

(Michael Maier, Atalanta Fugiens, Oppenheim,
De Bry, 1618, emblema XXVII)

A descoberto, só havia isto. O resto tinha de procurar nos disquetes do *word processor*. Estavam dispostos em ordem numérica e pensei que tanto fazia começar pelo primeiro. Mas Belbo havia mencionado a senha. Sempre fora cuidadoso com os segredos de Abu.

Com efeito, mal liguei a máquina, apareceu uma mensagem que me perguntava: "Você tem a senha?" Forma não imperativa, Belbo era uma pessoa educada.

A máquina não colabora, sabe que deve receber a palavra, não a recebe, fecha-se. Como se acaso me dissesse: "Ouve lá, tudo o que queres saber eu trago aqui na minha pança, mas cava cava, velha toupeira, jamais o encontrarás." Vire-se, disse para mim; gostavas tanto de jogar permutações com Diotallevi, eras o Sam Spade da editora, como disse Jacopo Belbo, trata de encontrar o falcão.

A senha de Abulafia podia ser de sete letras. Quantas permutações de sete letras se poderiam fazer com as 25 letras do alfabeto, calculando ainda as repetições, pois nada impedia que a palavra fosse "cadabra"? Existe a fórmula em alguma parte, e o resultado deve dar seis bilhões e pouco. Se tivesse um computador gigante, capaz de encontrar seis bilhões de permutações a um milhão por segundo, teria mesmo assim de comunicar uma por uma a Abulafia, para experimentá-las, e sabia que ele precisava de cerca de dez segundos para perguntar e em seguida checar a *password*. Logo, sessenta bilhões de segundos. Visto que num ano há pouco mais de 31 milhões, digamos trinta para arredondar, o tempo de trabalho seria algo como dois mil anos. Nada mau.

Era necessário proceder por conjecturas. Em que palavra poderia ter pensado Belbo? Primeiramente, seria uma palavra que tivesse escolhido no princípio, quando começou a usar a máquina, ou que houvesse descoberto, e mudado, nos últimos dias, ao se dar conta de que os disquetes continham material explosivo e o jogo, pelo menos para ele, já não era mais um jogo? Seria muito diferente.

Melhor optar pela segunda hipótese. Belbo sente-se perseguido pelo Plano, leva o Plano a sério (pelo menos assim me havia deixado perceber pelo telefone), e pensa então em algum termo que tem relação com a nossa história.

Ou talvez não: um termo ligado à Tradição podia da mesma forma ocorrer à mente d'Eles. Por um momento pensei que talvez Eles tivessem entrado no apartamento, copiado os disquetes, e naquele instante mesmo estariam experimentando todas as combinações possíveis em algum local remoto. O calculador máximo num castelo dos Cárpatos.

Que tolice, admiti comigo, aquilo não era gente de calculador, teriam usado o Notarikon, a Gematria, a Temurá, tratando os disquetes como se fossem a Torá. E teriam gasto tanto tempo nisto quanto gastaram na redação do *Sefer Ietzirah*. Contudo, a conjectura não era de desprezar. Se Eles existissem, certamente haveriam de seguir uma inspiração cabalística, e se Belbo estava convencido de que de fato existiam, possivelmente teria seguido a mesma via.

Por desencargo de consciência, tentei com as dez sefirot: Keter, Hokmah, Binah, Hesed, Geburah, Tiferet, Nezah, Hod, Jesod, Malkut, e ainda introduzi a Shekinah de lambujem... Não funcionava, é claro, era a primeira ideia que poderia ocorrer à mente de qualquer um.

Contudo, a palavra devia ser qualquer coisa de óbvio, que vem à mente por força das circunstâncias, pois quando trabalhas num texto, e de maneira obsessiva, como devia ter trabalhado Belbo nos últimos dias, não te podes esquivar do universo do discurso em que vives. Seria desumano pensar que ele tivesse enlouquecido por causa do Plano e que lhe viesse à mente apenas, sei lá, Lincoln ou Mombasa. Deveria ser algo relacionado com o Plano. Mas o quê?

Busquei identificar-me com os processos mentais de Belbo, que havia escrito fumando compulsivamente, bebendo e olhando à sua volta. Fui à cozinha e despejei o último gole de uísque no último copo limpo que encontrei, voltei para o console, as costas contra o espaldar, as pernas sobre a mesa, bebendo a curtos goles (não era assim que fazia Sam Spade — ou seria o Marlowe?) e girando o olhar em torno. Os livros estavam distantes demais e não se podia ler os títulos nas lombadas.

Tomei a última gota de uísque, fechei os olhos, reabri-os. Diante de mim a estampa seiscentista. Era uma típica alegoria rosacruciana daquele período, tão rico de mensagens em código, destinada aos membros da Fraternidade. Representava evidentemente o Templo dos rosa-cruzes, onde aparecia uma torre da qual ascendia uma cúpula, segundo o modelo iconográfico renascentista, cristão e hebraico, no qual o Templo de Jerusalém aparecia reconstruído segundo o modelo da Mesquita de Omar.

A paisagem em torno à torre era incôngrua e povoada de modo impróprio, como ocorre naqueles rebus onde se veem um palácio, uma rã em primeiro plano, um mulo com uma sela grosseira de palha e um rei que recebe a dádiva de um pajem. Ali, à esquerda, embaixo, um cavaleiro, seguro a uma roldana presa a um eixo cilíndrico, saía de um poço por força de estranhos cabrestantes puxados para um ponto no interior da torre, através de uma janela circular. No centro, um cavaleiro e um passageiro, à direita, um peregrino ajoelhado que segura uma âncora como um viajante. Do lado direito, quase em frente, um pico, uma rocha da qual se precipita um personagem com espada, e, do lado oposto, em perspectiva, o Ararat, com a Arca encalhada no topo. Ao alto, nos ângulos, duas nuvens, cada qual iluminada por uma estrela, irradiando sobre a torre os seus raios oblíquos, ao longo dos quais levitam duas figuras, um homem nu envolvido por uma serpente e um cisne. No alto, ao centro, um nimbo sobre o qual havia a palavra "oriens" em caracteres hebraicos, donde despontava a mão de Deus que sustinha a torre por meio de um fio.

A torre movia-se sobre rodas, tinha uma primeira elevação quadrangular, com janelas, uma porta, uma ponte levadiça, na lateral direita, depois uma espécie de balaustrada com quatro torreões de observação, cada qual guardado por um soldado com um escudo (gravado com caracteres hebraicos), e agitando uma palma. Mas só três dos quatro soldados eram visíveis, o quarto se adivinhava, oculto pela grande cúpula octogonal, sobre a qual se elevava um tibúrio, também octogonal, e deste despontava um grande par de asas. Por cima, havia outra cúpula menor, com uma torrezinha quadrangular que, aberta em grandes arcos suspensos por delgadas colunas, deixava ver no seu interior um sino. Depois, uma cupulazinha final, de quatro gomos, acima da qual se estendia o fio mantido no alto pela mão divina. Nas laterais da cupulazinha, a palavra "Fa/ma", e sobre a cúpula, um friso: "Collegium Fraternitatis".

Não acabavam aí as bizarrices, porque das outras duas janelas redondas da torre despontavam, à esquerda, um braço enorme, desproporcional em relação às outras figuras, empunhando uma espada, como se pertencesse ao ser alado inserido na torre, e à direita uma imensa corneta. A corneta, por sua vez...

Comecei a suspeitar do número de aberturas da torre: rigorosamente regulares nos tibúrios, mas casuais nas laterais da base. A torre era vista apenas de dois quartos, em perspectiva ortogonal, e era possível imaginar-se que, por motivos de simetria, as portas, as janelas e a vigia que se viam de um lado, abaixo, estivessem reproduzidas na mesma ordem do lado oposto. Portanto, quatro arcos no tibúrio do sino, oito janelas no tibúrio inferior, quatro torrezinhas, seis aberturas entre a fachada oriental e a ocidental, 14 entre a fachada setentrional e a meridional. Fiz os cálculos: 36 aberturas.

Trinta e seis. Há mais de dez anos que esse número me obceca. E também o 120. Os rosa-cruzes. Cento e vinte dividido por 36 dava — mantendo sete dígitos — 3,333333. Exageradamente perfeito, mas talvez valesse a pena experimentar. Sem resultado.

Ocorreu-me que aquela cifra, multiplicada por dois, dava aproximadamente o número da Besta, 666. Mas essa conjectura também se revelou por demais fantasiosa.

Chamou-me a atenção de repente o nimbo central, sede divina. Eram muito evidentes os caracteres hebraicos, que eu podia ver até mesmo da cadeira onde estava. Mas Belbo não podia escrever letras hebraicas no Abulafia. Observei melhor: eu as conhecia, sem dúvida, da direita para a esquerda, *jod*, *he*, *waw*, *he*. Iahveh, o nome de Deus.

5

COM AS VINTE E DUAS LETRAS FUNDAMENTAIS

Com as vinte e duas letras fundamentais que gravou,
plasmou, combinou, sopesou e permutou, ele deu forma a
todo o criado e ao que se há de formar no futuro.

(Sefer Ietzirah, 2.2)

O nome de Deus... É claro. Lembrei-me do primeiro diálogo entre Belbo e Diotallevi, no dia em que instalaram Abulafia no escritório.

Diotallevi estava à porta de sua sala, e ostentava indulgência. A indulgência de Diotallevi era sempre ofensiva, mas Belbo parecia aceitá-la, de fato, com indulgência.

"Não te servirá para nada. Não vai querer reescrever ali os manuscritos que não lê?"

"Serve para classificar, para ordenar índices e atualizar verbetes. Poderei escrever um texto meu, não o de outros."

"Mas juraste que nunca mais escreverias nada teu."

"Jurei que não afligiria o mundo com outro manuscrito. Disse que havendo descoberto não ter o estofo do protagonista..."

"...serias um espectador inteligente. Isso já sei. E daí?"

"Daí que até o espectador inteligente, quando volta de um concerto, cantarola um trecho do segundo movimento. O que não significa de forma alguma pretender regê-lo no Carnegie Hall..."

"Quer dizer então que farás experiências de escrita solfejada para descobrir que não deves escrever."

"Seria uma decisão honesta."

"É mesmo?"

Diotallevi e Belbo eram ambos de origem piemontesa e com frequência comentavam sobre a capacidade dos piemonteses de ouvir-te, com toda a cortesia, olhar-te bem nos olhos e perguntar "É mesmo?" num tom que parece de educado interesse, mas que na verdade te faz sentir objeto de profunda desaprovação. Eu era um bárbaro, diziam eles, e essas sutilezas me haveriam sempre de escapar.

"Bárbaro?", protestava. "Mas eu nasci em Milão, e minha família é de origem valdostana..."

"Tolice", diziam, "conhece-se um piemontês imediatamente pelo seu ceticismo."

"Mas eu sou cético."

"Não. Você é apenas incrédulo, o que é diferente."

Eu sabia por que Diotallevi duvidava de Abulafia. Ouvira dizer que com ele se podia alterar a ordem das letras, de modo que um texto poderia gerar seu próprio contrário e prometer sombrios vaticínios. Belbo tentava explicar-lhe. "São jogos de permutação", dizia, "não chamas a isso Temurá? Não é assim que o rabino devoto procede para ascender às portas do Esplendor?"

"Meu caro amigo", dizia-lhe Diotallevi, "jamais haverás de compreender. É verdade que a Torá, refiro-me à visível, é apenas uma das possíveis permutações das letras da Torá eterna, como Deus a concebeu e a confiou a Adão. E que, permutando-se ao longo dos séculos as letras do livro, poder-se-ia chegar à Torá originária. Mas não é o resultado que conta. É o processo, a fidelidade com que farás girar ao infinito o moinho da oração e da escritura, descobrindo a verdade pouco a pouco. Se esta máquina te desse de súbito a verdade, não a reconhecerias, porque teu coração não estaria purificado por uma prolongada interrogação. Além do mais, num escritório! O Livro deve ser murmurado numa pequena casa de gueto, onde dia após dia aprendes a curvar-te e a mover os braços estendidos ao longo do corpo; entre a mão que segura o Livro e aquela que o folheia, não deve haver quase espaço, e para umedecer os dedos deves levá-los verticalmente aos lábios, como se mordiscasses o pão ázimo, atento em não perder a mínima migalha. A palavra precisa ser mastigada muito lentamente, e deves dissolvê-la e recombiná-la depois de a deixares fundir sobre a língua, atento a que ela não respingue sobre o cafetã, pois se uma letra se evapora, quebras o fio que está para se unir às sefirot superiores.

Abraham Abulafia dedicou sua vida a isso, enquanto o vosso Santo Tomás se empenhava em encontrar a Deus através de suas cinco sendas. A sua *Hokmath ha-Zeruf* era ao mesmo tempo ciência da combinação das letras e ciência da purificação dos corações. Lógica mística, o mundo das letras e de seu vórtice em permutações infinitas é o mundo da beatitude, a ciência das combinações é a música do pensamento; mas tenhas cuidado em mover-te com lenteza e com cautela, caso contrário tua máquina poderá proporcionar-te o delírio, e não o êxtase. Muitos dos discípulos de Abulafia não souberam manter-se naquela soleira estreitíssima que separa a contemplação do nome de Deus da prática da magia, da manipulação dos nomes para deles se fazerem talismãs, instrumentos de domínio sobre a natureza. E não sabiam, como tu não sabes — e nem sabe a tua máquina — que cada letra está ligada a um dos membros do corpo, e se deslocas uma consoante sem lhe conheceres o poder, uma de tuas articulações pode mudar de posição, ou natureza, ver-te-ás terrivelmente estropiado, pela vida inteira, e, em teu interior, por toda a eternidade."

"Queres saber de uma coisa", dissera-lhe Belbo naquele mesmo dia, "em vez de me dissuadir, até me encorajaste. Não é que tenho às mãos, e sob o meu comando, como teus amigos tinham o Golem, o meu Abulafia pessoal. Vou chamá-lo de Abulafia, Abu para os íntimos. E o meu Abulafia será mais cauto e respeitoso que o teu. Mais modesto. O problema não é encontrar todas as combinações do nome de Deus? Pois bem, olha aqui neste manual, tenho um pequeno programa em Basic para permutar todas as sequências de quatro letras. Parece mesmo feito de propósito para IHVH. Aqui está, quer que o ponha na máquina?" E lhe mostrou o programa, este sim, cabalístico para Diotallevi:

```
10 REM anagrammi
20 INPUT L$(1),L$(2),L$(3),L$(4)
30 PRINT
40 FOR I1=1 TO 4
50 FOR I2=1 TO 4
60 IF I2=I1 THEN 130
70 FOR I3= 1 TO 4
80 IF I3=I1 THEN 120
90 IF I3=I2 THEN 120
100 LET I4=10-(I1+I2+I3)
```

```
110 LPRINT L$(I1);L$(I2);L$(I3);L$(I4)
120 NEXT I3
130 NEXT I2
140 NEXT I1
150 END
```

"Experimenta, escreve I, H, V, H quando o *input* pedir, e põe o programa para funcionar. Não obtiveste grande coisa: as permutações possíveis são apenas 24."

"Santos Serafins. E o que farás com 24 nomes de Deus? Achas que os nossos sábios já não haviam feito o cálculo? Basta ler o *Sefer Ietzirah*, 16ª seção do capítulo quarto. E não tinham calculadoras. Duas Pedras constroem duas Casas. Três Pedras constroem seis Casas. Quatro Pedras constroem 24 Casas. Cinco Pedras constroem 120 Casas. Seis Pedras constroem 720 Casas. Sete Pedras constroem 5.040 Casas. Daqui por diante vai e pensa naquilo que a boca não pode dizer e os ouvidos não podem escutar. Sabes como se chama hoje isto? Cálculo fatorial. E sabes por que a Tradição te adverte que dali para a frente é melhor desistir? Porque se as letras do nome de Deus fossem oito, as permutações seriam quarenta mil, e se fossem dez seriam três milhões e seiscentas mil, as permutações de teu pobre nome seriam quase quarenta milhões, e ainda bem que não tens a *middle initial* dos americanos, pois que então subiriam para mais de quatrocentos milhões. E se as letras do nome de Deus fossem 27, como o alfabeto hebraico não tem vogais, mas 22 sons e mais cinco variantes — seus nomes possíveis seriam um número de 29 algarismos. Mas terias que calcular igualmente as repetições, pois não se pode excluir a hipótese de que o nome de Deus seja Alef repetido 27 vezes, e aí então os fatoriais já não te bastariam e terias que calcular 27 à 27ª potência; e terias, creio, 444 bilhões de bilhões de bilhões de bilhões de possibilidades, ou pouco menos que isso, em todo caso um número de 39 dígitos."

"Estás trapaceando para impressionar-me. Eu também li o teu *Sefer Ietzirah*. As letras fundamentais são 22, e com elas, apenas com elas, Deus formou toda a criação."

"Contudo, é bom não recorreres aos sofismas, porque se entras nessa ordem de grandezas, se em vez de 27 à 27ª potência faz 22 à 22ª, acabas obtendo algo como 340 bilhões de bilhões de bilhões. Em tua ordem de grandeza humana, que diferença faz? Mas saiba que se tivesses de contar um dois três e assim por diante, um número por segundo, só para chegar a um bilhão, um ínfimo bilhão, terias gasto quase 32 anos. Mas a questão é mais complexa ainda do que imaginas e a Cabala não se reduz ao *Sefer Ietzirah*. E digo isso porque uma boa permutação da Torá precisaria usar todas as 27 letras. É verdade que as cinco finais, se devessem no curso de uma permutação cair no corpo da palavra, se transformariam na sua equivalente normal. Mas isso nem sempre ocorre. Em Isaías 9:6,7, a palavra LMRBH, Lemarbah — que por acaso significa multiplicar —, é escrita com *mem* final no meio."

"E por quê?"

"Porque cada letra corresponde a um número e a *mem* normal vale quarenta, enquanto a *mem* final vale seiscentos. Não está em jogo a Temurá, que te ensina a permutar, mas sim a Gematria, que encontra sublimes afinidades entre a palavra e seu valor numérico. Com a *mem* final, a palavra LMRBH não vale 277, mas 837, equivalendo assim a 'ThThZL, Thath Zal', que significa 'aquele que doa profusamente'. Assim estás vendo que é necessário levar em consideração todas as 27 letras, pois o que conta é não apenas o som, mas igualmente o número. Porém, voltemos agora ao meu cálculo: as permutações são superiores a quatrocentos bilhões de bilhões de bilhões de bilhões. E sabe quanto tempo seria necessário para se experimentar todas elas, uma por segundo, admitindo-se que a máquina, não certamente a tua, pequena e miserável, pudesse fazê-lo? Com uma combinação por segundo; conseguirias sete bilhões de bilhões de bilhões de bilhões de minutos, 123 milhões de bilhões de bilhões de bilhões de horas, pouco mais de cinco milhões de bilhões de bilhões de bilhões de dias, 14 mil bilhões de bilhões de bilhões de anos, 140 bilhões de bilhões de bilhões de séculos, 14 bilhões de bilhões de bilhões de milênios. E se tivesse uma calculadora capaz de processar um milhão de combinações por segundo, ah, imagina, quanto tempo ganharias, esse teu ábaco eletrônico demoraria 14 mil bilhões de bilhões de milênios! Mas na verdade o verdadeiro nome de Deus, seu nome secreto, o da Torá, é tão longo quanto ela e não há máquina no mundo capaz de esgotar as permutações, pois a Torá já é em si mesma o resultado de uma permutação com repetições das 27 letras, e a arte da Temurá não o ensina que devas permutar as 27 letras do alfabeto mas todos os signos da Torá, em que cada signo vale como se fosse uma letra independente, mesmo se aparece infinitas outras vezes em outras tantas páginas, como a dizer que os dois *hau* do nome de Ihvh valessem por duas letras. Assim sendo, se quiseres calcular as permutações possíveis de todos os signos da Torá inteira, não seriam bastantes todos os zeros do mundo. Tenta, tenta com a tua miserável maquininha de contabilistas. A Máquina existe, na verdade, mas não foi produzida no teu vale de silicone, é a santa Cabala ou Tradição, e os rabinos vêm fazendo há séculos aquilo que máquina alguma poderá fazer, e esperemos não faça nunca. Porque, quando a combinatória esgotasse, o resultado teria que permanecer secreto, senão o universo teria cessado o seu ciclo — e fulguraríamos imêmores na glória do grande Metátron."

"Amém", dizia Jacopo Belbo.

No entanto, Diotallevi o estava arrastando a esse tipo de vertigem, e eu devia ter percebido. Quantas vezes vira Belbo, depois do expediente, tentando programas que lhe permitissem verificar os cálculos de Diotallevi, para demonstrar-lhe pelo menos que o seu Abu lhe dizia a verdade em poucos segundos, sem necessidade de calcular à mão, sobre pergaminhos amarelecidos, com sistemas numéricos pré-diluvianos, que talvez, digo por dizer, não conhecessem nem mesmo o zero? Inutilmente, também Abu respondia, até onde podia chegar, por meio de notações exponenciais, de modo que Belbo não conseguia humilhar Diotallevi com uma tela que se enchesse de zeros até o infinito, vaga imitação visual da multiplicação dos universos combinatórios e da explosão de todos os mundos possíveis...

Ora, no entanto, depois de tudo aquilo, e com a ilustração rosacruciana à minha frente, era impossível que Belbo não tivesse recorrido, em sua busca de um *password*, àqueles exercícios em torno do nome de Deus. Mas haveria de jogar com números como 36 ou 120, se era verdade, como eu conjecturava, que ele também estivesse obcecado por aqueles algarismos. Portanto, não podia ter combinado as quatro letras hebraicas porque, bem o sabia, quatro pedras construíam apenas 24 casas.

Poderia ter tomado a transcrição italiana, que contém ainda duas vogais. Com seis letras, teria à sua disposição 720 permutações. Teria podido escolher a 36ª ou a 120ª.

Havia chegado ali por volta das onze, e já era uma. Tinha que compor um programa para anagramas de seis letras, bastando modificar aquele existente para quatro.

iahveh	iahvhe	iahevh	iahehv	iahhve	iahhev	iavheh	iavhhe
iavehh	iavehh	iavhhe	iavheh	iaehvn	iaehnv	iaevhn	iaevnn
iaehhv	iaehvh	iahhve	iahhev	iahvhe	iahveh	ianehv	ianevh
ihaven	ihavhe	ihaevn	ihaehv	ihanve	ihanev	invaeh	ihvane
ihveah	ihveha	ihvhae	ihvhea	iheavh	iheahv	ihevah	ihevha
ihehav	ihehva	ihhave	ihhaev	ihhvae	ihhvea	ihheav	ihheva
ivahen	ivahhe	ivaehh	ivaehh	ivahhe	ivaheh	ivhaeh	ivhahe
ivheah	ivheha	ivhhae	ivhhea	iveahh	iveahh	ivenah	ivehha
ivehah	ivehha	ivhahe	ivhaeh	ivhhea	ivhhea	ivheah	ivneha
ieahvh	ieahhv	ieavhh	ieavhh	ieahhv	ieahvn	iehavh	iehahv
iehvah	iehvha	iehhav	iehhva	ievahh	ievahh	ievhah	ievhha
ievhah	ievhha	ienahv	iehavn	iehhav	iehhva	ienvah	ievhha
ihahve	ihahev	ihavhe	ihaven	ihaehv	ihaevh	ihhave	ihhaev
ihhvae	ihhvea	ihheav	ihheva	ihvane	ihvaen	invhae	invhea
ihveah	ihveha	iheahv	iheavh	ihehav	ihehva	ihevah	ihevha
aihveh	aihvhe	aihevh	aihehv	aihhve	aihhev	aivheh	aivnne
aivehh	aivehh	aivhhe	aivheh	aiehvh	aiehhv	aievhh	aievhh
aiehhv	aiehvh	aihhve	aihhev	aihvhe	aihveh	ainehv	ainevh
ahiven	ahivhe	ahievh	ahiehv	ahihve	ahihev	ahvieh	ahvihe
ahveih	ahvehi	ahvhie	ahvhei	aheivh	aheihv	ahevih	ahevhi
ahehiv	ahehvi	ahhive	ahhiev	ahhvie	ahhvei	ahheiv	ahhevi
aviheh	avihhe	aviehh	aviehh	avihhe	avihen	avhieh	avhihe
avheih	avhehi	avhhie	avhhei	aveihh	aveihh	avehih	avehhi
aveihh	avehhi	avhihe	avhieh	avhhie	avhhei	avheih	avhehi
aeihvh	aeihhv	aeivhh	aeivhh	aeihhv	aeihvh	aehivh	aehihv
aehvih	aehvhi	aehhiv	aehhvi	aevihh	aevihh	aevhih	aevhhi
aevhih	aevhhi	aehhiv	aehhvi	aehhiv	aehhvi	aenvih	aehvhi
ahihve	ahihev	ahivhe	ahiveh	ahiehv	ahievh	ahhive	ahhiev
ahhvie	ahhvei	ahheiv	ahhevi	ahvihe	ahvieh	ahvhie	ahvhei
ahveih	ahvehi	aheihv	aheivh	ahehiv	ahehvi	ahevih	ahevhi
hiaveh	hiavhe	hiaevh	hiaehv	hiahve	hiahev	hivaeh	hivahe
hiveah	hiveha	hivhae	hivhea	hieavh	hieahv	hievah	hievha
hiehav	hiehva	hihave	hihaev	hihvae	hihvea	hiheav	hiheva
haiveh	haivhe	haievh	haiehv	haihve	haihev	havieh	havihe
haveih	havehi	havhie	havhei	haeivh	haeihv	haevih	haevhi
haehiv	haehvi	hahive	hahiev	hahvie	hahvei	haheiv	hahevi
hviaeh	hviahe	hvieah	hvieha	hvihae	hvihea	hvaieh	hvaihe
hvaeih	hvaehi	hvahie	hvahei	hveiah	hveiha	hveaih	hveahi
hvehia	hvehai	hvhiae	hvhiea	hvhaie	hvhaei	hvheia	hvheai
heiavh	heianv	heivah	heivha	heihav	heihva	heaivh	heaihv
heavih	heavhi	heahiv	heahvi	heviah	heviha	hevaih	hevahi
hevhia	hevhai	hehiva	hehiva	hehaiv	hehavi	hehvia	hehvai
hhiave	hhiaev	hhivae	hhivea	hhieav	hhieva	hhaive	hhaiev
hhavie	hhavei	hhaeiv	hhaevi	hhviae	hhviea	hhvaie	hhvaei
hhveia	hhveai	hheiav	hheiva	hheaiv	hheavi	hhevia	hhevai
viaheh	viahhe	viaehh	viaehh	viahhe	viahen	vihaeh	vihahe
viheah	vihena	vihhae	vihhea	vieahh	vieahh	viehah	viehha
viehah	viehha	vihahe	vihaeh	vihhae	vihhea	vineah	viheha
vaiheh	vaihhe	vaiehh	vaiehh	vaihhe	vaiheh	vahieh	vahihe
vaheih	vahehi	vahhie	vahhei	vaeihh	vaeihh	vaehih	vaehhi
vaehih	vaehhi	vaehhi	vahieh	vahhie	vahhei	vaheih	vahehi
vhiaeh	vhiahe	vhieah	vhieha	vhihae	vhihea	vhaieh	vhaihe
vhaeih	vhaehi	vhahie	vhahei	vheiah	vheiha	vheaih	vheahi
vhehia	vhehai	vhhiae	vhhiea	vhhaie	vhhaei	vhheia	vhheai
veiahh	veiahh	veihah	veihha	veihah	veihha	veaihh	veaihh
veahih	veahhi	veahih	veahhi	vehiah	vehiha	vehaih	vehahi
vehhia	vehhai	vehiah	vehiha	vehaih	vehahi	vehhia	vehhai
vhiahe	vhiaeh	vhihae	vhihea	vhieah	vhieha	vhaine	vhaieh
vhahie	vhahei	vhaeih	vhaehi	vhhiae	vhhiea	vhhaie	vhhaei
vhheia	vhheai	vheiah	vheiha	vheaih	vheahi	vhehia	vnehai
eiahvh	eiahhv	eiavhh	eiavhh	eiahhv	eiahvn	eihavn	eihanv
eihvah	eihvha	einvha	eihhva	eivahn	eivahn	eivhah	eivhha
eivhah	eivhha	eihahv	eihavh	eihhav	eihhva	eihvah	eihvha
eaihvn	eaihhv	eaivhh	eaivhh	eaihhv	eaihvh	eahivh	eahihv
eahvih	eahvhi	eahhvi	eahhvi	eavihh	eavihh	eavhih	eavhhi
eavhih	eavhhi	eahihv	eahivh	eahhiv	eahhvi	eanvih	eahvni
ehiavh	ehiahv	ehivah	ehivha	ehihav	ehihva	ehaivh	ehaihv
ehavih	ehavhi	ehahiv	ehahvi	ehviah	ehviha	ehvaih	ehvahi
ehvhia	ehvhai	ehhiav	ehhiva	ehhaiv	ehhavi	ehhvia	ehhvai
eviahh	eviahh	evihah	evihha	evihah	evihha	evaihh	evaihh
evahih	evahhi	evahih	evahhi	evhiah	evhiha	evhaih	evhahi
evhhia	evhhai	evhiah	evhiha	evhaih	evhahi	evhhia	evhhai

```
ehiahv   ehiavh   ehihav   ehihva   ehivah   ehivha   ehaihv   ehaivh
ehahiv   ehahvi   ehavih   ehavhi   ehhiav   ehhiva   ehhaiv   ehhavi
ehhvia   ehhvai   ehviah   ehviha   ehvaih   ehvahi   ehvhia   ehvhai
hiahve   hiahev   hiavhe   hiaveh   hiaehv   hiaevh   hihave   hihaev
hihvae   hihvea   hiheav   hiheva   hivahe   hivaeh   hivhae   hivhea
hiveah   hiveha   hieahv   hieavh   hiehav   hiehva   hievah   hievha
haihve   haihev   haivhe   haiveh   haiehv   haievh   hahive   hahiev
hahvie   hahvei   haheiv   hahevi   havihe   havieh   havhie   havhei
haveih   havehi   haeihv   haeivh   haehiv   haehvi   haevih   haevhi
hhiave   hhiaev   hhivae   hhivea   hhieav   hhieva   hhaive   hhaiev
hhavie   hhavei   hhaeiv   hhaevi   hhviae   hhviea   hhvaie   hhvaei
hhveia   hhveai   hheiav   hheiva   hheaiv   hheavi   hhevia   hhevai
hviahe   hviaeh   hvihae   hvihea   hvieah   hvieha   hvaihe   hvaieh
hvahie   hvahei   hvaeih   hvaehi   hvhiae   hvhiea   hvhaie   hvhaei
hvheia   hvheai   hveiah   hveiha   hveaih   hveahi   hvehia   hvehai
heiahv   heiavh   heihav   heihva   heivah   heivha   heaihv   heaivh
heahiv   heahvi   heavih   heavhi   hehiav   hehiva   hehaiv   hehavi
hehvia   hehvai   heviah   heviha   hevaih   hevahi   hevhia   hevhai
Ok
```

Precisava respirar um pouco. Desci à rua, comprei comida, outra garrafa de uísque.

Subi de novo, deixei os sanduíches num canto, passei logo ao uísque, pus o disco de sistema para o Basic, compus o programa para seis letras, com os erros de sempre, gastando nisso uma boa meia hora, mas em torno das duas e meia o programa estava funcionando, e a tela fazia desfilar diante de meus olhos os 720 nomes de Deus.

Tomei em mãos o papel corrido da impressora, sem destacá-lo, como se consultasse o rolo da Torá originária. Tentei com o nome número 36. Escuro completo. Um último gole de uísque e, em seguida, com os dedos hesitantes, tentei com o número 120. Nada.

Tinha vontade de morrer. No entanto, agora eu era Jacopo Belbo e Jacopo Belbo devia ter pensado como eu estava pensando. Certamente cometera algum erro, um erro besta qualquer, um engano de nada. Estava a um passo da solução: quem sabe Belbo, por motivos que me escapavam, tinha contado de baixo para cima?

Casaubon, seu estúpido — disse para mim. Claro, de baixo para cima. Ou então, da direita para a esquerda. Belbo havia posto no computador o nome de Deus transcrito em caracteres latinos, com as vogais, certo, mas como a palavra era hebraica, foi escrita da direita para a esquerda. Seu *input* não tinha sido IAHVEH — como não haver pensado nisso antes —, mas HEVHAI. Era natural que naquele ponto a ordem das permutações se invertesse.

Precisava, pois, contar de baixo para cima. Tentei de novo ambos os números. Nada aconteceu.

Deu tudo errado. Eu havia insistido numa hipótese interessante mas falsa. Isso ocorre com os melhores cientistas.

Não apenas com os melhores cientistas. Com todos. Não havíamos observado precisamente um mês antes que nos últimos tempos foram publicados três romances nos quais o protagonista procura o nome de Deus num computador? Belbo não teria sido assim tão banal. Depois, vamos lá!, quando se escolhe uma senha escolhe-se uma de que se possa lembrar facilmente, que venha espontânea, e digita-se quase por instinto. Vejamos só, IHVHEA! Teria, pois, de sobrepor o Notarikon à Temurah, e inventar um acróstico para recordar a palavra. Algo assim como: *I*melda, *H*oje *V*ingou *H*iram *E*stupidamente *A*ssassinado...

Além do mais, por que Belbo devia pensar nos termos cabalísticos de Diotallevi? Ele estava obcecado pelo Plano, e no Plano havíamos incluído tantos outros componentes, os Rosa-cruzes, a Sinarquia, os Homúnculos, o Pêndulo, a Torre, os Druidas, a Ennoia...

A Ennoia... Pensei em Lorenza Pellegrini. Estendi a mão e desvirei a foto que eu havia censurado. Busquei afastar um pensamento importuno, a lembrança daquela noite no Piemonte... Aproximei de mim a foto e li a dedicatória. Dizia: "Porque sou a primeira e a última. Sou a preferida e a odiada. Sou a prostituta e a santa. Sophia."

Deve ter sido depois da festa na casa de Riccardo. Sophia, seis letras. E por que me ocorria anagramá-las? Eu é que pensava de modo retorcido. Belbo ama Lorenza, ama-a precisamente por ela ser como é, e ela é Sophia — e pensando que ela, naquele momento, talvez... Não, ou antes, Belbo pensa de modo muito mais retorcido. Voltavam-me à lembrança as palavras de Diotallevi: "Na segunda sefirah o Alef tenebroso se transmuta no Alef luminoso. Do Ponto Obscuro brotam as letras da Torá, o corpo são as consoantes, o hálito, as vogais, e juntas acompanham a cantilena do devoto. Quando a melodia dos signos se move, movem-se com ela as consoantes e as vogais. Surge então Hokmah, a Sabedoria, a Sapiência, a ideia primordial na qual tudo é contido, como num escrínio, pronto para desenvolver-se na criação. Em Hokmah está contida a essência de tudo quanto se seguirá..."

E o que era Abulafia, com sua reserva secreta de *files*? O cofre do qual Belbo conhecia, ou supunha conhecer, a Sophia. Escolheu um nome secreto para penetrar no íntimo de Abulafia, o objeto com o qual faz amor (o único), mas ao fazê-lo pensa ao mesmo tempo em Lorenza, busca uma palavra que conquiste Abulafia, mas que lhe sirva de talismã também para possuir Lorenza; gostaria de penetrar no coração de Lorenza e compreender, assim como pode penetrar no coração de Abulafia, quer que Abulafia seja impenetrável por todos os demais assim como Lorenza é impenetrável para ele, ilude-se em proteger, conhecer e conquistar o segredo de Lorenza assim como possui aquele de Abulafia...

Estava inventando para mim mesmo uma explicação e deixava-me iludir que fosse verdadeira. Igual em relação ao Plano: tomava os meus desejos como sendo a realidade.

Mas como já estava bêbado, voltei ao teclado e digitei SOPHIA. A máquina voltou a perguntar com delicadeza: "Tens a senha?" Máquina estúpida, não te emocionas nem mesmo ao pensamento em Lorenza.

6

JUDÁ LEON DEU-SE A PERMUTAÇÕES

Judá Leon deu-se a permutações
De letras e a complexas variações
E o nome pronunciou enfim que é a Chave,
A Porta, o Eco, o Hóspede e o Palácio...

(J. L. Borges, *El Golem*)

Agora, por ódio a Abulafia, diante da enésima obtusa pergunta ("Tens a senha?") respondi: "Não."

A tela começou a encher-se de palavras, de linhas, de índices, de uma enxurrada de frases.

Conseguira violar o segredo de Abulafia.

Estava tão excitado com a vitória que nem sequer me perguntei por que Belbo havia escolhido essa palavra. Agora eu sei, e sei ainda que, num momento de lucidez, ele havia compreendido o que eu compreendo agora. Mas naquela quinta-feira sabia apenas que havia vencido.

Pus-me a dançar, a bater as mãos, a cantar uma canção de caserna. Depois fui ao banheiro lavar o rosto. Voltei e passei para a impressora primeiramente o último *file*, o que Belbo havia escrito antes de sua fuga para Paris. Aí então, enquanto a impressora grasnava implacável, comecei a comer com sofreguidão, e a beber ainda mais.

Quando a impressora terminou, li, e fiquei perturbado, pois não conseguia decidir se estava diante de revelações extraordinárias ou se apenas testemunhava um delírio. Que sabia, no fundo, a respeito de Jacopo Belbo? O que aprendera dele nesses dois anos em que estive quase todos os dias a seu lado? Que confiança podia depositar no diário de um homem que, conforme ele próprio confessara, estava escrevendo em circunstâncias excepcionais, perturbado pelo álcool, pelo fumo, pelo terror, separado durante três dias de qualquer contato com o mundo?

Agora era noite, a noite de 21 de junho. Meus olhos lacrimejavam. Pela manhã estava de olho fixo na tela, ao som puntiforme produzido pela impressora. Verdadeiro ou falso aquilo que havia lido, o certo é que Belbo dissera que me telefonaria na manhã seguinte. Tinha que esperar ali. Sentia a cabeça girar.

Andei meio zonzo em direção ao quarto e deixei-me cair vestido como estava sobre a cama ainda desfeita.

Acordei por volta das oito de um sono profundo, viscoso, não me dando conta a princípio de onde estava. Por sorte havia sobrado um pacote de café e preparei o suficiente para algumas xícaras. O telefone não tocava, não ousei descer para comprar qualquer coisa, com medo de que Belbo ligasse enquanto eu estivesse fora.

Voltei para a máquina e comecei a imprimir os outros discos em ordem cronológica. Encontrei jogos, exercícios, relatórios de fatos que conhecia, mas agora, sob a visão pessoal de Belbo, surgiam-me sob luz diversa. Encontrei trechos de diário, confissões, esboços de provas, narrativas registradas com a teimosia amarga de quem já as sabe destinadas ao insucesso. Encontrei anotações, retratos de pessoas de quem eu me lembrava, mas que assumiam agora uma fisionomia diferente — quero dizer mais sinistra, ou quem sabe mais sinistro fosse o meu olhar, meu modo de recompor os indícios casuais de um tremendo mosaico final?

Sobretudo encontrei um *file* inteiro que registrava apenas citações. Fragmentos de leituras recentes de Belbo, reconhecia-as à primeira vista, quantos textos semelhantes àqueles havíamos lido naqueles últimos meses... Estavam numerados: 120. O número não era casual, ou melhor, a coincidência era inquietante. Mas por que aquelas e não outras?

Agora não consigo reler os textos de Belbo, e toda a história que me trazem à mente, senão à luz daquele *file*. Desfio os excertos como contas de um rosário herético, e mesmo me apercebo de que alguns deles teriam podido constituir, para Belbo, um alarme, uma tábua de salvação.

Ou sou eu que não consigo mais distinguir um bom ponto de vista da deriva do sentido? Procuro convencer-me de que minha releitura é a correta, mas não passará esta manhã sem que no entanto alguém me diga, e não a Belbo, que eu estava louco.

A lua sobe lentamente no horizonte sobre o Bricco. A grande casa está habitada por estranhos rangidos, talvez caruncho, ratos, ou o fantasma de Adelino Canepa... Não ouso percorrer os corredores, estou no escritório de tio Carlo, e olho pela janela. De vez em quando vou ao terraço, para verificar se alguém está se aproximando pela colina. Parece-me que estou num filme, que pena: "Eles estão chegando..."

No entanto, a colina está bastante calma nesta noite de início de verão.

Como era mais aventurosa, incerta, demente, a reconstrução que eu tentava, para enganar o tempo, e para manter-me vivo, naquela outra noite, das cinco às dez, firme no periscópio, enquanto para fazer o sangue circular movia lenta e debilmente as pernas, como se acompanhasse um ritmo afro-brasileiro.

Repensar os últimos anos abandonando-me ao rufar encantatório dos atabaques... Talvez para aceitar a revelação que as nossas fantasias, iniciadas como balé mecânico, agora naquele templo da mecânica se haviam transformado em rito, possessão, aparição e domínio de Exu?

Aquela noite no periscópio eu não tinha nenhuma prova de que tudo o que me revelara a impressora fosse verdade. Podia ainda beneficiar-me com a dúvida. Ao chegar a meia-noite talvez terei percebido que vim a Paris, que me escondi como um ladrão num inócuo museu da técnica, só por me haver metido estupidamente numa macumba organizada para turistas e me deixara prender pela hipnose dos perfumadores, e ao ritmo dos pontos...

E minha memória tentava, um após outro, o desencanto, a piedade e a suspeita, a fim de recompor o mosaico, e aquele clima mental, aquela mesma oscilação entre ilusão fabulatória e pressentimento de um embuste, era tudo o que eu gostaria de conservar agora, quando de mente mais lúcida reflito sobre o que então pensava, recompondo os documentos lidos freneticamente um dia antes, de manhã no aeroporto e durante minha viagem rumo a Paris.

Procurava esclarecer para mim mesmo o modo irresponsável pelo qual eu, Belbo e Diotallevi havíamos chegado a reescrever o mundo e — Diotallevi mo teria dito — a redescobrir as partes do Livro que estavam incisas a fogo branco, nos interstícios deixados por aquelas inseridas a fogo negro que povoavam, e pareciam deixar explícita, a Torá.

Aqui estou, agora, depois de haver readquirido — espero — a serenidade e o Amor Fati, para reproduzir a história que reconstituí, cheio de inquietação — e de esperança, ainda que falsa — no periscópio, há duas noites, depois de havê-la lido dois dias antes no apartamento de Belbo e por havê-la vivido em parte sem dela ter consciência, nos últimos 12 anos, entre o uísque do Pílades e a poeira da Garamond Editores.

Parte 3

BINAH

7

NÃO ESPEREIS DEMASIADO O FIM DO MUNDO

> *Não espereis demasiado o fim do mundo.*
>
> (Stanislaw J. Lec, *Aforyzmy, Fraszki,* Kraków,
>
> Wydawnictwo Literackie, 1977, "Mysli Nieuczesane")

Fazer um curso universitário depois dos 68 é o mesmo que ser admitido na Academia de Saint-Cyr aos 93. Tem-se a impressão de haver-se enganado com o ano do nascimento. Por outro lado, Jacopo Belbo, que tinha pelo menos 15 anos mais que eu, convenceu-me mais tarde de que esta é uma sensação que todas as gerações experimentam. Nascemos sempre sob o signo errado e estar no mundo em modo digno quer dizer corrigir dia após dia o próprio signo.

Creio que nos tornamos aquilo que nossos pais nos ensinaram a ser em tempos já idos, quando não se preocupavam em educar-nos. Formamo-nos por descartes de sabedoria. Eu tinha 10 anos e queria que eles me fizessem a assinatura de certo semanário que publicava as obras-primas da literatura mundial em quadrinhos. Não por mesquinhez, mas por suspeitar da qualidade dos quadrinhos, meu pai tendia a esquivar-se. "A finalidade desta revista", sentenciei então, citando a divisa da série, pois era um garoto astuto e persuasivo, "é educar de maneira agradável." Meu pai, sem erguer os olhos do jornal, disse: "A finalidade de teu jornal é a mesma de todos os jornais, ou seja, vender o máximo de exemplares possível."

A partir daquele dia tornei-me incrédulo.

Ou seja, arrependia-me de ter sido crédulo. Havia-me deixado arrastar por uma paixão da mente. Isso era credulidade.

Não é que o incrédulo não deva acreditar em nada. Não crê é em tudo. Crê numa coisa de cada vez, e numa segunda apenas se essa de certa maneira origina-se da primeira. Procede de maneira míope, metódica, não arrisca horizontes. Acreditar em duas coisas que não estejam juntas, com a ideia de que em alguma parte deve haver uma terceira, oculta, que as integra, é a boa imagem da credulidade.

A incredulidade não exclui a curiosidade, corrobora-a. Desconfiado da cadeia das ideias, destas eu amava a polifonia. Basta não acreditar nelas, para que duas ideias — ambas falsas — possam colidir criando um bom intervalo ou um *diabolus in musica*. Não respeitava as ideias sobre as quais outros apostavam a vida, mas duas ou três ideias que eu não respeitava podiam criar melodia. Ou ritmo, melhor se jazz.

Mais tarde Lia me haveria de dizer: "Vives de superficialidades. Quando pareces profundo é porque consegues concentrar um grande número delas, dando-lhes a aparência de um sólido — um sólido que fosse sólido não conseguiria manter-se em pé."

"Estás dizendo que sou superficial?"

"Não", ter-me-ia respondido, "aquilo que os outros chamam profundidade é apenas um tesseract, um cubo tetradimensional. Entras de um lado, sais do outro, e te encontras num universo que não pode coexistir com o teu."

(Lia, não sei se voltarei a ver-te, agora que Eles entraram do lado errado e invadiram teu mundo, e por culpa minha: fiz-lhes acreditar que havia abismos, como eles queriam por fraqueza.)

O que de fato eu pensava há 15 anos? Cônscio de não crer, sentia-me culpado em meio a tantos que acreditavam. Ao sentir que estavam certos, decidi também crer, assim como quem toma uma aspirina. Mal não faz, e nos sentimos melhor.

Envolvi-me com a Revolução, ou pelo menos na mais estupenda simulação que dela já fizeram, buscando uma fé honrosa. Julguei que era digno participar de assembleias e desfiles, gritei, com os outros, "fascistas, burgueses, agora poucos meses!", não atirei pedras de calçadas nem esferas de metal porque sempre tive medo que os outros fizessem comigo aquilo que eu estava fazendo com eles, mas experimentava uma espécie de excitação moral ao fugir correndo pelas ruas do centro, quando a polícia investia contra nós. Voltava para casa com a sensação de haver cumprido um dever qualquer. Nas assembleias não conseguia apaixonar-me pelas divergências que dividiam os grupos: suspeitava que seria suficiente encontrar o discurso apropriado para se passar de um grupo ao outro. Divertia-me procurar as palavras pertinentes. Formulava.

Como me acontecia às vezes, nos comícios, enfileirar sob uma ou outra faixa só para seguir alguma garota que me perturbava a imaginação, concluí daí que para muitos de meus companheiros a militância política talvez fosse uma experiência sexual — e o sexo era uma paixão. Eu tinha apenas curiosidade. É certo que no curso de minhas leituras sobre os templários, e sobre várias crueldades que lhes eram atribuídas, dera com a afirmação de Carpócrates que, para libertar-se da tirania dos anjos, senhores do cosmo, acaba-se perpetrando todas as ignomínias, libertando-se dos débitos contraídos com o universo e com o próprio corpo, pois somente cometendo todas as ações a alma pode redimir-se das próprias paixões, reencontrando a pureza original. Enquanto criávamos o Plano, descobri que muitos drogados do mistério, para encontrar a iluminação, seguem aquele caminho. Mas Aleister Crowley, que foi definido como o homem mais perverso de todos os tempos, e que portanto fazia tudo o que podia fazer com devotos de ambos os sexos, só transou, segundo os seus biógrafos, com mulheres feíssimas (imagino que também os homens, a julgar pelo que escreviam, não fossem melhores), e me permanece a suspeita de que nunca tenha de fato feito amor de maneira plena.

Deve depender de uma relação entre a sede do poder e a *impotentia coeundi*. Marx me parecia interessante porque eu tinha certeza de que ele e sua Jenny faziam amor com gosto. Sente-se isso pelo respirar pausado de sua prosa, e de seu humor. Uma vez, ao contrário, nos corredores da universidade, eu disse que, de tanto se ir para a cama com a Krupskaia se acabava escrevendo um livreco como *Materialismo e empiriocriticismo*. Arrisquei ser expulso, e disseram que eu era fascista. Disse-o um sujeito alto, de bigodes à tártara. Recordo-me dele perfeitamente, hoje deve estar totalmente imberbe e filiado a uma comunidade qualquer onde se tecem cestos.

Reevoco os humores daquele tempo apenas para reconstituir o ânimo com que cheguei à Garamond e me simpatizei com Jacopo Belbo. Aproximei-me dele com o espírito de quem encara os discursos sobre a verdade ao preparar-se para corrigir os originais. Pensava que o problema fundamental, quando se cita "Eu sou aquele que é", fosse decidir onde colocar o sinal de pontuação, se fora ou dentro das aspas.

Por isso minha escolha política foi a filologia. A Universidade de Milão era naqueles anos exemplar. Enquanto em todo o resto do país as salas de aula eram invadidas e os professores agredidos, exigindo-se-lhes que só falassem da ciência proletária, entre nós, salvo algum incidente, havia um pacto constitucional, ou um compromisso territorial. A revolução protegia a área externa, a aula magna e os grandes corredores, enquanto a Cultura oficial se havia retirado, protegida e garantida, para os corredores internos e os andares superiores, e continuava a falar como se nada tivesse acontecido.

Assim eu podia passar a manhã embaixo, discutindo ciência proletária e a tarde em cima, praticando o saber aristocrático. Vivia à vontade nesses dois universos paralelos e não me sentia absolutamente em contradição. Também acreditava que estivesse à porta de uma sociedade igualitária, mas dizia a mim mesmo que naquela sociedade era necessário que funcionassem (melhor que antes), por exemplo, os trens, e os revolucionários que me rodeavam não estavam de fato aprendendo a dosar o carvão na caldeira, nem a acionar as agulhas dos desvios ou a organizar uma tabela de horários. Era preciso no entanto que alguém estivesse preparado para os trens.

Não sem algum remorso, sentia-me uma espécie de Stalin que ri sob os bigodes e pensa: "Tratem de trabalhar, pobres bolchevistas, enquanto eu estudo num seminário em Tíflis e depois o plano quinquenal traço eu."

Talvez porque pela manhã vivesse no entusiasmo, de tarde identificava o saber com a desconfiança. Quis assim estudar alguma coisa que me permitisse dizer o que se podia afirmar com base em documentos, para distingui-lo do que permanecia matéria de fé.

Quase casualmente, inscrevi-me num seminário de história medieval e escolhi como tese o processo dos templários. A história dos templários me havia fascinado, desde o momento em que dera de olhos com os primeiros documentos. Naquela época em que se lutava contra o poder, indignava-me bastante a história do processo, que seria indulgente definir-se como indiciário, com o qual os templários foram mandados à fogueira. Mas eu logo descobriria que, mal foram mandados à fogueira, uma turba de caçadores de mistérios havia tratado de reencontrá-los fosse onde fosse, mas sem jamais produzirem uma prova. Esse esbanjamento visionário irritava a minha incredulidade, e decidi não perder tempo com os caçadores de mistérios, atendo-me somente às fontes da época. Os templários eram uma ordem monástico-cavalaria, que existiu enquanto foi reconhecida pela Igreja. Se a Igreja dissolveu a ordem, e o faz há sete séculos, os templários não podiam mais existir, e se existissem não eram mais os templários. Com isso cheguei a fichar pelo menos uma centena de livros, mas no fim acabei lendo só uns trinta.

Entrei em contato com Jacopo Belbo precisamente por causa dos templários, no Pílades, quando estava trabalhando na tese, lá pelos fins de 1972.

8

VINDO DAS LUZES E DOS DEUSES

*Vindo das luzes e dos deuses, eis-me
no exílio, pois separado deles.*

(Fragmento de Turfa'n M7)

O bar Pílades era naqueles tempos o porto franco, a taverna galáctica onde os seres espaciais de Ophiulco, que assediavam a Terra, se encontravam sem atritos com os homens do Império que patrulhavam as faixas de van Allen. Era um velho bar junto aos canais Navigli, com balcão de zinco e bilhar, onde os motorneiros e artesãos da zona vinham no começo da manhã tomar seu trago. Por volta de 1978, e nos anos seguintes, o Pílades tornou-se um Rick's Bar onde na mesma mesa um militante do Movimento podia jogar cartas com um jornalista do jornal patronal, que lá ia para um gole no fechamento do número, quando os primeiros caminhões já partiam para distribuir nas bancas as mentiras do sistema. Mas no Pílades até mesmo o jornalista se sentia um proletário explorado, um produtor de mais-valias condenado a montar ideologias patronais, e os estudantes o absolviam.

Entre as onze da noite e as duas da manhã por ali passavam o gráfico, o arquiteto, o cronista policial que aspirava à terceira página, os pintores da academia de Brera, alguns escritores de nível médio e estudantes, como eu.

Um mínimo de excitação alcoólica era de rigor, e o velho Pílades, que guardava seus garrafões de vinho branco para os motorneiros e clientes mais aristocráticos, havia substituído o espumante e o Ramazzotti pelos frisantes DOC para os intelectuais democráticos e deixava o Johnny Walker para os revolucionários. Poderia escrever a história política daqueles anos registrando os tempos e os costumes durante os quais se passou gradativamente do rótulo vermelho ao Ballantines de 12 anos e finalmente ao uísque de malte puro.

Com a chegada do novo público, o Pílades havia mantido o velho bilhar, no qual se desafiavam na bola vermelha pintores e motorneiros, mas instalara igualmente um flíper.

Para mim uma bolinha durava pouquíssimo e a princípio achava que fosse por distração, ou por escassa agilidade manual. Percebi a verdade anos mais tarde quando vi Lorenza Pellegrini jogar. De início não a notei, mas tive-a na mira uma noite ao seguir o olhar de Belbo.

Belbo tinha uma maneira especial de estar no bar, parecendo sempre de passagem (frequentava-o havia pelo menos dez anos). Interferia amiúde nas conversas, no banco ou numa das mesinhas, mas quase sempre para arremessar uma farpa que esfriava os entusiasmos, qualquer que fosse o assunto que se discutisse. Gelava também com outra técnica, a das perguntas. Alguém contava um fato, polarizando a fundo os presentes, e logo Belbo encarava o interlocutor com aqueles seus olhos glaucos, sempre um pouco distraídos, mantendo o copo à altura dos quadris, como se já houvesse algum tempo tivesse esquecido de beber, e perguntava: "Mas foi assim mesmo?" Ou então: "Mas ele disse mesmo isto?" Não sei por que motivo, mas não havia quem àquela altura não começasse a duvidar da história, inclusive o narrador. Devia ser pela sua origem piemontesa que tornava interrogativas as suas afirmações e irônicas as suas interrogações. Nele, era piemontês até aquele modo de falar sem olhar muito nos olhos do interlocutor, mas não da maneira como fazem aqueles que fogem do olhar. O olhar de Belbo não se subtraía ao diálogo. Simplesmente movendo-se para fixar de improviso uma convergência de paralelas a que não terias prestado atenção, num ponto impreciso qualquer do espaço, te fazia sentir como se tu, até então, tivesses obtusamente fixado o único ponto irrelevante.

Mas não era só o olhar. Com um gesto, ou uma simples interjeição, Belbo tinha o poder de tirar a gente do lugar. Quero dizer, suponhamos que te esforçasses para demonstrar que Kant tinha de fato realizado a revolução copérnica da filosofia moderna e jogasses teu destino naquela afirmação. Belbo, sentado à tua frente, podia de repente ficar olhando para as mãos, ou para o joelho, ou entreabrir as pálpebras esboçando um sorriso etrusco, ou permanecer alguns segundos de boca aberta, olhando o teto, e depois, com um leve balbucio: "Bem, é certo que esse Kant..." Ou se se empenhava num atentado a todo o sistema do idealismo transcendental: "Mas será que ele queria fazer mesmo toda aquela confusão..." Depois te olhava com solicitude, como se tu, e não ele, tivesses perturbado o encantamento, e te encorajava: "Mas, vamos, continua. Pois decerto no meio disto tudo deve haver... há de haver qualquer coisa... O homem devia ter talento."

Mas às vezes, quando estava no máximo da indignação, reagia indecorosamente. Já que a falta de decoro alheia era a única coisa que realmente o indignava, seu indecoro em represália era todo interior, e regional. Estreitava os lábios, volvia primeiro os olhos para o céu, depois baixava o olhar, e a cabeça, à esquerda para baixo, dizendo: *"Ma gaute la nata!"* Aos que não entendiam a expressão piemontesa, ele às vezes explicava: "*Ma gaute la nata*, Destapa o rabo!, diz-se ao indivíduo muito cheio de ares. Admite-se que haja chegado a essa condição posturalmente anormal pela pressão de uma rolha que traga arrochada no traseiro. Se a retira, pffffiiisch, retorna à condição humana.

Essas suas intervenções tinham a capacidade de fazer você perceber a vaidade de tudo, e eu me sentia fascinado. Mas delas extraía uma lição errada, pois as elegia como modelo de supremo desprezo graças à banalidade das verdades alheias.

Só agora, depois de ter violado, com os segredos de Abulafia, também a alma de Belbo, sei que aquilo que me parecia desencanto, e que eu estava elevando à condição de princípio vital, para ele não passava de uma forma de melancolia. Seu aviltado libertinismo intelectual encobria uma desesperada sede de absoluto. Difícil compreendê-lo à primeira vista, porque Belbo compensava os momentos de fuga, hesitação, ausência, com momentos de expansiva sociabilidade, nos quais se divertia em produzir absolutos alternativos, com incredulidade bem-humorada. Era quando juntamente com Diotallevi construía manuais de impossíveis, mundos às avessas, teratologias bibliográficas. E vê-lo assim entusiasticamente loquaz ao construir sua Sorbonne rabelaisiana impedia-nos de perceber o quanto sofria por seu afastamento da faculdade de teologia, essa de fato verdadeira.

Compreendi depois que eu havia apenas apagado o endereço, ao passo que ele o havia perdido, e não se perdoava por isso.

Nos *files* de Abulafia encontrei muitas páginas de um pseudodiário que Belbo havia confiado ao segredo dos disquetes, seguro de não trair sua vocação, tantas vezes contestada, de simples espectador do mundo. Alguns trazem uma data remota, evidentemente transcrição de antigas anotações, por nostalgia, ou porque pretendesse reciclá-los de algum modo. Outros são dos últimos anos, de quando passou a ter Abu nas mãos. Escrevia por distração mecânica, para refletir solitário sobre seus próprios erros; iludia-se de não "criar" porque a criação, mesmo se produz o erro, se dá sempre por amor de alguém que não somos nós. Mas Belbo, sem se dar conta disso, estava passando para o outro polo da esfera. Criava, e melhor que o não tivesse feito: seu entusiasmo pelo Plano nasceu daquela necessidade de escrever um Livro, ainda que fosse, exclusivamente, de terríveis erros intencionais. Enquanto te manténs em teu vazio podes pensar que estás em contato com o Uno, mas basta amassares o barro, ainda que eletrônico, para te transformares em demiurgo, e aquele que se empenha em formar um mundo está fatalmente comprometido com o erro e com o mal.

filename: Três mulheres no coração...

É assim: *toutes les femmes que j'ai rencontrées se dressent aux horizons — avec les gestes piteux et les regards tristes des sémaphores sous la pluie...*
Olhe para o alto, Belbo. Primeiro amor, Maria Santíssima. Mamãe que canta tendo-me ao colo como se me embalasse quando já não tenho necessidade de ser ninado, mas eu pedia que cantasse, porque gostava muito de sua voz e do perfume de lavanda de seu seio: "Ó Rainha do Empíreo — toda pura e toda bela — salve ó filha, esposa, serva — salve ó mãe do Redentor."
Natural: a primeira mulher da minha vida não foi minha — como de resto não foi de ninguém, por definição. Apaixonei-me imediatamente pela única mulher capaz de fazer tudo sem mim.
Depois Marilena (Marylena? Mary Lena?). Descrever liricamente o crepúsculo, os cabelos louros, o grande floco azul, eu diante do banco com o nariz erguido no ar, ela que caminha equilibrando-se em cima do espaldar, os bra-

ços abertos a balançar em suas oscilações (deliciosas extrassístoles), a saia que lhe esvoaça levemente em torno às coxas róseas. No alto, inatingível.

Cena: na mesma tarde mamãe espargindo de talco as carnes rosadas de minha irmã, eu pergunto quando é que o peruzinho dela vai enfim nascer, e mamãe me faz a revelação de que não nasce peruzinho nas meninas, e que elas ficam assim mesmo. De repente revejo Mary Lena, o branco das calcinhas distinguindo-se sob a saia azul que flutua, e compreendo que ela é loura, altiva e inacessível exatamente por ser diferente. Nenhum relacionamento possível; pertence a outra raça.

Terceira mulher de repente perdida no abismo em que se precipita. Acaba de morrer dormindo, pálida Ofélia entre as flores de seu féretro virginal, enquanto o padre recita preces fúnebres, subitamente põe-se de pé no catafalco, o cenho franzido, branca, vindicativa, o dedo em riste, a voz esterto-rosa: "Padre, não ores por mim. Esta noite, antes de me adormecer, concebi um pensamento impuro, o único de minha vida, e agora sou amaldiçoada." Encontrar o livro da primeira comunhão. Nele havia uma ilustração ou era tudo imaginação minha? Certamente morreu enquanto pensava em mim, o pensamento impuro era meu, que desejava Mary Lena intocável por ser de outra espécie e destino. Sou culpado de sua maldição, sou culpado da maldição de todos aqueles que são condenados, é justo que não tenha tido as três mulheres: punição por havê-las desejado.

Perdi a primeira porque está no paraíso, a segunda porque anseia no purgatório as penas que nunca terá, e a terceira porque está no inferno. Teologicamente perfeito. Estava escrito.

Mas há a história de Cecilia e Cecilia está na terra. Pensava nela antes de dormir, saía pela colina para ir pegar leite no curral e enquanto os *partigiani* disparavam da colina fronteira contra o posto de controle via-me correndo para salvá-la, libertando-a de uma espécie de sicários negros que a seguiam a brandir fuzis automáticos... Mais loura que Mary Lena, mais inquietante que a donzela do sarcófago, mais pura e serva do que a virgem. Cecilia viva e acessível, bastava um nada e lhe teria até mesmo falado, tinha a certeza de que ela podia amar alguém de minha raça, tanto assim que amava um, chamava-se Papi, tinha cabelos louros hirsutos sobre um crânio minúsculo, um ano a mais que eu, e um saxofone. E eu nem sequer uma corneta. Nunca os tinha visto juntos, mas todos no notório murmuravam entre cutucadas e risadinhas marotas que eles faziam amor. Certamente mentiam, meninos do campo lascivos como cabras. Queriam deixar-me pensar que ela (ela, Marylena Cecilia esposa e serva) era de tal forma acessível que qualquer um lhe teria acesso. Em mais este caso — quarto caso — eu estava fora do jogo.

Escreve-se um romance sobre uma história desse gênero? Talvez eu escreva um sobre as mulheres de quem fugi porque podia tê-las. Ou teria podido. Tê-las. Ou é a mesma coisa.

Em suma, quando não se sabe nem mesmo de que história se trata, o melhor é corrigir livros de filosofia.

9
NA MÃO DIREITA SEGURAVA UMA CORNETA

Na mão direita segurava uma corneta dourada.

(Johann Valentin Andreae, *Die Chymische Hochzeit des Christian Rosencreutz*, Strassburg, Zetzner, 1616, 1)

Encontro neste *file* menção a uma corneta. Aquela noite no periscópio não sabia ainda o quanto era importante. Tinha apenas uma referência, bastante imprecisa e vaga.

Durante as longas tardes na editora Garamond, vez por outra Belbo, angustiado com algum manuscrito, erguia os olhos das folhas e procurava distrair também a mim, que estava provavelmente paginando na mesa da frente velhas gravuras da Exposição Universal, e se entregava a algumas reevocações — tratando logo de baixar o pano quando suspeitava que eu o tomasse muito a sério. Relembrava o próprio passado, mas só a título de *exemplum*, para castigar alguma vaidade. "Eu me pergunto onde iremos acabar", disse-me ele um dia.

"Fala do ocaso do Ocidente?"

"Ocaso? Afinal de contas é sua função, não é mesmo? Não, falava dessa gente que escreve. Três originais em uma semana, um sobre direito bizantino, outro sobre o Finis Austriae e o terceiro sobre os sonetos de Baffo. São temas bem diversos, não lhe parece?"

"Parece."

"Pois bem, quer saber que em todos três aparecem a certa altura o Desejo e o Objeto do Amor? É moda. Compreendo que ainda o Baffo, mas o direito bizantino..."

"Ponha no lixo."

"Não, são trabalhos inteiramente financiados pelo Conselho Nacional de Pesquisa, e além disso não são ruins. No máximo, chamo esses três e pergunto se não podemos tirar essas linhas. Até eles podem fazer má figura."

"E qual pode ser o objeto de amor no direito bizantino?"

"Oh, há sempre uma maneira de fazê-lo entrar. Mas decerto se no direito bizantino havia um objeto de amor, não será este aqui. E não é decerto aquele."

"Aquele qual?"

"Aquele em que você acredita. Certa vez, eu devia ter cinco ou seis anos, sonhei que havia ganho uma corneta. Dourada. Sabes, um desses sonhos em que sentimos o mel correr-nos nas veias, uma espécie de polução noturna, como aconteceu a um impúbere. Acho que nunca fui tão feliz na vida quanto naquele sonho. Nunca mais. Naturalmente, ao despertar, percebi que não tinha a corneta e me pus a chorar como um bezerro. Chorei um dia inteiro. Na verdade, aquele mundo de antes da guerra, lá por 1938, era um mundo bem pobre. Hoje, se eu tivesse um filho e o visse assim desesperado lhe diria 'para com isso, vou te comprar uma corneta' — tratava-se de uma corneta de brinquedo, nada que pudesse custar os olhos da cara. Isso nem sequer passou pela cabeça de meus pais. Gastar dinheiro era, então, uma coisa muito séria. E mais sério ainda era educar as crianças para não terem tudo quanto desejavam. Não gosto de sopa com couve, dizia — e era verdade, santo Deus, a couve na sopa me dava nojo. Nunca que diriam está bem, por hoje deixas a sopa e comes apenas a carne (não éramos pobres, tínhamos entrada, prato principal e sobremesa). Não senhor, come-se o que está na mesa. Quase sempre, como solução de compromisso, a avó se punha a tirar a couve do meu prato, uma por uma, talinho por talinho, folhinha por folhinha, e eu tinha que tomar a sopa depurada, mais nojenta que antes, e já era uma concessão que meu pai desaprovava."

"Mas e a corneta?"

Olhou para mim hesitando: "Por que lhe interessa tanto a corneta?"

"A mim, não. Você é que falou de corneta ao se referir ao objeto de amor que afinal não é exatamente..."

"A corneta... Naquela tarde deviam chegar os tios de ***, não tinham filhos e eu era o sobrinho predileto. Veem-me chorar por causa do raio da corneta e dizem que resolverão tudo, que no dia seguinte iremos à loja onde havia um balcão inteiro de brinquedos, uma maravilha, e lá encontrava a corneta que queria. Passei a noite em claro e estive indócil toda a manhã. De tarde fomos à loja, e de fato havia cornetas de pelo menos três tipos, que talvez não passassem de brinquedinhos de lata, mas que me pareciam os metais da orquestra da ópera. Havia uma corneta militar, um trombone de vara e uma pseudotrompa, porque tinha bocal e era de ouro, mas com chaves de saxofone. Não sabia qual escolher e talvez tenha levado muito tempo nisso. Queria todos e dei-lhes a impressão de não querer nenhum. Entretanto, achei que os tios haviam olhado as etiquetas de preço. Não eram mesquinhos, mas tive a impressão de que achavam mais barato um clarim de baquelite, todo preto, com chaves de prata. 'Você não prefere este?', perguntaram. Eu o experimentei, balia de modo razoável, procurava convencer-me de que era belíssimo, mas na verdade raciocinei e acabei me convencendo de que os tios queriam que eu escolhesse o clarim porque custava menos, a corneta devia valer uma fortuna e não podia impor aquele sacrifício a eles. Haviam-me ensinado sempre que quando te oferecem alguma coisa deves imediatamente dizer 'não obrigado', e não uma só vez, não dizer 'não obrigado' e estender logo a mão, mas esperar que o ofertante insista, que diga por favor. Só aí então a criança educada cede. Por isso disse que talvez não quisesse a corneta, que o clarim podia muito bem me servir, se eles preferissem. E os olhava de cima a baixo, esperando que insistissem. Não insistiram, Deus os tenha na santa glória. Estavam muito contentes por me comprarem o clarim — disseram — já que eu o preferia. Era muito tarde para voltar atrás. Fiquei com o clarim."

Senti seu olhar duvidoso.

"Quer saber se sonhei depois com a corneta?"

"Não", disse, "quero saber qual era o objeto de amor."

"Ah", disse, voltando a folhear o manuscrito, "veja, até você está obcecado por esse objeto de amor. Sobre esse assunto se pode discorrer à vontade. Mas... E se eu tivesse de fato ganho a corneta? Teria sido realmente feliz? Que me diz disso, Casaubon?"

"Talvez começasse a sonhar com o clarim."

"Não", concluiu secamente. "O clarim eu só o ganhei. Não creio que o tenha soado."

"Soado ou sonhado?"

"Soado", disse escandindo a palavra e, não sei por quê, me senti um bufão.

10

POR FIM, NÃO SE INFERE CABALISTICAMENTE DE *VINUM*

> *Por fim, não se infere cabalisticamente de vinum*
> *outra coisa que não VIS NUMerorum, de cujos*
> *números depende esta Magia.*
>
> (Cesare della Riviera, *Il Mondo Magico degli Eroi*.
> Mantova, Osanna, 1603, pp. 65-66)

Mas falava de meu primeiro encontro com Belbo. Conhecíamo-nos de vista, umas trocas de frases no Pílades, mas não sabia muito sobre ele, a não ser que trabalhava na Garamond, e na universidade às vezes caíam-me nas mãos alguns livros dessa editora. Uma pequena editora, porém séria. O estudante em fase de conclusão de tese sente-se sempre atraído por alguém que trabalhe para uma editora cultural.

"E você o que faz?", perguntou-me uma tarde quando estávamos ambos apoiados numa das extremidades do balcão de zinco, espremidos por um grupo enorme, como nas grandes ocasiões. Era a época em que todos se tratavam por tu, os estudantes aos professores e os professores aos alunos. Não falemos dos frequentadores do Pílades: 'Paga um trago aí para mim', dizia o estudante de dólmã verde-oliva ao redator-chefe de um grande periódico. Parecia São Petersburgo nos tempos do jovem Sklovski. Tudo Maiakovski e nenhum Jivago. Belbo não se furtava ao tu generalizado, mas era evidente que o cominava por desprezo. Empregava o tu para mostrar que respondia à vulgaridade com a vulgaridade, mas que existia um abismo entre forçar intimidade e ser íntimo. Vi-o empregar o tu com afeto, ou com paixão, só poucas vezes e com poucas pessoas, Diotallevi, algumas mulheres. A quem estimava, sem conhecer havia muito, empregava o amigo. Assim fez comigo durante todo o tempo que trabalhamos juntos, e eu apreciei o privilégio.

"E o amigo o que faz?", me perguntou, agora o sei, com simpatia.

"Na vida ou no teatro?", disse, acenando para o palco do Pílades.

"Na vida."

"Estudo."

"Frequenta a universidade ou estuda?"

"Pode não parecer verdade mas as duas coisas não se contradizem. Estou terminando uma tese sobre os templários."

"Que coisa horrível", disse. "Isso não é coisa de doidos?"

"Estou estudando os autênticos. Os documentos do processo. Mas o que sabe sobre eles?"

"Trabalho numa editora e numa editora aparece gente sã e louca. É função do editor reconhecer imediatamente o louco. Quando alguém aparece com algo como os templários, é quase sempre um louco."

"Não me diga. Seu nome é legião. Mas nem todos os loucos falarão dos templários. E os outros, como é que os conhece?"

"Tarimba. Já lhe explico, ao amigo que é jovem. A propósito, como é seu nome?"

"Casaubon."

"Não era um personagem da *Middlemarch?*"

"Não sei. Em todo caso era também um filólogo do Renascimento, se não me engano. Mas não somos parentes."

"Fica para a próxima. O amigo toma outra? Pílades, mais duas aqui, por favor. Pois vejamos. No mundo existem os cretinos, os imbecis, os estúpidos e os loucos."

"Sobra alguém?"

"Sim, nós dois, por exemplo. Ou pelo menos eu, sem querer ofender. Mas, em suma, todos, a bem dizer, participam de uma dessas categorias. Cada um de nós vez por outra é cretino, imbecil, estúpido ou maluco. Digamos que a pessoa normal é aquela que mistura em proporções racionais todos esses componentes, esses tipos ideais."

"*Idealtypen.*"

"Muito bem. Também sabe alemão?"

"Arranho, dá para as bibliografias."

"No meu tempo, quem sabia alemão não precisava de diploma. Passava a vida sabendo alemão. Creio que hoje isso acontece com o chinês."

"Como não sei bem alemão, estou me formando. Mas, voltando à sua tipologia, o que é o gênio, Einstein, por exemplo?"

"O gênio é aquele que faz uma componente atuar de maneira vertiginosa, alimentando-a com as outras." Bebeu. E dirigiu-se a uma passante: "Boa noite, beleza. Já tentou o suicídio?"

"Não", responde a passante, "agora estou numa comunidade."

"Ótimo", lhe diz Belbo, retornando a mim em seguida: "Pode-se praticar até mesmo suicídio coletivo, não acha?"

"Mas e os loucos?"

"Espero que não tenha tomado a minha teoria muito ao pé da letra. Não estou pondo o universo no lugar. Estou dizendo o que é um louco para uma editora. A teoria é *ad hoc*, está bem?"

"Está. Agora é por minha conta."

"Concordo. Pílades, por favor, menos gelo. Isso se não entra logo no circuito. Então. O cretino nem sequer fala, baba, tem espasmos. Taca o sorvete na testa, por falta de coordenação. Entra na porta giratória pelo lado contrário."

"Como consegue?"

"Ele consegue. Por isso é cretino. Não nos interessa, a gente o reconhece logo e não é do tipo que aparece na editora. Deixemo-lo à parte."

"Deixemos."

"Ser imbecil é mais complexo. É um comportamento social. O imbecil é aquele que fala sempre fora do copo."

"Em que sentido?"

"Assim." Ergueu o indicador, apontando-o em direção ao copo, mas veio batê-lo fora, contra o balcão. "O imbecil quer falar daquilo que está no copo, mas vai e volta, acaba apontando outra coisa. Se preferir, em termos vulgares, é o que só comete gafes, sujeito que pergunta, por exemplo, como está sua bela senhora ao indivíduo que acaba de ser abandonado pela mulher. Captou a ideia?"

"Captei. Conheço muitos."

"O imbecil é muito solicitado, em especial nos eventos mundanos. Põe todos constrangidos, mas depois se explica. Em sua forma positiva, torna-se diplomata. Fala fora do copo quando outros cometem a gafe, sabe como desviar o assunto. Mas não nos interessa, nunca é criativo, especula, logo, não vem oferecer manuscritos às editoras. O imbecil não diz que o gato ladra, fala do gato quando os demais falam do cão. Confunde as regras da conversação e quando o faz bem é sublime. Creio que se trata de uma raça em via de extinção, um portador de virtudes eminentemente burguesas. Requer um salão Verdurin, até mesmo uma casa Guermantes. Vocês estudantes ainda leem essas coisas?"

"Eu leio."

"O imbecil é Joachim Murat, que passa em revista seus oficiais e vê, cheio de condecorações, um da Martinica. '*Vous êtes nègre?*', pergunta-lhe. E este: '*Oui mon général!*' E Murat: 'Bravo, bravo, *continuez!*' E assim por diante. Está me seguindo? Desculpe, mas esta noite estou comemorando uma decisão histórica da minha vida. Deixei de beber. Quer mais outro? Não responda, me faz sentir culpado. Pílades!"

"E o estúpido?"

"Ah. O estúpido não se engana no comportamento. Engana-se no raciocínio. É aquele que diz que todos os cães são animais domésticos e que todos os cães latem, mas que também os gatos são animais domésticos e que, portanto, latem. Ou que todos os atenienses são mortais, todos os habitantes do Pireu são mortais, logo, todos os habitantes do Pireu são atenienses."

"O que é verdade."

"Sim, mas por acaso. O estúpido pode até dizer uma coisa certa, mas por motivos errados."

"Pode-se dizer coisas erradas, basta que as razões sejam justas."

"Por Deus. Para que então esforçar-nos tanto para sermos animais racionais?"

"Todos os grandes símios antropomorfos descendem de formas de vida inferiores, os homens descendem de formas de vida inferiores, logo, todos os homens são grandes símios antropomorfos."

"Essa é bem boa. Já estamos naquele limiar em que a gente suspeita de que algo não se encaixa, mas que nos requer certo trabalho para demonstrar o que é e por quê. O estúpido é insidiosíssimo. O imbecil a gente reconhece imediatamente (para não falar do cretino), enquanto o estúpido raciocina quase como tu, salvo um desvio infinitesimal. É um mestre dos paralogismos. Não há salvação para o editor, tem que desperdiçar uma eternidade. Publicam-se muitos livros de estúpidos porque à primeira vista nos convencem. O editor não é obrigado a reconhecer o estúpido. Se a academia de ciências não o faz, por que deveria fazê-lo o editor?"

"A filosofia não o faz. O argumento ontológico de Santo Anselmo é estúpido. Deus deve existir porque posso pensar nele como um ser que encerra todas as perfeições, inclusive a existência. Confunde existência na mente com a existência no real."

"Sim, mas também é estúpida a refutação de Gaunilone. Posso pensar numa ilha no mar mesmo se tal ilha não existe. Confunde o pensamento do contingente com o pensamento do necessário."

"Uma luta entre estúpidos."

"Certo, e Deus se diverte como um louco. Quis a si mesmo impensável só para demonstrar que Anselmo e Gaunilone eram estúpidos. Que escopo sublime para a criação, para o próprio ato em virtude do qual Deus se quer. Para tudo terminar na denúncia da estupidez cósmica."

"Estamos cercados de estúpidos."

"Não se escapa. Todos são estúpidos, exceto o amigo e eu. De novo, sem querer ofender, exceto o amigo."

"Mas sabe que tem a ver com a prova de Gödel?"

"Não sei, sou cretino. Pílades!"

"Mas agora é minha vez de pagar."

"Depois dividimos. Epimênides de Creta diz que todos os cretenses são mentirosos. Se ele, que é cretense, assim o diz, e os conhece bem, então é verdade."

"Isto é estúpido."

"São Paulo. Epístola a Tito. Agora esta: todos aqueles que pensam que Epimênides é mentiroso não podem senão confiar nos cretenses, mas os cretenses não confiam nos cretenses, portanto nenhum cretense pensa que Epimênides é mentiroso."

"Isto é estúpido ou não?"

"Veja. Disse-lhe que é difícil individualizar o estúpido. Um estúpido pode até ganhar o Nobel."

"Deixe-me pensar... Alguns daqueles que não creem que Deus haja criado o mundo em sete dias não são fundamentalistas, mas alguns fundamentalistas pensam que Deus haja criado o mundo em sete dias, portanto, ninguém que não creia que Deus haja criado o mundo em sete dias é fundamentalista. É estúpido ou não?"

"Meu Deus — é o caso de dizer... Não saberia. O que me diz?"

"É estúpido de qualquer maneira, mesmo se fosse verdade. Viola uma das leis do silogismo. Não se podem extrair conclusões universais de duas particularidades."

"E se o estúpido fosse o senhor?"

"Estaria em boa e leiga companhia."

"Isto mesmo, a estupidez nos rodeia. E talvez por um sistema lógico diverso do nosso, a nossa estupidez é a sabedoria deles. Toda a história da lógica consiste em definir uma noção aceitável de estupidez. Grande demais. Todo grande pensador é estúpido com relação a um outro."

"O pensamento como forma coerente da estupidez."

"Não. A estupidez do pensamento é a incoerência de um outro pensamento."

"Profundo. Já são duas horas, daqui a pouco o Pílades fecha e não teremos chegado aos loucos."

"Já chegamos. O louco é reconhecível de cara. Um estúpido que não conhece os truques. O estúpido procura demonstrar sua tese, tem uma lógica torcida, mas tem. O louco, ao contrário, não se preocupa em ter uma lógica, procede por curtos-circuitos. Tudo para ele demonstra tudo. O louco tem uma ideia fixa, e tudo o que encontra lhe serve para confirmá-la. Reconhece-se o louco pela liberdade com que toma nos confrontos os deveres de prova, na disposição de encontrar esclarecimentos. E lhe parecerá estranho, mas o louco mais cedo ou mais tarde acaba vindo com essa dos templários."

"Sempre?"

"Há também loucos sem templários, mas os de templários são mais insidiosos. No princípio não os reconhecemos, parece que falam de modo normal, depois, de repente..." Pediu outro uísque com um aceno, mas voltou atrás e pediu a conta. "Mas a propósito dos templários. Um dia desses um indivíduo me deixou um original datilografado com esse assunto. Acredito mesmo que seja um louco, mas de aspecto humano. O original começa de maneira normal. Quer dar uma olhada?"

"Com muito prazer. Pode ser até que eu encontre alguma coisa que me sirva."

"Não creio. Mas se tiver um tempo livre, dê um pulo na editora. Via Sincero Renato, nº 1. Servirá mais para mim do que para o amigo. Poderá me dizer logo se lhe parece um trabalho aceitável."

"Por que confiar em mim?"

"Quem lhe disse que confio? Mas se vier, confio. Confio na curiosidade."

Entrou um estudante, com a fisionomia alterada: "Companheiros, os fascistas estão ao longo do canal, com correntes!"

"Vou esmagá-los", disse o de bigodes à moda tártara, que me havia ameaçado a propósito de Lênin. "Vamos, companheiros!" Saíram todos.

"Que fazemos? Vamos embora?", perguntei, culpabilizado.

"Não", disse Belbo. "São falsos alarmas que Pílades manda espalhar para desobstruir o local. Por ser a última noite que bebo, sinto-me alterado. Deve ser a crise de abstinência. Tudo o que lhe disse, até este instante inclusive, é falso. Boa noite, Casaubon."

11

SUA ESTERILIDADE ERA INFINITA

Sua esterilidade era infinita. Participava do êxtase.

(E.M. Cioran, *Le mauvais demiurge,* Paris, Gallimard, 1969, "Pensées étranglées")

A conversa no Pílades me havia proporcionado, de Belbo, a aparência externa. Um bom observador teria podido intuir a natureza melancólica de seu sarcasmo. Não posso dizer que fosse uma máscara. Talvez máscara fossem as confidências a que se entregava em segredo. O sarcasmo que representava em público revelava no fundo sua melancolia mais verdadeira, que em segredo procurava ocultar de si mesmo, mascarando-a com uma melancolia artificial.

Vejo agora este *file,* onde no fundo ele tentou romancear o que me dissera no dia seguinte sobre sua ocupação na editora. Reencontro aqui sua irritação, seu sofrimento, sua desilusão de editor que escreve por interposta pessoa, sua nostalgia de uma criatividade jamais realizada, o rigor moral que o obrigava a punir-se porque desejava o que não se sentia com direito de desejar, dando a seu desejo uma imagem patética e oleográfica. Jamais encontrei alguém que soubesse lamentar-se com tamanho desprezo.

filename: Jim do Pango

Ver amanhã o jovem Cinti.
1. Bela monografia, rigorosa, talvez um pouco acadêmica demais.
2. Na conclusão, a comparação entre Catulo, os *poetae novi* e os vanguardistas contemporâneos é a coisa mais genial.

3. Por que não como introdução?
4. Convencê-lo. Dirá que não se fazem essas maquinações numa coleção filológica. Está condicionado pelo mestre, arrisca perder o prefácio e estragar a carreira. Uma ideia brilhante nas últimas duas páginas passa despercebida, mas no início não tem escapatória, e pode irritar os mandachuvas.
5. Basta colocá-la em cursivo, sob forma de discurso estendido, fora da pesquisa propriamente dita, de modo que a hipótese permaneça apenas uma hipótese e não comprometa a seriedade do trabalho. Contudo, os leitores se verão imediatamente conquistados, enfrentarão o livro com uma perspectiva diferente.

Mas estarei impelindo-o de fato a um gesto de liberdade, ou o estarei usando para escrever meu próprio livro?

Transformar os livros com duas palavras. Demiurgo das obras alheias. Em vez de tomar a argila mole e plasmá-la, pequenos golpes na argila endurecida, que já serviu a outro para esculpir a estátua. Moisés, é dar-lhe a martelada certa que ele fala.

Receber G.S.

— Vi seu trabalho, não é nada mau. Tem tensão, fantasia, dramaticidade. É a primeira vez que escreve?

— Não, já escrevi outra tragédia, a história de dois amantes veroneses que...

— Mas falemos deste trabalho, senhor S. Estava perguntando a mim mesmo por que o senhor o situa na França. Por que não na Dinamarca? Digo por dizer, e não é preciso muito, basta mudar dois ou três nomes, o castelo de Châlons-sur-Marne que se transformaria, digamos, no castelo de Elsinor... É que num ambiente nórdico, protestante, onde paira a sombra de Kierkegaard, todas essas tensões existenciais...

— Talvez tenha razão.

— Eu acho mesmo. Além do mais, seu trabalho precisa de um enxugamento estilístico, nada mais que uma revisada, como a do barbeiro que dá os últimos retoques no corte antes de colocar-lhe o espelho atrás da nuca... Por exemplo, o espectro paterno. Por que no fim? Eu o colocaria no início. De modo que a advertência do pai domine logo o comportamento do jovem príncipe e o ponha em conflito com a mãe.

— Parece uma boa ideia, já que se trata de deslocar apenas uma cena.

— Exatamente. E, por fim, o estilo. Tomemos um trecho ao acaso, aqui está, este em que o rapaz vem ao proscênio e inicia aquela sua reflexão sobre o agir ou o não agir. O trecho é belo, não resta dúvida, mas não o acho muito tenso. "Agir ou não agir? É o que interroga a minha angústia! Devo sofrer as ofensas de uma sorte adversa ou..." Por que minha angústia interroga? Eu o faria dizer que esta é a questão, aí está o problema, entende, não o seu problema individual, mas a questão fundamental da existência. A alternativa entre o ser e o não ser, por assim dizer...

O mundo está cheio de filhos que andam por aí com outro nome, e ninguém saberá que são teus. Como ser Deus à paisana. Tu és Deus, andas pela cidade, ouves a gente falar de ti, e Deus isto e Deus aquilo, e que admirável universo é este, e que bem bolada a gravitação universal, e tu sorris sob os bigodes (é preciso andar por aí de barba postiça, ou melhor, sem barba, porque pela barba Deus é logo reconhecido), e dizes de ti para ti (o solipsismo de Deus é dramático): "Muito bem, este sou eu e eles não sabem." E alguém esbarra em ti na rua, quem sabe te insulta, e tu humilde pedes desculpa, e vais em frente, porquanto és Deus e se quisesses, um estalar de dedos, e o mundo viraria cinzas. Mas és tão infinitamente potente que te permites ser bom.

Um romance sobre Deus andando incógnito. Inútil, pois se a ideia me veio, já deve ter vindo a outro qualquer.

Variante. És um autor, não sabes ainda quão grande és, aquela que amavas te traiu, a vida para ti não tem mais sentido e, um dia, para esquecer, fazes uma viagem no *Titanic* e naufragas nos mares do Sul, recolhe-te (único sobrevivente) uma piroga indígena e passas longos anos ignorado por todos, numa ilha habitada apenas por papuásios, com as jovens que cantam canções de intenso langor, balançando os seios cobertos apenas pelos colares de flores. Começas a habituar-te, chamam-te de Jim, como fazem com os brancos, uma garota de pele cor de âmbar se introduz uma noite em tua cabana e te diz: "Eu tua, eu contigo." No fundo é belo, de noite, estares estendido na varanda a contemplar o Cruzeiro do Sul enquanto ela te acaricia o rosto.

Vives segundo o ciclo das alvoradas e dos crepúsculos, e não sabes de mais nada. Um dia chega um barco a motor cheio de holandeses, ficas sabendo que se passaram dez anos, decides ir embora com eles, mas hesitas, preferes trocar cocos por mercadorias, resolves ocupar-te da colheita de cânhamo, os nativos trabalham para ti, que começas a navegar de uma ilhota a outra, transformado agora para todos em Jim do Pango. Um aventureiro português arruinado pelo álcool vem trabalhar contigo e se redime, todos falam agora de ti pelos mares de Sonda, aconselhas o marajá de Bornéu a fazer uma campanha contra o dajaki do rio, consegues reativar um velho canhão dos tempos de Tipp Sahib, carregado a metralha, treinas uma esquadra de maleses devotos, com dentes enegrecidos pelo bétel. Num combate junto à Barreira de Coral, o velho Sampan, dentes enegrecidos pelo bétel, serve-te de escudo com o próprio corpo: "Estou feliz de morrer por ti, Jim." "Velho, velho Sampan, meu amigo."

Agora estás famoso em todo o arquipélago entre Sumatra e Port-au--Prince, tratas com os ingleses, na capitania do porto de Darwin estás registrado como Kurtz, e agora és Kurtz para todos, e Jim do Pango para os nativos. Mas uma noite, enquanto a garota te acaricia na varanda e o Cruzeiro do Sul cintila como nunca, ai quão diverso da Ursal!, chegas à conclusão: queres voltar. Só por uns tempos, para ver o que restou de ti, lá fora.

Tomas o barco a motor, alcanças Manila, de lá um avião a hélice te leva para Báli. Depois Samoa, Ilhas do Almirantado, Cingapura, Tananarive, Timbuctu, Aleppo, Samarcanda, Bássora, Malta e estás em casa.

Dezoito anos se passaram, a vida te marcou, a face bronzeada pelos alísios, estás mais velho, talvez mais belo. E eis que mal chegas descobres que as livrarias ostentam todos os teus livros, em reedições críticas, que o teu nome figura na fachada da velha escola onde aprendeste a ler e a escrever. És o Grande Poeta Desaparecido, a consciência de sua geração. Jovens românticas se suicidam diante de teu túmulo vazio.

Depois te encontro, amor, com tantas rugas em torno dos olhos, o vulto ainda belo que se desfaz em recordações, e suave remorso. Quase esbarrei em ti na calçada, estavas ali a dois passos, e tu me olhaste como olhas a todos, buscando um outro além da sombra deles. Poderia falar, apagar o tempo. Mas com que fim? Já não tive aquilo que queria? Eu sou Deus, a mesma solidão, a mesma vanglória, o mesmo desespero por não ser uma das minhas criaturas como todos. Todos a viverem na minha luz e eu que vivo na cintilação insuportável de minha treva.

Vai, vai pelo mundo, William S.! És famoso, passas ao meu lado e não me reconheces. Eu murmuro para mim mesmo "ser ou não ser" e me digo "bravo

Belbo, bom trabalho." Vai, velho William S., desfrutar tua parte da glória: tu apenas criaste, eu te refiz.

Nós que conduzimos os partos alheios, não somos como os atores, sepultados em terra consagrada. Mas os atores dão a ilusão de que o mundo, assim como é, segue de modo diverso, enquanto nós fantasiamos com o universo infinito e os mundos, a pluralidade dos compatíveis...

Como pode ser tão generosa a vida, que proporciona compensação tão sublime à mediocridade?

12

SUB UMBRA ALARUM TUARUM

> *Sub umbra alarum tuarum, Jehova.*
>
> (Fama Fraternitatis, *in Allgemeine und general Reformation*, Cassel, Wessel, 1614, fim)

No dia seguinte fui à Garamond. O número 1 da via Sincero Renato conduzia a uma estreita passagem poeirenta, através da qual se entrava num pátio onde funciona uma oficina de cordoeiro. Numa entrada à direita estava o elevador que poderia ser exposto numa mostra de arqueologia industrial, e quando tentei tomá-lo produziu alguns sacolejões suspeitos, sem se decidir a subir. Por prudência, saí e subi dois lances de uma escada quase em caracol, de madeira, bastante poeirenta. Como eu soube depois, o Sr. Garamond amava aquela sede porque fazia lembrar uma editora parisiense. No patamar uma placa dizia "Garamond Editores S.A.", e uma porta aberta permitia acesso a uma sala de espera sem telefonista ou secretária de recepção. Mas não se podia entrar sem ser observado de uma exígua sala defronte, e logo me abordou uma pessoa de sexo provavelmente feminino, idade imprecisa e estatura que um eufemista teria definido como inferior à média.

A pessoa me abordou numa língua que me pareceu já ter ouvido em algum lugar, até que percebi tratar-se de um italiano quase desprovido de vogais. Perguntei-lhe por Belbo. Depois de me fazer esperar alguns segundos, conduziu-me pelo corredor a uma sala no fundo do escritório.

Belbo acolheu-me com gentileza:

"Então você é uma pessoa séria. Entre."

Fez-me acomodar em frente à sua mesa, antiga como os demais móveis, sobrecarregada de manuscritos, como as estantes junto às paredes.

"Não se assustou com a Gudrun", me disse.

"Gudrun? Aquela... senhora?"

"Senhorita. Não se chama Gudrun. Nós a chamamos assim por causa de seu aspecto nibelúngico e porque fala de modo vagamente teutônico. Quer dizer tudo muito rápido, e engole as vogais. Mas tem o sentido da *justitia aequatrix*: quando bate à máquina, economiza as consoantes."

"O que ela faz?"

"Tudo, infelizmente. Veja, em toda editora há um tipo que é indispensável por ser a única pessoa com capacidade de encontrar as coisas na desordem que cria. Mas, pelo menos, quando se perde um manuscrito, ficamos sabendo de quem é a culpa."

"Perde também os manuscritos?"

"Não mais que os outros. Numa editora todos perdem manuscritos. Creio ser essa a atividade principal. Mas é preciso haver um bode expiatório, concorda? Só a reprovo por não perder aqueles que eu queria que perdesse. Incidente desagradável para aquilo que o velho Bacon chamava de *The advancement of learning*."

"Mas onde se perdem?"

Abriu os braços: "Desculpe, mas acaso percebeu o quanto a pergunta é tola? Se soubéssemos onde, não estariam perdidos."

"Lógico", disse. "Mas ouça. Quando vejo circulando os livros da Garamond, parecem-me edições bem cuidadas e vocês têm um catálogo bastante rico. Fazem tudo aqui mesmo? E são quantos?"

"Aqui em frente há uma grande sala com os técnicos, e aqui ao lado meu colega Diotallevi. Ele cuida dos manuais, das obras de longa duração, as que levam muito tempo para fazer e muito tempo para vender, no sentido de que se vendem por muito tempo. As edições universitárias sou eu que faço. Mas não pense que seja um trabalho imenso. Oh, Deus, apaixono-me por certos livros, tenho que ler os manuscritos, mas em geral é tudo trabalho garantido, econômica e cientificamente. Publicações do Instituto Tal e Tal, ou livros de convênio, programados e financiados por uma entidade universitária. Se o autor é principiante, o professor faz a apresentação, e a responsabilidade é sua. O autor corrige pelo menos duas remessas de provas, controla as notas e citações, e não recebe direitos. Depois que o livro é adotado, se se vendem mil ou dois mil exemplares em coisa de um ano, as despesas estão cobertas... Nenhuma surpresa, todo livro é um ativo."

"Então o que faz?"

"Muitas coisas. Antes de tudo, é preciso escolher. Além disso, há alguns livros que publicamos por nossa conta, quase sempre traduções de autores de prestígio, para manter a representação do catálogo. Finalmente, há os manuscritos que chegam assim, isoladamente. Quase nunca é coisa que preste, mas é necessário examiná-los, nunca se sabe."

"Diverte-se?"

"Se me divirto? É a única coisa que sei fazer bem."

Fomos interrompidos por um tipo de uns 40 anos, metido num paletó que lhe sobrava em tamanho, poucos cabelos louros claros que lhe caíam ao longo das sobrancelhas espessas, igualmente amarelas. Falava pausadamente, como se instruísse uma criança.

"Estou enfastiado com aquele *Vademecum del Contribuente*. Tenho que reescrevê-lo todo e não estou com vontade. Interrompo?"

"Este é Diotallevi", disse Belbo, e nos apresentou.

"Ah, veio ver os templários? Coitado. Ouça, veio-me à mente uma boa: Urbanística Cigana."

"Ótima", disse Belbo admirado. "Eu estava pensando em Hípica Asteca."

"Sublime. Mas essa vai para a Pociosecção ou a Adynata?"

"Primeiro temos que ver", disse Belbo. Procurou na gaveta e tirou umas folhas. "A Pociosecção..." Fitou-me, notando a minha curiosidade. "A Pociosecção, você me ensinou, é a arte de cortar a sopa. Mas não", disse a Diotallevi, "a Pociosecção não é um departamento, é matéria, como a Avunculogratulação Mecânica e a Pilocatábase, todas no departamento de Tetrapiloctomia."

"O que é tetralo...", arrisquei.

"É a arte de cortar um cabelo em quatro. Esse departamento compreende o ensino das técnicas inúteis, por exemplo: a Avunculogratulação Mecânica ensina a construir máquinas para cumprimentar a tia. Estamos em dúvida se deixamos nesse departamento a Pilocatábase, que é a arte de escapar por um fio, e que não parece de todo inútil. Não acha?"

"Por favor, me digam primeiro o que é essa história...", implorei.

"É que Diotallevi e eu estamos projetando uma reforma do saber. Uma Faculdade da Irrelevância Comparada, onde se estudam matérias inúteis ou impossíveis. A faculdade tende a reproduzir estudiosos de forma a aumentar ao infinito o número de matérias irrelevantes."

"E quantos departamentos são?"

"Por ora, quatro, mas já poderiam conter todo o sabível. O departamento de Tetrapiloctomia tem uma função preparatória, tende a educar no sentido da irrelevância. Um departamento importante é o de Adynata ou Impossibilia. Por exemplo, Urbanística Cigana e Hípica Asteca... A essência da disciplina é a compreensão das razões profundas de sua irrelevância, e no departamento de Adynata também as de sua impossibilidade. Eis portanto Morfemática do Morse, História da Agricultura Antártica, História da Pintura na Ilha de Páscoa, Literatura Sumeriana Contemporânea, Instituições de Docimologia Montessoriana, Filatelia Assírio-Babilônica, Tecnologia da Roda nos Impérios Pré-Colombianos, Iconologia Braille, Fonética do Filme Mudo..."

"O que me dizem de Psicologia das Multidões no Saara?"

"Muito bom", disse Belbo.

"Muito bom", disse Diotallevi com convicção. "O senhor deve colaborar. Esse jovem tem estofo, não é mesmo, Jacopo?"

"Tem, eu vi logo. Ontem à noite elaborou uns raciocínios estúpidos com extrema agudeza. Mas continuemos, visto que o projeto lhe interessa. Que foi que pusemos no departamento de Ossimórica, que não encontro mais anotado?"

Diotallevi tirou do bolso um folheto e me fixou com seriedade: "Em Ossimórica, como a própria palavra diz, o que conta é a autocontraditoriedade da disciplina. Eis por que Urbanística Cigana segundo minha opinião devia acabar aqui..."

"Não", disse Belbo, "só se fosse Urbanística Nomádica. Os Adynata contemplam uma impossibilidade empírica, a Ossimórica uma contradição em termos."

"Veremos. Mas que foi que pusemos em Ossimórica? Está aqui, Instituições de Revolução, Dinâmica Parmenídea, Estática Heracliana, Espartânica Sibarítica, Instituições de Oligarquia Popular, História das Tradições Inovativas, Dialética Tautológica, Erística Booliana..."

Agora me sentia desafiado a mostrar a minha têmpera: "Posso sugerir-lhes uma Gramática do Desvio?"

"Ótimo, ótimo!", disseram ambos, e se puseram a tomar nota.

"Há um porém", disse eu.

"Qual?"

"Se tornarem público o projeto, vai aparecer aqui um montão de gente com publicações aceitáveis."

"Eu disse a você que é um rapaz arguto, Jacopo", disse Diotallevi. "Mas sabe que este é exatamente o nosso problema? Sem querer traçamos o perfil ideal de um saber real. Demonstramos a necessidade do possível. Daí a necessidade de calar. Mas agora preciso ir."

"Aonde?", perguntou Belbo.

"É tarde de sexta-feira."

"Ó Jesus santíssimo", disse Belbo. Depois a mim: "Aqui defronte há duas ou três casas habitadas por judeus ortodoxos, aqueles com chapéu preto, barba enorme e cabelos em caracol. Não há muitos em Milão. Hoje é sexta-feira e ao entardecer começa o sábado. Por isso aqui no apartamento em frente já começam a preparar tudo, a acender o candelabro, a cozer os alimentos, a dispor as coisas de tal modo que amanhã não tenham de acender nenhum fogo. Até a televisão permanece ligada a noite toda, embora sejam obrigados a escolher imediatamente o canal. O nosso Diotallevi tem uma pequena luneta, e ignominiosamente espreita pela janela, e se deleita, sonhando estar do outro lado da rua."

"E por quê?", perguntei.

"Porque o nosso Diotallevi teima em sustentar que é judeu."

"Como teimo?", perguntou melindrado Diotallevi. "Eu sou judeu. Tem alguma coisa contra, Casaubon?"

"De modo algum!"

"Diotallevi", disse Belbo em tom decidido, "tu não és judeu."

"Não? E o meu nome?* Como *Graziadio* (graças-a-Deus), *Diosiaconté* (Deus-seja-contigo), todas traduções do hebraico, nomes de gueto, como Shalom Aleichem."

"Diotallevi é um nome de bom agouro, frequentemente dado pelos registros civis aos enjeitados. E teu avô era um enjeitado."

---

* *Diotallevi* em italiano é o mesmo que Deus-te-crie. (*N. do T.*)

"Um enjeitado judeu."

"Diotallevi, você tem a pele rosada, a voz gutural e é praticamente albino."

"Já que há coelhos albinos, pode haver judeus albinos."

"Diotallevi, não se pode decidir tornar-se judeu como se decide tornar-se filatelista ou testemunha de Jeová. Judeu se nasce. Resigne-se, você é um gentio como todos."

"Fui circuncidado."

"Ora, vamos! Qualquer um pode ser circuncidado por motivos de higiene. Basta um médico e um termocautério. Com que idade você foi circuncidado?"

"Não sutilizemos."

"Ao contrário, sutilizemos. Um judeu sutiliza."

"Ninguém poderá demonstrar que meu avô não tenha sido judeu."

"Sem dúvida, era um enjeitado. Mas poderia ser igualmente o herdeiro do trono de Bizâncio, ou um bastardo dos Habsburgo."

"Ninguém pode demonstrar que meu avô não foi judeu, e que foi encontrado no gueto, próximo ao Pórtico d'Ottavia."

"Mas tua avó não era judia, e a descendência judaico vem por via materna..."

"...e acima das razões de etnia, porque mesmo os registros civis podem ser lidos além da letra, há razões de sangue, e o sangue diz que os meus pensamentos são estranhamente talmúdicos, e seria racismo de tua parte sustentar que até mesmo um gentio pode ser assim estranhamente talmúdico como eu acho que sou."

Ele saiu. Belbo me diz: "Não repare. Essa discussão ocorre quase todos os dias, só que cada dia procuro trazer um argumento novo. O fato é que Diotallevi é devoto da Cabala. Mas havia igualmente cabalistas cristãos. Depois, Casaubon, se Diotallevi quer ser judeu, não me posso opor."

"Acho que não. Somos democratas."

"Somos democratas."

Acendeu um cigarro. Recordei-me por que havia vindo. "Falou-me de um original sobre os templários", eu disse.

"É verdade... Vejamos. Estava numa pasta de couro plástico..." Procurava numa pilha de manuscritos, tentando arrancar dali um, metido no meio, sem retirar os outros. Operação arriscada. Com efeito a pilha tombou em parte sobre o pavimento. Belbo tinha agora nas mãos a pasta de couro plástico.

Examinei o índice e a introdução. "Diz respeito à prisão dos templários. Em 1307, Filipe o Belo decidiu prender todos os templários da França. Há uma lenda que diz que dois dias antes de Filipe expedir a ordem de prisão, uma carroça de feno, puxada por bois, deixa o recinto do Templo, em Paris, com destino desconhecido. Diz-se ser um grupo de cavaleiros guiados por um certo Aumont, os quais se refugiariam na Escócia, ligando-se a uma loja maçônica em Kilwinning. Segundo a lenda, os cavaleiros se identificavam com as companhias de maçons que tramavam os segredos do Templo de Salomão. Isso, já prevíamos. Até este pretende encontrar a origem da maçonaria naquela fuga dos templários para a Escócia... Uma história ruminada por dois séculos, com base em fantasias. Nenhuma prova, posso pôr na mesa uns cinquenta livros que narram a mesma façanha, plagiando uns aos outros. Veja aqui, abrindo ao acaso: 'A prova da expedição escocesa está no fato de que, até hoje, a 650 anos de distância, existem ainda no mundo ordens secretas que evocam a Milícia do Templo. Como explicar de outra forma a continuidade dessa herança espiritual?' Compreende? Como é possível não existir o marquês de Carabas se até o gato de botas diz estar a seu serviço?"

"Compreendo", disse Belbo. "Vou jogá-lo fora. Mas a sua história dos templários me interessa. Não vou perder esta chance de ter à mão um especialista. Por que todos falam dos templários e não dos cavaleiros de Malta? Não, não me diga agora. Já está ficando tarde, Diotallevi e eu devemos ir daqui a pouco a um jantar na casa do Sr. Garamond. Mas devemos estar de volta lá pelas dez e meia. Se puder, vou convencer também o Diotallevi para dar um pulo no Pílades — ele em geral gosta de dormir cedo, e é abstêmio. Encontro-o lá?"

"Mas como não? Pertenço a uma geração perdida, e só me encontro quando assisto em grupo à solidão de meus semelhantes."

13

LI FRERE, LI MESTRE DU TEMPLE

Li frere, li mestre du Temple
Qu'estoient rempli et ample
D'or et d'argent et de richesse
Et qui menoient tel noblesse,
Où sont il? que sont devenu?

(Chronique à la suite du roman de Favel)

Et in Arcadia ego. O Pílades naquela noite era a imagem da idade de ouro. Uma daquelas noitadas em que te advertes de que a Revolução não só se fará, mas que será patrocinada pelo Sindicato das Indústrias. Só no Pílades se podia ver o proprietário de uma fábrica de tecidos, de barba e dólman verde-oliva, jogando biriba com um futuro foragido, de jaquetão e gravata. Estávamos nos alvores de uma grande revirada do paradigma. Ainda no início dos anos a barba era fascista — mas era preciso desenhar com ela o perfil, raspando-a nas maçãs do rosto, à Italo Balbo* —, em 1968 passara a ser contestatória, e agora estava se tornando neutra e universal, opção de liberdade. A barba sempre foi máscara (põe-se uma barba postiça para não ser reconhecido), mas na perspectiva do início dos anos 1970 a gente se podia camuflar com uma barba verdadeira. Podia-se mentir dizendo a verdade, ou mais, tornando a verdade enigmática e fugidia, porque diante de uma barba não se podia mais inferir a ideologia do barbudo. Mas naquela noite, a barba resplendia mesmo sobre os rostos glabros dos que, não a usando, deixavam compreender que podiam cultivá-la, renunciando a isso apenas por provocação.

---

*   Líder fascista. (*N. do T.*)

Divago. Mas a certa altura chegaram Belbo e Diotallevi, murmurando reciprocamente, com ares transtornados, ácidos comentários sobre o jantar recente. Só mais tarde vim a saber o que eram os jantares do Sr. Garamond.

Belbo passou imediatamente aos seus destilados preferidos, Diotallevi hesitou um bom tempo e se decidiu pela água tônica. Arranjamos uma mesinha ao fundo, naquele instante deixada livre por dois motorneiros que deviam acordar cedo na manhã seguinte.

"Com que então", disse Diotallevi, "aqueles templários..."

"Não, agora por favor não me ponham em crise... São coisas que se podem ler em qualquer lugar."

"Somos pela tradição oral", disse Belbo.

"É mais mística", disse Diotallevi. "Deus criou o mundo falando, e não mandando um telegrama."

"*Fiat lux, stop*. Segue epístola", disse Belbo.

"Aos tessalonicenses, imagino", disse.

"Os templários", disse Belbo.

"Pois", disse eu.

"Não se começa nada com pois", objetou Diotallevi.

Fiz menção de levantar-me. Esperei que me pedissem para ficar. Não o fizeram. Sentei-me e falei.

"Bem, a história todos sabem. Houve a primeira cruzada, certo? Godofredo adora o Santo Sepulcro e escolhe o claustro, Balduíno torna-se o primeiro rei de Jerusalém. Um reino cristão na Terra Santa. Mas uma coisa é ter Jerusalém, outra coisa o resto da Palestina, e os sarracenos foram vencidos mas não eliminados. A vida lá não é fácil, nem para os novos entronizados, nem para os peregrinos. E eis que em 1118, sob o reinado de Balduíno II, aparecem nove personagens, liderados por um certo Hugues de Payns, e constituem o núcleo da Ordem dos Pobres Cavaleiros de Cristo: ordem monástica, mas com espada e armadura. Os três votos clássicos, pobreza, castidade e obediência, e mais o de defesa dos peregrinos. O rei, o bispo, todos, em Jerusalém, logo ajudam com dinheiro e alojamento, e os instalam no claustro do velho Templo de Salomão. E aí está por que se tornaram os Cavaleiros do Templo."

"Quem eram?"

"Provavelmente Hugues e os primeiros oito eram idealistas, devotos da mística da cruzada. Mas em seguida agirão como cadetes em busca de aventuras.

O novo reino de Jerusalém é um pouco a Califórnia daqueles tempos, pode-se fazer fortuna. Em sua terra não são muitas as perspectivas, e é de supor que entre eles haja algum que tenha feito das suas. Penso no assunto em termos de legião estrangeira. Que fazes se estás em apuros? Fazes-te templário, pode-se conhecer novas terras, a gente se diverte, combate, te dão comida, vestes e no fim até salvas a alma. É verdade, é preciso que estejas bastante desesperado, pois se trata de vagar pelo deserto, dormir em tendas, passar dias e dias sem ver vivalma, a não ser os outros templários e a cara de algum turco, cavalgar embaixo do sol, dividindo as rações de água e estripando outros pobres-diabos..."

Calei-me por um instante. "Talvez esteja tornando a coisa demasiadamente *western*. Há provavelmente uma terceira fase: a ordem se torna poderosa, procuram fazer parte dela mesmo aqueles que têm boa posição na pátria. Mas àquela altura ser templário já não significa necessariamente trabalhar na Terra Santa, pode-se ser templário até em casa. História complexa. Às vezes parecem recrutas sem eira nem beira, outras vezes demonstram ter certa sensibilidade. Por exemplo, não se pode dizer que fossem racistas; combatiam os muçulmanos, estavam ali para isso, mas com espírito cavaleiroso, e admiravam-se mutuamente. Quando o embaixador do emir de Damasco visita Jerusalém, os templários lhe destinam uma pequena mesquita, já transformada em igreja cristã, para que possa fazer suas orações. Um dia entra um franco que se indigna de ver um muçulmano num lugar sagrado, e o trata mal. Os templários correm com o intolerante e se desculpam com o muçulmano. Essa fraternidade de armas com o inimigo os levará mais tarde à ruína, porque com o correr do tempo serão até mesmo acusados de terem tido ligações com seitas esotéricas muçulmanas. E talvez seja verdade, um pouco assim como aqueles aventureiros do século passado tomados pelo mal da África, que não tinham uma educação monástica regular, não eram assim tão sutis em entender as diferenças teológicas, imagine-os como outros Lawrences da Arábia, e se vestem como xeiques... Mas é difícil agora avaliar suas ações, porque os historiógrafos cristãos, como Guilherme de Tiro, não perdem a oportunidade de denegri-los."

"Por quê?"

"Porque se tornam poderosos demais e muito diligentes. Tudo começa com São Bernardo. Sabem sobre São Bernardo, não? Grande organizador, reforma a ordem beneditina, elimina da Igreja as condecorações, quando um colega o irrita, como Abelardo, ataca-o à McCarthy, e se pudesse o mandaria à fogueira. Não podendo, manda queimar seus livros. Depois prega a cruzada, armai-vos e parti..."

"Não lhe é nada simpático", observou Belbo.

"Não, não o suporto, se dependesse de mim iria terminar num dos círculos horrendos, apesar de santo. Mas era um bom agente de publicidade de si mesmo, veja a homenagem que lhe presta Dante, nomeando-o chefe de gabinete de Nossa Senhora. Torna-se imediatamente santo porque alcovitou com a gente certa. Mas falava dos templários. Bernardo intuiu logo que a ideia era de se cultivar, e apoia aqueles nove aventureiros, transformando-os numa Militia Christi; digamos mesmo que os templários, em sua versão heroica, quem inventa é ele. Em 1128 faz convocar um concílio em Troyes especialmente para definir o que são aqueles novos monges soldados, e alguns anos depois escreve um louvor àquela Milícia de Cristo, e prepara uma regra de 72 artigos, divertida de se ler, porque aí se encontra de tudo. Missa todos os dias, não devem frequentar cavaleiros excomungados, mas se algum deles solicita admissão no Templo devem acolhê-lo como cristão, e vejam que eu tinha razão quando falava de legião estrangeira. Vestirão manto branco, simples, sem peles, desde que não sejam de ovelha ou de carneiro, proibido usar calçados recurvos e macios segundo a moda, devem dormir de camisa e ceroulas, um colchão, um lençol e uma coberta..."

"Com aquele calor, decerto fediam...", disse Belbo.

"Do fedor falaremos depois. A regra apresentava outras durezas: a mesma tigela para dois, comer em silêncio, carne três vezes por semana, penitência às sextas, acorda-se de madrugada; se o trabalho da véspera foi muito fatigante, concede-se uma hora de sono a mais, mas em compensação devem-se recitar 13 pai-nossos na cama. Existe um mestre, toda uma série de hierarquias inferiores, desde os cavalariços, aos escudeiros, fâmulos e servos. Cada cavaleiro terá três cavalos e um escudeiro, nenhuma decoração de luxo nas bridas, na sela ou nas esporas, armas simples, mas boas, vedada a caça, exceto o leão, em suma, uma vida de penitência e de batalha. Sem falar no voto de castidade, sobre o qual se insiste particularmente, porque eles eram gente que não estava em convento, mas que fazia a guerra, vivia em meio ao mundo, se quisermos chamar de mundo a vermina que a Terra Santa devia ser naqueles tempos. Em suma, diz a regra que a companhia de uma mulher é perigosíssima e só se pode beijar a mãe, a irmã e a tia..."

Belbo hesitou: "Bem, quanto à tia, eu teria sido mais prudente... Mas, o quanto me lembro, os templários não foram acusados de sodomia? Há aquele livro de Klossovski, *Le Baphomet*. Quem era esse Bafomé, uma divindade diabólica deles, não?"

"Lá chegaremos. Mas pensem um momento. Passavam uma vida de marinheiro, meses e meses no deserto. Estás na casa do diabo, é noite, dormes na tenda com o sujeito que come na mesma escudela que a tua, tens sono, sede, medo, queres a mamãe. Que fazes?"

"Amor viril, legião tebana", sugeriu Belbo.

"Mas pensem que vida infernal, em meio a outros soldados e pajens que não fizeram voto, quando invadem uma cidade, estupram as mourazinhas de ventre cor de âmbar e olhos de veludo, que faz o templário, entre os aromas dos cedros do Líbano? Pois deixem-lhe o mourinho. Agora compreendem por que se difundiu o ditado 'beber e praguejar como um templário'. É um pouco a história do capelão na trincheira, que entorna pinga e prugueja com seus soldados analfabetos. E basta. O sinete deles sempre os representa a dois, um à garupa do outro, no mesmo cavalo. Por que, visto que a regra lhes concede três cavalos a cada um? Deve ter sido uma ideia de Bernardo, para simbolizar a pobreza, ou a duplicidade de seu papel de monges e cavaleiros. Mas sabem como é a imaginação popular, que dizer desses monges que vão por aí à disparada, um com a pança contra o rabo do outro? Acabarão por serem caluniados..."

"...não decerto sem motivo", comentou Belbo. "São Bernardo certamente não era nenhum estúpido."

"Não, estúpido não era, mas era monge também, e naqueles tempos o monge tinha uma estranha ideia do corpo... Ainda há pouco eu estava receoso de ter levado a minha história um pouco demais para o *western*, mas, pensando bem, ouçam o que dizia Bernardo sobre seus cavaleiros prediletos, trago aqui comigo a citação porque vale a pena: 'Evitam e aborrecem os mímicos, os prestidigitadores e os ilusionistas, as canções inconvenientes e as farsas, cortam curtos os cabelos, tendo aprendido do apóstolo ser ignomínia o homem cuidar da própria cabeleira. Jamais são vistos penteados, raramente lavados, a barba hirsuta, fétidos de pó, sujos por causa da armadura e do calor.'"

"Eu é que não queria morar junto deles", disse Belbo.

Diotallevi sentenciou: "Sempre foi típico do eremita cultivar uma sadia sujeira, para humilhar o próprio corpo. São Macário não vivia sobre uma coluna e, quando os vermes lhe caíam das costas, os recolhia e os punha de novo no corpo para que eles, também criaturas do Senhor, tivessem o seu festim?"

"O estilita era São Simeão", disse Belbo, "e acho que ficava em cima da coluna só para cuspir na cabeça daqueles que passavam por baixo."

"Odeio o espírito do Iluminismo", disse Diotallevi. "Em todo caso, Macário ou Simeão, houve um estilita com vermes como eu disse, mas não sou autoridade na matéria porque não me ocupo das loucuras dos gentios."

"Acaso eram limpos os teus rabinos de Gerona?", perguntou Belbo.

"Estavam em lúgubres casebres porque vocês, os gentios, os confinavam no gueto. Os templários, ao contrário, se emporcalhavam por gosto."

"Não dramatizemos", disse eu. "Já viram um pelotão de recrutas depois da marcha forçada? Mas lhes contei essas coisas para fazê-los compreender a contradição dos templários. Deve-se ser místico, ascético, não comer, não beber, não varrer. Mas vai para o deserto, corta a cabeça dos inimigos de Cristo, quanto mais se corta tanto mais se ganha cupões para o paraíso, fede, faz-se hirsuto a cada dia que passa, e Bernardo ainda pretendia que depois de haver conquistado uma cidade não se atirassem sobre alguma mocinha ou velhinha que fosse, e que nas noites sem lua, quando, como se sabe, o simum sopra no deserto, não se deixassem fazer um servicinho qualquer pelo seu companheiro de armas preferido. Só porque és monge e espadachim, estripas muçulmanos e rezas a ave-maria, não deves encarar tua prima, e quando entras numa cidade, depois de dias e dias de assédio, os outros cruzados fodendo a mulher do califa diante dos teus olhos, sulamitas maravilhosas abrindo o corpete e dizendo-te toma-me toma-me mas deixa-me a vida... E o templário nada, devia ficar duro, fedorento, hirsuto como o queria São Bernardo a recitar completas... Além do mais, basta ler os Retraits..."

"O que era isso?"

"Estatutos da ordem, redigidos bem mais tarde, digamos quando a ordem já estava de pantufas. Não há nada pior do que um exército que se entedia porque a guerra acabou. Por exemplo, proibiram-se as rixas, ferir um cristão por vingança, comercializar mulheres, caluniar o irmão. Não se deve perder um escravo, encolerizar-se e dizer 'vou para o lado dos sarracenos!', deixar extraviar por incúria um cavalo, dar animais, com exceção de cães e gatos, partir sem permissão, quebrar o sigilo do mestre, deixar a capitania de noite, emprestar dinheiro da ordem sem autorização, atirar o hábito por terra quando enfurecido."

"Por meio de um sistema de vetos pode-se intuir o que as pessoas faziam habitualmente", disse Belbo, "e com isso traçar esboços da vida cotidiana."

"Vejamos", disse Diotallevi, "um templário, irritado por alguma coisa que os irmãos lhe haviam dito ou feito naquela noite, sai tarde sem permissão, a cavalo, com um sarracenozinho de escolta e três capões pendurados na sela, para ir à casa de uma jovem de costumes indecorosos, e locupletando-a com os ditos capões obtém as vantagens de ilícito conúbio... Depois, durante a esbórnia, o mouro escapa com o cavalo, e o nosso templário, mais sujo, suado e hirsuto que de costume, volta para casa com o rabinho entre as pernas e, procurando passar despercebido, entrega dinheiro (do Templo) ao usurário de costume, um judeu que o espera como um abutre sobre a trípode..."

"Tu o disseste, Caifás", observou Belbo.

"E assim por diante, segundo os estereótipos. O templário procura reaver se não o mouro, pelo menos uma sombra do cavalo. Mas um cotemplário percebe a tramoia e à noite (estamos vendo, naquela comunidade a inveja é de casa), quando entre a satisfação geral chega a carne, faz pesadas alusões. O capitão fica desconfiado, o suspeito se atrapalha, enrubesce, arranca o punhal e atira-se sobre o tipo..."

"Sobre o delator", precisou Belbo.

"Sobre o delator, bem dito, atira-se sobre o miserável golpeando-lhe o rosto. Este arranca da espada, lutam indecorosamente, o capitão repreende-os, os irmãos escarnecem..."

"Bebendo e praguejando como templários...", disse Belbo.

"Juradeus, nomededeus, pordeus, afédedeus, sanguededeus!", dramatizei.

"Sem dúvida, o nosso templário se altera, assim... como diabos fica um templário quando se altera?"

"Fica vermelho", sugeriu Belbo.

"Isso mesmo, fica vermelho, arranca o hábito e o arremessa por terra..."

"Fiquem com esta túnica de merda vocês e seu maldito templo!", propôs. "Depois, dá uma espadada no sinete, despedaça-o e grita que lá se vai unir aos sarracenos."

"Violando pelo menos oito preceitos de um só lance."

Concluí, para melhor ilustrar minha tese: "Pois ali havia tipos assim, que dizem 'lá me vou com os sarracenos', no dia em que o comendador do rei os prende e os faz ver o ferro em brasa? Fala marrano, diz que lhe metia no traseiro! Nós? Mas a mim as vossas tenazes me fazem rir, não sabem do que é capaz um templário, meto no vosso traseiro, do papa, e se estiver à mão até mesmo no do rei Filipe!"

"Confessou, confessou! Foi decerto assim a coisa", disse Belbo. "E já para o calabouço, uma passada de óleo todos os dias, que assim queima melhor."

"Como crianças", concluiu Diotallevi.

Fomos interrompidos por uma jovem, com uma mancha de morango no nariz e folhas de panfleto na mão. Perguntou-nos se já havíamos assinado pelos companheiros argentinos presos. Belbo logo assinou, sem sequer olhar o papel. "Em todo caso, estão pior que eu", disse a Diotallevi, que o observava com ar perdido. Depois voltou-se para a jovem: "Ele não pode assinar, pertence a uma minoria indiana que proíbe escrever o próprio nome. Muitos deles estão na cadeia porque o governo os persegue." A garota fixou Diotallevi com compreensão e passou o papel para mim. Diotallevi relaxou.

"Quem são?", perguntei.

"Como quem são? Companheiros argentinos."

"Sim, mas de que grupo?"

"Taquara, não?"

"Mas os Taquaras são fascistas", arrisquei, ao que sabia.

"Fascista", me sibilou com ódio a jovem. E lá se foi.

"Mas, em suma, esses templários eram então uns pobres coitados?", perguntou Diotallevi.

"Não", disse eu, "a culpa é minha porque estava procurando tornar mais viva a minha história. Tudo o que dissemos tem a ver com a tropa, mas a ordem desde o início recebeu doações fantásticas e pouco a pouco foi constituindo capitanias em toda a Europa. Notem que Afonso de Castela e Aragão presenteou-a com um país inteiro, e, além disso, em seu testamento lhe deixa o reino caso venha a morrer sem herdeiros. Os templários não confiam no gesto e fazem uma transação, como quem diz 'contentamo-nos com pouco', mas esse pouco são nada menos que uma dezena de fortalezas na Espanha. O rei de Portugal lhes doa uma floresta, e como ainda estivesse ocupada pelos sarracenos, os templários se metem ao assalto, expulsam os mouros, e por assim dizer fundam Coimbra. E são apenas episódios. Em resumo, uma parte combate na Palestina, mas o grosso da ordem progride em casa. E que acontece? Se alguém tem que ir à Palestina e precisa de dinheiro, e não tem coragem de viajar com joias e ouro, entrega-os aos templários na França, na Espanha ou na Itália, recebe um bônus que pode ser resgatado no Oriente."

"A carta de crédito?", perguntou Belbo.

"Isso mesmo, inventaram o cheque, e antes dos banqueiros florentinos. Donde se compreende que, por força de doações, conquistas à mão armada e corretagens sobre operações financeiras, os templários se tenham tornado uma multinacional. Para dirigir uma empresa do gênero, era preciso gente de boa cabeça. Gente que consegue convencer Inocêncio II a conceder-lhes privilégios excepcionais: a ordem pode ficar com as pilhagens de guerra, e onde tiver bens não está obrigada a prestar obediência ao rei, aos bispos ou ao patriarca de Jerusalém, mas apenas ao papa. Isentados em toda parte do pagamento da dízima, têm o direito eles próprios de impô-la nas terras que controlam... Em suma, trata-se de uma empresa sempre no ativo, na qual ninguém pode meter o bedelho. Compreende-se por que passam a ser malvistos pelos bispos e reinantes, que contudo não podem passar sem eles. Os cruzados são uns trapalhões, gente que parte sem saber para onde vai nem o que vai encontrar, já os templários nesse particular estão em casa, sabem como tratar o inimigo, conhecem o terreno e a arte militar. A ordem dos templários é uma coisa séria, ainda que se sustente sobre as fanfarronadas de sua tropa de choque."

"Mas eram fanfarronadas?", perguntou Diotallevi.

"Muitas vezes sim, e de novo nos surpreendemos com a variedade de seu conhecimento político e administrativo, e seu estilo de boinas-verdes, todo fígado e nenhum cérebro. Tomemos a história de Ascalão..."

"Tomemos", disse Belbo, que se havia distraído para cumprimentar com ostensiva luxúria uma certa Dolores que entrava.

Ela veio sentar-se ao nosso lado, dizendo: "Quero ouvir a história de Ascalão, quero ouvir."

"Ora, um dia o rei de França, o imperador germânico, Balduíno III de Jerusalém e dois grão-mestres dos templários e dos hospitalários decidiram cercar Ascalão. Partem todos para o cerco, o rei, a corte, o patriarca, os padres com as cruzes e estandartes, os arcebispos de Tiro, de Nazaré, da Cesareia, em suma, uma grande festa, com as tendas erguidas diante da cidadela inimiga, e as auriflamas, os grandes escudos, os tambores... Ascalão era defendida por 150 torres e os habitantes já estavam preparados há tempos para o ataque, cada casa dispondo de seteiras, outras tantas fortalezas na fortaleza principal. Digo, os templários, que eram tão hábeis, deviam saber essas coisas. Assim, todos se excitam, constroem tartarugas e torres de madeira, sabem, aquelas construções sobre rodas que se empurram para junto dos muros do inimigo e lançam fogo, pedras, flechas, enquanto de longe as catapultas bombardeiam com pedregulhos... Os ascalonitas procuram incendiar as torres, o vento lhes é desfavorável, as chamas pegam nas muralhas, que pelo menos em um ponto cedem. A brecha! Neste ponto todos os sitiantes entram como se fossem um só, e acontece um fato estranho. O grão-mestre dos templários faz uma barragem, de modo que na cidadela só entrem os seus. As más línguas dizem que fez isso para que o saque enriquecesse só os templários, os de boa-fé acham que, temendo uma emboscada, quisesse mandar na vanguarda os seus audazes. Em todo caso não daria a eles a direção de uma escola de guerra, porque quarenta templários percorrem toda a cidade a 180 por hora, vão dar de cara com a muralha do lado oposto, freiam levantando grande nuvem de poeira, olham uns para os outros e se perguntam o que estão fazendo ali, invertem a marcha e desfilam precipitadamente entre os mouros, que os perseguem atirando-lhes pedras e venábulos das janelas, massacrando-os todos inclusive o grão-mestre, e em seguida tapam a brecha, penduram nos muros os cadáveres e fazem figa para os cristãos entre escárnios obscenos."

"O mouro é cruel", disse Belbo.

"Como as crianças", repetiu Diotallevi.

"Mas eram uns baderneiros do cacete esses seus templários", disse Dolores, excitada.

"A mim fazem lembrar o Tom & Jerry", disse Belbo.

Arrependi-me. No fundo estava havia dois anos vivendo com os templários, e os amava. Intimidado pelo esnobismo de meus interlocutores, acabei apresentando-os como personagens de desenho animado. Talvez fosse culpa de Guilherme de Tiro, historiador infiel. Não eram assim os cavaleiros do Templo, barbudos e flamejantes, com a bela cruz encarnada sobre o manto cândido, esvoaçante à sombra de sua bandeira branca e negra, o Beauceant, destinados — e maravilhosamente — à sua festa de morte e de audácia, e o suor de que falava São Bernardo talvez fosse um lucilar brônzeo que conferia uma nobreza sarcástica ao seu sorriso tremendo, enquanto estavam assim aplicados em festejar cruelmente o adeus da vida... Leões na guerra, como dizia Jacques de Vitry, cordeiros cheios de doçura na paz, rudes na batalha, devotos na prece, ferozes com os inimigos, benévolos com os irmãos, marcados do branco e do negro de seu estandarte porque cheios de candor pelos amigos de Cristo, soturnos e terríveis para com seus adversários...

Patéticos campeões da fé, último exemplo de uma cavalaria no crepúsculo, por que me comportar em relação a eles como um Ariosto qualquer, quando poderia ser seu Joinville? Vieram-me à mente as páginas que lhes dedicara o autor da *História de São Luís,* que havia seguido para a Terra Santa em companhia de Luís o Santo, escrivão e combatente ao mesmo tempo. Enfim, os templários existiam há 150 anos, haviam feito cruzadas bastantes para extenuar qualquer ideal. Desaparecidas como fantasmas as figuras heroicas da rainha Melisanda e de Balduíno o rei leproso, consumadas as lutas intestinas daquele Líbano ensanguentado desde então, tendo caído já uma vez Jerusalém, Barba-Roxa afogando-se na Cilícia, Ricardo Coração de Leão derrotado e humilhado que regressa à pátria travestido precisamente de templário, a cristandade perde sua batalha, e os mouros têm uma ideia bem diversa da confederação dos potentados autônomos mas unidos na defesa de uma civilização — leram Avicena, não são ignorantes como os europeus, como é possível permanecer dois séculos exposto a uma cultura tolerante, mística e libertina, sem ceder às lisonjas, podendo-a comparar à cultura ocidental, rude, insolente, bárbara e germânica? Até que em 1244 ocorre a última e definitiva queda de Jerusalém, a guerra, iniciada 150 anos antes, é perdida, os cristãos irão deixar de empunhar armas numa terra destinada à paz e ao perfume dos cedros do Líbano, pobres templários, de que serviu vossa epopeia?

Ternura, melancolia, palidez de uma glória fenecente, por que não se dedicar então à consulta das doutrinas secretas dos místicos muçulmanos, à acumulação hierática de tesouros ocultos? Talvez daí tenha nascido a lenda dos cavaleiros do Templo, que até hoje obsidia as mentes desiludidas e desejosas. A história de uma potência sem limites que já agora não sabe mais sobre o que exercitar-se...

Contudo, já no ocaso do mito, aparece Luís, o rei santo, o rei que tem por comensal o Aquinate, que ainda acredita na cruzada, malgrado dois séculos de sonhos e tentativas falidas pela estupidez dos vencedores, vale a pena tentar mais uma vez? Vale a pena, diz Luís o Santo, os templários topam, seguem-no na derrota, pois é este o seu dever, como justificar o Templo sem a cruzada?

Luís ataca Damieta por mar, a praia inimiga é todo um reluzir de lanças e alabardas e auriflamas, escudos e cimitarras, bela e valorosa gente de se ver, diz Joinville cavalheiresco, que portam armas de ouro percutidas pelo sol. Luís poderia esperar, decide em vez disso desembarcar a qualquer custo. "Meus fiéis, seremos invencíveis se formos inseparáveis em nossa fé. Se formos vencidos, seremos mártires. Se triunfarmos, a glória de Deus estará acrescida." Os templários não vão na conversa, mas foram educados para serem cavaleiros do ideal, e tal é a imagem que devem apresentar de si mesmos. Seguiram o rei em sua mística loucura.

O desembarque incrivelmente teve êxito, os sarracenos incrivelmente abandonam Damieta, tanto assim que o rei hesita em entrar na cidade pois não crê naquela fuga. Mas é verdade, a cidadela é sua e seus são os tesouros e as cem mesquitas que imediatamente Luís converte em igrejas do Senhor. Agora se trata de tomar uma decisão: marchar sobre Alexandria ou sobre o Cairo? A decisão prudente teria sido Alexandria, para subtrair ao Egito um porto vital. Mas lá estava o gênio mau da expedição, o irmão do rei, Robert d'Artois, megalômano, ambicioso, sedento de glória e impulsivo, como todo caçula. Aconselha a marcha sobre o Cairo, coração do Egito. O Templo, a princípio prudente, obedece contrariado. O rei havia vetado as escaramuças isoladas, mas é o marechal do Templo que infringe a proibição. Vê um destacamento de mamelucos do sultão e grita: "Vamos a eles, em nome de Deus, pois não posso suportar uma vergonha dessas!"

Os sarracenos em Mansurah se entrincheiram do outro lado de um rio, os franceses tratam de construir um dique para poderem vadeá-lo, protegendo-o com suas torres móveis, mas os sarracenos aprenderam com os bizantinos a arte do fogo grego. O fogo grego tinha uma ponta grossa como um barril, a cauda era como uma grande lança, chegava como um raio e parecia um dragão que voasse pelos ares. E desprendia tal luz que o campo ficava claro como se fosse dia.

Enquanto o campo cristão está todo em chamas, um beduíno traidor indica ao rei uma passagem pelo rio, por trezentos besantes. O rei decide atacar, a travessia não é fácil, muitos se afogam e são arrastados pelas águas, e na margem oposta estão à espera trezentos sarracenos a cavalo. Porém, o grosso do exército finalmente toca em terra e, de acordo com as ordens, os templários cavalgam na vanguarda, seguidos do conde de Artois. Os cavaleiros muçulmanos põem-se em fuga e os templários esperam o resto do exército cristão. Mas o conde de Artois avança com os seus em perseguição do inimigo.

Então os templários, para não ficarem desonrados, lançam-se também eles ao ataque, mas cavalgando apenas na retaguarda de Artois, que já invadiu o campo inimigo e andava a fazer estragos. Os muçulmanos empreendem a fuga em direção a Mansurah. Para Artois, é como um convite para a festa, e toca a persegui-los. Os templários tentam detê-lo, o irmão Gilles, comandante em chefe do templo, lisonjeia-o dizendo que Artois já havia realizado uma empresa admirável, das maiores empreendidas em terras de ultramar. Mas Artois, janota sedento de glória, acusa de traição os templários, aduzindo ainda que, se tivessem querido, os templários e os hospitalários, aquela terra já teria sido conquistada há muito, e ele próprio dera uma prova do que se podia fazer quando se tinha sangue nas veias. Era demais para a honra do Templo. O Templo não se deixa secundar por ninguém, todos se atiram em direção à cidade, invadem-na, seguem o inimigo até as muralhas do lado oposto, e naquele instante os templários se dão conta de estarem repetindo o erro de Ascalão. Os cristãos — templários inclusive — demoraram-se em saquear o palácio do sultão, os infiéis se reorganizam, precipitam-se sobre aquela malta de aves de rapina, já então dispersa. Será que os templários mais uma vez se deixaram cegar pela cobiça? Já outros afirmam que, antes de seguir Artois na invasão da cidade, o irmão Gilles lhe dissera com lúcido estoicismo: "Sire, eu e meus irmãos não temos medo e vos seguiremos. Mas sabei que duvidamos, e muito, que ambos possamos retornar." Em todo caso, Artois, graças a Deus, acaba sendo morto, e com ele tantos outros bravos cavaleiros, inclusive 280 templários.

Pior que uma desfeita, uma vergonha. Contudo, não vem registrada como tal, nem mesmo em Joinville: isso ocorre, é a beleza da guerra.

Sob a pena do senhor de Joinville muitas dessas batalhas, ou escaramuças que fossem, se transformam em delicados balés, com algumas cabeças que rolam, e muitas implorações ao bom Senhor, e vez por outra um pranto do rei por algum súdito fiel que expira, mas tudo como filmado em cores, entre faixas de pano rubras, ornamentos dourados, lampejar de elmos e de espadas sob o sol amarelo do deserto e defronte ao mar turquesino, e quem sabe se os templários não viveram precisamente assim sua carnificina cotidiana?

O olhar de Joinville se move de alto a baixo ou de baixo para cima, segundo ele caia do cavalo ou volte a montar, e põe em destaque cenas isoladas, o plano da batalha lhe escapa, tudo se resolve em duelos individuais e frequentemente de êxito casual. Joinville se lança em auxílio do senhor de Wanon, um turco o fere com um golpe de lança, o cavalo cai de joelhos, Joinville voa para a frente por cima da cabeça do animal, levanta-se de espada em punho e o senhor Érard de Siverey ("Deus o absolva") faz-lhe sinal para se refugiarem numa casa em ruínas, são literalmente esmagados por um regimento de turcos, mas conseguem erguer-se ilesos, retornam a essa casa, fazem dela barricada, os turcos os cercando do alto com a ponta das lanças. O senhor Frédéric de Loupey é ferido no ombro "e tal era a ferida que o sangue esguichava como a rolha que salta de um tonel" e o senhor de Siverey leva tal espadada no meio dos cornos "que o nariz lhe caía sobre a boca". E por aí afora, até que chega socorro, saem da casa, são transferidos para outra área do campo de batalha, nova cena, outras mortes e resgates *in extremis*, preces em voz alta ao senhor São Tiago. E no meio disto tudo, o bom conde de Soissons grita, enquanto desfere seus golpes de espada, "senhor de Joinville, deixemos urrar essa canalha, que haveremos, por Deus, de ainda falar deste dia quando estivermos entre as damas!" E quando o rei pede notícias de seu irmão, o maldito conde de Artois, o frade Henry de Ronnay, preposto dos hospitalários, responde "que tinha boas notícias, sabendo por certo que o conde de Artois estava já no paraíso". O rei diz Deus seja louvado por tudo que lhe mandar, e grossas lágrimas lhe rolam dos olhos.

Mas não é sempre balé, por angélico e sanguinário que seja. Morre o grande mestre Guillaume de Sonnac, queimado vivo pelo fogo grego, o exército cristão, em razão da fedentina dos cadáveres e da escassez de víveres, acaba vítima do escorbuto, a armada de São Luís está a caminho, o rei é minado pela disenteria, de tal forma que tem de cortar o fundilho dos calções para ganhar tempo em meio das batalhas. Damieta é perdida, a rainha tem de pactuar com os sarracenos e lhes paga 500 mil liras tornesas para salvar a vida.

Mas as cruzadas se faziam com teologal má-fé. Em São João de Acre, São Luís foi acolhido como triunfador e toda a cidade se dirige ao seu encontro em procissão, com o clero, as mulheres e as crianças. Os templários conhecem a história toda e procuram entrar em tratativas com Damasco. Luís vem a sabê-lo, não admite ser apeado do trono, excomunga o novo grão-mestre em frente dos embaixadores muçulmanos, e o grão-mestre desrespeita a palavra dada aos inimigos, ajoelha-se diante do rei e lhe pede perdão. Não se pode dizer que os cavaleiros não se tenham batido bem, e desinteressadamente, mas o rei de França os humilha, para reafirmar seu poder — e para reafirmar seu poder, meio século depois, seu sucessor Filipe os mandará à fogueira.

Em 1291, São João de Acre é conquistada aos mouros, todos os seus habitantes são sacrificados. O reino cristão de Jerusalém chega ao fim. Os templários estão mais ricos, mais numerosos e mais poderosos que nunca, criados para combater na Terra Santa e na Terra Santa não se encontram mais.

Vivem esplendidamente sepultados nas capitanias de toda a Europa e no Templo de Paris, e sonham ainda com a esplanada do Templo de Jerusalém em seus tempos de glória, com a bela igreja de Santa Maria de Latrão constelada de capelas votivas, com buquês de troféus, e um rebuliço de forjas, selarias, lojas de fazendas, celeiros, uma cavalariça para dois mil cavalos, um enredar de escudeiros, criados, turcópolos, as cruzes vermelhas sobre os mantos brancos, as cotas castanhas dos auxiliares, os enviados do sultão com grandes turbantes e elmos dourados, os peregrinos, um emaranhado de belas patrulhas e estafetas, e a euforia dos cofres cheios, o porto do qual partiam ordens e disposições e encargos para os castelos da mãe-pátria, das ilhas e das costas da Ásia Menor...

Tudo acabou, meus pobres templários.

Percebi aquela noite, no Pílades, já então no quinto uísque, que Belbo estava me dando corda, que eu estava sonhando, com sentimento (que vergonha), mas em voz alta, e devo ter contado uma história belíssima, com paixão e compaixão, porque os olhos de Dolores brilhavam, e Diotallevi, precipitado na insânia de uma segunda água tônica, volvia os olhos seráficos para os céus, ou para o teto nada sefirótico do bar, e murmurava:

"E talvez fosse tudo isso, almas perdidas e almas puras, cavalariços e cavaleiros andantes, banqueiros e heróis..."

"Certo que eram singulares", foi a síntese de Belbo. "Mas, Casaubon, quero saber se os ama?"

"Faço uma tese sobre eles, e quando se faz uma tese mesmo sobre a sífilis a gente acaba amando o treponema pálido."

"Belo como um filme", disse Dolores. "Mas agora tenho que ir, estão ouvindo, pois amanhã bem cedo vou circular uns volantes por aí. Vamos ajudar nos piquetes na Marelli."

"Feliz de você que ainda se pode permitir essas coisas", disse Belbo. Ergueu lentamente a mão e acariciou-lhe os cabelos. Pediu o último uísque. "É quase meia-noite", observou. "Não falo por causa dos humanos, mas por Diotallevi. Porém, terminemos a história, quero saber do processo. Quando, como, por quê..."

"*Cur, quomodo, quando*", assentiu Diotallevi. "Isso, isso."

14

TERIA TAMBÉM CONFESSADO TER MORTO NOSSO SENHOR

Afirmava ter visto no dia anterior 54 irmãos da ordem
serem conduzidos à fogueira, porque não haviam querido
confessar os supramencionados erros, e que havia ouvido
dizer que tinham sido queimados, e que ele próprio, temendo
não oferecer boa resistência se fosse condenado à fogueira,
havia confessado, por temor da morte, na presença dos
senhores comissários e de não importa quem mais, se fosse
interrogado, que todos os erros imputados à ordem eram
verdadeiros e que ele, se lhe fosse perguntado, teria também
confessado ter matado Nosso Senhor.

(Depoimento de Aimery de Villiers-le Duc, 13/5/1310)

Um processo cheio de silêncios, contradições, enigmas e estupidezes. Estas últimas eram as mais evidentes, e por serem inexplicáveis coincidiam em regra com os enigmas. Naqueles dias felizes eu acreditava que a estupidez criasse o enigma. Aquela noite no periscópio pensava que os enigmas mais terríveis, para não se revelarem como tais, se mascaram de loucura. Agora, penso ao contrário: que o mundo seja um enigma benigno, que a nossa loucura faz terrível por pretender interpretá-lo segundo a própria verdade.

Os templários haviam perdido sua razão de ser. Mas haviam transformado os meios em fins, administrando sua imensa riqueza. Natural que um monarca centralizador como Filipe o Belo os visse com maus olhos. Como se podia ter sob controle uma ordem soberana? O grão-mestre tinha o mesmo status de um príncipe de sangue azul, comandava um exército, administrava um patrimônio fundiário imenso, era eleito como o imperador e tinha autoridade absoluta. O tesouro francês não estava nas mãos do rei, mas sob a custódia do Templo de Paris. Os templários eram os depositários, os procuradores, os administradores de uma conta corrente atribuída formalmente ao rei. Recebiam, pagavam, manobravam com os juros, comportavam-se como um grande banco privado, mas com todos os privilégios e as franquias de um banco estatal... E o tesoureiro do rei era um templário. Pode-se reinar em tais condições?

Quando não se pode vencer alguém, melhor unir-se a ele. Filipe pede para ser feito templário honorário. Pedido negado. Ofensa que um rei jamais esquece. Então sugere ao papa a fusão dos templários e os hospitalários, pondo a nova ordem sob o controle de um de seus filhos. O grão-mestre do Templo, Jacques de Molay, chega em grande pompa de Chipre, onde então reside como um monarca no exílio, e apresenta ao papa um memorial no qual finge analisar as vantagens, mas na realidade põe à mostra as desvantagens da fusão. Sem pudor, Molay observa, entre outras coisas, que os templários eram mais ricos que os hospitalários, e a fusão serviria para empobrecer uns e enriquecer outros, o que seria de grave dano para o ânimo de seus cavaleiros. Molay vence essa primeira cartada no jogo que se estava iniciando, e o processo é arquivado.

Não restava senão a calúnia, e nisso o rei tinha bom jogo. Boatos sobre os templários já circulavam desde muito. Como deviam parecer esses "coloniais" aos bons franceses que os viam à sua volta a recolher dízimas e a oferecer nada em troca, nem mesmo, então, o próprio sangue de protetores do Santo Sepulcro? Franceses também eles, embora não de todo, para dizer a verdade quase *pieds noirs*, ou como se dizia então, *poulains*. É possível que ostentassem hábitos exóticos, quem sabe se entre eles não falassem a língua dos mouros, a que estavam habituados. Eram monges, mas davam espetáculo público de seus costumes petulantes, e já alguns anos antes o papa Inocêncio III fora induzido a escrever uma bula *De insolentia Templariorum*. Faziam voto de pobreza, mas viviam no fausto de uma casta aristocrática, tinham a avidez das novas classes mercantis e o atrevimento de uma companhia de mosqueteiros.

Precisa-se de pouco para passar à murmuração alusiva: homossexuais, heréticos, idólatras que adoram uma cabeça barbuda não se sabe donde veio, mas não decerto do panteão dos crentes fiéis, talvez partilhem do segredo dos ismaelitas, relacionem-se com os Assassinos do Velho da Montanha. De qualquer modo, Filipe e seus conselheiros tiram partido dos disse me disse.

À sombra de Filipe agem as suas almas condenadas, Marigny e Nogaret. Marigny é aquele que no fim poria as mãos no tesouro do Templo e o administrará por conta do rei, à espera de que passe aos hospitalários, e não é certo que usufrua dos interesses. Nogaret, chanceler do rei, fora em 1303 o estratégico do incidente de Anagni quando Sciarra Colonna esbofeteou o papa Bonifácio VIII, que morreu de humilhação no curso de um mês.

A certa altura entra em cena um tal de Esquieu de Floyran. Parece que, estando preso por delitos imprecisos e às vésperas da pena capital, encontra na cela um templário renegado, também este à espera da forca, de quem recolhe terríveis confissões. Floyran, em troca de sua incolumidade e de uma boa soma em dinheiro, vende o que sabe. O que sabe é exatamente aquilo que então todos já murmuram. Mas então passou-se da murmuração ao depoimento junto ao juiz de instrução. O rei comunica as sensacionais revelações de Floyran ao papa, que era então Clemente V, este que levou a sede papal para Avignon. O papa acredita e não acredita, e além do mais sabe que não é fácil meter a mão nos negócios do Templo. Mas em 1307 autoriza a abertura de um inquérito oficial. Molay é informado disso, mas se declara tranquilo. Continua a participar, ao lado do rei, das cerimônias oficiais, príncipe em meio aos príncipes. Clemente V deixa o tempo correr e o rei suspeita que o papa queira dar aos templários a chance de fugir. Nada de mais falso, os templários bebem e praguejam em suas capitanias na ignorância de tudo. Eis o primeiro enigma.

Em 14 de setembro de 1307, o rei envia mensagens seladas a todos os comendadores e senescais do reino, ordenando a prisão em massa dos templários e o confisco de seus bens. Entre o envio da ordem e a prisão, que ocorre a 13 de outubro, passa-se um mês. Os templários não suspeitam de nada. Na manhã da prisão caem todos na rede e — outro enigma — rendem-se sem oferecer resistência. E note-se que nos dias precedentes os oficiais do rei, para se assegurarem de que nada seria subtraído ao confisco, tinham feito uma espécie de inventário do patrimônio templar, em todo o território nacional, alegando razões administrativas pueris. E os templários nada, tenha a bondade senhor comendador, pode olhar o que bem quiser como se a casa fosse sua.

O papa, ao saber da prisão, tentou protestar, mas tarde demais. Os comissários reais já começam a trabalhar com ferro e corda, e muitos cavaleiros, sob tortura, acabam por confessar. Isso ocorrido, não resta senão passá-los aos inquisidores, os quais ainda não usam o fogo, mas isso basta. Os confessos confirmam.

E eis o terceiro mistério: é verdade que houve tortura, e vigorosa, já que 36 cavaleiros dela morreram, mas o que impressiona é que esses cavaleiros de ferro, habituados a enfrentar os turcos cruéis, nenhum deles faz frente aos bailios. Em Paris, de 138 cavaleiros, só quatro se recusam a confessar. Os demais confessam tudo, inclusive Jacques de Molay.

"Mas confessam o quê?", indaga Belbo.

"Confessam exatamente aquilo que já estava escrito na ordem de prisão. Pouquíssimas variações nos depoimentos, pelo menos na França e na Itália. Ao contrário, na Inglaterra, onde ninguém quer verdadeiramente processá-los, aparecem nos depoimentos acusações canônicas, embora atribuídas a testemunhas estranhas à ordem, que falam apenas por ouvir dizer. Em suma, os templários confessam só ali onde alguém quer que confessem e só o quanto querem que confessem."

"Processo inquisitório normal. Já vimos tantos assim", observou Belbo.

"Contudo o comportamento dos acusados é bizarro. Os cavaleiros foram acusados de, durante seus ritos iniciáticos, renegar três vezes Cristo, cuspir sobre o crucifixo, serem desnudados e beijados *in posteriori parte spine dorsi*, quer dizer no rabo, no umbigo e depois na boca, *in humane dignitatis opprobrium*; enfim se davam a concúbito recíproco, diz o texto, um com o outro. A orgia. Era-lhes depois mostrada a cabeça de um ídolo barbudo, e eles deviam adorá-lo. Ora, o que respondem os acusados quando postos de frente a essas acusações? Geoffroy de Charnay, este que morrerá mais tarde na fogueira com Molay, diz que sim, que havia acontecido com ele, que havia renegado Cristo, mas com a boca, não com o coração, e não se lembra de haver cuspido sobre o crucifixo porque naquela noite estavam todos com pressa. Quanto ao beijo no rabo, também isto lhe havia ocorrido, e ouvira o preceptor de Alvernia dizer que, no fundo, era melhor unir-se com os irmãos do que se comprometer com uma mulher, mas que ele no entanto jamais havia cometido pecados carnais com os outros cavaleiros. Ah, sim, a coisa era quase uma brincadeira, ninguém lhes dava verdadeiramente crédito, os outros faziam, eu não, estava ali só por cortesia. Jacques de Molay, o grão-mestre, que não era o último do grupo, diz que quando lhe deram o crucifixo para nele cuspir, fingiu que o fazia, mas cuspiu por terra. Admite que as cerimônias de iniciação fossem daquele gênero, mas — como sempre — não sabe dizer com exatidão por que ele, durante sua carreira, só tenha iniciado pouquíssimos irmãos. Outro confessa ter beijado o mestre, mas não no rabo, só na boca, mas talvez o mestre, sim, o tenha beijado no traseiro. Alguns confessam mais que o necessário, não só renegavam Cristo, mas afirmavam ser ele um criminoso, negavam a virgindade de Maria, diante do crucifixo sobre o qual haviam até mesmo urinado, não só no dia de sua iniciação, mas também durante a semana santa, não criam nos sacramentos e não se limitavam a adorar o Bafomé, adoravam igualmente o diabo sob a forma de gato..."

Da mesma forma grotesco, embora menos incrível, é o balé que se inicia àquela altura entre o rei e o papa. O papa quer tomar o caso nas mãos, o rei prefere conduzir sozinho o processo ao fim; o papa gostaria de suprimir a ordem apenas provisoriamente, condenando os culpados, restaurando-a depois em sua pureza primitiva, o rei quer que o escândalo se propague, que o processo comprometa a ordem em seu todo e conduza ao seu desmembramento definitivo, político e religioso, é certo, mas sobretudo financeiro.

A certa altura aparece um documento que é uma obra-prima. Mestres em teologia instituem que não se deve conceder aos condenados um defensor, para impedir que se retratem: visto que confessaram, não há por que instruir um processo, o rei deve exercer seu poder, o processo se faz quando o caso é dúbio, e aqui de dúbio não há nada. "Por que se lhes dar um defensor senão para defender seus erros confessos, dado que a evidência dos fatos torna o crime notório?"

Mas como há o risco de que o processo escape ao rei e passe às mãos do papa, o rei e Nogaret levantam novo caso clamoroso que envolve o bispo de Troyes, acusado de bruxaria, por delação de um misterioso intrigante, um tal de Noffo Dei. Mais tarde se descobrirá que Dei havia mentido — e será enforcado — mas enquanto isso são despejadas sobre o pobre bispo acusações públicas de sodomia, sacrilégio e usura. As mesmas culpas dos templários. Talvez o rei quisesse mostrar aos filhos da França que a Igreja não tinha direito de julgar os templários, por não estar isenta de sua mácula, ou então lançar simplesmente uma advertência ao papa. É uma história obscura, uma trama de polícias e serviços secretos, de infiltrações e delações... O papa é posto entre a parede e a espada e consente em interrogar 72 templários, os quais confirmam as confissões obtidas sob tortura. O papa, entretanto, leva em conta o arrependimento deles e joga a carta da retratação, para lhes poder perdoar.

E aqui acontece uma outra coisa — que constituía um ponto a solucionar na minha tese, e eu estava dilacerado em meio a fontes contraditórias: o papa mal obtém a custo, e só no fim, a custódia dos cavaleiros, e em seguida os restitui ao rei. Jamais compreendi o que aconteceu. Molay se retrata das confissões feitas, Clemente oferece-lhe oportunidade de defender-se e envia três cardeais para interrogá-lo; Molay, a 26 de novembro de 1309, assume uma arrogante defesa da ordem e de sua pureza, chegando a ameaçar os acusadores, depois é abordado por um emissário do rei, Guillaume de Plaisans, que acredita ser seu amigo, recebe alguns conselhos obscuros e no dia 28 do mesmo mês volta a produzir um depoimento timidíssimo e vago, em que diz ser um cavaleiro pobre e sem cultura, e se limita a enumerar os méritos (já então remotos) do Templo, e as esmolas que deu, o tributo de sangue deixado na Terra Santa e assim por diante. Ainda por cima chega Nogaret, que recorda como o Templo tivera contatos, mais que amigáveis, com Saladino: estamos diante da insinuação de um crime de alta traição. As justificações de Molay são penosas, nesse depoimento aquele homem, já então tendo cumprido dois anos de cárcere, parece um frangalho, mas frangalho ele já se havia mostrado logo após a prisão. Num terceiro depoimento, em março do ano seguinte, Molay adota outra estratégia: não fala, e não falará senão diante do papa.

Muda o cenário e passamos agora ao drama épico. Em abril de 1310, 550 templários pedem para ser ouvidos em defesa da ordem, denunciam as torturas a que foram submetidos os confessantes, negam tudo e demonstram ser inconcebíveis todas as acusações. Mas o rei e Nogaret conhecem o seu mister. Alguns templários se retrataram? Tanto melhor, devem por isso ser considerados reincidentes e perjuros, ou antes *relapsi* — terrível acusação naqueles tempos — porque negavam arrogantemente aquilo que já haviam admitido. Pode-se mesmo perdoar ao que se confessa e se arrepende, mas não àquele que não se arrepende porque retrata a confissão e diz, perjurando, não ter de que se arrepender. Cinquenta e quatro retratadores perjuros acabam condenados à morte.

É fácil imaginar a reação psicológica dos outros detidos. Quem confessa permanece vivo no cárcere, e quem viver verá. Quem não confessa, ou pior, se retrata, vai para o fogo. Os quinhentos retratadores ainda vivos retratam sua retratação.

O cálculo dos arrependidos foi aquele que prevaleceu, pois em 1312 os que não haviam confessado foram condenados à prisão perpétua, enquanto os confessos foram perdoados. A Filipe não interessava um massacre, só queria desmembrar a ordem. Os cavaleiros libertados, já agora destruídos no corpo e no espírito após quatro ou cinco anos de cárcere, passaram silenciosamente para outras ordens, só querem agora ser esquecidos, e este desaparecimento, essa anulação pesará demoradamente sobre a lenda da sobrevivência clandestina da ordem.

Molay continua a pedir para ser ouvido pelo papa. Clemente reúne um concílio em Viena, em 1311, mas não convoca Molay. Sanciona a supressão da ordem e adjudica seus bens aos hospitalários, ainda que no momento quem os administra seja o rei.

Passam-se outros três anos, chega-se enfim a um acordo com o papa, e em 19 de março de 1314, no adro da Notre-Dame, Molay é condenado à pena perpétua. Ouvindo tal sentença, Molay tem um sobressalto de dignidade. Havia esperado que o papa lhe permitisse exculpar-se e sente-se traído. Sabe muito bem que se se retrata outra vez será tido também por perjuro e reincidência. Que se passa em seu coração depois de quase sete anos à espera de julgamento? Readquire a coragem de seus maiores? Decide, já agora destruído, com a perspectiva de acabar seus dias desonrado e entre quatro paredes, que mais vale enfrentar uma bela morte? Protesta inocência, sua e de seus irmãos. Os templários só cometeram um delito, diz: o de traírem, por vileza, o Templo. Ele não está nessa.

Nogaret esfrega as mãos: para delito público, condenação pública, e definitiva, com processo de urgência. Também o preceptor da Normandia, Geoffroy de Charnay, se havia comportado como Molay. O rei decide na hora: ergue-se uma fogueira na ponta da île de la Cité. Ao entardecer, Molay e Charnay são queimados vivos.

A tradição quer que o grão-mestre antes de morrer tenha profetizado a ruína de seus perseguidores. Com efeito, o papa, o rei e Nogaret estariam mortos dentro de um ano. Quanto a Marigny, depois do desaparecimento do rei, ficará sob a suspeita de malversação. Seus inimigos o acusam de bruxaria e mandaram-no para a forca. Muitos começam a pensar em Molay como um mártir. Dante fará eco à indignação de tantos pela perseguição dos templários.

Aqui termina a história e começa a lenda. Segundo um de seus capítulos, no dia em que Luís XVI foi guilhotinado, um desconhecido salta sobre o patíbulo e grita: "Jacques de Molay, foste vingado!"

Foi esta mais ou menos a narrativa que fiz aquela noite no Pílades, interrompido a todo instante.

Belbo perguntava: "Mas tem certeza de que não leu esta em Orwell ou em Koestler?" Ou ainda: "Mas, espere aí, este é o caso de... como se chama mesmo aquele da revolução cultural?..." Diotallevi agora intervinha sentencioso, a cada instante: "*Historia magistra vitae.*" Belbo dizia-lhe: "Deixe disso, um cabalista não crê na história." E ele, invariavelmente: "De fato, tudo se repete em círculos, a história é mestra porque nos ensina que não é. Mas contam as permutações."

"Mas em suma", disse Belbo ao fim, "quem eram os templários? Primeiro os apresentou como sargentos de um filme de John Ford, depois como porcalhões, a seguir como cavaleiros em miniatura, depois ainda como banqueiros de Deus que faziam grossas sujeiras, também como um exército derrotado, e finalmente como adeptos de uma seita luciferina e mártires do livre-pensamento... Quem eram afinal?"

"Eis aí talvez a razão por que se transformaram em mito. Eram provavelmente todas essas coisas juntas. Qual terá sido a Igreja católica, poderá perguntar um historiador marciano do ano três mil, aquela dos fiéis que se deixavam comer pelos leões ou a daqueles que massacravam os heréticos? Tudo junto."

"Mas, afinal, aquilo tudo, fizeram mesmo ou não?"

"O fato mais divertido é que seus sequazes, quero dizer os neotemplaristas de épocas diversas, disseram que sim. As justificativas são muitas. Primeira tese: tratava-se de ritos goliardescos: queres tornar-te templário, mostra que tens um par de colhões assim, cospe no crucifixo e vejamos se Deus te fulmina;

para entrares nesta milícia, deves dar-te de mãos e pés aos irmãos, fazer-te beijar no traseiro. Segunda tese: eram chamados a negar o Cristo para saber como se sairiam quando os sarracenos os viessem a aprisionar. Explicação idiota, porque não se educa ninguém a resistir à tortura obrigando-o fazer, ainda que simbolicamente, aquilo que o torturador lhe exigirá. Terceira tese: no Oriente, os templários entraram em contato com heréticos maniqueus que desprezavam a cruz, porque foi o instrumento de tortura do Senhor, e professavam que era preciso renunciar ao mundo, desencorajando o matrimônio e a procriação. Ideia antiga, típica de muitas heresias dos primeiros séculos, que passará aos cátaros — e há toda uma tradição que quer os templários embebidos de catarismo. E então seria compreensível o porquê da sodomia, mesmo se apenas simbólica. Admitamos que os cavaleiros tenham entrado em contato com aqueles heréticos: não eram decerto intelectuais, um pouco por ingenuidade, um pouco por esnobismo e por *esprit de corps*, criam um folclore pessoal para eles, que os distingue dos outros cruzados. Praticam ritos como gestos de reconhecimento, sem perguntar o que acaso significam."

"Mas e o tal de Bafomé?"

"Vejam, em muitos depoimentos fala-se de *uma figura Baffometi*, mas pode tratar-se de um erro do primeiro escrivão e, com o manipular das atas, esse primeiro erro se teria reproduzido em todos os documentos. Em outros casos alguém mencionou Maomé (*istud caput vester deus est, et vester Mahumet*), e isso queria dizer que os templários haviam criado uma liturgia sincretística deles. Em alguns depoimentos diz-se mesmo que foram exortados a invocar 'yalla', que devia ser Alá. Mas os muçulmanos não veneravam a imagem de Maomé, logo, por quem afinal teriam sido influenciados os templários? Os depoimentos dizem às vezes que muitos viram a cabeça, em outros, que, em vez de cabeça, era um ídolo de corpo inteiro, de madeira, com cabelos crespos, coberto de ouro, e sempre de barba. Parece que os inquisidores encontraram essas cabeças e as mostraram aos inquiridos, mas, em suma, das cabeças não permanece o menor traço, todos as viram, ninguém as viu. Como a história do gato, que um dizia ser cinza, outro, vermelho e um terceiro, preto. Mas imaginem um interrogatório com ferro em brasa: viu um gato durante a iniciação? E como não, uma fazenda templar, tendo que salvar dos ratos todas as colheitas que abrigava, devia estar cheia de gatos. Naqueles tempos, na

Europa, o gato não era muito comum como animal doméstico, como o era no Egito. Quem sabe se os templários não tinham gatos em casa, contra os costumes da gente vulgar, que os considerava animais suspeitos? E o mesmo pode ocorrer em relação às cabeças de Bafomé, que talvez fossem relicários em forma de cabeça, pois assim se usava à época. Naturalmente há quem sustente que Bafomé era uma figura alquímica."

"Sempre entra a alquimia", disse Diotallevi com convicção, "os templários provavelmente conheciam o segredo da fabricação do ouro."

"Certo que conheciam", disse Belbo. "Assalta-se uma cidade sarracena, degolam-se mulheres e crianças, rapina-se tudo aquilo que cai à mão. A verdade é que toda esta história é uma grande barafunda."

"Talvez a confusão fosse na cabeça, entendem; que lhes importavam os debates doutrinais? A História é cheia de histórias desses corpos eleitos que criam seu próprio estilo, um pouco fanfarrão, um pouco místico, nem mesmo eles sabiam ao certo que coisa faziam. Naturalmente há a interpretação esotérica, eles sabiam tudo muito bem, eram adeptos dos mistérios orientais e até o beijo no rabo tinha um significado iniciático."

"Explique-me um pouco o significado iniciático do beijo no traseiro", disse Diotallevi.

"Certos esotéricos modernos sustentam que os templários se entregavam a doutrinas indianas. O beijo no rabo teria servido para despertar a serpente Kundalini, uma força cósmica que reside na raiz da espinha dorsal, nas glândulas sexuais, e que uma vez despertada atinge a glândula pineal..."

"A de Cartésio?"

"Suponho que sim, e lhe devia abrir na fronte um terceiro olho, o da visão direta no tempo e no espaço. Por isso se procura até hoje o segredo dos templários."

"Filipe o Belo devia queimar é os esoteristas modernos e não aqueles pobres coitados."

"É, mas os esoteristas modernos não têm um vintém."

"Mas vejam só que histórias a gente tem que ouvir", concluiu Belbo. "Agora compreendo por que os templários obsidiam tantos dos meus malucos."

"Creio que seja um pouco a história daquela outra noite. Todo o caso deles é um silogismo retorcido. Comporta-te como estúpido e te tornarás impenetrável por toda a eternidade. Abracadabra, Manel Tekel Phares, Papai Satã Papai Satã Aleppe, *le vierge le vivace et le bel aujourd'hui*, sempre que um poeta, um pregador, um chefe, um mago emitem borborigmos sem significado, a humanidade leva séculos para decifrar sua mensagem. Os templários permanecem indecifráveis por causa de sua confusão mental. É por isso que tantos os veneram."

"Explicação positivística", disse Diotallevi.

"Sim", disse eu, "talvez eu seja positivista. Com uma boa operação cirúrgica na glândula pineal os templários teriam podido tornar-se hospitalários, vale dizer, pessoas normais. A guerra corrompe os circuitos cerebrais, deve ser o rumor dos canhonaços, ou do fogo grego... Cuidado com os generais."

Era uma da manhã. Diotallevi, embriagado de água tônica, cambaleava. Despedimo-nos. Eu me havia divertido. Não sabia então que estava começando a brincar com fogo grego, que queima, e consome.

15

IREI VOS BUSCAR SOCORRO JUNTO AO CONDE DE ANJOU

> *Disse-me Érard de Siverey: "Sire, se julgais que nem eu nem meus herdeiros seremos desonrados por isso, irei vos buscar socorro junto ao conde de Anjou, que vejo lá em meio ao campo de batalha." E eu lhe disse: "Messire Érard, parece-me que seria grande demonstração de coragem vossa irdes buscar socorro para nós, quando vossa própria vida corre tamanho perigo."*
>
> (Joinville, *Histoire de Saint Louis*, 46, 226)

Depois da jornada dos templários só tive com Belbo algumas conversas ocasionais no Pílades, aonde ia cada vez com menos frequência, porque estava trabalhando em minha tese.

Um dia houve uma grande passeata contra as maquinações da direita, que devia partir da universidade, para a qual estavam convidados, como acontecia então, todos os intelectuais antifascistas. A formação policial era pomposa, mas parecia que o intuito era deixar a coisa correr. Típico daqueles tempos: passeata não autorizada, mas, desde que não acontecesse nada de grave, a força pública se limitava a observar controlando (os compromissos territoriais de então eram muitos) para que a esquerda não transgredisse nenhum dos limites ideais que haviam sido traçados no centro de Milão. Em determinada área se concentrava a contestação, e para além do largo Augusto e em toda a zona da praça San Babila ficavam os fascistas. Se alguém invadia o terreno do outro havia incidentes, mas em geral não acontecia nada, como entre o domador e o leão. Tendemos a acreditar que o domador pode ser atacado pelo leão, ferocíssimo, mas o consegue domá-lo erguendo o chicote ou disparando um tiro de pistola. Puro engano: o leão já está saciado e drogado quando entra na jaula e não deseja agredir ninguém. Todos os animais têm uma área de segurança, fora da qual pode ocorrer o que quiser que ele permanece tranquilo. Quando o domador mete o pé na área do leão, este ruge; depois o domador ergue o chicote, mas na verdade dá um passo para trás (como tomando impulso para um salto à frente), e o leão se acalma. Uma revolução simulada deve ter suas próprias regras.

Eu fui à passeata, mas não me situei em nenhum dos grupos. Fiquei de fora, na praça Santo Stefano, por onde circulavam jornalistas, editores, artistas que vinham manifestar solidariedade. O Pílades em peso.

Vi-me ao lado de Belbo. Ele estava com uma garota com quem já o vira várias vezes no bar, e imaginei que fosse sua amiga (desapareceu mais tarde, e agora sei por quê, por haver lido no *file* a história sobre o Dr. Wagner).

"Também está nesta?", perguntei.

"Que fazer?", sorriu sem jeito. "É preciso salvar também a alma. *Crede firmiter et pecca fortiter.* Esta cena não lhe recorda qualquer coisa?"

Olhei em torno. Era uma tarde de sol, um daqueles dias em que Milão é bela, com as fachadas amarelas de suas casas e um céu docemente metálico. A polícia em frente a nós estava protegida por seus elmos e escudos de plástico, que pareciam desprender fulgores de aço, enquanto um comissário em trajes civis, mas com uma faixa tricolor berrante, ziguezagueava à frente de seus comandados. Olhei à minha frente, o início do desfile: a multidão se deslocava, porém marcando passo; as fileiras estavam organizadas mas irregulares, quase em serpentina; a massa surgia eriçada de cartazes, estandartes, dísticos, bastões. Alas impacientes entoavam de quando em quando slogans ritmados; ao longo do desfile, caracoleavam os baderneiros, com lenços vermelhos amarrados à testa, camisas multicores, cintos de tachas nos jeans que haviam conhecido todas as chuvas e todos os sóis; até mesmo as armas impróprias que empunhavam, sob o disfarce de bandeiras enroladas, surgiam como bastões, e pensei em Dufy e na alegria de seu colorido. Por associação, de Dufy passei a Guillaume Dufay. Tive a impressão de estar vivendo numa miniatura, entrevi, na pequena multidão dos lados das fileiras, algumas mulheres, andróginas, que esperavam a grande festa de audácia que lhes haviam prometido. Mas tudo me cruzou a mente num relâmpago, senti que estava revivendo uma outra experiência, mas sem reconhecê-la.

"Não é a tomada de Ascalão?", perguntou Belbo.

"Para o senhor São Tiago, meu bom senhor", retruquei-lhe, "é na verdade a peleja dos cruzados! Tenho por certo que esta noite alguns dentre eles estarão no paraíso!"

"Sim", disse Belbo, "mas o problema é saber em que parte estão os sarracenos."

"A polícia é teutônica", observei, "ao passo que nós podemos ser as hordas de Alexandre Nevski, mas talvez esteja confundindo os textos. Olha lá na frente aquele grupo, devem ser soldados do conde de Artois, anseiam por combater, porque não podem suportar o ultraje, e já se dirigem contra a frente inimiga, provocando-a com gritos de ameaça!"

Foi nesse ponto que ocorreu o incidente. Não me lembro bem, a massa começou a mover-se, um grupo de ativistas, armado de correntes de automóvel, tinha começado a forçar a formação da polícia para se dirigir à praça San Babila, lançando slogans agressivos. O leão moveu-se, e com certa decisão. A primeira fila da formação policial abriu-se e apareceram os carros de bombeiros. Da dianteira do desfile partiram as primeiras esferas, as primeiras pedras; um grupo de soldados partiu firme para eles, baixando o sarrafo com violência, e a multidão começou a ondular. Naquele momento, ao longe, para os lados da via Laghetto, ouviu-se um disparo. Talvez fosse apenas o estourar de um pneu, talvez um petardo, ou mesmo um verdadeiro tiro de advertência partido de um daqueles grupos que dentro de alguns anos iriam usar regularmente a pistola 38.

Foi o pânico. A polícia começou a mostrar as armas, ouviram-se os toques de corneta, o desfile dividiu-se entre os belicosos, que aceitavam a refrega, e os demais, que consideravam encerrada a sua participação. Vi-me fugindo pela via Larga com um medo louco de ser atingido por algum objeto contundente. Subitamente vi-me ao lado de Belbo e sua companheira. Corremos bem velozes, mas sem pânico.

Na esquina da via Rastrelli, Belbo me agarrou pelo braço: "Por aqui, meu caro", disse-me. Tentei perguntar por quê, a via Larga me parecia mais tranquila e movimentada, e fui tomado de claustrofobia no cruzamento de vielas entre a via Pecorari e a do Arcebispado. Pareceu-me que no lugar para onde Belbo me estava conduzindo seria muito mais difícil camuflar-me caso a polícia viesse ao nosso encontro surgindo de alguma parte. Ele me fez sinal para ficar calado, dobrou duas ou três esquinas, desacelerou gradativamente, e começamos a caminhar, sem correr, exatamente pelos fundos do Domo, onde o tráfego estava normal e aonde não chegavam ecos da batalha que se estava travando a menos de 200 metros dali. Contornamos o Domo em silêncio e demos em frente à fachada, do lado da Galeria. Belbo comprou um saquinho de alpiste e pôs-se a alimentar os pombos com seráfica beatitude. Estávamos perfeitamente disfarçados de multidão do sábado, eu e Belbo de paletó e gravata, a moça em uniforme de senhora milanesa, um pulôver folgado de gola rulê cinzenta e um colarzinho de pérolas bem cultivadas. Belbo apresentou-a: "Esta é a Sandra, já se conhecem?"

"De vista. Como vai?"

"Está vendo, Casaubon," disse Belbo, "a gente não foge nunca em linha reta. Seguindo o exemplo dos Saboias em Turim, Napoleão III mandou demolir Paris transformando-a numa rede de avenidas, que todos admiram como obras-primas da cultura urbanística. No entanto as vias retas servem para melhor controlar a multidão em revolta. Quando se pode, como nos Champs Elysées, até mesmo as ruas laterais devem ser largas e compridas. Quando não se pode, como nas vielas e becos do Quartier Latin, é aí então que o maio de 68 encontra seus melhores momentos. Quando se escapa, entra-se numa viela. Nenhuma força pública pode controlá-las todas, e mesmo a polícia tem medo de penetrar por elas em grupos isolados. Se damos de cara com dois policiais sozinhos, eles é que têm mais medo da gente, e de comum acordo saímos correndo para lados opostos. Quando se vai participar de um comício e não se conhece bem a zona, faz-se no dia anterior um reconhecimento do local, e depois é só colocar-se na esquina de onde partem as ruas mais estreitas."

"Esteve em algum curso na Bolívia?"

"As técnicas de sobrevivência a gente só aprende na infância, a menos que quando adultos nos alistemos nos Boinas-Verdes. Passei meus tempos maus, os da guerra de resistência, em ***", e mencionou uma cidade entre Monferrato e Langhe. "Abandonar as cidades em 1943 era uma decisão admirável: o lugar e o tempo certo para apreciar tudo, as buscas e devassas, os SS, os tiroteios pelos caminhos... Certa noite, subia a colina para buscar leite fresco num curral, e ouço um ruído acima da cabeça, vindo do alto das árvores: frr, frr. Dou-me conta de que de uma colina distante, à minha frente, estão metralhando a linha férrea, no vale atrás de mim. O instinto é normalmente o de escapar, ou de atirar-se ao chão. Cometo um erro, corro para baixo, e a certa altura ouço no campo à minha volta um chaque chaque chaque. Eram os tiros curtos, que caíam antes de chegar à ferrovia. Percebo que são disparados de cima, de muito alto, para um ponto bem distante no vale; a gente deve escapar subindo: quanto mais sobes mais os projéteis passam acima de tua cabeça. Minha avó estava numa roça de milho durante um tiroteio entre fascistas e resistentes que se enfrentavam colocados nos lados opostos do campo; teve então uma ideia sublime: já que, se tentasse escapar, arriscava pegar uma bala perdida, jogou-se por terra em meio da plantação, exatamente entre as duas linhas de tiro. E lá ficou uns dez minutos, de cara no chão, esperando que nenhuma das duas fileiras avançasse demais. Acabou escapando com vida. Veja, quando a gente apreende essas coisas desde menino, elas se integram a nossos circuitos nervosos."

"Esteve também na resistência então, como se diz."

"Como espectador", disse ele. E percebi um leve embaraço em sua voz. "Em 1943 tinha 11 anos, no fim da guerra apenas 13. Muito cedo para participar, o bastante para acompanhar tudo, com uma atenção fotográfica. Mas que podia fazer? Tratava de observar. E de escapar, como hoje."

"Então poderia narrar, em vez de ficar só corrigindo os livros alheios."

"Mas tudo já foi contado, Casaubon. Se eu tivesse então 20 anos, nos anos 1950 teria feito poesia com as recordações. Por sorte nasci tarde demais, quando pude escrever não me restava senão ler os livros já escritos. Por outro lado, teria podido até acabar com uma bala na cabeça, no alto do morro."

"De que parte?", perguntei, depois me senti envergonhado. "Desculpe, foi só uma brincadeira."

"Não, não foi uma brincadeira. É verdade que agora eu sei, mas só o sei agora. Sabia-o então? Sabe que se pode ficar obcecado pelo remorso durante a vida inteira não por haver escolhido o erro, do qual pelo menos a gente pode se arrepender, mas por ficar-se na impossibilidade de provar a si mesmo que não se escolheria o erro... Fui um traidor potencial. Que direito teria daí por diante de escrever uma verdade qualquer e ensiná-la aos outros?"

"Desculpe-me", disse eu, "mas potencialmente podia se transformar até mesmo no monstro do médico, e não se transformou. Isso já é neurose. Ou seu remorso se apoia sobre indícios concretos?"

"O que são indícios nesses casos? E a propósito de neuroses, hoje à noite tenho um jantar com o Dr. Wagner. Vou tomar um táxi na praça do Scala. Vamos, Sandra?"

"O Dr. Wagner?", perguntei, enquanto me despedia. "Em pessoa?"

"O próprio; está em Milão por uns dias e talvez o convença de entregar-nos algum de seus ensaios inéditos para um volumezinho. Seria interessante."

Portanto, desde aquela época Belbo já estava em contato com o Dr. Wagner. Pergunto-me se teria sido naquela noite que Wagner (pronuncia-se Vanhér, à francesa) psicanalisou Belbo de graça, e sem que nenhum dos dois o soubesse. Ou talvez isso tenha acontecido mais tarde.

Contudo, aquela fora a primeira vez que Belbo fizera menção à sua infância em ***. Curioso que fosse o relato de algumas fugas — quase gloriosas, na glória da lembrança, mas que afloraram à memória depois de, diante de mim, de modo inglório, embora com perspicácia, ter fugido novamente.

16

ANTES DA PRISÃO SÓ HAVIA ESTADO NA ORDEM DURANTE NOVE MESES

> *Depois do que o irmão Stefan de Provins, trazido à presença dos ditos comissários, e perguntado por estes se queria defender a ordem, disse que não queria, e que se os mestres o quisessem fazer, que o fizessem, mas que ele antes da prisão só havia estado na ordem durante nove meses.*
>
> (Depoimento de 27/11/1309)

Encontrei em Abulafia a narrativa de outras fugas. E nelas pensava àquela noite no periscópio, enquanto ouvia na escuridão uma sequência de murmúrios, rangidos e chiados — e pedia a mim mesmo para manter a calma porque aquela era a maneira pela qual os museus, as bibliotecas, os palácios antigos conversam à noite, apenas velhos armários que se assentam, molduras que reagem à umidade vespertina, rebocos avariados que trincam, um milímetro em cada século, muralhas que bocejam. Você não pode fugir, dizia a mim mesmo, porque está aqui exatamente para saber o que aconteceu a alguém que procurou pôr fim a uma série de fugas com um ato de coragem desatinado (ou desesperado), talvez para acelerar aquele encontro tantas vezes adiado com a verdade.

filename: Canaletto

Escapei diante de um ataque da polícia ou de novo diante da história? E faz diferença? Fui ao comício por uma escolha moral ou para pôr-me mais uma vez à prova diante da Ocasião? Está certo, perdi as grandes ocasiões porque cheguei cedo demais, ou muito tarde, mas a culpa foi do registro de nascimento. Gostaria de ter estado naquele campo disparando, mesmo se arriscasse ferir a minha avó. Não estava ausente por covardia, mas pela idade. Está bem. Mas e o comício? Fugi de novo por motivos de geração, aquele confronto não me dizia respeito. Mas podia ter arriscado, mesmo sem entusiasmo, para provar que antes, no campo, teria sabido escolher. Tem sentido escolher a Ocasião errada para se convencer que se teria escolhido a Ocasião certa? Quem sabe quantos daqueles que hoje aceitaram o confronto tenham procedido assim. Mas uma ocasião falsa não é a boa Ocasião.

Pode-se ser covarde só porque a coragem dos outros te parece desproporcional à vacuidade da circunstância? Logo o raciocínio é que faz a covardia. E assim se perde a boa Ocasião quando se passa a vida a observar a Ocasião e a raciocinar sobre ela. A Ocasião é escolhida por instinto, e no momento em que ela ocorre não sabes que é a Ocasião. É possível que uma vez a tenhas colhido e nunca o soubeste? Como se faz quando se está com o rabo de palha ou quando se sente covarde só por ter nascido na década errada? Resposta: te sentes covarde porque uma vez foste covarde.

E se também naquela vez tivesses evitado a Ocasião só por senti-la inadequada?

Descrever a casa de ***, isolada na colina entre os vinhedos e em seguida a rua que levava aos limites do vilarejo, até a bifurcação da última ruela habitada — ou da primeira (é claro que não saberei dizer se não escolher o ponto de vista). O pequeno migrante que abandona a proteção familiar e penetra no aglomerado tentacular, costeando ao longo da rua, e que teme com inveja o Viottolo.

O Viottolo era o ponto de reunião do bando do Viottolo. Rapazes do campo, sujos, ruidosos. Eu pertencia à cidade, melhor evitá-los. Mas para chegar à praça, à banca de jornais e à papelaria, a menos que tentasse um périplo quase equatorial e pouco dignificante, não restava senão passar pelo Canaletto. Os rapazes do Viottolo eram pequenos cavalheiros em relação aos do bando do Canaletto, o nome de um ex-regato, transformado em canal de esgoto, que atravessava então a zona mais pobre do lugar. Os do Canaletto eram de fato asquerosos, desocupados e violentos.

Os do Viottolo não podiam atravessar a zona do Canaletto sem serem atacados e batidos. No princípio eu não sabia que era do Viottolo, mal tinha chegado, mas os do Canaletto já me haviam identificado como inimigo. Passei em frente deles com um jornalzinho aberto diante dos olhos, caminhava lendo, e eles me avistaram. Pus-me a correr, seguido por eles, que jogavam pedras; uma atravessou o jornal, que eu continuava a manter aberto diante de mim enquanto corria, para me dar compostura. Salvei a vida, mas perdi o jornal. No dia seguinte resolvi alistar-me no bando do Viottolo.

Apresentei-me na reunião deles, acolhido a gargalhadas. Naquela época tinha muito cabelo, os fios tendenciosamente retos na cabeça, como no anúncio dos lápis Presbítero. Os modelos que me ofereciam o cinema, a publicidade, o passeio de domingo após a missa, eram jovens de jaquetão, de bigodinho e cabelos pastosos emplastrados ao crânio. Na época o penteado para trás se chamava, entre o povo, *la mascagna*. Eu queria a *mascagna*. Adquiria na praça do mercado, as segundas-feiras, por somas irrisórias, de acordo com a situação da bolsa de valores, mas imensas para mim, potinhos de brilhantina grossa como mel em favos, e passava horas a espalhá-la nos cabelos até bruni-los como uma calota plúmbea, um camauro. Depois punha-lhes em cima uma rede para mantê-los comprimidos. Os caras do Viottolo já me tinham visto passar de rede, e haviam lançado chistes naquele seu dialeto aspérrimo, que eu compreendia, mas não falava. Naquele dia, depois de ficar em casa duas horas usando a rede, tirei-a, observei o soberbo efeito no espelho, e me apressei em ir ao encontro daqueles a quem estava para jurar fidelidade. Lá cheguei quando a brilhantina do mercado já tinha perdido sua função aglutinante, e os cabelos começavam a voltar à posição vertical, embora em câmera lenta. Vibração entre os caras do Viottolo, que faziam círculo à minha volta, dando-se de cotovelos. Pedi para ser admitido.

Só que me exprimia em italiano: era um cara diferente. Aproximou-se de mim o chefe da turma, Martinetti, que então me pareceu dominante, esplêndido de pés no chão. Decretou que eu devia receber cem pontapés na bunda. Talvez fosse para despertar a serpente Kundalini. Topei. Pus-me contra a parede, segurado nos braços por dois esparros, e levei cem chutes de pés descalços. Martinetti cumpria sua tarefa com força, com entusiasmo, com método, chutando com a planta do pé e não com a ponta, para não machucar os dedões. O coro dos bandidos ritmava o rito. Contavam em dialeto. Depois resolveram prender-me numa casinhola de coelhos, durante meia hora, enquanto se entretinham em conversas guturais.

Deixaram-me sair quando reclamei de cãibra nas pernas. Estava orgulhoso porque soubera adequar-me à liturgia selvagem de um grupo selvagem, mantendo a dignidade. Eu era um homem chamado cavalo.

Naquela época, andavam por *** uns soldados da cavalaria alemã ainda um tanto despreocupados porque a resistência até então não se fizera sentir — estávamos lá pelo fim de 1943, ou início de 1944. Uma de nossas primeiras missões foi entrar furtivamente numa das barracas enquanto alguns dos nossos engambelavam o soldado de guarda, um enorme teutão que comia um imenso sanduíche — pareceu-nos, e ficamos horripilados — de salame e marmelada. O grupo encarregado de desviar a atenção bajulava o soldado elogiando-lhe as armas, enquanto nós outros na barraca (penetrável pelos fundos, descosturada) roubávamos algumas bananas de dinamite. Não creio que depois a dinamite tenha sido usada, mas se destinava, nos planos de Martinetti, a ser explodida no campo, com intuitos pirotécnicos, e por métodos, que agora sei, bastante rudes e inadequados. Mais tarde em lugar dos alemães vieram os da Décima Mas,* que estabeleceram um posto de vigia à margem do rio, exatamente na bifurcação onde, às seis da tarde, desciam a alameda as meninas do colégio Maria Auxiliadora. Tratava-se de convencer os componentes da Décima (não deviam ter mais de 18 anos) de atar um molho de granadas de mão alemãs, de bastão, e arrancar-lhes o anel de segurança para fazê-las explodir à flor d'água no momento preciso em que as meninas chegassem. Martinetti sabia bem o que era preciso fazer, e como calcular o tempo. Explicava aos demais, e o efeito era prodigioso: uma coluna de água se levantava do leito, entre fragores de trovão, exatamente quando as garotas dobravam a esquina. Fuga generalizada em meio a gritinhos histéricos, e nós e os cabras a nos contorcer de riso. Ter-se-iam recordado daqueles dias de glória os sobreviventes do campo de concentração de Coltano, depois da fogueira de Molay.

O esporte predileto dos rapazes do Viottolo era recolher latas e resíduos variados, que depois do 8 de setembro não faltavam, como velhos capacetes, cartucheiras, embornais, às vezes até mesmo balas ainda virgens. Para se utilizar uma bala boa, procede-se assim: segura-se a cápsula e introduz-se o projétil no buraco de uma fechadura, fazendo força; o chumbo soltava e passava a fazer parte das coleções especiais. Despejava-se fora a pólvora da cápsula (às vezes eram tirinhas de balistita), que se colocava depois

---

* Brigadas fascistas. (*N. do T.*)

numa estrutura em forma de serpentina, à qual se punha fogo. O cartucho, tanto mais valioso se a cápsula estivesse intacta, entrava para enriquecer o Exército. O bom colecionador tinha muitas delas, e as dispunha em fileiras, segundo a marca, a cor, a forma e a altura. Havia os manípulos* da infantaria, os cartuchos de fuzil de repetição e do *sten* inglês, depois os alferes e cavalarianos — carabina, fuzil 91 (só vimos o Garand com os americanos) — e, aspiração suprema, grandes mestres dominadores, as balas de metralhadora pesada.

Enquanto estávamos entregues a esses jogos de paz, uma noite, Martinetti disse que o momento havia chegado. A mensagem de desafio fora enviada ao bando do Canaletto, que a havia aceito. O encontro estava previsto para se dar em território neutro, atrás da estação. Aquela noite, às nove.

Foi uma tarde longa, quente e extenuante, de grande excitação. Cada um de nós se preparou com a parafernália mais aterrorizante, procurando pedaços de madeira que pudessem ser agilmente empunhados, enchendo as algibeiras e sacolas de pedras de vários calibres. Um dos nossos, com a correia de um fuzil, tinha feito um chicote, terrível se manobrado com decisão. Pelo menos naquelas horas vespertinas, sentíamo-nos todos heróis, eu mais do que todos. Era a excitação que precede o assalto, acre, dolorosa, esplêndida — adeus meu amor adeus, dura, doce empresa é ser homem de armas, andavam imolando a nossa juventude, como nos haviam ensinado na escola antes do 8 de setembro.

O plano de Martinetti era sagaz: devíamos cruzar o leito da via férrea mais a norte, para surpreendê-los por detrás, de improviso, já praticamente vencedores. Em seguida, ataque impiedoso, e guerra sem quartel.

Ao cair da noite, cruzamos a escarpa da forma prevista, claudicando pelas rampas e declives, carregados que estávamos de pedras e bastões. Do alto da escarpa, lá os vimos, a postos, detrás dos mictórios da estação. Eles também nos viram porque olhavam para cima, suspeitando que viéssemos por aquele lado. Não restava senão descermos sem dar-lhes tempo de espantar-se com a obviedade de nosso movimento.

Ninguém havia tomado uns tragos antes do ataque, mas nos precipitamos assim mesmo, vociferando. E o fato aconteceu a 100 metros da estação. Ali começavam a surgir as primeiras casas que, embora poucas, já constituíam um retículo de vielas. Acontece que o grupo mais fogoso

---

* *Manipoli*: pelotão das milícias fascistas. (*N. do T.*)

tomou a dianteira, sem medo, enquanto eu e — para minha sorte — alguns outros diminuímos o passo e nos abrigamos nas esquinas das casas, observando de longe.

Se Martinetti nos houvesse organizado em dianteira e retaguarda, teríamos cumprido nossa missão, mas aquela foi uma espécie de distribuição espontânea. Os corajosos na frente, os medrosos atrás. E de nossos refúgios, o meu ainda mais recuado que os dos demais, observaríamos o encontro. Que não houve.

Ao chegarem a poucos metros uns dos outros, os dois grupos se defrontaram, a ranger os dentes, mas em seguida os chefes deram um passo à frente e negociaram. Foi uma Yalta, decidiram dividir as zonas de influência e respeitar os trânsitos ocasionais, como ocorria entre os cristãos e os mouros na Terra Santa. A solidariedade entre as duas cavalarias prevaleceu sobre a inevitabilidade da batalha. Cada qual dera boa prova de si. Em boa harmonia se retiraram para bandas opostas. Em boa harmonia os bandos se retiraram para bandas opostas. Retiraram-se para lados opostos.

Hoje admito que não tenha enfrentado o ataque porque me deu vontade de rir. Mas na hora não pensei assim. Senti-me covarde e pronto.

Admito agora comigo, de maneira ainda mais covarde, que se tivesse corrido para a frente como os outros não teria arriscado nada, e teria vivido melhor pelos anos a seguir. Perdi a Ocasião, aos 12 anos. Como perder a ereção na primeira vez é impotência para o resto da vida.

Um mês depois, quando por causa de uma invasão de território ocasional, o Viottolo e o Canaletto se defrontaram num campo de plantio, e começaram a voar torrões não sei se animado pela dinâmica do evento anterior, ou desejoso de martírio, fui o primeiro a me expor na linha de frente. Foi uma chuva de pedras incruenta, menos para mim. Um torrão, que evidentemente ocultava um coração de pedra, atingiu-me no lábio e fez-me um talho. Fugi para casa chorando, e minha mãe teve de usar a pinça de toalete para retirar a terra da fissura que se formara no interior da boca. Como consequência, fiquei até hoje com um nódulo na interseção do canino direito inferior, e quando passo a língua por cima dele sinto uma vibração, um arrepio.

Mas esse nódulo não me absolve, porque obtive-o por inconsciência, não por coragem. Passo a língua contra o lábio e que faço? Escrevo. Mas a literatura pobre não me redime.

Depois do dia do comício não voltei a ver Belbo durante cerca de um ano. Estava namorando Amparo e quase não ia ao Pílades, e, nas poucas vezes que por lá passei em companhia de Amparo, Belbo não estava. E Amparo não gostava daquele lugar. Seu rigor moral e político, comparáveis apenas à sua graça e à sua esplêndida altivez, faziam com que ela considerasse o Pílades um clube para dândis democráticos, e o dandismo democrático era para ela uma das tramas, talvez a mais sutil, do complô capitalista. Foi um ano de grande empenho, de grande seriedade e de grande doçura. Trabalhávamos com gosto mas com calma em nossas teses.

Um dia encontro Belbo ao longo dos canais, perto da Garamond. "Olha só quem vejo", disse-me com alegria, "meu templário favorito! Acabo de ganhar de presente um destilado incrivelmente antigo. Por que não dá um pulo na editora? Tenho copos de papel e a tarde livre."

"É um zeugma", observei.

"Não, um burbon engarrafado, creio, antes da queda de Álamo."

Acompanhei-o. Mal o começamos a degustar, entrou Gudrun e veio dizer que havia um senhor à espera. Belbo bateu com a palma da mão sobre a testa. Ele havia se esquecido daquele encontro, mas percebi que o acaso tinha gosto de complô. Pelo que depreendi, o visitante queria apresentar um livro que dizia respeito inclusive aos templários. "Liquido rápido com ele", disse, "mas me apoie com suas observações sagazes."

Tinha sido certamente um acaso. E assim fui apanhado na rede.

17

ASSIM DESAPARECERAM OS CAVALEIROS DO TEMPLO

Assim desapareceram os cavaleiros do Templo com seu segredo, à sombra do qual palpitava uma bela esperança da cidade terrena. Mas o Abstrato ao qual estava encadeado seu esforço prosseguia em regiões desconhecidas sua vida inacessível... e mais de uma vez, no curso dos tempos, deixou fluir sua inspiração nos espíritos capazes de acolhê-lo.

(Victor Emile Michelet, *Le secret de la Chevalerie*, 1930, 2)

Tinha uma cara dos anos 1940. A julgar pelas velhas revistas que eu havia encontrado no porão de nossa casa, todos nos anos 1940 tinham uma cara igual. Devia ser a fome dos tempos de guerra: cavava o rosto sob os zigomas e dava aos olhos um brilho vagamente febril. Era uma cara que vira nas cenas de fuzilamento, de ambos os lados. Naqueles tempos, homens com a mesma cara fuzilavam-se entre si.

Nosso visitante trajava um terno completo azul com camisa branca e gravata cinza-pérola, e instintivamente me perguntei por que estava vestido de forma burguesa. Os cabelos, artificialmente negros, eram estirados para trás ao longo das têmporas em duas faixas emplastradas, embora com critério, e deixava no alto da cabeça, luzidia, uma calvície sulcada de tiras finas e regulares como fios de telégrafo, que partiam em vê do alto da testa. O rosto era bronzeado, marcado, e não só pelas rugas, nitidamente coloniais. Uma cicatriz pálida atravessava-lhe a face esquerda, do lábio à orelha, e como usasse bigodes negros e finos, à Adolphe Menjou, o lado esquerdo do bigode estava imperceptivelmente sulcado ali onde, por menos de um milímetro, a pele se havia aberto e depois tornado a fechar. *Mensur** ou bala de raspão?

---

* Duelo dos estudantes alemães. (*N. do T.*)

Apresentou-se: coronel Ardenti, estendeu a mão a Belbo, fez-me um simples sinal com a cabeça quando Belbo me apresentou como um de seus colaboradores. Sentou-se, cruzou as pernas, consertou o friso da calça no joelho, deixando aparecer um par de meias amarelas — de cano curto.

"Coronel... da ativa?", perguntou Belbo.

Ardenti pôs à mostra algumas categorias de valores: "Digamos aposentado. Ou, se preferir, da reserva. Talvez não pareça, mas sou um homem de idade."

"Não parece", disse Belbo.

"Já passei por quatro guerras."

"Então deve ter começado com Garibaldi."

"Não. Tenente, voluntário, na Etiópia. Capitão, voluntário, na Espanha. Major de novo na África, até o abandono da quarta margem. Medalha de prata. Em 1943... digamos que escolhi a parte dos vencidos: e perdi tudo, salvo a honra. Tive a coragem de recomeçar do princípio. Legião estrangeira. Escola de ousadia. Em 1946, sargento, em 1958, coronel, com Massu. Evidentemente sempre escolho a parte perdedora. Com a subida ao poder de esquerda de Gaulle, reformei-me e passei a viver na França. Fizera bons conhecimentos na Argélia e fundei uma empresa de importação e exportação, em Marselha. Dessa vez escolhi a parte vencedora, creio, dado que hoje vivo de rendas, e posso ocupar-me de meu hobby — assim se diz hoje, não é verdade? E nos últimos anos consegui até mesmo o resultado de minhas pesquisas. Ei-los..." Tirou de uma bolsa de couro uma pasta volumosa, que então me pareceu vermelha.

"Quer dizer", disse Belbo, "um livro sobre os templários?"

"Os templários", assentiu o coronel. "Uma paixão quase adolescente. Também eles eram soldados da fortuna que buscaram a glória atravessando o Mediterrâneo."

"O Sr. Casaubon estuda os templários", disse Belbo. "Conhece o assunto melhor que eu. Mas conte-nos."

"Os templários me interessaram desde sempre. Um punhado de cavaleiros generosos que levam as luzes da Europa para os selvagens das duas Trípolis..."

"Os adversários dos templários não eram assim tão selvagens", disse eu em tom conciliador.

"O senhor já foi alguma vez prisioneiro dos rebeldes de Magreb?", perguntou-me com sarcasmo.

"Ainda não", disse eu.

Fixou-me, e me senti feliz por não ter servido em seu pelotão. Falou diretamente a Belbo. "Desculpe-me, sou de outra geração." Depois, olhando-me com ar de desafio: "Estamos aqui para responder a um processo ou para..."

"Estamos aqui para falar de seu trabalho, coronel", disse Belbo. "Queira falar-nos dele, por favor."

"Gostaria de deixar imediatamente clara uma coisa", disse o coronel, pousando a mão sobre a pasta. "Estou disposto a contribuir para as despesas de publicação, não lhe proponho nada que possa dar prejuízo. Se estão à procura de garantia científica, tenho possibilidades de obtê-las. Encontrei há poucas horas um estudioso do assunto, que veio especialmente de Paris. Poderá fazer um prefácio autorizado..." Adivinhou a pergunta de Belbo e fez um sinal, como a dizer que por ora era melhor permanecer incógnito, dada a delicadeza da situação.

"Dr. Belbo", disse, "aqui nestas páginas tenho material para uma história. Verdadeira. Sem banalidades. Melhor que os romances policiais americanos. Encontrei algo muito importante, mas é apenas o início. Quero dizer a todos aquilo que sei, de modo que se houver alguém que esteja em condições de completar este quebra-cabeça, que o leia e apareça. Pretendo lançar uma isca. E além do mais é preciso fazê-lo com urgência. Quem sabia o que agora sei, antes de mim, foi provavelmente morto, a fim de que não o divulgasse. Mas se o que sei o digo a dois mil leitores, ninguém terá mais interesse em eliminar-me." Fez uma pausa: "Os senhores sabem algo sobre a prisão dos templários..."

"O Sr. Casaubon falou-me recentemente sobre isso, e chamou-me atenção o fato de que a captura se fez sem qualquer resistência, tendo sido os cavaleiros apanhados de surpresa..."

O coronel sorriu, com comiseração. "De fato. É pueril pensar que homens tão potentes, capazes de causar medo ao rei de França, não estivessem em situação de saber com antecedência que quatro patifes estavam instigando o rei e que o rei estava instigando o papa. Ora vamos! É necessário pensar num plano. Num plano sublime. Suponhamos que os templários tivessem um projeto de conquistar o mundo, e conhecessem o segredo de uma imensa fonte de poder, um segredo cuja preservação valeria o sacrifício de todo o quartel do Templo em Paris, as comendas espalhadas por todo o reino, e pela Espanha, Portugal, Inglaterra e Itália, os castelos da Terra Santa, os depósitos monetários, tudo... Filipe o Belo suspeita disso, pois de outra forma não se compreende por que tenha desencadeado a perseguição, atirando descrédito sobre a fina flor da cavalaria francesa. O Templo percebe que o rei desconfia, e tentará destruí-lo, de nada adianta opor resistência frontal, o plano requer ainda tempo, o tesouro ou o que seja deve ser ainda devidamente localizado, ou é preciso desfrutá-lo lentamente... E o diretório secreto do Templo, cuja existência é já agora reconhecida por todos..."

"Todos?"

"Certo. Não é admissível que uma ordem tão poderosa pudesse sobreviver tanto tempo sem a existência de um regulamento secreto."

"O raciocínio é impecável", disse Belbo, olhando-me de esguelha.

"Daí", disse o coronel, "serem igualmente evidentes as conclusões. O grão--mestre sem dúvida alguma faz parte do diretório secreto, mas deve ser sua fachada exterior. Gauthier Walther, em *La chevalerie et les aspects sécrets de l'histoire,* diz que o plano templar para a conquista do poder contemplava como prazo o ano dois mil! O Templo decide passar à clandestinidade, e para poder fazê-lo é preciso que aos olhos de todos a ordem desapareça. Sacrificam-se, eis o que fazem, o grão-mestre inclusive. Alguns se deixam matar, provavelmente terão sido sorteados. Outros se submetem, se camuflam. Onde acabam as hierarquias menores, os irmãos leigos, os carpinteiros navais, os vidreiros?... É o nascimento da corporação dos pedreiros livres, que se difunde pelo mundo, história conhecida. Mas o que acontece na Inglaterra? O rei resiste às pressões do papa, e aposenta a todos, para acabarem tranquilamente a vida nas capitanias da ordem. E eles, quietinhos, lá se vão. O senhor engole essa? Eu não. Na Espanha, a ordem decide trocar de nome, torna-se a ordem de Montesa. Meus senhores, aquela era gente que podia convencer um rei, tinham tantas cambiais do reino em seus cofres que podiam levá-lo à bancarrota em menos de uma semana. Até o rei de Portugal pactua: façamos assim, caros amigos, diz ele, não vos chamareis mais cavaleiros do Templo, mas cavaleiros de Cristo, e estamos conversados. E na Alemanha? Poucos processos, abolição puramente formal da ordem, mas lá dentro têm uma ordem gêmea, os Teutônicos, que naquela época faz algo mais do que criar um Estado dentro do Estado: são o próprio Estado, agregam um território do tamanho dos países que hoje estão sob o tacão dos russos, seguem nesse ritmo até os fins do século XV, porque àquela altura chegam os mongóis — mas essa é outra história, porque os mongóis ainda os temos às portas... mas não divaguemos."

"Não, por favor", disse Belbo. "Siga em frente."

"Portanto. Como todos sabem, dois dias antes de Filipe expedir a ordem de prisão, e um mês antes de esta ser executada, uma carreta de feno, puxada por bois, deixa o recinto do Templo com destino ignorado. Disso fala até mesmo Nostradamus em uma de suas centúrias..."

Procurou uma página no manuscrito:

> *Souz la pasture d'animaux ruminant*
> *par eux conduits au ventre herbipolique*
> *soldats cachés, les armes bruit menant ...*

"A carreta de feno é lenda", disse eu, "e não tomaria Nostradamus como autoridade em matéria historiográfica..."

"Pessoas muito mais velhas que o senhor, Sr. Casaubon, deram fé a muitas profecias de Nostradamus. Por outro lado, não sou tão ingênuo em dar fé à história da carreta. É um símbolo. O símbolo do fato, evidente e consolidado, de que, em vista da prisão, Jacques de Molay passa o comando e as instruções secretas para o seu sobrinho, o conde de Beaujeu, que se torna o chefe oculto do Templo já então clandestino."

"Há documentos históricos?"

"A história oficial", sorriu amargamente o coronel, "é a que escrevem os vencedores. Segundo a história oficial, homens como eu não existem. Não, sobre o episódio da carreta há algo mais. O núcleo secreto se transfere para um centro tranquilo e ali inicia a formação de sua rede clandestina. Foi dessas evidências que parti. Há anos, ainda antes da guerra, me perguntava sempre onde teriam acabado esses irmãos no heroísmo. Quando me retirei para a vida privada, decidi finalmente buscar uma pista. Porque ocorreu na França a fuga da carreta, na França eu deveria encontrar o lugar da reunião originária do núcleo clandestino. Mas onde?"

Tinha algo de teatral. Belbo e eu agora queríamos saber onde. Não achamos nada melhor para dizer que: "Diga."

"Pois digo-lhes. Onde nasceram os templários? De onde vem Hugues de Payns? De Champagne, vizinha a Troyes. E em Champagne governa Hugues de Champagne, que poucos anos depois, em 1125, os reúne em Jerusalém. Depois regressa à pátria e parece que se põe em contato com o abade de Cîteaux, e o ajuda a iniciar em seu mosteiro a leitura e a tradução de certos textos hebraicos. Vejam só, os rabinos da alta Borgonha são convidados a vir a Cîteaux para conhecer os beneditinos brancos, e por quem? Por São Bernardo, para estudarem quem sabe quais textos Hugues havia encontrado na Palestina. E Hugues oferece aos monges de São Bernardo uma floresta, a Bar-sur-Aube, onde surgirá Clairvaux. E o que faz São Bernardo?"

"Torna-se o defensor dos templários", disse eu.

"E por quê? Sabem que ele faz os templários se tornarem mais fortes que os beneditinos? Que proíbe os beneditinos de receberem terras e propriedades em doação e faz com que as casas e as terras sejam doadas aos templários? Já viu a Forêt d'Orient próximo de Troyes? Uma coisa imensa, uma capitania após outra. E, no entanto, na Palestina os cavaleiros não combatem, sabiam? Instalam-se no Templo e, em vez de matar os muçulmanos, fazem amizade com eles. Tomam contato com seus iniciados. Em suma, São Bernardo, com apoio econômico dos condes de Champagne, constitui uma ordem que na Terra Santa entra em contato com as seitas secretas árabes e hebraicas. Uma direção desconhecida planifica as cruzadas para fazer viver a ordem, e não o contrário, e estabelece uma rede de poder que se subtrai à jurisdição real... Não sou homem de ciência, sou homem de ação. Em vez de fazer demasiadas conjecturas, fiz o que tantos estudiosos, que falam demais, nunca fizeram. Fui lá de onde os templários vinham e onde tinham sua base havia dois séculos, onde podiam nadar como peixes na água..."

"O presidente Mao diz que o revolucionário deve estar entre o povo como o peixe na água", disse eu.

"Parabéns ao seu presidente. Os templários, que estavam preparando uma revolução bem maior do que aquela dos seus comunistas de rabicho..."

"Já não usam rabicho."

"Não? Pior para eles. Os templários, eu dizia, não podiam senão buscar refúgio em Champagne. Em Payns? Em Troyes? Na Floresta do Oriente? Não. Payns era e é uma vila de quatro casas, e então devia ter no máximo um castelo. Troyes era uma cidade grande, com muita gente do rei em volta. A floresta, templar por definição, seria o primeiro lugar onde a guarda real iria procurá-los, como aliás aconteceu. Não: Provins, disse para mim. Se havia um lugar, devia ser Provins!"

18

UMA ENORME MASSA TREMENDAMENTE PERFURADA POR TÚNEIS E CAVERNAS

Se pudéssemos penetrar no interior da Terra e ali víssemos com nossos próprios olhos, de um polo a outro, dos nossos pés até os habitantes de outro lado, com horror descobriríamos uma enorme massa tremendamente perfurada por túneis e cavernas.

(T. Burnet, *Telluris Theoria Sacra*,
Amsterdã, Wolters, 1694, p. 38)

"Por que Provins?"

"Nunca esteve em Provins? Lugar mágico, até hoje sente-se isso, não deixe de ir. Lugar mágico, ainda todo recendente de segredos. Mas na época, século XI, é a sede do condado de Champagne e permanece zona franca onde o poder central não pode meter o bedelho. Os templários aí se sentem em casa, até hoje há uma rua ali em homenagem a eles. Igrejas, palácios, uma rocha que domina toda a planície, e dinheiro, circulação de mercadorias, comerciantes, feiras, confusões nas quais se pode confundir-se. Mas sobretudo, e desde tempos pré-históricos, há galerias. Uma rede de galerias que se estendem sob toda a colina, verdadeiras e autênticas catacumbas, algumas das quais se pode visitar até hoje. Locais em que, durante as reuniões secretas, se o inimigo aí penetrasse, os conjurados poderiam se dispersar em poucos segundos, Deus sabe para onde, e, conhecendo bem os condutos, sair em algum lugar, e dali entrar pela parte oposta, silentes como gatos, chegando pelas costas dos invasores e os matando no escuro. Por Deus, meus senhores, asseguro-lhes que essas galerias parecem ter sido feitas para os comandos, rápidos e invisíveis, que se insinuam na noite, punhal entre os dentes, duas granadas nas mãos, e os outros massacrados como ratos, por Deus!"

Seus olhos cintilavam. "Compreendem que fabuloso esconderijo pode ser Provins? Um núcleo secreto que se reúne no subsolo, e toda a gente do lugar vendo isso sem nada comentar. Os homens do rei chegam até Provins, é verdade, prendem aqueles templários que se mostram na superfície, e os levam a Paris. Reynaud de Provins é submetido a tortura, mas não fala. Segundo o plano secreto, é claro, devia deixar-se prender para dar a impressão de que Provins tivesse sido beneficiada, mas devia ao mesmo tempo deixar um sinal: Provins não cede. Provins, a sede dos novos templários subterrâneos... Galerias que levam de edifício a edifício, simula-se entrar num depósito de grãos ou numa loja e vai-se sair numa igreja. Galerias construídas com pilastras e abóbadas de alvenaria, todas as casas da cidade alta têm até hoje uma cave, com abóbadas ogivais, certamente mais de cem, cada cave, ou cada cômodo subterrâneo devia ser a entrada de um daqueles condutos."

"Conjecturas", disse eu.

"Não, Sr. Casaubon. Provas. O senhor não viu as galerias de Provins. Compartimentos e mais compartimentos, no coração da terra, cheias de grafites. São encontrados pelo menos naquelas que os espeleólogos chamam de alvéolos laterais. São representações hieroglíficas, de origem druídica. Grafites de antes da chegada dos romanos. César passava lá em cima, e embaixo se tramava a resistência, a feitiçaria, a emboscada. E lá estão igualmente os símbolos dos cátaros, sim, senhores, os cátaros não estavam sozinhos em Provença, os de Provença foram destruídos, os de Champagne sobreviveram em segredo e se reuniam ali, naquelas catacumbas da heresia. Cento e trinta e três deles foram levados à fogueira na superfície, e os outros sobreviveram ali. Os cronistas definiam-nos como *bougres et manichéens* — a propósito, os *bougres* eram os bogomilos, cátaros de origem búlgara, não lhes diz nada a palavra francesa *bougre*? Na origem, queria dizer sodomita, porque se dizia que os cátaros búlgaros eram chegados ao vício..." Deu uma risadinha sem graça. "E quem acaba sendo acusado do mesmo vício? Eles, os templários... Curioso, não é verdade?"

"Até certo ponto", disse eu, "naqueles tempos se a gente queria dar fim a um herético era só acusá-lo de sodomia..."

"É verdade, e não pensem que penso que os templários... Qual nada, eram homens de armas, e nós homens de armas somos inclinados às belas mulheres, e mesmo que tenham pronunciado votos, homem é homem. Mas estou mencionando este fato porque não creio que seja algo demais os heréticos cátaros terem encontrado refúgio num ambiente templar, e de todo modo os templários haviam aprendido com eles como se usavam os subterrâneos."

"Mas, enfim", disse Belbo, "ainda são hipóteses suas..."

"Hipóteses de partida. Já lhes disse a razão por que me pus a explorar Provins. Agora vamos propriamente à história verdadeira. No centro de Provins há um grande edifício gótico, a Grange-aux-Dîmes, o celeiro das dízimas, e sabem-se que um dos pontos fortes dos templários é que eles recolhiam diretamente as dízimas sem pagar nada ao Estado. Embaixo deles, como de resto em toda a parte, uma rede de subterrâneos, hoje em péssimas condições. Pois bem, enquanto eu rebuscava os arquivos de Provins, caiu-me às mãos um jornal local de 1894. Nele se conta que dois dragões, os cavaleiros Camille Laforge de Tours e Edouard Ingolf de Petroburgo (assim mesmo, de Petroburgo), estavam visitando alguns dias antes a Grange com o zelador, e desceram a uma das salas subterrâneas, no segundo plano sob a superfície do solo, quando o zelador, para demonstrar que existiam outros planos subjacentes, bateu com o pé sobre o chão, e ouviram-se ecos e ribombos. O cronista elogia os corajosos dragões que se muniram de lanternas e cordas, entraram sabe-se lá em quais galerias, como garotos em cavernas, arrastando-se sobre os cotovelos e insinuando-se por misteriosos condutos. E chegam, diz o jornal, a uma grande sala, com uma bela lareira, e um poço ao centro. Fazem baixar uma corda com uma pedra e descobrem que o poço tem uma profundidade de 11 metros... Voltam uma semana mais tarde trazendo cordas mais fortes, e, enquanto dois outros seguram a corda, Ingolf se mete no poço e descobre uma grande câmara de paredes de pedra, de 10 metros por 10, e de 5 metros de altura. Os outros dois, descendo cada qual por sua vez, dão-se conta de estar no terceiro plano abaixo da superfície do solo, a 30 metros de profundidade. Não se sabe o que viram nem o que fizeram os três nessa sala. O cronista confessa que, tendo de permanecer no posto, não teve força de se introduzir no poço. A história despertou minha curiosidade e me deu vontade de visitar o local. Mas dos fins do século passado aos dias atuais muitos subterrâneos haviam derruído, e se acaso aquele poço tivesse alguma vez existido, quem sabe hoje onde seria. Ocorreu-me a ideia de que os dragões haviam encontrado lá no fundo alguma coisa. Eu lera exatamente naqueles dias um livro sobre o segredo de Rennes-le-Château, essa também uma aventura na qual entram de certa forma os templários. Um pároco sem recursos e sem futuro, enquanto procedia à restauração de uma velha igreja, num vilarejo de duzentas almas, remove uma pedra do pavimento do coro e encontra um estojo com manuscritos antiquíssimos, consta. Só manuscritos? Não se sabe bem o que ocorre, mas nos anos que se seguem fica imensamente rico, gasta e desperdiça, leva vida esbanjada, sofre um processo eclesiástico... E se a um dos dragões ou a ambos tivesse ocorrido algo semelhante? Ingolf desce primeiro, encontra um objeto precioso de reduzidas dimensões, esconde-o sob o gibão, sobe de volta, não diz nada aos outros dois... Em resumo, sou teimoso, e se não tivesse sido sempre assim minha vida teria sido inteiramente diferente." Passara os dedos de leve sobre a cicatriz. Depois levou as mãos às têmporas, alisando-as em direção à nuca, para assegurar-se de que os cabelos estavam devidamente assentados.

"Vou a Paris e na central telefônica consulto todos os guias da França em busca de alguma família Ingolf. Só encontro uma, em Auxerre, e escrevo-lhes apresentando-me como estudioso de arqueologia. Duas semanas mais tarde recebo resposta de uma velha parteira; é filha daquele Ingolf, e está curiosa de saber por que me interesso por ele, chega a me perguntar se por amor de Deus sei de alguma coisa... Achei que estava na pista de algum mistério. Precipito-me para Auxerre, a Srta. Ingolf vive numa pequena casa toda coberta de hera, um portãozinho de madeira fechado por um cordão e um prego. Uma senhorita idosa, bonita, gentil, de escassa cultura. Pergunta-me de chofre o que sei sobre seu pai e lhe digo que só sei que um dia ele desceu a um subterrâneo em Provins, e que estou escrevendo um ensaio histórico sobre aquela região. Ela cai das nuvens, pois nunca imaginou que seu pai tivesse estado em Provins. Pertenceu aos dragões, é verdade, mas deixara o serviço em 1895, antes de ela nascer. Comprara aquela casinha em Auxerre, e em 1888 desposara uma jovem do lugar, que tinha algumas posses. A mãe morrera em 1915, quando ela contava 5 anos. Quanto ao pai, desaparecera em 1935. Desaparecera, literalmente. Partira para Paris, como fazia pelo menos duas vezes por ano, e nunca mais dera notícias. A polícia local telegrafara a Paris: desaparecido. Declaração de morte presuntiva. E dessa forma a nossa senhorita ficara sozinha no mundo e começou a trabalhar, porque a herança paterna não era grande coisa. Evidentemente não havia encontrado marido, e, pelos suspiros que deu, o caso devia ser uma história complicada, a única de sua vida, que tivera um fim desagradável. 'E sempre com esta angústia, com este remorso contínuo, Sr. Ardenti, de nada saber a respeito de meu pobre pai, nem mesmo o lugar de seu túmulo, se é que ele existe em alguma parte.' Tinha ânsias de falar do pai: muito terno, tranquilo, metódico, tão culto. Passava os dias em seu pequeno escritório na parte superior da casa, a ler e a escrever. A não ser isso, uma caminhadela no jardim e dois dedos de prosa com o farmacêutico, já falecido como ele. De quando em vez, como dissera, uma viagenzinha a Paris, a negócios, como dizia. Mas voltava sempre com algum pacote de livros. O escritório ainda estava cheio deles, quis me mostrar. Subimos. Um quartinho limpo e arrumado, de que a Srta. Ingolf ainda tirava o pó uma vez por semana, podia levar flores à mãe no cemitério, mas para o pobre do pai só podia fazer aquilo. Tudo estava como ele havia deixado, teria sido bom se tivesse estudado para poder ler as coisas dele, mas estava tudo escrito em francês antigo, em latim, alemão, talvez até em russo, porque o pai havia nascido e passara lá a infância, era filho de um funcionário da embaixada francesa. A biblioteca continha uma centena de volumes, a maior parte (exultei) sobre o processo dos templários, por exemplo, os *Monuments historiques relatifs à la condamnation des chevaliers du Temple*, de Raynouard, de 1813, uma relíquia. Muitos volumes sobre escritas secretas, uma verdadeira e precisa coleção de criptólogo, alguns volumes de paleografia e diplomática. Havia um registro com velhas contas, e ao folheá-lo encontrei uma nota que me fez estremecer: dizia respeito à venda de um estojo, sem outras indicações, e sem o nome do comprador. Não se mencionava a cifra, mas a data era a de 1895, e logo em seguida havia contas precisas, o livro-razão de um senhor prudente que administra com cautela o seu pecúlio. Algumas notas sobre a aquisição de livros nos sebos parisienses. A mecânica da aventura se me torna clara: Ingolf encontra na cripta um estojo de ouro incrustado de pedras preciosas, não perde um minuto sequer, enfia-o no casaco, volta a subir e nada menciona aos companheiros. Em casa verifica existir no interior um pergaminho, o que me parece evidente. Vai a

Paris, contata um alfarrabista, um agiota, um colecionador, e com a venda do estojo, ainda que abaixo do preço, torna-se na pior das hipóteses remediado. Mas faz melhor, deixa o serviço militar, retira-se para o interior e começa a adquirir livros e a estudar o pergaminho. Talvez fosse sempre uma dessas pessoas inclinadas à busca de tesouros, pois de outra forma não teria descido aos subterrâneos de Provins, provavelmente tem cultura bastante para admitir que pode decifrar por si mesmo o pergaminho que encontrou. Trabalha tranquilo, sem preocupações, como bom monômano, durante mais de trinta anos. Revela a alguém as suas descobertas? Quem sabe? O fato é que em 1935 deve ter sentido que chegara a bom ponto, ou talvez, a um ponto morto, porque decide recorrer a alguém, seja para dizer-lhe o que já sabe ou para que lhe digam o que ainda não sabe. Mas o que sabe deve ser tão secreto, e terrível, que a pessoa a quem recorre fá-lo desaparecer. Mas tornemos à mansarda. Nesse ínterim precisava saber se Ingolf havia deixado alguma pista. Disse à boa senhorita que, talvez se examinasse os livros do pai, encontraria algum traço de sua descoberta em Provins, e em meu ensaio daria amplo testemunho do fato. Ela ficou entusiasmada, pobre papai, disse que eu podia ficar a tarde toda e voltar no dia seguinte se fosse necessário, trouxe-me um café, acendeu-me as luzes, e voltou para o jardim deixando-me de posse do lugar. O quarto tinha paredes lisas e brancas, não dispunha de muitos armários, escrivaninha, recantos onde pudesse vasculhar, mas não deixei passar nada, busquei embaixo, em cima, dentro dos poucos móveis, num armário quase vazio, só com algumas peças de roupa, atulhado apenas de naftalinas, revirei os três ou quatro quadros com estampas de paisagens. Vou lhes poupar os detalhes, digo-lhes só que procurei bastante, o acolchoado das poltronas não só foi testado, como houve por bem enfiar agulhas para sentir se dentro deles não havia corpos estranhos..."

Percebi que o coronel não havia frequentado apenas campos de batalha.

"Sobravam-me os livros, em todo caso valia a pena anotar-lhes os títulos, e verificar se não havia anotações nas margens, linhas sublinhadas, quaisquer indícios... E finalmente ao tomar desajeitado um volume antigo de encadernação pesada, deixei-o cair, e dele saltou uma folha manuscrita. A julgar pelo tipo do papel de caderno e da tinta, não parecia muito antigo, podia ter sido escrito nos últimos anos de vida de Ingolf. Bastou uma olhada para que eu lesse uma anotação na margem: 'Provins 1894'. Imaginem minha emoção, a onda de sentimentos que me assaltaram... Compreendi que Ingolf fora a Paris com o documento original, mas que aquela folha constituía uma cópia dele. Não hesitei. A Srta. Ingolf havia espanado aqueles livros durante anos a fio, mas nunca havia notado aquela folha, de outra forma me teria falado. Pois bem, haveria de continuar a ignorá-la. O mundo se divide entre vencidos e vencedores. Tivera minha parte suficiente de derrotas, agora devia agarrar a vitória pelos cabelos. Apanhei a folha e meti-a no bolso. Despedi-me da senhorita dizendo-lhe não haver encontrado nada de interessante, mas que iria citar o nome de seu pai assim mesmo se viesse a escrever algo, e ela me abençoou. Senhores, um homem de ação, e consumido por uma paixão como aquela em que ardia, não se deve dar a excessivos escrúpulos diante da esqualidez de um ser que o destino já havia condenado."

"Não precisa justificar-se", disse Belbo. "O senhor já o fez. Agora conte."

"Agora mostro aos senhores aquele texto. Consintam que lhes mostre uma fotocópia. Não por desconfiança. Mas para não submeter o original a manuseio."

"Mas o documento de Ingolf já não era o original", disse eu. "Era a cópia que ele fizera de um suposto original."

"Sr. Casaubon, quando os originais já não existem, a última cópia passa a ser o original."

"Mas Ingolf podia ter transcrito mal."

"O senhor não sabe se é assim. E eu sei que a transcrição de Ingolf diz a verdade, porque não vejo como a verdade poderia ser outra. Portanto, a cópia de Ingolf é o original. Estamos de acordo nesse ponto, ou vamos ficar fazendo brincadeiras intelectuais?"

"Desprezo-as", disse Belbo. "Vejamos sua cópia original."

19

A ORDEM NÃO DEIXOU UM INSTANTE JAMAIS DE SUBSISTIR

> *Depois de Beaujeu a Ordem não deixou um instante jamais de subsistir e conhecemos depois de Aumont uma sequência ininterrupta de Grão-Mestres da Ordem até os nossos dias e, se o nome e a sede do verdadeiro Grão-Mestre e dos verdadeiros Superiores que comandam a Ordem e dirigem hoje seus sublimes trabalhos é um mistério só conhecido pelos verdadeiros iluminados, mantido em segredo impenetrável, é porque a hora da Ordem ainda não chegou e os tempos ainda não se cumpriram...*
>
> (Manuscrito de 1760, in G.A. Schiffmann, *Die Entstehung der Rittergrade in der Freimauerei um die Mitte des XVIII Jahrhunderts*, Lipsia, Zechel, 1882, pp. 178-190)

Foi o nosso contato inicial, remoto, com o Plano. Naquele dia eu poderia muito bem estar em outro lugar. Se não tivesse ido aquele dia ao escritório de Belbo, agora estaria... vendendo gergelim em Samarcanda, editando uma coluna em Braille ou dirigindo o First National Bank na Terra de Francisco José? Os condicionais contrafatuais são sempre verdadeiros porque a premissa é falsa. Mas naquele dia eu estava lá, e por isso agora estou onde estou.

Com gesto teatral o coronel nos havia mostrado a folha. Tenho-a ainda aqui, entre os meus papéis, numa capa de plástico, mais amarelecida e desbotada do que já era então, naquela cópia em papel térmico que se usava à época. Eram na realidade dois textos, o primeiro corrido, que ocupava a primeira metade da página, e o segundo disposto em versículos mutilados...

O primeiro texto era uma espécie de litania demoníaca, parodiando uma língua semítica:

Kuabris Defrabax Rexulon Ukkazaal Ukzaab Urpaefel Taculbain Habrak Hacoruin Maquafel Tebrain Hmcatuin Rokasor Himesor Argaabil Kaquaan Docrabax Reisaz Reisabrax Decaiquan Oiquaquil Zaitabor Qaxaop Dugraq Xaelobran Disaeda Magisuan Raitak Huidal Uscolda Arabaom Zipreus Mecrim Cosmae Duifas Rocarbis

"Não é inteligível", observou Belbo.

"Não, mesmo?", perguntou com ironia o coronel. "E eu teria perdido a vida em cima dele se um dia, quase por acaso, não tivesse encontrado numa banca um livro sobre Tritêmio e não desse com os olhos em uma de suas mensagens cifradas: 'Pamersiel Oshurmy Delmuson ThafIoyn...' Havia encontrado uma pista, e a segui a fundo. Tritêmio para mim era um desconhecido, mas em Paris encontrei uma edição de sua *Steganographia, hoc est ars per occultam scripturam animi sui voluntatem absentibus aperiendi certa*, Franco-forte 1606. 'A arte de mostrar através de uma escrita oculta o próprio ânimo a pessoas distantes'. Personagem fascinante, esse Tritêmio. Abade beneditino em Spannheim, viveu entre os séculos XV e XVI, um douto que sabia hebraico e caldaico, línguas orientais como o tártaro, vivendo em contato com teólogos, cabalistas, alquimistas, certamente com o grande Cornélio Agripa de Nettesheim e talvez com Paracelso... Tritêmio disfarça suas revelações sob escritas secretas com mistificações necromânticas, diz que necessita enviar mensagens cifradas do tipo daquela que os senhores viram e que o destinatário precisa evocar anjos como Pamersiel, Padiel, Dorothiel e assim por diante, para ajudá--lo a compreender o verdadeiro sentido da mensagem. Mas os exemplos que fornece são frequentemente mensagens militares, o livro é dedicado a Filipe, conde palatino e duque da Baviera, e constitui um dos primeiros exemplos de trabalho criptográfico sério, coisa de serviço secreto."

"Desculpe", perguntei, "mas se compreendi bem, esse Tritêmio viveu pelo menos cem anos depois da redação do manuscrito de que nos estamos ocupando..."

"Tritêmio era filiado a uma Sodalitas Celtica, que se ocupava de filosofia, astrologia, matemática pitagórica. Percebem o nexo? Os templários são uma ordem iniciática que se nutre também da sabedoria dos antigos celtas, já está agora amplamente provado. De alguma forma, Tritêmio aprendeu os mesmos sistemas criptográficos usados pelos templários."

"Impressionante", disse Belbo. "E que diz a transcrição da mensagem secreta?"

"Calma, senhores. Tritêmio apresenta quarenta criptossistemas maiores e dez menores. Tive realmente sorte, ou bem os templários de Provins não quiseram espremer demasiadamente o crânio, seguros de que ninguém iria adivinhar a sua chave. Experimentei logo com o primeiro dos quarenta criptossistemas maiores, partindo da hipótese de que neste texto só contam as iniciais."

Belbo tomou a folha e examinou-a: "Mas mesmo assim resulta uma sequência sem sentido: kdruuuth..."

"Natural", disse com condescendência o coronel. "Os templários não quiseram espremer muito o crânio, mas também não eram assim tão indolentes. Esta primeira sequência é por sua vez uma mensagem cifrada, e pensei imediatamente na segunda série dos dez criptossistemas. Vejam que para essa segunda série Tritêmio usava rótulas, e aqui está a correspondente ao primeiro criptossistema..."

Tirou de sua pasta outra cópia, aproximou a cadeira da mesa e procedeu à sua demonstração tocando as letras com a ponta da estilográfica fechada.

"Trata-se do sistema mais simples. Considerem apenas o círculo externo. Cada letra da mensagem em claro deve ser substituída pela letra precedente. Para o A se escreve Z, para o B se escreve A, e assim por diante. Brinquedo de criança para os agentes secretos hoje em dia, mas naqueles tempos era considerado bruxaria. Naturalmente para decifrar, procede-se de maneira inversa, e substitui-se cada letra da mensagem cifrada pela letra que se segue. Fiz minhas tentativas, é verdade que tive sorte de acertar logo da primeira vez, e aqui está a solução." Transcreveu: "'*Les XXXVI inuisibles separez en six bandes*', os 36 invisíveis separados em seis grupos."

"E o que significa isso?"

"À primeira vista, nada. Trata-se de uma espécie de cabeçalho, da constituição de um grupo, escrita em linguagem secreta por motivos rituais. Em seguida, para o resto do texto os nossos templários, certos de que estavam colocando sua mensagem num invólucro inviolável, limitaram-se a usar o francês do século XIV. Vejamos em que consiste o segundo texto:

> a la... Saint Jean
> 36 p charrete de fein
> 6... entiers avec saiel
> p... les blancs mantiax
> r... s... chevaliers de Pruins pour la... j . nc .
> 6 foiz 6 en 6 places
> chascune foiz 20 a.... 120 a ....
> iceste est l'ordonation
> al donjon li premiers
> it li secunz joste iceus qui ... pans
> it al rejuge
> it a Nostre Dame de l'altre part de l'iau
> it a l'ostel des popelicans
> it a la pierre
> 3 foiz 6 avant la feste ... la Grant Pute.

"E esta seria a mensagem não cifrada?", perguntou Belbo, desiludido e divertido ao mesmo tempo.

"É evidente que na tradução de Ingolf as reticências representam palavras ilegíveis ou espaços onde o pergaminho se havia desfeito... Mas aqui está minha transcrição final em que, por meio de conjecturas que me permitiram uma definição lúcida e inatacável, restitui o texto ao seu antigo esplendor, digamos assim."

Virou com gesto de prestidigitador a folha e nela nos mostrou seus apontamentos em letras de fôrma:

NA (NOITE DE) SÃO JOÃO
36 (ANOS) (DE)P(OIS DA) CARRETA DE FENO
6 (MENSAGENS) INTACTAS COM SINETE

P(ARA OS CAVALEIROS D) OS MANTOS BRANCOS [OS TEMPLÁRIOS]
R(ELAPSO)S DE PROVINS PARA A (VAIN) JANCE [VINGANÇA]
6 VEZES 6 EM 6 LUGARES
CADA VEZ 20 A(NOS FAZEM) 120 A(NOS)
ESTA É A ORDENAÇÃO [PLANO]:
(VÃO AO) CASTELO OS PRIMEIROS
IT(ERUM) [NOVAMENTE APÓS 120 ANOS] OS SEGUNDOS SE JUNTAM
ÀQUELES (DO) PÃO
DE NOVO AO REFÚGIO
DE NOVO À NOSSA SENHORA DO OUTRO LADO DO RIO
DE NOVO À ESTALAGEM DOS POPELICANT
DE NOVO À PEDRA
3 VEZES 6[666] ANTES DA FESTA (DA) GRANDE MERETRIZ.

"Pior que andar às cegas", disse Belbo.

"Certamente ainda está tudo por interpretar. Mas Ingolf decerto havia conseguido, assim como eu consegui. É menos hermético do que parece, para quem conhece a história da ordem."

Pausa. Pediu um copo d'água, e continuou a nos fazer acompanhar o texto, palavra por palavra.

"Pois bem: na noite de São João, 36 anos depois da carreta de feno. Os templários destinados à perpetuação da ordem fogem à captura em setembro de 1307, escondidos numa carreta de feno. Naqueles tempos, o ano era calculado de uma Páscoa a outra. Logo, o ano de 1307 acaba por volta do que seria, segundo nossos cálculos, a Páscoa de 1308. Procurem calcular 36 anos depois do fim de 1307 (que é a nossa Páscoa de 1308) e chegaremos à Páscoa de 1344. Depois dos 36 anos fatídicos, estamos em nosso 1344. A mensagem foi depositada na cripta dentro de um recipiente precioso, à guisa de sinete, de ato notarial de uma cerimônia qualquer que se tenha realizado naquele local, após a constituição da ordem secreta, na noite de São João, ou seja, a 23 de junho de 1344."

"Por que 1344?"

"Julgo que de 1307 a 1344 a ordem secreta se reorganiza e aguarda o projeto cujo encaminhamento é sancionado pelo pergaminho. Era preciso esperar que as águas se acalmassem, que voltassem a se reatar os fios entre os templários de cinco ou seis regiões. Por outro lado, os templários haviam esperado 36 anos, não 35 ou 37, evidentemente porque o número 36 tinha para eles valores místicos, o que a própria mensagem cifrada confirma. A soma interna de 36 dá 9, e não lhes preciso recordar os significados profundos desse número."

"Licença?" Era a voz de Diotallevi, que se introduzira às nossas costas, silencioso como um templário de Provins.

"Pão para os teus dentes", disse Belbo. Apresentou-o rapidamente, o coronel não pareceu excessivamente perturbado com sua presença, ao contrário, dava a impressão de que desejava audiência numerosa e atenta. Continuou a interpretar, e Diotallevi babava de prazer diante daquelas guloseimas numerológicas. Pura Gematria.

"Mas vamos aos sigilos: seis coisas fechadas com um selo. Ingolf encontra um estojo, evidentemente fechado por um selo. Para quem teria sido selado aquele estojo? Para os Mantos Brancos, consequentemente, para os templários. Ora, encontramos na mensagem um *r,* algumas letras apagadas, e um *s*. Eu leio aí 'relapsos'. Por quê? Porque todos sabemos que os relapsos eram os réus confessos que se retratavam, e os relapsos desempenharam um papel nada insignificante no processo dos templários. Os templários de Provins assumem orgulhosamente sua natureza de relapsos. São aqueles que se dissociam da infame comédia do processo. Portanto, trata-se aqui dos cavaleiros de Provins, dos relapsos, prontos para o quê? As poucas letras à nossa disposição sugerem 'vainjance' — para a vingança."

"Mas qual vingança?"

"Ora, senhores! Toda a mística templar, a partir do processo, se concentra em torno do projeto de vingar Jacques de Molay. Não tenho em grande consideração os ritos maçônicos, mas eles, caricatura burguesa da cavalaria templar, não deixam de ser sempre um reflexo daqueles, conquanto degenerado. E um dos graus da maçonaria de rito escocês é o de Cavaleiro Kadosch, que significa em hebraico cavaleiro da vingança."

"Está bem, os templários se dispõem à vingança. E depois?"

"Quanto tempo deverá levar esse plano de vingança? A mensagem cifrada nos ajuda a compreender a mensagem em linguagem clara. São requeridos seis cavaleiros por seis vezes em seis lugares, 36 divididos em seis grupos. Depois se diz 'Cada vez vinte', e aqui há algo que não está bem claro, mas que na transcrição de Ingolf parece ser um *a*. Vinte anos de cada vez, deduzi, durante seis vezes, 120 anos. Se continuamos pelo resto da mensagem, vamos encontrar um conjunto de seis lugares, ou de seis deveres a desenvolver. Fala-se de uma 'ordenação', um plano, um projeto, um procedimento a seguir. E se diz que os primeiros devem ir a um *donjon* ou castelo, os segundos a um outro lugar, e assim por diante até o sexto. Logo o documento nos revela que deveria haver outros seis documentos igualmente selados, espalhados por lugares diferentes, e me parece evidente que tais selos devam ser abertos um após outro com um espaço de 120 anos entre si..."

"Mas por que vinte anos de cada vez?", indagou Diotallevi.

"Esses cavaleiros da vingança devem cumprir uma missão em determinado lugar a cada 120 anos. Trata-se de uma forma de estafeta. É claro que depois da noite de 1344 seis cavaleiros partem, cada qual se dirigindo para um dos seis lugares previstos no plano. Mas o guardião do primeiro selo não pode permanecer vivo por 120 anos. É de entender que cada guardião de cada selo deve permanecer no cargo por vinte anos, e depois passar o comando a um sucessor. Vinte anos é prazo razoável, seis guardiães por selo, vinte anos cada um, garantem que no 120º ano o depositário do selo possa ler uma instrução, digamos, e passá-la ao primeiro guardião do segundo selo. Eis por que a mensagem se exprime no plural, vão os primeiros ali, vão os segundos acolá... Cada lugar é, por assim dizer, controlado, no espaço de 120 anos, por seis cavaleiros. Façamos os cálculos, do primeiro ao sexto lugar são cinco passagens, que abrangem seiscentos anos. Somando-se seiscentos a 1344, obtemos 1944. O que é confirmado também pela última linha da mensagem. Claro como o sol."

"Ou seja?"

"A última linha diz 'três vezes seis antes da festa (da) Grande Meretriz'. Também aqui temos um pequeno jogo numerológico, porque a soma interna de 1944 dá precisamente 18. Dezoito é três vezes seis, e essa nova e admirável coincidência numérica sugere aos templários um outro sutilíssimo enigma. 1944 é o ano em que o plano deve concluir-se. Em relação a quê? Ao ano 2000! Os templários creem que o segundo milênio assinalará o advento de sua Jerusalém, uma Jerusalém terrestre, a Antijerusalém. São perseguidos como heréticos? Em seu ódio à Igreja identificam-se com o Anticristo. Eles sabem que 666 em toda a tradição oculta é o número da Besta. O 666, o ano da

Besta, é o ano 2000 em que triunfará a vingança templária, e a Antijerusalém é a Nova Babilônia, razão por que 1944 é o ano do triunfo da Grand Pute, a grande meretriz da Babilônia de que fala o Apocalipse! A referência a 666 é uma provocação, uma bravata de homens de armas. Um assumir de oposição, como se diria hoje. Bela história, não?"

Olhava-nos com olhos úmidos, também úmidos os lábios e o bigode, enquanto acariciava a pasta com as mãos.

"Pois muito bem", disse Belbo, "aqui se esboçam os prazos de um plano. Mas qual plano?"

"Está querendo muito. Se eu soubesse, não teria necessidade de lançar a minha isca. Mas uma coisa eu sei. Que nesse lapso de tempo ocorreu um incidente, e o plano não se cumpriu, pois de outra forma, permitam-me, teríamos sabido. E posso até compreender por quê: 1944 não foi um ano fácil, os templários não poderiam saber que haveria uma guerra mundial capaz de tornar todos os contatos mais difíceis."

"Desculpem se me intrometo", disse Diotallevi, "mas se percebo bem, uma vez aberto o primeiro selo, a dinastia de seus guardiães não se extingue. Continua até a abertura do último, quando se exigirá a presença de todos os representantes da ordem. E portanto em cada século, ou melhor, a cada 120 anos, teremos sempre seis guardiães em cada lugar, consequentemente 36."

"Exato", disse Ardenti.

"Trinta e seis cavaleiros em cada um dos seis postos faz 216, cuja soma interna é 9. E como os séculos são 6, multipliquemos 216 por 6 e teremos 1296, cuja soma interna é 18, vale dizer três vezes seis, 666."

Diotallevi teria possivelmente procedido à reformulação aritmológica da história universal se Belbo não o tivesse interrompido com uma dessas olhadas, como fazem as mães quando o filho comete alguma gafe. Mas o coronel estava reconhecendo em Diotallevi um iluminado.

"É esplêndido o que o senhor acaba de me demonstrar, doutor! O senhor sabe naturalmente que nove é o número dos primeiros cavaleiros que constituíram o núcleo do Templo em Jerusalém!"

"O Grande Nome de Deus, como expresso pelo tetragrammaton", disse Diotallevi, "contém 72 letras, e sete e dois fazem nove. Mas lhe direi algo mais, se me permite. Segundo a tradição pitagórica, que a Cabala retoma (ou inspira), a soma dos números ímpares de um a sete dá 16, e a soma dos números pares de dois a oito dá vinte, e vinte mais 16 fazem 36."

"Meu Deus, doutor", fremia o coronel, "eu sabia, sabia. O senhor me conforta. Estou muito próximo da verdade."

Eu não compreendia até que ponto Diotallevi fazia da aritmética uma religião ou da religião uma aritmética, provavelmente ambas as afirmativas eram verdadeiras, e tinha à minha frente um ateu que gozava do êxtase em algum céu superior. Poderia tornar-se um devoto da roleta (o que teria sido melhor), mas pretendia ser um rabino descrente.

Agora não me recordo exatamente o que aconteceu, mas Belbo interveio com seu bom senso piemontês e quebrou o encanto. Restavam ao coronel mais algumas linhas para interpretar e todos queriam saber. E já eram seis da tarde. As seis, pensei, que são também as 18.

"Vamos lá", disse Belbo. "Trinta e seis por século, os cavaleiros vão passo a passo se preparando para descobrir a Pedra. Mas que Pedra é esta?"

"Ora vamos! Trata-se naturalmente do Graal."

20

O CENTRO INVISÍVEL, O SOBERANO QUE DEVE DESPERTAR

A Idade Média aguardava a chegada do herói do Graal e que o chefe do Sacro Império Romano se tornasse uma imagem e manifestação do próprio "Rei do Mundo"... o Imperador invisível fosse também o manifesto e a Idade do Meio... tivesse também o sentido de uma Idade do Centro... O centro invisível e inviolável, o soberano que deve despertar, o próprio herói vingador e restaurador, não são fantasias de um passado morto mais ou menos romântico, mas antes a verdade daqueles que hoje, sós, podem legitimamente chamar-se vivos.

(Julius Evola, *Il mistero del Graal*, Roma, Edizioni Mediterranee, 1983, c. 23 e Epílogo)

"O senhor diz que o Graal também entra nesta história?", procurou informar-se Belbo.

"Naturalmente. E não sou eu a dizê-lo. Creio não necessitar alongar-me sobre o que seja a lenda do Graal, já que estou falando com pessoas cultas. Os cavaleiros da távola redonda, a busca mística desse objeto prodigioso, que para alguns seria o cálice que recolheu o sangue de Jesus, levado para a França por José de Arimateia, e para outros uma pedra dotada de misteriosos poderes. Não raro o Graal surge como luz fulgente... Trata-se de um símbolo, que representaria uma força qualquer, uma fonte qualquer de imensa energia. Serve de alimento, sara as feridas, provoca a cegueira, fulmina... Um raio laser? Houve quem pensasse na pedra filosofal dos alquimistas, mas se assim fosse, que teria sido a pedra filosofal senão um símbolo de alguma energia cósmica? A literatura a esse respeito é interminável, mas podem-se particularizar facilmente algumas manifestações inconfundíveis. Se lerem O *Parsifal*, de Wolfram von Eschenbach, verão que o Graal aí surge como guardado num castelo dos templários! Eschenbach seria um iniciado? Um imprudente que teria revelado algo que fora melhor calar? Mas não basta. Esse Graal guardado pelos templários é definido como uma pedra caída do céu: *lapis exillis*. Não se sabe se significa pedra do céu (*ex coelis*) ou que vem do exílio. Em todo caso é algo que vem de longe, e alguém sugeriu que poderia ser um meteorito. No que nos concerne, o importante é que seja uma Pedra. Seja lá o que for o Graal, para os templários simboliza o objeto ou o fim do plano."

"Desculpem", disse, "a lógica do documento requer que no sexto encontro os cavaleiros deviam estar juntos ou sobre uma pedra, e não procurando uma pedra."

"Outra ambiguidade sutil, outra luminosa analogia mística! Certamente o sexto encontro é sobre uma pedra, e veremos onde, mas sobre aquela pedra, uma vez realizada a transmissão do plano e a abertura dos seis sinetes, os cavaleiros saberão onde encontrar a Pedra! Temos aí, portanto, o jogo de palavras evangélico: Tu és Pedro e sobre esta pedra... Sobre a pedra encontrareis a Pedra."

"Só pode ser isso", disse Belbo. "Por favor, continue. Casaubon, não fique interrompendo sempre. Estamos ansiosos por conhecer o resto."

"Logo", disse o coronel, "a evidente referência ao Graal me fez pensar com o tempo que o tesouro fosse algum imenso depósito de material radioativo, quem sabe caído de outro planeta. Considerem por exemplo, na lenda do Graal, a misteriosa ferida do rei Amfortas... Parece um radiologista que se tenha exposto demais... E de fato é algo em que não se deve tocar. Por quê? Pensem na emoção que os templários devem ter sentido ao chegarem às margens do mar Morto, como eles sabiam, águas betuminosas muito pesadas, sobre as quais se flutua como cortiça, e de propriedades curativas... Poderiam ter descoberto na Palestina um depósito de rádio ou de urânio, logo percebendo que não tinham condições de aproveitá-lo de imediato. As relações entre o Graal, os templários e os cátaros foram estudadas cientificamente por um brilhante oficial, alemão, Otto Rahn, um *Obersturmbannführer* da SS que dedicou a vida a refletir com alto rigor sobre a natureza europeia e ariana do Graal — não quero dizer como e por que perdeu a vida em 1939, mas há quem afirme... bem, podemos nos esquecer do que aconteceu a Ingolf?... Rahn nos mostra as relações entre o Velocino de Ouro dos Argonautas e o Graal... em suma, é evidente que há uma ligação entre o Graal místico da lenda, a pedra filosofal (*lapis!*) e aquela fonte de potência extraordinária com que ansiavam os seguidores de Hitler desde a vigília da guerra, até o seu último instante. Notem que numa das versões da lenda os Argonautas veem um cálice, isso mesmo, um cálice, pairando sobre a Montanha do Mundo com a Árvore da Luz. Os Argonautas encontram o Velocino de Ouro e a nave em que estão é transportada por encanto para a Via Láctea, no hemisfério boreal onde juntamente com a Cruz, o Triângulo e o Altar domina e afirma a natureza luminosa do Deus eterno. O triângulo simboliza a Trindade divina; a cruz, o divino Sacrifício de amor, e o altar, a Távola (ou Mesa) da Ceia, sobre a qual estava o Cálice da Ressurreição. A origem céltica e ariana de todos esses símbolos é evidente."

O coronel parecia tomado da mesma exaltação heroica que havia levado ao supremo sacrifício o seu *obersturmunddrang*, ou que diabo de nome tenha. Era forçoso trazê-lo à realidade.

"E a conclusão?", perguntei.

"Sr. Casaubon, não está vendo com seus próprios olhos? Falou-se aqui do Graal como Pedra Luciferina, lembrando a figura de Bafomé. O Graal é uma fonte de energia, os templários eram os guardiães de um segredo energético, e traçam seu plano. Onde se estabeleceram as sedes desconhecidas? Aqui, senhores", e o coronel nos olhou com um ar cúmplice, como se estivéssemos conspirando juntos, "eu tinha uma pista, errada, mas útil. Um autor que devia ter ouvido de passagem algum segredo, Charles-Louis Cadet-Gassicourt (por coincidência, sua obra estava presente na pequena biblioteca de Ingolf), escreve em 1797 um livro, *Le tombeau de Jacques Molay ou le secret des conspirateurs à ceux qui veulent tout savoir*, e sustenta que Molay, antes de morrer, funda quatro lojas secretas, em Paris, Escócia, Estocolmo e Nápoles. Essas quatro lojas deveriam exterminar todos os monarcas e destruir o poder do papa. Admito que Gassicourt era um exaltado, mas parti de sua ideia para estabelecer o local onde os templários poderiam de fato ter estabelecido sua sede secreta. É natural que não teria podido compreender os enigmas da mensagem se não tivesse tido uma ideia guia. Mas eu tinha, e estava persuadido, com fundamento em inúmeras evidências, de que o espírito templar era de inspiração céltica, druídica, era o espírito do arianismo nórdico que a tradição identifica com a ilha de Avalon, sede da verdadeira civilização hiperbórea. Saibam que vários autores identificaram Avalon com o jardim das Hespérides, com a Ultima Thule e com a Cólquida do Velocino de Ouro. Não é por acaso que a maior ordem de cavalaria da história é a do Tosão de Ouro. Com isto se torna claro o que oculta a expressão 'Castelo'. É o castelo hiperbóreo onde os templários custodiavam o Graal, provavelmente o Montsalvat da lenda."

Fez uma pausa. Queria que pendêssemos de seus lábios. Pendíamos.

"Vamos à segunda ordenação: os guardiães do selo devem ir até onde estão aquele ou aqueles que fizeram algo com o pão. A indicação já é em si claríssima: o Graal é o cálice do sangue de Cristo, o pão é a carne de Cristo, o lugar onde se comeu o pão é o mesmo lugar da Santa Ceia, em Jerusalém. Impossível pensar que os templários, mesmo depois da reconquista sarracena, não tivessem conservado ali uma base secreta. Para ser franco, a princípio me perturbava um pouco esse elemento judaico num plano que se coloca inteiramente sob o signo de uma mitologia ariana. Depois, pensando bem, concluí que somos nós que continuamos a considerar Jesus como expressão da religiosidade judaica, porque assim o repete a Igreja de Roma para nós. Os templários sabiam muitíssimo bem que Jesus é um mito celta. Toda a narrativa evangélica é uma alegoria hermética, a ressurreição depois de haver se dissolvido nas entranhas da Terra, etc. etc., O Cristo não é outra coisa senão o Elixir dos alquimistas. Por outro lado todos sabem que a trindade é uma noção ariana, daí por que toda a regra templária, ditada por um druida como São Bernardo, está dominada pelo número três."

O coronel acabou de beber outro gole d'água. Estava rouco. "E cá estamos na terceira etapa, o Refúgio. É o Tibet."

"Mas por que o Tibet?"

"Antes de mais nada, porque von Eschenbach nos conta que os templários abandonaram a Europa e levaram o Graal para a Índia. O berço da estirpe ariana. O refúgio está em Agarttha. Eles tinham ouvido falar de Agarttha, sede do rei do mundo, a cidade subterrânea da qual os Senhores do Mundo dominam e dirigem o acontecer da história humana. Os templários constituíram um de seus centros secretos precisamente ali nas raízes de sua espiritualidade. Os senhores conhecem as relações entre o reino de Agarttha e a Sinarquia..."

"Na verdade, não..."

"Melhor assim, pois são segredos que matam. Não divaguemos. Em todo caso, todos sabem que Agarttha foi um reino fundado há seis mil anos, no início da época do Kali-Yuga, na qual ainda estamos vivendo. A missão das ordens de cavalaria foi sempre a de manter uma ligação com esse centro secreto, a comunicação ativa entre a sabedoria do Oriente e a sabedoria do Ocidente. E a essa altura já está bastante claro o local onde deverá ocorrer o quarto encontro, num outro dos santuários druídicos, na cidade da Virgem, ou seja, na Catedral de Chartres. Chartres em relação a Provins se encontra do outro lado do rio principal da Île de France, o Sena."

Não conseguíamos acompanhar mais o nosso interlocutor:

"Mas que tem a ver Chartres com seu percurso céltico-druídico?"

"Mas de onde acham os senhores que tenha vindo a ideia da Virgem? As primeiras virgens que aparecem na Europa são as virgens negras dos celtas. São Bernardo, quando jovem, estava ajoelhado na igreja de Saint Voirles, diante de uma virgem negra, quando essa espremeu do seio três gotas de leite que caíram sobre os lábios do futuro fundador dos templários. Daí os romances do Graal, para criar uma cobertura para as cruzadas, e as cruzadas para reencontrar o Graal. Os beneditinos são os herdeiros dos druidas, todos o sabem."

"Mas onde estão essas virgens negras?"

"Desapareceram com elas aqueles que queriam manchar a tradição nórdica e transformar a religiosidade céltica na religiosidade mediterrânea, inventando o mito de Maria de Nazaré. Ou estão transmutadas, desnaturadas, como tantas madonas negras que ainda se expõem ao fanatismo das massas. Mas quando se leem devidamente as imagens das catedrais, como fez o grande Fulcanelli, vê-se que essa história é contada às claras, da mesma forma como é clara a representação dos laços que unem a virgem céltica à tradição alquímica de origem templar, que faz da virgem negra um símbolo da matéria-prima sobre a qual trabalham aqueles que buscam a pedra filosofal, que, como vimos, outra coisa não é senão o próprio Graal. E agora reflitam de onde veio a inspiração daquele outro grande iniciado dos druidas, Maomé, para a pedra negra de Meca. Em Chartres, alguém emparedou a cripta que faz comunicação com o local no subterrâneo onde ainda existe a estátua pagã original, mas procurando bem pode-se encontrar uma virgem negra, Nossa Senhora de Pillier, esculpida por um padre odinista. A imagem sustém na mão o cilindro mágico das grandes sacerdotisas de Odin e à sua esquerda está esculpido o calendário mágico em que aparecem — infelizmente aparecem, porque tais esculturas não se salvaram do vandalismo dos padres ortodoxos — os animais sagrados do odinismo, o cão, a águia, o leão, o urso branco e o lobisomem. Por outro lado, não escapou a nenhum dos estudiosos do esoterismo gótico que precisamente em Chartres existe uma estátua que traz na mão o cálice do Graal. Ah, meus caros senhores, se se soubesse interpretar a catedral de Chartres não segundo os guias turísticos católicos apostólicos romanos, mas sabendo ver com os olhos da Tradição, a verdadeira história que aquela rocha de Erec relataria..."

"E com isso chegamos aos popelicanos. Quem são eles?"

"São os cátaros. Um dos nomes dados aos heréticos era o de popelicanos ou popelicantes. Os cátaros de Provença foram destruídos, não serei assim tão ingênuo de imaginar um encontro nas ruínas de Montségur, mas a seita não morreu, existe toda uma geografia do catarismo que inclui até mesmo Dante, os poetas do Stil Nuovo, a seita dos Fiéis do Amor. O quinto encontro se dá em alguma parte da Itália setentrional ou da França meridional."

"E o último encontro?"

"Mas qual é a mais antiga, a mais sagrada, a mais estável das pedras célticas, o santuário da divindade solar, o observatório privilegiado do qual, chegando ao fim do plano, os descendentes dos templários de Provins poderão confrontar, finalmente juntos, os segredos lacrados pelos seis selos e descobrir afinal a maneira de desfrutar o imenso poder concedido ao possuidor do Santo Graal? Certamente na Inglaterra, no círculo mágico de Stonehenge! Qual mais seria?"

"*O basta là*", disse Belbo. Só um piemontês pode compreender o ânimo com que se pronuncia esta expressão de educada estupefação. Nenhum de seus equivalentes em outra língua ou dialeto (não me diga, *dis donc, are you kidding*?) pode expressar o soberbo senso de desinteresse, o fatalismo com que ela reconfirma a indefectível persuasão de que os demais são, e irremediavelmente, filhos de uma divindade inapta.

Mas o coronel não era piemontês, e pareceu lisonjeado pela reação de Belbo.

"Exatamente. Este é o plano, a ordenação, em sua admirável simplicidade e coerência. Vejam que se tomarem um mapa da Europa e da Ásia e traçarem as linhas de sequência do plano, desde o norte onde está o Castelo a Jerusalém, de Jerusalém a Agarttha, de Agarttha a Chartres, de Chartres às margens do Mediterrâneo e dali a Stonehenge, irão obter um traçado, uma runa aproximadamente desta forma."

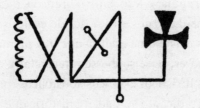

"E então?", perguntou Belbo.

"Então é que essa é a mesma runa que conecta idealmente alguns dos principais centros do esoterismo templar, Amiens, Troyes, reino de São Bernardo, às bordas da Floresta do Oriente, Reims, Chartres, Rennes-le-Château e o monte Saint-Michel, local de antiquíssimo culto druídico. Além disso, esse mesmo desenho recorda a constelação da Virgem!"

"Tenho gosto pela astronomia", disse timidamente Diotallevi, "e o quanto me lembro a constelação da Virgem tem um desenho diferente deste, contando, segundo me parece, com 11 estrelas..."

O coronel sorriu com indulgência: "Senhores, senhores, sabem melhor do que eu que tudo depende da maneira de traçar as linhas, podendo-se obter um carro ou uma ursa, à vontade, e como é difícil decidir se uma estrela está dentro ou fora de uma constelação. Imaginem a constelação da Virgem, fixando a Espiga como ponto inferior, correspondente à costa provençal, e identifiquem apenas cinco estrelas que a semelhança entre os dois traçados será de fato impressionante."

"Basta decidir que estrelas descartar", disse Belbo.

"Exato", confirmou o coronel.

"Ouça", disse Belbo, "como pode excluir a hipótese de que os encontros se tenham realizado regularmente e que os cavaleiros já estejam em ação sem que o saibamos?"

"Não localizo os sinais, e me permita acrescentar 'infelizmente'. O plano foi interrompido ou talvez aqueles que o devessem levar a cabo não existam mais, os grupos dos 36 se dissolveram no curso de alguma catástrofe mundial.

Mas um grupo de audazes que tivesse as informações corretas poderia retomar os fios da trama. Aquele algo ainda está lá. Estou à procura dos homens adequados. Por isso quero publicar o livro, para provocar reações. E ao mesmo tempo procuro colocar-me em contato com pessoas que possam me ajudar a buscar a resposta nos meandros do saber tradicional. Hoje fui ao encontro da maior autoridade no assunto. Mas em vão! Embora sendo um luminar no assunto, nada soube me dizer, ainda que tenha se interessado muito em minha história e me prometido escrever o prefácio..."

"Desculpe-me", disse-lhe Belbo, "mas não teria sido imprudente confiar seu segredo a esse senhor? Não se esqueça de que nos falou da imprudência de Ingolf..."

"Com licença", respondeu o coronel, "Ingolf era um ingênuo. Eu travei conhecimento com um estudioso acima de qualquer suspeita. Pessoa que não arrisca hipóteses levianas. Tanto que hoje me pediu que esperasse um pouco antes de apresentar minha obra a um editor, até esclarecer os pontos controversos... Não quis perder a sua simpatia e por isso não lhe disse que viria aqui, mas hão de compreender que, chegando a essa fase de minha obra, eu esteja naturalmente impaciente. Aquele senhor... ora, ao diabo com a discrição, não quero que pensem que estou blefando. Trata-se de Rakosky..."

Fez uma pausa, esperando nossa reação.

"Quem?", desapontou-o Belbo.

"Mas, de Rakosky! Uma autoridade em estudos da tradição, ex-diretor dos *Cahiers du Mystère*!"

"Ah!", disse Belbo, "ah, sim, eu sei, o Rakosky, certo..."

"Bem, reservo-me o direito de estender definitivamente meu texto depois de haver ouvido os conselhos daquele senhor, mas como pretendo queimar etapas, se no meio-tempo chegar a um acordo com a sua editora... Insisto, tenho pressa de suscitar reações, de recolher notícias... Há gente por aí que sabe e que não fala... Senhores, embora se dê conta de que a guerra está perdida, precisamente por volta de 1944, Hitler começa a falar de uma arma secreta que lhe permitirá reverter a situação. Está maluco, disseram. Mas e se não estivesse? Estão percebendo?" Tinha a fronte coberta de suor e os bigodes quase hirtos, como um felino. "Em suma", disse, "eu lanço a isca. Vejamos se alguém aparece."

Pelo quanto eu sabia e pensava de Belbo, fiquei à espera naquele dia de que ele se livrasse do coronel com alguma frase de circunstância. Em vez disso, ouvi-o dizer: "Ouça, coronel, a coisa é imensamente interessante, independentemente de vir ou não a ser editada por nós. Pode ficar aqui ainda alguns minutos, não pode coronel?" Depois voltando-se para mim: "Sei que está com pressa, Casaubon, e já o retive aqui por muito tempo. Em todo caso nos veremos amanhã, não?"

Era um sinal de despedida. Diotallevi tomou-me pelo braço e disse que também já ia. Despedimo-nos. O coronel apertou calorosamente a mão a Diotallevi e me fez um sinal com a cabeça, acompanhado de um sorriso frio.

Enquanto descíamos as escadas, Diotallevi me disse: "Deve naturalmente estar se perguntando por que Belbo lhe pediu para sair. Não tome isso por descortesia. É que Belbo fará ao coronel uma proposta editorial muito reservada. Reserva, ordem do Sr. Garamond. Eu também me retiro, para não criar constrangimento."

Como compreendi em seguida, Belbo procurava atirar o coronel na boca da Manuzio.

Arrastei Diotallevi para o Pílades, onde pedi um Campari e ele um ruibarbo. Parecia-lhe, disse, monacal, arcaico e quase templar.

Perguntei-lhe o que achava do coronel.

"Nas editoras", respondeu, "aflui toda a insipiência do mundo. Mas como na insipiência do mundo fulgura a sapiência do Altíssimo, o sábio observa o insipiente com humildade." Depois desculpou-se, tinha que ir embora. "Hoje à noite tenho um banquete", disse.

"Uma festa?", perguntei.

Pareceu desconcertado com a minha futilidade. "*Zohar*", precisou, "*Lekh Lekha*. Páginas ainda de todo incompreensíveis."

21

O GRAAL... É UM PESO TÃO GRANDE

> *O Graal... é um peso tão grande que ao pecador não é dado removê-lo do lugar.*
>
> (Wolfram von Eschenbach, Parzival, IX, 477)

O coronel não me tinha sido simpático, mas era interessante. Pode-se observar demoradamente, fascinado, até mesmo um lagarto. Estava saboreando as primeiras gotas de veneno que nos iriam levar todos à perdição.

Tornei a ver Belbo na tarde seguinte e falamos um pouco a respeito do visitante. Belbo disse que o coronel lhe pareceu um mitômano: "Viu como citava aquele Roscoqui ou Rostropovich como se fosse Kant?"

"Além de tudo são histórias antigas", disse eu. "Esse Ingolf era um maluco que acreditava em si mesmo, e o coronel é um maluco que acredita em Ingolf."

"Talvez acreditasse ontem, e hoje já acredite em outra coisa qualquer. Agora posso lhe dizer, ontem, antes de ele ir embora marquei-lhe um encontro com... com outro editor, uma casa de bom gosto, disposta a publicar livros financiados pelo autor. Parecia entusiasmado. Pois bem, acabo de saber que lá não deu certo. Ele deixou comigo a cópia da mensagem, veja. Deixa por aí o segredo dos templários como se nada fosse. São figuras assim."

Naquele momento tocou o telefone. Belbo atendeu: "Sim, quem está falando é Belbo, da editora Garamond. Bom dia, pode dizer... Sim, esteve aqui ontem à tarde, propondo a edição de um livro. Desculpe-me, mas por motivo de privacidade de minha parte, poderia dizer-me..."

Ouviu por alguns segundos, depois olhou para mim, pálido, e disse: "Mataram o coronel, ou qualquer coisa do gênero." Voltou a falar com seu interlocutor: "Desculpe-me, estava dizendo a Casaubon, meu colaborador que esteve ontem presente à conversa... Bem, o coronel Ardenti veio falar-nos de um projeto seu, uma história que considero meio fantasiosa, a propósito de um suposto tesouro dos templários. Eram cavaleiros da Idade Média..."

Cobriu instintivamente o fone com a mão, como para isolar o som, depois, vendo que eu o observava, retirou a mão e falou com alguma hesitação. "Não, Dr. De Angelis, aquele senhor falou-nos de um livro que pretendia escrever, mas sempre de maneira um tanto vaga... Como? Ambos? A que horas? Vou anotar o endereço."

Desligou. Permaneceu em silêncio por alguns segundos, tamborilando sobre a escrivaninha. "Ora, desculpe, Casaubon, mas sem querer acabei metendo-o também no assunto. Fui apanhado de surpresa. Era um comissário de polícia, um tal de De Angelis. Ao que parece, o coronel morava num apart-hotel e alguém o teria encontrado morto ontem à noite..."

"Teria? E o comissário não tem certeza?"

"Parece estranho, mas o comissário não sabe. Tudo indica que tenham encontrado meu nome e a marcação do encontro de ontem escritos em sua agenda. Creio que somos a única pista. Quer falar conosco, vamos lá."

Chamamos um táxi. Durante o trajeto Belbo segurou meu braço. "Casaubon, provavelmente se trata de uma coincidência. Em todo caso, meu Deus, talvez eu tenha um espírito ruim, mas na minha terra se diz que 'o melhor é não dar nomes'... Havia um auto natalino, em dialeto, que eu ia ver quando era rapazinho, uma farsa devota, com pastores que a gente não sabia bem se viviam em Belém ou no vale do Pó... Surgem os três reis magos e perguntam ao filho do pastor como se chama o pai, e o menino lhes responde que é Gelindo. Quando Gelindo vem a saber, enche de pancada o menino porque, diz ele, não se põe um nome à disposição de qualquer um... Em todo caso, se estiver de acordo, o coronel nada nos disse a propósito de Ingolf e da mensagem de Provins."

"Não queremos ter o mesmo fim de Ingolf", disse eu, tentando sorrir.

"Volto a dizer, é uma tolice. Mas em certas histórias o melhor é ficar de fora."

Eu disse que estava de acordo, mas continuei perturbado. Afinal de contas, eu era um estudante que participava de comícios, e um encontro com a polícia sempre me deixava incomodado. Chegamos ao apart-hotel. Não era dos melhores, longe do centro. Fizeram-nos subir diretamente para o apartamento — assim o definiam — do coronel Ardenti. Agentes da polícia nas escadas. Levaram-nos ao número 27 (sete e dois igual a nove, pensei): quarto de dormir, entrada com uma mesinha, quitinete, pequeno banheiro com ducha (sem cortina), pela porta semiaberta não se via o bidê, mas num apart-hotel como aquele seria provavelmente a primeira e a única comodidade que os clientes reclamariam. Decoração insossa, impessoal, mas tudo em grande desordem, alguém teria revistado às pressas os armários e as malas. Provavelmente a polícia; entre agentes à paisana e fardados, contei uma dezena de pessoas.

Veio ao nosso encontro um indivíduo bastante jovem, de cabelos compridos. "Sou De Angelis. Dr. Belbo? Dr. Casaubon?"

"Não sou doutor, estou estudando ainda."

"Pois estude, estude. Sem se formar não pode fazer concurso para a polícia e não sabe o que está perdendo." Tinha um ar contrafeito. "Desculpem, mas comecemos pelos preliminares necessários. Aqui está o passaporte que pertencia ao habitante deste quarto, registrado com o nome de coronel Ardenti. Os senhores o reconhecem?"

"É ele mesmo", disse Belbo, "mas ajude-me a orientar-me. Pelo telefone não compreendi bem se está morto ou se..."

"Gostaria muito que o senhor me dissesse", disse De Angelis com uma careta. "Mas creio que os senhores tenham o direito de saber alguma coisa mais. Pois bem, o Sr. Ardenti, ou coronel que fosse, hospedou-se aqui há quatro dias. Já viram que não se trata do Grande Hotel. Temos o porteiro, que vai dormir às onze horas porque os clientes têm a chave da portaria, uma ou duas arrumadeiras que vêm de manhã fazer as camas, e um velho alcoólatra que trabalha de carregador e também traz bebida nos quartos quando os clientes pedem pelo telefone. Alcoólatra, insisto em dizer, e também esclerosado: interrogá-lo foi um suplício. O porteiro sustenta que ele tem a mania de fantasmas e que já espantou vários clientes. Ontem à noite, por volta das dez, o porteiro viu chegando da rua o Sr. Ardenti em companhia de duas outras pessoas que fez subir com ele ao quarto. Aqui não se importam se alguém leva para cima um bando de travestis, mas imaginemos que tenham sido duas pessoas normais, ainda que segundo o porteiro tivessem sotaque estrangeiro. Às dez e meia Ardenti chama o velho e pede para trazer uma garrafa de uísque, uma água mineral e três copos. Por volta da uma ou uma e meia o velho ouve barulho no quarto 27, como se fossem safanões, disse ele. Mas da maneira como o encontramos esta manhã, àquela hora já devia ter entornado muitos copos de alguma bebida, das fortes. O velho sobe, bate à porta, não respondem, abre a porta com a chave-mestra, encontra tudo em desordem como agora e sobre a cama o coronel, com os olhos esbugalhados e um fio de arame em volta do pescoço. Então desce correndo, acorda o porteiro, nenhum dos dois tem coragem de voltar lá em cima, agarram o telefone, mas a linha parece interrompida. Hoje de manhã funcionava perfeitamente, mas vamos dar-lhes crédito. Então o porteiro sai, corre até a pracinha em frente onde há um telefone de moeda, para chamar a polícia, enquanto o velho se arrasta em direção oposta, onde reside um médico. Gastam nisso uns vinte minutos, voltam para o hotel, esperam na portaria, assustados. O médico enquanto isso se veste e chega aqui quase junto com o carro da polícia. Sobem todos ao 27 e não encontram ninguém."

"Como ninguém?", pergunta Belbo.

"Não havia nenhum cadáver. Desse momento em diante o médico volta a casa e meus colegas encontram apenas o que vocês veem. Interrogaram o velho e o porteiro, com os resultados de que já falei. Onde estavam os homens que subiram com Ardenti às dez horas? Quem sabe, poderiam ter saído entre as onze e a uma sem que ninguém percebesse. Estariam ainda no quarto quando o velho entrou? E quem sabe se este ficou apenas um minuto e não olhou nem na quitinete nem no WC? Podem ter saído enquanto os dois desgraçados foram buscar auxílio, levando consigo o cadáver. Não seria impossível, pois há uma escada exterior que dá para a área interna e dali se poderia chegar ao portão dos fundos, que sai numa via lateral. Mas, sobretudo, havia de fato um cadáver, ou o coronel teria saído digamos à meia-noite com os dois sujeitos, e tudo não passou de imaginação do velho? O porteiro afirma não ser esta a primeira vez que o velho tem dessas alucinações, pois faz alguns anos disse ter visto uma cliente enforcada nua, e meia hora depois a cliente apareceu no hotel fresca como uma rosa, e embaixo da cama do velho acharam uma revista sadopornográfica, e é bem capaz que lhe tivesse vindo a bela ideia de espreitar o quarto da moça pelo buraco da fechadura e que tenha visto uma cortina que se movia naquele lusco-fusco. O único dado concreto é que o quarto não está em estado normal, e que Ardenti desapareceu. Mas agora já falei muito. É a sua vez, Dr. Belbo. A única pista que temos é uma folha de papel que estava no chão junto àquela mesinha. Às quatorze horas, Hotel Principe e Savoia, Sr. Rakosky; às dezesseis, Garamond, Dr. Belbo. O senhor confirmou que ele esteve lá. Agora me diga o que aconteceu."

22

NÃO QUEIRAM QUE SE LHES FIZESSEM MAIS PERGUNTAS

> *Os cavaleiros do Graal não queriam que*
> *se lhes fizessem mais perguntas.*
>
> (Wolfram von Eschenbach, *Parzival*, XVI 819)

Belbo foi breve: repetiu-lhe tudo o que já lhe tinha dito pelo telefone, sem outros esclarecimentos que fossem essenciais. O coronel lhe havia contado uma história nebulosa, dizendo ter descoberto a pista de um tesouro em certos documentos encontrados na França, mas não dissera muito mais que isso. Parecia pensar que estava de posse de um segredo perigoso, e queria torná-lo público mais cedo ou mais tarde, para não ser seu único depositário. Havia mencionado o fato de que outros antes dele, uma vez descoberto o segredo, tinham desaparecido misteriosamente. Só mostraria os documentos se o contrato lhe fosse garantido, mas Belbo não podia garantir nenhum contrato antes de ver alguma coisa, e assim se despediram com um vago compromisso. O coronel havia mencionado um encontro com um tal Rakosky, que informava ser diretor dos *Cahiers du Mystère*. Pretendia pedir-lhe um prefácio. Parecia que Rakosky lhe teria aconselhado desistir da publicação. O coronel não teria informado a ele que iria à entrevista na Garamond. Era tudo.

"Muito bem", disse De Angelis. "E que impressão lhes causou?"

"Pareceu-nos um exaltado mental e referiu-se a um passado, como direi, um tanto nostálgico, e a um tempo em que participou da legião estrangeira."

"Disse-lhe a verdade, embora não toda. De certa maneira já estávamos de olho nele, mas sem muita preocupação. Casos assim temos muitos... Ademais, seu nome não era de fato Ardenti, mas tinha um passaporte francês em ordem. Vinha à Itália esporadicamente algumas vezes, e era identificado, não tenho certeza, com um certo capitão Arcoveggi, condenado à morte à revelia em 1945. Colaborou com a SS para mandar uns tantos para Dachau. Também na França estava sob vigilância, foi processado por fraude, escapando por um fio. Presume-se, presume-se, vejam bem, que tenha sido a mesma pessoa que, sob o nome de Fassotti, foi no ano passado denunciada por um pequeno industrial de Peschiera Borromeo. Esse Fassotti o havia convencido de que no lago de Como ainda se encontrava o tesouro de Dongo,* e que ele havia identificado o lugar exato, bastando agora algumas dezenas de milhões de liras para arranjar dois mergulhadores e uma lancha a motor... Assim que recebeu o dinheiro, desapareceu. Agora os senhores me confirmam que tinha mania de tesouros."

"E esse Rakosky?", perguntou Belbo.

"Já investigamos. No Principe e Savoia hospedou-se um Rakosky, Wladimir Rakosky, registrado com passaporte francês. Descrição vaga, senhor. A mesma descrição do porteiro daqui. No balcão da Alitalia soubemos que estava registrado para o primeiro voo de hoje para Paris. Comuniquei à Interpol. Annunziata, chegou alguma coisa de Paris?"

"Nada ainda, doutor."

"Está bem. Então o coronel Ardenti, ou seja lá como se chama, chega a Milão há quatro dias, não sabemos o que faz nos três primeiros, ontem às duas encontra-se presumivelmente com o Sr. Rakosky no hotel e não lhe diz que iria em seguida a uma entrevista com os senhores, o que me parece curioso. À noite vem para o hotel, provavelmente com o mesmo Rakosky e um outro indivíduo... e a partir daí tudo se torna impreciso. Mesmo se não o mataram, o certo é que vasculharam o apartamento. De que estariam à procura? No paletó... ah sim, porque mesmo que tenha saído, não vestiu o paletó nem levou o passaporte, mas não creiam que isto simplifique as coisas, porque o velho diz tê-lo visto estendido sobre a cama de paletó, mas poderia ser um robe, meu Deus, até parece que estou numa gaiola de loucos, continuando, no paletó ainda havia algum dinheiro, até muito... Logo, estavam à procura de outra coisa. E a única ideia boa me vem dos senhores. O coronel tinha uns documentos. Que aspecto tinham?"

"Estava com uma pasta marrom", disse Belbo.

"Acho que era vermelha", disse eu.

---

* Suposto tesouro escondido por Mussolini. (*N. do T.*)

"Marrom", insistiu Belbo, "mas talvez eu esteja enganado."

"Marrom ou vermelha que fosse", disse De Angeli, "aqui não está. Os senhores de ontem à noite devem tê-la levado. Logo é em torno dessa pasta que devemos agir. Na minha opinião, Ardenti não queria de fato publicar um livro. Havia reunido alguns dados para chantagear Rakosky e estava procurando exibir esses contatos editoriais como forma de pressão. Seria de seu estilo. E a esta altura poderíamos levantar outras hipóteses. Os dois saem ameaçando-o, Ardenti se amedronta e foge de noite deixando tudo, com a pasta embaixo do braço. E sabe-se lá por que motivo faz crer ao velho que tenha sido assassinado. Mas tudo seria romanesco demais, e não explicaria o quarto em desordem. Por outro lado, se os dois o mataram e roubaram a pasta, para que depois levar o cadáver? Veremos. Desculpem, sou forçado a tomar suas referências pessoais."

Revirou duas vezes entre as mãos minha carteira da universidade. "Estudante de filosofia, hein?"

"Somos muitos", disse eu.

"Até demais. E faz estudos sobre os templários... Se eu tivesse que estudar essa gente, que livros deveria ler?"

Sugeri-lhe dois livros de divulgação, mas bastante sérios. Disse-lhe que havia encontrado informações fidedignas só até o processo e que daí em diante era tudo imaginação.

"Sei, sei", disse ele. "Também os templários, agora. Uma turma que eu ainda não conhecia."

O tal de Annunziata apareceu com um telegrama fonado. "Chegou a resposta de Paris, doutor."

Leu. "Ótimo. Em Paris esse Rakosky é desconhecido, e além disso o número de seu passaporte corresponde ao de um documento roubado há dois anos. E assim é o que temos. O Sr. Rakosky não existe. O senhor me disse que ele era diretor de uma revista... como é mesmo o nome?" Tomou nota. "Vamos checar, mas desconfio que iremos descobrir que nem mesmo a revista existe, ou que deixou de ser publicada sabe-se lá quando. Bem, senhores, obrigado pela colaboração, talvez ainda tenha que incomodá-los mais uma vez. Ah, e uma última pergunta. Esse Ardenti deixou entender que tinha conexão com algum grupo político?"

"Não", disse Belbo. "Tinha jeito de haver abandonado a política pela caça de tesouros."

"E pelo abuso de menores." Voltou-se para mim: "Não creio que lhe tenha agradado, imagino."

"Não me agradam tipos como ele", disse eu. "Mas nem por isso me vem à mente estrangulá-los com um fio de arame. A não ser ideologicamente."

"É natural. Dá muito trabalho. Não tenha receio, Sr. Casaubon, não sou daqueles que consideram todos os estudantes criminosos. Pode ir tranquilo. Boa sorte em sua tese."

Belbo perguntou: "Desculpe, comissário, mas é só por saber. O senhor é da seção de homicídios ou de atividades políticas?"

"Boa pergunta. Meu colega da homicídios veio ontem à noite. Como encontrou nos arquivos algo mais sobre as atividades de Ardenti, passou o caso para mim. Meu departamento é político. Mas estou em dúvida se sou mesmo a pessoa adequada. A vida não é tão simples como nos romances policiais."

"É o que suponho", disse Belbo, estendendo-lhe a mão.

Lá fomos nós, e eu continuava intranquilo. Não por causa do comissário, que me pareceu uma boa pessoa, mas porque me encontrava, pela primeira vez na vida, no centro de uma história obscura. E havia mentido. E Belbo também.

Deixei-o à porta da Garamond e estávamos ambos preocupados.

"Não fizemos nada de mal", disse Belbo em tom culposo. "Não faz muita diferença o comissário saber a respeito de Ingolf ou dos cátaros. Quem sabe Ardenti teve que escapulir por outras razões quaisquer, que eram muitas. Quem sabe Rakosky pertence ao serviço secreto israelense e veio para acertar velhas contas. Quem sabe terá sido contratado por algum figurão que Ardenti tenha passado para trás. Talvez fosse um antigo companheiro da legião estrangeira cheio de velhos rancores. Quem sabe fosse um sicário argelino. Quem sabe a história do tesouro templar fosse apenas um episódio secundário na vida do nosso coronel. Sim, eu sei, está faltando a pasta, vermelha ou marrom, que fosse. Fiz bem em contradizer-me, deixando assim claro que só a vira de relance..."

Eu continuava em silêncio, e Belbo não sabia como terminar.

"Poderá me dizer que escapamos de novo, como na via Larga."

"Tolice. Fizemos bem assim. Até logo."

Tinha pena dele, porque se sentia um covarde. Eu não, me haviam ensinado na escola que para a polícia se mente. Por princípio. Mas é assim, a má consciência corrompe a amizade.

Desde aquele dia não o vi mais. Eu era o seu remorso, e ele o meu.

Mas foi então que me convenci de que sendo estudante a gente é sempre mais suspeito que os formados. Pesquisei ainda por um ano e levantei 250 fichas sobre o processo dos templários. Era nos tempos em que apresentar uma tese significava dar prova de leal adesão às leis do Estado, e era-se tratado com indulgência.

Nos meses que se seguiram, alguns estudantes começaram a desaparecer: a época das grandes manifestações a céu aberto estava acabado.

Eu andava desprovido de ideais. Tinha um álibi, pois amando Amparo estava amando o Terceiro Mundo. Amparo era bonita, marxista, brasileira, entusiasta, desencantada de tudo, tinha uma bolsa de estudos e o sangue admiravelmente misto. Tudo junto.

Eu a havia conhecido numa festa e agira de impulso: "Desculpe, mas quero fazer amor contigo."

"Você é um porco machista."

"E daí?"

"Daí que sou uma porca feminista."

Estava para voltar ao seu país e eu não queria perdê-la. Foi ela quem me pôs em contato com uma universidade do Rio que andava à procura de um professor de italiano. Consegui a vaga por dois anos, renováveis. Como a Itália não me estava agradando, aceitei.

Além disso, disse a mim mesmo, no Novo Mundo não irei encontrar os templários.

Ilusão, pensei sábado à noite no periscópio. Subindo as escadas da Garamond eu me havia introduzido no Palácio. Dizia Diotallevi: Binah é o palácio que Hokmah constrói expandindo-se do ponto primordial. Se Hokmah é a fonte, Binah é o rio que dele brota dividindo-se depois em seus vários ramos, até que todos vão desembocar no grande mar da última sefirah — e em Binah todas as formas já estão prefiguradas.

Parte 4

HESED

A ANALOGIA DOS CONTRÁRIOS

A analogia dos contrários é a relação que vai da luz à sombra, do vértice ao abismo, do pleno ao vazio. A alegoria, mãe de todos os dogmas, é a substituição da impressão pelo selo, da sombra pela realidade, é a mentira da verdade e a verdade da mentira.

(Eliphas Levi, *Dogme de la haute magie*, Paris, Baillère, 1856, XXII, 22)

Eu tinha chegado ao Brasil por amor a Amparo, lá permaneci por amor ao país. Jamais compreendi por que aquela descendente de holandeses que se haviam fixado no Recife e se miscigenaram com índios e negros sudaneses, parecendo uma jamaicana e com a cultura de uma parisiense, tinha um nome espanhol. Nunca consegui entender os nomes próprios brasileiros. Desafiam qualquer dicionário onomástico e existem somente lá.

Amparo me dizia que naquele hemisfério, quando a água é chupada pelo ralo da pia, o redemoinho gira da direita para a esquerda, enquanto na Europa faz o contrário — ou vice-versa. Não cheguei a verificar se era verdade. Não só porque em nosso hemisfério ninguém jamais observou em que sentido gira a água, mas ainda porque depois de várias experiências no Brasil me dei conta de que era muito difícil entendê-lo. O redemoinho é rápido demais para se poder acompanhá-lo, e provavelmente sua direção depende da força e da inclinação do jato, da forma do lavabo ou da pia. Além disso, se fosse verdade, como haveria de ser no equador? Talvez a água corresse para cima, sem redemoinho, ou não corresse de todo!

Naquela época não dramatizei demasiadamente o problema, mas sábado à noite pensava que tudo dependia das correntes telúricas e que o Pêndulo lhes ocultasse o segredo.

Amparo era firme em sua fé. "Não importa o que ocorra no caso empírico", me dizia, "trata-se de um princípio ideal, para ser verificado em condições ideais, ou seja, nunca. Mas é verdade."

Em Milão, Amparo pareceu-me desejável pelo seu desencanto. No Brasil, reagindo aos ácidos de sua terra, transforma-se em algo ainda mais inapreensível, lucidamente visionária e capaz de racionalidades subterrâneas. Sentia agitarem-na paixões antigas, que ela mantinha sob controle, patética em seu ascetismo que lhe ordenava refutar-lhes a sedução.

Tive a medida de suas esplêndidas contradições vendo-a discutir com seus companheiros. Eram reuniões em casas mal-arrumadas, decoradas com uns poucos pôsteres e muitos objetos folclóricos, retratos de Lênin e cerâmicas nordestinas que celebravam o cangaceiro, ou fetiches ameríndios. Não havíamos chegado num momento político dos mais tranquilos, e eu estava resolvido, depois da experiência em meu país, que me manteria afastado de ideologias, principalmente ali, onde não as compreendia. Os discursos dos companheiros de Amparo aumentavam a minha incerteza, mas estimulavam em mim novas curiosidades. Eram naturalmente todos marxistas, e à primeira vista falavam quase como marxistas europeus, mas falavam de outra coisa, e de repente, no curso de uma discussão sobre a luta de classes, falavam de um "canibalismo brasileiro", ou do papel revolucionário dos cultos afro-americanos.

Foi ouvindo falar desses cultos que me convenci de que lá até o redemoinho ideológico rodava no sentido oposto. Desenhavam-me um panorama de migrações pendulares internas, com os desfavorecidos do Norte que desciam para o Sul industrial, se subproletarizavam nas grandes metrópoles, e asfixiados pelas nuvens da poluição retornavam desesperados ao Norte, para retomarem um ano depois a fuga em direção ao Sul; mas nessa oscilação muitos encalhavam nas grandes cidades e eram absorvidos por uma plêiade de igrejas locais, entregavam-se ao espiritismo, à evocação das divindades africanas... E aqui os companheiros de Amparo divergiam, pois para alguns isso demonstrava um retorno às raízes, uma oposição ao mundo dos brancos, enquanto para outros os cultos eram uma droga com a qual as classes dominantes mantinham nas rédeas um imenso potencial revolucionário, sendo que para outros ainda era o crisol em que brancos, índios e negros se fundiam, desenhando perspectivas ainda vagas e de destino incerto. Amparo estava convencida de que as religiões sempre foram em toda a parte o ópio dos povos e que mais ainda o eram os cultos pseudotribais. Depois eu tinha a experiência viva das escolas de samba, quando também eu participava das alas de sambistas, que desenhavam sinusoides ritmadas ao batido insuportável dos tambores, e me dava conta de que ela vivia aquele mundo com os músculos do abdome, o coração, a cabeça, as narinas... E mal saíamos, ela era a primeira a anatomizar-me com rancor e sarcasmo a religiosidade profunda, orgiástica, daquela lenta rendição, semana após semana, mês após mês, ao rito do carnaval. Igualmente tribais e feiticeiros, dizia ela com ódio revolucionário, eram os ritos futebolísticos, que levavam os deserdados a desperdiçar sua energia combativa e o sentimento de revolta na prática de encantamentos e sortilégios para obter dos deuses de todos os mundos possíveis a destruição da defesa adversária, esquecendo-se daquele domínio que os prefere encantados e entusiastas, condenados à irrealidade.

Aos poucos deixei de sentir a diferença. Assim, pouco a pouco habituei-me a não procurar identificar as raças naquele universo de rostos que contavam histórias centenárias de hibridações incontroladas. Renunciei a determinar onde estivesse o progresso, a revolta, a trama — como se exprimiam os companheiros de Amparo — do capital. Como podia ainda pensar como um europeu, se estava aprendendo que a esperança da extrema esquerda era mantida viva por um bispo do Nordeste, suspeito de ter simpatizado na juventude com o nazismo, que com fé intrépida mantinha a chama da revolta, deixando o Vaticano transtornado, e os tubarões da Wall Street, inflamando de júbilo o ateísmo dos místicos proletários, conquistados pelo estandarte ameaçador e dulcíssimo de uma Nossa Senhora, que afligida por sete dores contemplava os sofrimentos de seu povo?

Certa manhã, saindo com Amparo de um seminário sobre a estrutura de classe do Lumpenproletariado, percorríamos de carro uma via litorânea. Na praia à beira da água vi oferendas votivas, velas, corbélias de flores brancas. Amparo me disse que eram oferendas a Iemanjá, a deusa das águas. Desceu do carro, inclinou-se reverente sobre o parapeito da balaustrada, permaneceu alguns momentos em silêncio. Perguntei-lhe se acreditava naquilo. Indagou-

-me irritada como poderia acreditar. Depois acrescentou: "Minha avó me trazia aqui a esta praia, e invocava a deusa, para que eu crescesse bela e boa, e feliz. Quem é aquele seu filósofo que falava dos gatos pretos, e dos búzios de coral, e dizia 'Não é verdade, mas creio'? Pois bem, eu não creio nisso, mas é verdade." Foi nesse dia que resolvi economizar um pouco o dinheiro da bolsa, e tentar uma viagem à Bahia.

Mas foi também então, bem sei, que comecei a me deixar embalar pelo sentimento da semelhança: tudo podia ter misteriosas analogias com tudo.
    Quando voltei para a Europa, transformei essa metafísica em mecânica — e por isso precipitei-me na armadilha em que agora me encontro. Mas então me movia num crepúsculo no qual as diferenças se anulavam. Racista, achava que as crenças alheias eram para o homem forte boas ocasiões de brando devaneio.
    Aprendi os ritmos, as maneiras de deixar o corpo e a alma seguirem à vontade. Pensava nisso naquela noite no periscópio, enquanto para combater as cãibras dos membros os movia como se percutisse ainda o agogô. Veja, dizia a mim mesmo, para se subtrair ao poder do ignoto, para mostrar a você mesmo que não acredita neles, aceita-lhes os encantamentos. Como um ateu confesso, que à noite vê o diabo e que raciocina ateisticamente assim: ele decerto não existe, e isso não passa de uma ilusão dos meus sentidos excitados, talvez decorrente da digestão, mas ele não o sabe, e acredita em sua teologia às avessas. Que poderia lhe causar medo, mesmo seguro de sua existência? Faz então o sinal da cruz e ele, crédulo, desaparece numa explosão de enxofre.
    Aconteceu comigo assim como a um etnólogo sabichão que durante anos tivesse estudado o canibalismo e, para desafiar a obtusidade dos brancos, conta a todos que a carne humana tem um sabor delicado. Irresponsável, porque sabe que jamais irá experimentá-la. Até o momento em que alguém, ansioso por conhecer a verdade, queira provar a dele. E enquanto vai sendo devorado pedaço por pedaço já não sabe quem tem razão, e quase espera que o rito seja bom, para justificar ao menos a própria morte. Foi assim que, naquela noite, eu devia achar que o Plano era verdadeiro, porque pelo menos nesses últimos dois anos eu teria sido o arquiteto onipresente de um pesadelo maligno. Melhor que o pesadelo fosse real, se uma coisa é verdadeira é verdadeira, e você não tem nada com isso.

24

SAUVEZ LA FAIBLE AISCHA

> *Sauvez la faible Aischa des vertiges de Nahash, sauvez la plaintive Héva des mirages de la sensibilité, et que les Khérubs me gardent.*
>
> (Joséphin Péladan, *Comment on devient Fée*, Paris, Chamuel, 1893, p. XIII)

Enquanto me embrenhava na selva das semelhanças, recebi uma carta de Belbo:

Caro Casaubon,
    Vim a saber, somente há pouco, que o amigo estava no Brasil, depois de ter perdido totalmente seu contato, não sabendo sequer que se tinha se formado (parabéns), até que no Pílades encontrei alguém que me deu suas coordenadas. Julgo oportuno colocá-lo a par de alguns fatos novos que dizem respeito à infeliz aventura do coronel Ardenti. Já se passaram mais de dois anos, segundo creio, mas ainda agora lhe peço desculpas por tê-lo metido naquela embrulhada, embora involuntariamente.
    Já quase me havia esquecido daquela estranha história, mas há coisa de duas semanas fiz uma excursão a Montefeltro e cheguei até o rochedo de San Leo. Parece que no século XVIII era domínio pontifício, e o papa havia ali encarcerado Cagliostro, numa cela sem porta (nela se entrava, pela primeira e última vez, através de um alçapão no teto), tendo apenas uma rótula da qual o condenado podia ver apenas as duas igrejas do povoado. Sobre o catre onde Cagliostro dormia e onde morreu vi um ramo de rosas, e me explicaram que até hoje muitos devotos fazem peregrinação ao local do martírio. Disseram-me ainda que entre os peregrinos mais assíduos estavam os membros do

Picatrix, um cenáculo milanês de estudos misteriosóficos, responsável pela publicação de uma revista que se chama — aprecie a criatividade — *Picatrix*.

Sabe que tenho curiosidade por essas bizarrias, e em Milão andei procurando um número da *Picatrix*, pela qual fiquei sabendo que em breve seria celebrada uma evocação do espírito de Cagliostro. Pois lá fui.

As paredes estavam atapetadas por grandes estandartes com signos cabalísticos, uma verdadeira profusão de mochos e corujas, escaravelhos e íbis, divindades orientais de incerta proveniência. Ao fundo havia um palco, com um proscênio de archotes ardentes em suportes de cepo tosco, ao fundo um altar com retábulo triangular e duas estatuetas de Ísis e Osíris. Em volta, um anfiteatro com figuras de Anúbis, um retrato de Cagliostro (de quem haveria de ser, não é mesmo?), uma múmia dourada de formato Quéops, dois candelabros de cinco braços, um gongo sustentado por duas serpentes rampantes, uma estante sobre um pódio recoberto de fazenda de algodão estampada de hieróglifos, duas coroas, duas trípodes, um pequeno sarcófago de fim de semana, um trono, uma poltrona imitação século XVII, quatro cadeiras desaparelhadas, tipo banquete dos filmes de Robin Hood, velas, candeias, círios, todo um ardor muito espiritual.

Por fim, entram sete pequenos clérigos de sotainas escarlates carregando tochas, seguidos do celebrante, ao que parece o diretor da *Picatrix* — que se intitulava Brambilla, que os deuses lhe perdoem — com paramentos rosa e oliva, e por fim a pupila, ou médium, juntamente com seis acólitos vestidos de branco que pareciam outros tantos Ninetto Davoli,* mas de ínfula, aquela do deus, lembre-se de nossos poetas.

O Brambilla enfia na cabeça uma tiara em forma de meia-lua, empunha um espadão ritual, traça no palco figuras mágicas, evoca alguns espíritos angélicos com final em "el", e naquele momento me vêm vagamente aquelas diabruras pseudossemíticas da mensagem de Ingolf, mas foi coisa de um átimo e logo me distraí. Mesmo porque àquela altura ocorre algo de singular, os microfones do palco estão conectados a sintonizadores, que deviam captar ondas vagantes pelo espaço, mas o operador, de mitra, teria cometido algum engano, pois primeiro se ouve música de discoteca e logo em seguida entra a onda da Rádio de Moscou. O Brambilla abre o sarcófago, tira de dentro um *grimoire*, esparge com um incensório e grita: "Ó, senhor, que venha o teu

---

* Artista preferido de Pasolini. (*N. do T.*)

reino" e parece conseguir algo, pois a Rádio de Moscou emudece, mas no momento de maior magia reaparece com uma canção de cossacos embriagados, daqueles que dançam com o traseiro tocando no chão. Brambilla evoca a Clavicula Salomonis, incinera um pergaminho sobre uma trípode, quase provocando uma fogueira, evoca algumas divindades do templo de Carnaque, pede com petulância para ser colocado sobre a pedra cúbica de Esod, e chama insistentemente um certo Familiar 39, que devia ser familiaríssimo do público porquanto um frêmito perpassa em toda a sala. Uma espectadora cai em transe com os olhos revirados para cima, dos quais só se via o branco, as pessoas gritam um médico, um médico, a esse ponto o Brambilla chama em causa o Poder dos Pentáculos e a pupila, que entrementes estava sentada na poltrona imitação do século XVII, começa a agitar-se, a gemer, o Brambilla vai-lhe em cima interrogando-a ansiosamente, ou melhor, interrogando o Familiar 39, que como intuí naquele momento era o próprio Cagliostro, sem tirar nem pôr.

E então começa a parte inquietante, pois a moça realmente dava pena e parecia sofrer de fato, sua, treme, brada, começa a pronunciar frases incompletas, fala de um templo, de uma porta a ser aberta, diz que está criando uma corrente de força, que precisa subir à Grande Pirâmide, o Brambilla se agita no palco percutindo o gongo e chamando por Ísis em altos brados, eu estou apreciando o espetáculo, quando percebo que a moça, entre um suspiro e um gemido, fala de seis sinetes, de 120 anos de espera e Trinta e Seis Invisíveis. Não tenho mais dúvida, está falando da mensagem de Provins. Enquanto me esforço por ouvir melhor, a moça se prostra exausta, o Brambilla a acaricia na fronte, bendiz o auditório com o turíbulo e diz que o rito terminou.

Porque estivesse um tanto impressionado e quisesse compreender melhor, procurei aproximar-me da moça, que nesse ínterim se havia recomposto, vestira um casaco bastante mal-ajambrado e está saindo de costas. Estava para tocar-lhe o ombro quando sinto alguém me tomar pelo braço. Volto-me e vejo o comissário De Angelis, que me diz para não abordar a jovem, pois sabe onde encontrá-la se necessário. Convida-me a tomar um café. Sigo-o, como se me tivesse apanhado em flagrante, o que de certa maneira era exato, e no bar me pergunta por que eu havia ido ali e por que estava procurando aproximar-me da moça. Aquilo me irrita, respondo-lhe que não estamos numa ditadura, e que posso aproximar-me de quem bem entenda.

Ele se desculpa e me explica: as investigações sobre Ardenti marcavam passo, por isso estavam tentando reconstituir o que ele teria feito em Milão nos dois dias antes do encontro com o pessoal da Garamond e o misterioso Rakosky. Há coisa de um ano, graças a um golpe de sorte, ficaram sabendo que alguém vira Ardenti sair da sede do Picatrix, na companhia da médium. Esta por sua vez também lhe interessava, pois tinha relações com um indivíduo não de todo desconhecido da delegacia de tóxicos.

Afirmo-lhe que estava ali por acaso, e que me chamara a atenção o fato de a moça dizer uma frase sobre os seis sinetes que eu ouvira mencionados pelo coronel. Ele me faz observar que era bastante estranho eu me lembrar tão bem depois de dois anos o que me dissera o coronel, visto que no dia seguinte eu me referira a uma vaga história sobre o tesouro dos templários. Digo-lhe que o coronel havia falado de fato sobre um tesouro, protegido por algo assim como seis sinetes, mas que eu pensara não ser isso um detalhe importante, porquanto todos os tesouros são protegidos por seis sinetes e escaravelhos de ouro. E ele volta a dizer-me que não entende por que me chamassem a atenção as palavras da médium, já que todos os tesouros são protegidos por escaravelhos de ouro. Peço-lhe que não me trate como um suspeito qualquer e ele muda de tom e começa a rir. Diz que não acha nada estranho que a jovem tenha dito aquilo que disse, porque de algum modo Ardenti lhe devia ter falado de suas fantasias, quem sabe tentando usá-la como trâmite para algum contato astral, como dizem naquele ambiente. A sensitiva é uma esponja, um filme fotográfico, deve ter um inconsciente que lembra um parque de diversões — disse-me — e os membros do Picatrix fazem-lhe provavelmente lavagem cerebral o ano inteiro, não sendo inverossímil que em estado de transe — pois a moça faz aquilo a sério, não finge, nem tem a cabeça no lugar — lhe venham à tona imagens que lhe haviam causado impressão antes.

Dois dias depois De Angelis me aparece no escritório, e me diz "veja que estranho", no dia seguinte ele foi procurar a jovem, e não a encontrou. Perguntou aos vizinhos, ninguém a havia visto, mais ou menos a partir da tarde que precedeu o rito fatal, ele fica desconfiado, entra no apartamento, encontra-o todo revirado, roupas de cama pelo chão, travesseiros jogados a um canto, jornais amassados, gavetas vazias. Desaparecera, ela e seu amante ou cáften ou conivente ou seja lá o que for.

Diz-me que se eu souber de alguma outra coisa o melhor é contar-lhe, porque lhe parece estranho que a moça tenha desaparecido e acha que as razões só podem ser duas: ou alguém descobriu que ele, De Angelis, estava em sua pista, ou então notaram que um certo Jacopo Belbo estava tentando abordá-la. E portanto as coisas que ela tinha dito em transe podiam-se referir talvez a alguma coisa de sério, e que até mesmo Eles, fossem quem fossem, não se haviam ainda dado conta de que ela soubesse tanto. "Imagine se algum colega meu concluísse que o senhor a tenha matado", acrescentou De Angelis com um largo sorriso, "daí a conveniência de caminharmos juntos." Eu estava para perder a calma, sabe Deus que isso não me ocorre com frequência, perguntei-lhe por que uma pessoa tem que estar morta simplesmente por não se encontrar em casa, e ele me perguntou se eu me lembrava da história do coronel. Disse-lhe que, em todo caso, se eu a tivesse matado ou sequestrado, teria sido aquela noite em que estive em sua companhia, e ele me perguntou como é que eu fazia para estar tão seguro, porquanto nos despedimos aí pela meia-noite e que depois disso ele não sabia o que se tinha passado comigo, perguntei-lhe se estava falando sério, respondeu-me indagando se eu nunca havia lido romances policiais e não sabia que a polícia deve suspeitar por princípio de qualquer um que não tenha um álibi luminoso como Hiroshima, e que era capaz de dar a cabeça para um transplante ainda que rápido se eu tivesse um álibi para o período entre a uma hora daquela noite e a manhã seguinte.

Que dizer-lhe, Casaubon, talvez fizesse bem em lhe contar a verdade, mas a gente da nossa terra é cabeçuda e nunca se arrisca a dar marcha a ré.

Escrevo-lhe porque, assim como consegui seu endereço, De Angelis também pode consegui-lo: se ele entrar em contato com o amigo, saiba pelo menos a linha em que me coloquei. Mas como me parece uma linha vagamente reta, se achar melhor, diga tudo. Envergonho-me, desculpe, mas me sinto cúmplice de alguma coisa, e busco uma razão, pouco nobre, para justificar-me, e não encontro. Deve ser por causa de minhas origens campesinas, naqueles nossos campos somos gente estranha. Toda uma história — como se diz em alemão — *unheimlich*.

Seu Jacopo Belbo.

25

... ESTES MISTERIOSOS INICIADOS

... estes misteriosos iniciados tornaram-se numerosos,
ousados, conspiradores: jesuitismo, magnetismo, martinismo,
pedra filosofal, sonambulismo, ecletismo, tudo nasce deles.

(C.-L. Cadet-Gassicourt, *Le tombeau de Jacques*
de Molay, Paris, Desenne, 1797, p. 91)

A carta perturbou-me. Não pelo receio de ser procurado por De Angelis, imagine, em outro hemisfério, mas por razões imperceptíveis. Naquele instante irritou-me o fato de ser atingido em ricochete por um mundo distante que eu deixara. Agora compreendo que o que me perturbava era uma enésima trama da semelhança, a suspeita de uma analogia. Como reação instintiva, senti-me incomodado com a ideia de reencontrar Belbo com seu rabo de palha. Decidi ignorar tudo, e não mencionei a carta a Amparo.

Fui tranquilizado pela segunda carta, que Belbo me enviou dois dias depois, para alentar-me.

A história da médium terminara de maneira racional. Um olheiro da polícia informara que o amante da moça esteve implicado num acerto de contas em torno de uma partida de drogas, por tê-la vendido a varejo em vez de entregá-la ao honesto atacadista que já havia pago por ela. Coisas que naquele ambiente são muito malvistas. Para salvar a pele, ele tinha desaparecido. Era óbvio que tivesse levado junto a companheira. Vasculhando depois os jornais deixados no apartamento, De Angelis havia encontrado revistas do tipo *Picatrix* com uma série de artigos vistosamente sublinhados em vermelho. Um dizia respeito ao tesouro dos templários, outro aos rosa-cruzes que viviam num castelo ou em uma caverna ou que diabo fosse, onde estava escrito "*post 120 annos patebo*", e eram definidos como os Trinta e Seis Invisíveis. Para De Angelis, portanto, estava tudo claro. A sensitiva se alimentava daquela literatura (a mesma de que se alimentava o coronel) e a extravasava depois quando entrava em transe. O caso estava encerrado, passando à seção de tóxicos.

A carta de Belbo infundia alívio. A explicação de De Angelis revelava-se a mais prática.

Naquela noite no periscópio, no entanto, dizia para mim mesmo que os fatos talvez tivessem ocorrido de modo bem diferente: a médium tinha, de fato, mencionado algo que ouvira de Ardenti, mas algo que as revistas jamais haviam dito, e que ninguém devia saber. Alguém do Picatrix fizera desaparecer o coronel para fazê-lo calar, e esse mesmo alguém, percebendo que Belbo tencionava interrogar a sensitiva, a havia eliminado. Depois, para despistar as investigações, eliminara igualmente o amante, e havia instruído o olheiro da polícia para espalhar a história da fuga.

Tão simples, se tivesse havido um Plano. Mas havia, já que nós o inventaríamos, muito tempo depois? É possível que a realidade não apenas supere a ficção, mas também a preceda, ou, antes, corra à sua frente para reparar os danos que a ficção criará?

Contudo, então no Brasil, não foram esses os pensamentos que a carta me suscitou. Senti novamente que algo se assemelhava a alguma outra coisa. Pensei na viagem à Bahia, e dediquei uma tarde a visitar barracas de livros e objetos de culto, que até então havia ignorado. Encontrei tendinhas quase secretas, e armazéns sobrecarregados de imagens e ídolos. Adquiri perfumadores de Iemanjá, aspersores místicos de pungente perfume, varinhas de incenso, bombas de spray com odor adocicado, de nome Sagrado Coração de Jesus, amuletos de preço convidativo. Além de encontrar muitos livros, alguns para os devotos, outros para os que estudam os devotos, tudo misturado, formulários de exorcismos, *Como adivinhar o futuro na bola de cristal* e manuais de antropologia. E uma monografia sobre os rosa-cruzes.

Tudo se amalgamou de repente. Ritos satânicos e mourescos no Templo de Jerusalém, feiticeiros africanos para os subproletários nordestinos, a mensagem de Provins com seus 120 anos, e os 120 anos dos rosa-cruzes.

Eu me havia tornado um *shaker* ambulante, que só prestava para misturar beberagens de licores diversos, ou havia provocado um curto-circuito tropeçando por acaso num emaranhado de fios multicores que se estavam enredando sozinhos, e a longuíssimo tempo? Comprei o livro sobre os rosa-cruzes. Depois me convenci de que, se permanecesse mais algumas horas naquela livraria, teria encontrado pelo menos dez coronéis Ardenti e outras tantas sensitivas.

Voltei para casa e comuniquei oficialmente a Amparo que o mundo estava cheio de desnaturados. Ela prometeu confortar-me e terminamos o dia segundo a natureza.

Estávamos no final de 1975. Decidi esquecer as semelhanças e dedicar todas as minhas energias ao trabalho. Afinal de contas, devia ensinar cultura italiana, e não os rosa-cruzes.

Dediquei-me à filosofia do Humanismo e descobri que, mal saídos das trevas da Idade Média, os homens da modernidade leiga nada haviam encontrado de melhor senão dedicar-se à Cabala e à magia.

Após frequentar por dois anos os humanistas que recitavam fórmulas para convencer a natureza a fazer coisas que não tinha a intenção de fazer, recebi notícias da Itália. Meus antigos companheiros, ou pelo menos alguns deles, disparavam na nuca daqueles que não estavam de acordo com eles, para convencer as pessoas a fazerem coisas que não tinham a intenção de fazer.

Eu não entendia. Decidi que agora eu fazia parte do Terceiro Mundo, e o melhor era conhecer a Bahia. Parti com uma história da cultura renascentista embaixo do braço e o livro sobre os rosa-cruzes, que permanecera fechado na estante.

26

TODAS AS TRADIÇÕES DA TERRA

Todas as tradições da Terra devem ser vistas como as tradições de uma tradição-mãe e fundamental que, desde a origem, era confiada ao homem culpado e aos seus primeiros rebentos.

(Louis-Claude de Saint Martin, *De l'esprit des choses*, Paris, Laran, 1800, II "De l'esprit des traditions en général")

Evi Salvador, Salvador da Bahia de Todos os Santos, a "Roma negra", e suas 365 igrejas alcantiladas na linha dos morros ou dispostas ao longo da baía, onde se cultuam os deuses do panteão africano.

Amparo conhecia um artista *naïf*, que pintava grandes peças de madeira apinhadas de visões bíblicas e apocalípticas, resplandecentes como uma miniatura medieval, de elementos coptas e bizantinos. Era naturalmente marxista, falava da revolução iminente, passava os dias a sonhar nas sacristias do santuário do Nosso Senhor do Bonfim, triunfo do horror ao vazio, carcinomas de ex-votos que pendiam do teto e incrustavam as paredes, numa ensambladura mística de corações de prata, próteses de madeira, pernas, braços, imagens de salvamentos milagrosos no ápice de adversidades intensas, trombas marinhas, redemoinhos. Fomos levados à sacristia de uma outra igreja, cheia de grandes móveis recendendo a jacarandá. "O que representa aquele quadro", perguntou Amparo ao sacristão, "São Jorge?"

O sacristão olhou-nos com cumplicidade: "Nós o chamamos de São Jorge, e é melhor chamá-lo assim, senão o padre se aborrece, mas é Oxóssi."

O pintor levou-nos a visitar, durante dois dias, naves e claustros, ao abrigo das fachadas decoradas como se fossem pratos de prata agora enegrecidos e gastos.

Éramos acompanhados por famílias enrugadas e claudicantes, as sacristias eram repletas de ouro e chumbo, de pesados baús, de cornijas preciosas. Em redomas de cristal dominavam ao longo das paredes imagens de santos em tamanho natural, banhadas de sangue, com as chagas abertas salpicadas de gotas de rubi, Cristos contorcidos pelo sofrimento com pernas avermelhadas de hemorragia. Num luzir de ouros de um barroco tardio, vi anjos de face etrusca, grifos românicos e sereias orientais que serviam de arremates aos capitéis.

Andei por ruas antigas, encantado pelos nomes que pareciam canções, Rua da Agonia, Avenida dos Amores, Travessa de Chico Diabo... Havia chegado a Salvador na época em que o governo, ou alguém em seu nome, estava saneando a cidade velha para expelir seus milhares de bordéis, mas ia-se ainda até a metade do caminho. Ao pé das igrejas desertas e ornamentadas, empanturradas de seu fausto, estendiam-se ainda becos malcheirosos nos quais fervilhavam prostitutas negras de 15 anos, velhas vendedoras de doces africanos, de cócoras ao longo das calçadas com seus fogareiros acesos, bandos de gigolôs que dançavam em meio aos regos de esgoto ao som dos rádios transistores do bar em frente. Os antigos palácios dos colonizadores, encimados por brasões agora ilegíveis, haviam se tornado casas de tolerância.

No terceiro dia acompanhamos nosso guia ao bar de um hotel da cidade alta, na parte já restaurada, numa rua cheia de antiquários de luxo. Iria encontrar um senhor italiano, informou-nos, que estava para comprar, sem discutir o preço, um grande quadro seu de 3 metros por 2, em que avultavam legiões angélicas travando uma batalha mortal contra outras legiões.

Foi assim que conhecemos o Sr. Agliè. Elegantemente vestido com um jaquetão risca de giz, apesar do calor, óculos de armação dourada no rosto rosado, cabelos grisalhos. Beijou a mão de Amparo, como quem não conhecesse outra maneira de cumprimentar uma senhora, e pediu champanhe. O pintor tinha que ir, Agliè entregou-lhe um maço de *travellers'* cheques, e pediu-lhe que mandasse o quadro para o hotel. Continuamos ainda a conversar, Agliè falava o português com correção, mas como alguém que o tivesse aprendido em Lisboa, o que lhe dava ainda mais o tom dos cavalheiros de outras épocas. Perguntou a nosso respeito, fez algumas considerações sobre a possível origem genebrina de meu nome, interessou-se pela história familiar de Amparo, mas quem sabe já houvesse deduzido que o tronco fosse do Recife. Quanto à sua origem, não esclareceu. "Sou como um indivíduo daqui", disse, "tenho inúmeras raças acumuladas no gene... O nome é italiano, provém de antiga possessão de um antepassado meu. Sim, talvez nobre, mas quem liga hoje para essas coisas. Vim ao Brasil por curiosidade. Apaixonam-me todas as formas de Tradição."

Tinha uma boa biblioteca de ciências religiosas, me disse, em Milão, onde vivia há algum tempo. "Venha visitar-me quando voltar, tenho muita coisa interessante, desde os ritos afro-brasileiros aos cultos de Ísis no baixo Império."

"Adoro os cultos de Ísis", disse Amparo, que costumava fingir-se de pedante por orgulho. "O senhor sabe tudo sobre os cultos de Ísis, imagino."

Agliè respondeu com modéstia. "Só o pouco que vi."

Amparo tratou de ganhar terreno: "Isso não foi há dois mil anos?"

"Não sou jovem como a senhorita", sorriu Agliè.

"Como Cagliostro", brinquei. "Não foi ele quem uma vez passando diante de um crucifixo falou para que os outros ouvissem enquanto se dirigia a seu criado: 'Bem que avisei a esse judeu para tomar cuidado, aquela noite, mas ele não me deu ouvidos?'"

Agliè se empertigou, temendo que a piada tivesse sido de mau gosto. Fiz menção de desculpar-me, mas o nosso anfitrião me interrompeu com um sorriso conciliador. "Cagliostro era um impostor, pois sabe-se perfeitamente onde e quando nasceu, e não conseguiu nem mesmo viver muito tempo. Exagerava."

"Sem dúvida."

"Cagliostro era um impostor", repetiu Agliè, "mas isso não quer dizer que não haja ou tenha havido personagens privilegiados capazes de atravessar várias existências. A ciência moderna sabe tão pouco a respeito dos processos de envelhecimento, que é possível admitir-se a mortalidade como simples efeito de uma educação imprópria. Cagliostro era um impostor, mas não o era o conde de São Germano, que quando dizia haver aprendido alguns de seus segredos químicos com os antigos egípcios talvez não estivesse exagerando. Mas como ninguém acreditava nele quando citava tais episódios, fingia estar pilheriando talvez por cortesia aos seus interlocutores."

"Mas o senhor finge brincar para provar-nos que diz a verdade", disse Amparo.

"Não só é bela, como extraordinariamente perceptiva", disse Agliè. "Mas suplico-lhe não acreditar em mim. Se lhe aparecesse no fulgor poeirento dos meus séculos, sua beleza murcharia de súbito, e eu não poderia perdoar-me isso."

Amparo estava conquistada, e senti uma ponta de ciúme. Desviei o assunto para as igrejas e para o São Jorge-Oxóssi que havíamos visto. Agliè disse que tínhamos de assistir sem falta a um candomblé. "Não devem ir para os lugares onde lhes pedem dinheiro. Os autênticos são aqueles que os recebem sem nada pedir, nem mesmo que acreditem. Mas devem assistir com respeito, com a mesma tolerância com que eles admitem até mesmo a sua falta de crença. Alguns pais ou mães de santo, quando os vemos, parecem mal saídos da cabana de pai Tomás, mas têm a cultura de um teólogo da Gregoriana."

Amparo apoiou a mão sobre a dele. "Leve-nos!", disse, "já fui uma vez, há muitos anos, a um terreiro de umbanda, mas só tenho recordações confusas, me lembro apenas de uma grande multidão..."

Agliè pareceu embaraçado pelo contato, mas não fugiu a ele. Apenas, como o vi fazer após os momentos de reflexão, com a outra mão tirou do colete uma caixinha de ouro e prata, talvez uma tabaqueira ou um porta-pílulas, cuja tampa tinha um adorno de ágata. Sobre a mesa do bar ardia uma pequena vela de cera, e Agliè, como por acaso, aproximou dela a caixinha. Vi que ao calor não se distinguia mais a ágata, e em seu lugar aparecia uma miniatura, finíssima, cor verde-azul e ouro, representando uma pastorinha com um cestinho de flores. Rolou-a entre os dedos com esquecida devoção, como se desfiasse as contas de um rosário. Percebeu meu interesse, sorriu, e tornou a guardar o objeto:

"Turvação? Minha cara senhora, não seria bom que além de perceptiva fosse também exageradamente sensível. Delicada qualidade, quando se associa à graça e à inteligência, mas perigosa, para quem vai a certos lugares sem saber o que procura ou o que irá encontrar... E além do mais, não confunda umbanda com candomblé. Este é inteiramente autóctone, afro-brasileiro, como se costuma dizer, ao passo que a outra é uma flor assaz tardia, nascida dos enxertos de ritos indígenas na cultura esotérica europeia, com uma mística que chamaria de templária..."

Os templários me haviam novamente encontrado. Disse a Agliè que fizera uma tese sobre eles. Olhou-me com interesse. "Curiosa conjuntura, meu jovem amigo. Aqui sob o Cruzeiro do Sul, encontrar um jovem templário..."

"Não gostaria que me considerasse um adepto..."

"De modo algum, Sr. Casaubon. Se o senhor soubesse quanta charlatanice há nesse campo."

"Eu sei, eu sei."

"E então. Gostaria de vê-los novamente, antes de partirem." Marcamos um encontro para o dia seguinte: queríamos os três explorar o pequeno mercado coberto que havia junto ao porto.

E foi lá que nos encontramos na manhã seguinte; era um mercado de peixe, um *suk* árabe, uma feira patronal que havia se proliferado com virulência cancerosa, uma Lourdes invadida pelas forças do mal, onde os magos da chuva podiam conviver com capuchinhos extáticos e estigmatizados, entre escapulários propiciatórios com preces costuradas no chumaço, figas de pedra-sabão, dentinhos de coral, crucifixos, estrelas de davi, símbolos sexuais de religiões pré-judaicas, redes, tapetes, bolsas, esfinges, sagrados corações, aljavas de índios, colares de conchinhas. A mística degenerada dos colonizadores europeus se fundia com a ciência qualitativa dos escravos, assim como a pele de cada transeunte contava uma história de genealogias perdidas.

"Aí está", disse Agliè, "uma imagem daquilo que os manuais de etnologia chamam de sincretismo brasileiro. Uma palavra ruim, segundo a ciência oficial. Mas em seu sentido mais elevado o sincretismo é o reconhecimento de uma Tradição única, que perpassa e alimenta todas as religiões, todos os saberes, todas as filosofias. O sábio não é aquele que discrimina, é aquele que sabe reunir num só todos os raios de luz, seja de onde provenham... Portanto, são mais sábios esses escravos, ou descendentes de escravos, do que os etnólogos da Sorbonne. Espero que pelo menos a nossa bela senhora me tenha compreendido."

"Não com a mente", disse Amparo. "Com o útero. Desculpe, creio que o conde de São Germano não se exprimiria assim. Quero dizer que nasci neste país, e mesmo aquilo que não conheço de algum lugar, aqui, creio..." E tocou o seio.

"Como foi que disse aquela vez o cardeal Lambertini a uma senhora com uma esplêndida cruz de diamantes aparecendo no decote? Que alegria morrer nesse calvário. Assim também gostaria eu de ouvir aquelas vozes. Agora quem pede desculpas sou eu, e a ambos. Venho de uma época em que se era condenado por render homenagem à beleza. Precisam ficar sós. Manteremos contato."

"Poderia ser teu pai", disse a Amparo enquanto a arrastava em meio às mercadorias.

"Até meu bisavô. Deu-nos a entender que tinha pelo menos mil anos. Está com ciúme da múmia do faraó?"

"Tenho ciúmes de quem te faz acender uma luzinha na cabeça."

"Que bonito, isto é amor."

27

CONTANDO UM DIA QUE CONHECERA PÔNCIO PILATOS

> *Contando um dia que conhecera Pôncio Pilatos em Jerusalém, descrevia minuciosamente a casa do governador, e citava os pratos servidos à mesa. O cardeal de Rohan, achando que estava a ouvir fantasias, volta-se para o camareiro do conde de São Germano, um velho de cabelos brancos e de expressão honesta: "Ouça aqui, meu amigo, custa-me crer um pouco naquilo que diz seu patrão. Que seja ventríloquo, está bem; que fabrique ouro, ainda passa; mas que tenha 2000 anos de idade e que tenha visto Pôncio Pilatos, já é demais. Você estava com ele?" "Oh não, meu caro senhor, respondeu ingenuamente o camareiro, só estou a serviço do senhor conde há quatrocentos anos."*
>
> (Collin de Plancy, *Dictionnaire infernal*,
> Paris, Mellier, 1844, p. 434)

Nos dias que se seguiram fui tomado de amores por Salvador. Passava pouquíssimo tempo no hotel. Folheando o índice do livro sobre os rosa-cruzes, encontrei uma referência ao conde de São Germano. Vejam só, disse comigo, *tout se tient*.

A seu respeito escreveu Voltaire que "*c'est un homme qui ne meurt jamais et qui sait tout*", mas Frederico da Prússia lhe retrucou que "*c'est un comte pour rire*". Horace Walpole referia-se a ele como sendo um italiano, ou espanhol, ou polonês, que fizera grande fortuna no México e que fugira depois para Constantinopla, com as joias da mulher. As referências mais seguras a seu respeito encontram-se nas memórias de Madame du Hausset, dama de companhia da Pompadour (bela referência, dizia Amparo, intolerante). Fazia-se passar por vários nomes, Surmont em Bruxelas, Welldone em Leipzig, marquês de Aymar, de Bedmar ou de Belmar, conde Soltikoff. Preso em Londres em 1745, onde brilhava como músico tocando violino e clavicórdio nos salões; três anos mais tarde em Paris oferece seus serviços a Luís XV como conhecedor de tinturas, em troca de uma residência no castelo de Chambord. O rei o emprega para missões diplomáticas na Holanda, onde arranja algumas confusões e foge de novo para Londres. Em 1762 vamos encontrá-lo na Rússia, depois de novo na Bélgica. Aí o encontra Casanova, que relata como o viu transformar uma moeda em ouro. Em 1776 aparece na corte de Frederico II, a quem apresenta vários projetos químicos, oito anos mais tarde morre em Schleswig, junto ao landgrave de Hesse, onde estava instalando uma fábrica de tintas.

Nada de excepcional, carreira típica de aventureiro do século XVIII, com menos amores que Casanova e lances menos teatrais que Cagliostro. No fundo, em decorrência de alguns incidentes, desfruta de certo crédito junto aos poderosos, a quem promete maravilhas alquímicas, embora de caráter industrial. Exceto que a seu redor, certamente estimulado por ele, vai tomando forma o boato de sua imortalidade. Compraz-se em citar nos salões, com certa desenvoltura, acontecimentos remotos como se deles tivesse sido testemunha ocular, e cultiva sua lenda com graça, quase em surdina.

Meu livro citava mesmo um trecho do *Gog*, de Giovanni Papini, no qual é descrito um encontro noturno, no convés de um transatlântico, com o conde de São Germano: oprimido pelo seu passado milenar, pelas memórias que lhe povoam a mente, com acentos de desespero que recordam Funes, "*el memorioso*" de Borges, embora o texto de Papini fosse de 1930. "Não penseis que nosso destino seja digno de inveja", diz o conde a Gog. "Decorrido um par de séculos, um tédio incurável se apossa dos infelizes imortais. O mundo é monótono, os homens não aprendem nada e recaem a cada geração nos mesmos erros e horrores, os acontecimentos não se repetem, mas se assemelham... acabam-se as surpresas, a novidade, as revelações. Posso confessar-lhes, agora que só o mar Vermelho nos escuta: minha imortalidade já me causa enfado. A Terra já não tem segredos para mim e não tenho mais esperança nos meus semelhantes."

"Curioso personagem", comentei. "É claro que o nosso Agliè se diverte em personificá-lo. Cavalheiro maduro, um tanto mole, com dinheiro para gastar, tempo livre para viajar, e uma propensão para o sobrenatural."

"Um reacionário coerente, que tem coragem de ser decadente. No fundo, prefiro ele aos burgueses democráticos", disse Amparo.

"*Women power, women power*, e depois cai em êxtase por causa de um beijo na mão."

"Vocês nos educaram assim, por séculos e séculos. Agora deixem que nos libertemos pouco a pouco. Também não disse que queria casar com ele."

"Ainda bem."

Na semana seguinte foi Agliè quem me telefonou. Seríamos recebidos àquela noite num terreiro de candomblé. Não iríamos participar do rito, porque a Ialorixá desconfiava dos turistas, mas ela própria nos receberia antes de iniciar a sessão e nos mostraria o terreiro.

Ele veio buscar-nos de carro, e dirigiu através das favelas, para além do morro. O edifício diante do qual paramos tinha um aspecto modesto, como um grande armazém industrial, e à porta um negro velho nos acolheu purificando-nos com incenso. Mais à frente, num jardinzinho sem enfeites, encontramos uma espécie de corbelha imensa, feita de grandes folhas de palmeira, sob a qual apareciam alguns manjares tribais, as *comidas de santo*.

No interior vimos uma grande sala, de paredes recobertas por quadros, espécie de ex-votos, máscaras africanas. Agliè explicou-nos a disposição dos arranjos: ao fundo, os bancos para os não iniciados, junto aos quais estava o pequeno palanque dos instrumentos, e as cadeiras para os Ogãs. "São pessoas de boa condição, não necessariamente crentes, mas que respeitam o culto. Aqui na Bahia o grande Jorge Amado é Ogã num terreiro. Foi escolhido por Iansã, senhora das guerras e dos ventos..."

"Mas de onde vêm essas divindades?", indaguei.

"É uma história complexa. Inicialmente foi um ramo sudanês que se impôs no Norte do Brasil desde os primórdios da escravidão, e desse ramo provém o candomblé dos orixás, ou seja, das divindades africanas. Nos estados do Sul há influência de grupos bantos e a partir daí iniciam mesclas em cadeia. Enquanto os cultos do Norte permanecem fiéis às religiões africanas originárias, no Sul a macumba primitiva evolve em direção da umbanda, por sua vez influenciada pelo catolicismo, o kardecismo e o ocultismo europeus..."

"Pelo menos hoje não entram aqui os templários."

"Os templários eram uma metáfora. Em todo caso hoje não estarão aqui. Mas o sincretismo tem uma mecânica muito sutil. Repararam do lado de fora da porta, junto às comidas de santo, uma estatueta de ferro, uma espécie de diabrete com o tridente, tendo algumas oferendas votivas em torno? É Exu, poderosíssimo na umbanda, mas não no candomblé. Contudo, também o candomblé o venera, considera-o um espírito mensageiro, uma espécie de Mercúrio degenerado. Na umbanda as pessoas são possuídas por Exu, aqui não. Mas é sempre tratado com respeito, nunca se sabe. Veja lá ao fundo junto à parede..." Indicou-me a estátua policroma de um índio nu e a de um velho escravo negro vestido de branco, sentado, fumando cachimbo: "São um *caboclo* e um *preto velho*, espíritos de mortos, que nos ritos de umbanda têm muito valor. Que fazem ali? Recebem homenagem e não são utilizados porque o candomblé só estabelece relações com os orixás africanos, mas nem por isso são renegados aqui."

"Então afinal o que permanece em comum, em todas essas seitas?"

"Digamos que todos os cultos afro-brasileiros têm como característica comum o fato de que durante o rito os iniciados são possuídos, como em transe, por seres superiores. No candomblé são os orixás, na umbanda, os espíritos dos mortos..."

"Tinha esquecido meu país e minha raça", disse Amparo. "Meu Deus, um pouco da Europa e um pouco de materialismo histórico me fizeram esquecer tudo, e no entanto essas histórias eu ouvi de minha avó..."

"Um pouco de materialismo histórico?", sorriu Agliè. "Acho que já ouvi falar dele. Um culto apocalíptico praticado pelo homem de Trier,[*] não é mesmo?"

Apertei o braço de Amparo. "*No pasarán*, meu bem."

"Cristo", murmurou ela.

Agliè havia acompanhado sem interromper aquele nosso breve diálogo a meia voz. "As forças do sincretismo são infinitas, minha cara. Se quiser, poderei oferecer-lhe a versão política de toda essa história. As leis do século XIX restituíram a liberdade aos escravos, mas na tentativa de extinguir os estigmas da escravidão queimaram todos os arquivos do mercado escravagista. Os escravos se tornam formalmente livres, mas sem passado. E procuram então

---

[*] Terra natal de Karl Marx. (*N. do T.*)

reconstruir uma identidade coletiva, à falta daquela familiar. Voltam às raízes. É seu modo de opor-se, como vocês jovens dizem, às forças dominantes."

"Mas o senhor acabou de dizer que houve interferência das seitas europeias...", disse Amparo.

"Minha cara, a pureza é um luxo, e os escravos pegam o que têm à mão. Mas se vingam. Hoje já cativaram mais brancos do que pensa. Os cultos africanos originários tinham a fraqueza de todas as religiões, eram locais, étnicos, míopes. Em contato com os mitos dos colonizadores reproduziram um antigo milagre: ressuscitaram os cultos misteriosos do segundo e terceiro séculos de nossa era, no Mediterrâneo, entre a Roma que se desfazia aos poucos e os fermentos que vinham da Pérsia, do Egito, da Palestina pré-judaica... Nos séculos do baixo Império a África recebe os influxos de toda a religiosidade mediterrânea e se torna escrínio para eles, condensando-os. A Europa torna-se corrompida pelo cristianismo da razão de estado, a África conserva os tesouros do saber, como já os havia conservado e difundido no tempo dos egípcios, doando-os aos gregos, que dele fizeram tábula rasa."

28

HÁ UM CORPO QUE ABRANGE TODO O CONJUNTO DO MUNDO

Há um corpo que abrange todo o conjunto do mundo, e deve ser representado de forma circular pois essa é a forma do Todo... Imagine agora que sob o círculo desse corpo estejam os 36 decanatos, no centro entre o círculo total e o círculo do zodíaco, separando esses dois círculos e por assim dizer delimitando o zodíaco, transportados ao longo do zodíaco com os planetas... A mudança dos reis, a sublevação das cidades, a carestia, a peste, o refluxo do mar, os terremotos, nada disso acontece sem o influxo dos decanatos...

(*Corpus Hermeticum*, Stobaeus, excerptum VI)

"Mas qual saber?"
   "Tem uma ideia do quanto foi grande a época entre o segundo e o terceiro séculos depois de Cristo? Não pelos faustos do Império, já na decadência, mas pelo que entrementes floresceu na bacia mediterrânica. Em Roma os pretorianos chacinavam seus imperadores, enquanto no Mediterrâneo florescia a época de Apuleio, dos mistérios de Ísis, daquele grande retorno de espiritualidade que foram o neoplatonismo e a gnose... Bons tempos, em que os cristãos não haviam ainda tomado o poder e condenado os heréticos à morte. Época esplêndida, habitada pelo Nous, fulgurante de êxtase, povoada de presenças, emanações, demônios e coortes angelicais. Era um saber difuso, desconexo, antigo como o mundo, que remonta além de Pitágoras, aos brâmanes da Índia, aos hebreus, aos magos, aos gimnosofistas, e até mesmo aos bárbaros do extremo Norte, aos druidas das Gálias e das ilhas britânicas. Os gregos

consideravam os bárbaros como tais porque estes só sabiam exprimir-se naquela linguagem que aos seus ouvidos mais educados soava como latidos. Mas, ao contrário, reconhece-se que nessa época os bárbaros sabiam muito mais que os helenos, precisamente porque sua linguagem era impenetrável. Acham que as pessoas que vão dançar hoje aqui sabem o significado de todos os cantos e nomes mágicos que irão pronunciar? Felizmente não, porque o nome desconhecido funcionará como exercício respiratório, vocalização mística. Na época dos Antoninos... O mundo estava cheio de maravilhosas correspondências, de semelhanças sutis, era preciso penetrá-las, deixar-se penetrar por elas, através do sonho, do oráculo, da magia, que permitem agir sobre a natureza e suas forças movimentando o símile com o símile. O saber é inapreensível, volátil, escapa a qualquer medida. Eis o motivo por que naquela época o deus vigente era Hermes, inventor de todas as astúcias, deus das encruzilhadas, dos ladrões, mas artífice da escritura, da arte da elusão e da diferença, da navegação, que leva para o fim de todos os confins, onde tudo se confunde no horizonte, dos guindastes para elevar as pedras do solo, das armas, que mudam a vida em morte, das bombas de água, que fazem levitar a matéria pesada, e da filosofia, que ilude e engana... E sabem onde Hermes está hoje? Aqui, vocês o viram junto à porta, chamam-no Exu, este mensageiro dos deuses, mediador, comerciante, ignorante da diferença entre o bem e o mal."

Observou-nos com divertida curiosidade. "Vocês devem estar achando que, como Hermes em relação às mercadorias, eu esteja sendo muito rápido em redistribuir os deuses. Vejam este livrinho, que comprei hoje de manhã numa livraria popular do Pelourinho. Magias e mistérios de São Cipriano, receitas de simpatias para se conquistar um amor, ou para fazer com que o próprio inimigo morra, invocações aos anjos e à Virgem. Literatura popular, para esses místicos de pele negra. Mas trata-se de São Cipriano de Antioquia, sobre quem existe uma imensa literatura nos séculos de prata. Seus pais queriam que ele fosse instruído sobre todas as coisas e soubesse tudo o que existe na Terra, no ar e na água dos mares, por isso enviam-no aos países mais remotos para conhecer todos os mistérios, aprender a geração e a degenerescência das ervas e as virtudes das plantas e dos animais, não as da história natural, mas das ciências ocultas, imersas no fundo das tradições arcaicas e longínquas. E em Delfos Cipriano se devota a Apolo e à dramaturgia da serpente, conhece os mistérios de Mitra, em 15 anos de monte Olimpo, sob a guia de 15 hierofantes, assiste a ritos de invocação do Príncipe d'Este Mundo, para dominar suas tramas, e em Argos vê-se iniciado nos mistérios de Hera, na Frígia aprende a mântica da hepatoscopia, e já não havia então na terra, no mar e no ar nada que ele não conhecesse, nem fantasma, nem objeto de saber, nem artifício de qualquer espécie, nem mesmo a arte de mudar as escritas por meio de sortilégio. Nos templos subterrâneos de Mênfis aprende como os demônios se comunicam com as coisas terrestres, os locais que temem, os objetos que amam, e como habitam as trevas, e que resistências opõem a determinados domínios, e como sabem possuir as almas e os corpos, e que efeitos obtêm de conhecimento superior, memória, terror, ilusão, e a arte de produzir comoções terrestres e de influenciar as correntes do subsolo... Depois, vejam só, se converte, mas algo de sua sabedoria permanece, se transmite, e agora o encontramos aqui, na boca e na mente desses maltrapilhos que vocês chamam de idólatras. Minha amiga, ainda há pouco estava olhando para mim como se eu fosse um *ci devant*. Quem vive no passado? A senhorita que gostaria de presentear este país com os horrores do século operário e industrial, ou eu que quero que a nossa pobre Europa reencontre a natureza e a fé destes filhos de escravos?"

"Cristo", assobiou Amparo, indignada, "o senhor sabe perfeitamente que esta é uma forma de mantê-los passivos..."

"Passivos, não. Capazes ainda de cultivar a espera. Sem o sentido da espera não há nem mesmo o paraíso, não foi o que vocês europeus ensinaram a e eles?"

"E serei eu a europeia?"

"Não conta a cor da pele, conta a fé na Tradição. Para restituir o sentido de espera a um Ocidente paralisado pelo bem-estar, eles pagam, talvez sofram, mas ainda conhecem a linguagem dos espíritos da natureza, dos ares, das águas, dos ventos..."

"E com isso nos desfrutam novamente."

"Novamente?"

"Sim, o senhor devia tê-lo aprendido em 89, conde. Quando nos cansamos, zás!" E sorrindo como um anjo tinha passado a mão tesa, belíssima, na altura do pescoço. Em Amparo eu desejava também aqueles dentes.

"Dramático", disse Agliè tirando do bolso a tabaqueira e acariciando-a com ambas as mãos. "Com que então me reconheceu? Mas em 89 não foram os escravos que fizeram rolar as cabeças, mas sim os bravos burgueses que a senhorita deve detestar. Além do mais, o conde de São Germano já viu rolar tantas cabeças ao longo de tantos séculos, e tantas voltarem para cima dos mesmos pescoços. Mas aí vem chegando a mãe de santo, a Ialorixá."

O encontro com a guia do terreiro foi calmo, cordial, popularesco e culto. Era uma negra imensa, de sorriso deslumbrante. À primeira vista dir-se-ia tratar-se de uma dona de casa, mas quando começamos a conversar compreendi por que as mulheres do gênero dominavam a vida cultural de Salvador.

"Esses orixás são pessoas ou forças?", perguntei-lhe. A mãe de santo respondeu-me que "eram forças, sim, água, vento, folhas, arco-íris. Mas como impedir que os simples os vissem como guerreiros, mulheres, santos da Igreja católica? A Igreja também não adora talvez uma força cósmica sob a forma de várias virgens? O importante é venerar a força, o aspecto deve adequar-se às possibilidades de compreensão de cada um."

Depois convidou-nos a entrar no jardim dos fundos, para visitar as capelas, antes de ter início o rito. No jardim estavam as casas dos orixás. Um grupo de moças negras, vestidas de baianas, agitavam-se alegremente nos últimos preparativos.

As casas dos orixás estavam dispostas no jardim como as capelas de uma Via Sacra, e mostravam no exterior a imagem do santo correspondente. No interior destacavam-se as cores cruas das flores, das estátuas, das comidas preparadas havia pouco e oferecidas aos deuses. Branco para Oxalá, azul e rosa para Iemanjá, vermelho e branco para Xangô, amarelo e ouro para Ogum... Os iniciados se ajoelhavam beijando o umbral e tocando-se na fronte e atrás da orelha.

Mas então, perguntei, Iemanjá é ou não é Nossa Senhora da Conceição? E Xangô é ou não é São Jerônimo?

"Não faça perguntas embaraçosas", aconselhou-me Agliè. "Na umbanda é ainda mais complicado. Da linha de Oxalá fazem parte Santo Antônio, São Cosme e São Damião. Da linha de Iemanjá fazem parte sereias, ondinas, caboclas do mar e dos rios, marinheiros e estrelas-guia. Da linha do oriente fazem parte hindus, médicos, cientistas, árabes e marroquinos, japoneses, chineses, mongóis, egípcios, astecas, incas, caribenhos e romanos. Da linha de Oxóssi fazem parte o sol, a lua, o caboclo das cascatas e o caboclo dos negros. Da linha de Ogum fazem parte Ogum Beira-Mar, Rompe-Mato, a Iara, Megé, Naruêe... Ou seja, depende."

"Cristo", disse outra vez Amparo.

"Se diz Oxalá", murmurei aflorando-lhe a orelha. "Tenha calma, *no pasarán.*"

A Ialorixá nos mostrou uma série de máscaras que alguns assistentes estavam usando no terreiro. Eram grandes dominós de palha, ou capuzes, de que se deviam vestir os médiuns à medida que entrassem em transe, possuídos pela divindade. É uma forma de pudor, disse-nos; em alguns terreiros os escolhidos dançam de rosto nu, expondo aos assistentes a sua paixão. Mas o iniciado fica protegido, respeitado, isento da curiosidade dos profanos, ou daqueles que não possam compreender o júbilo interior, e a graça. Era o costume daquele terreiro, afirmou, e por isso quase nunca admitiam estranhos. Mas talvez um dia, quem sabe, comentou. Nosso adeus era apenas um até-breve.

Contudo, não nos queria deixar antes de nos oferecer uma prova das comidas de santo, não daquelas que estavam na corbelha, porque deviam permanecer intactas, mas diretamente de sua cozinha. Levou-nos para os fundos do terreiro, e foi um festim policromo de mandiocas, pimentas, cocos, amendoim, gengibre, muqueca de siri-mole, vatapá, efó, caruru, feijão-preto com farofa, entre odores macios de especiarias africanas, sabores tropicais adocicados e fortes, que degustamos com compunção, sabendo que participávamos dos manjares de antigos deuses sudaneses. Justamente, nos disse a Ialorixá, porque cada um de nós, sem o saber, era filho de um orixá, e quase sempre se podia dizer de qual. Perguntei ousadamente de quem era filho. A Ialorixá escusou-se a princípio dizendo que não se podia precisar com certeza, depois concordou em examinar-me a palma da mão. Passou os dedos sobre ela, olhou-me nos olhos e disse: "És filho de Oxalá."

Fiquei orgulhoso. Amparo, já agora relaxada, sugeriu que se descobrisse de quem Agliè era filho, mas ele disse que preferia não saber.

Ao voltarmos para casa, Amparo me disse: "Viu sua mão? Em vez da linha da vida, tem uma série de linhas interrompidas. Como um riacho que encontra uma pedra e começa a correr de novo um metro mais à frente. A linha de alguém que deve morrer várias vezes."

"O campeão mundial de metempsicoses a distância."

"*No pasarán*", riu-se Amparo.

29

PELO SIMPLES FATO DE MUDAREM
E OCULTAREM SEU NOME

Pelo simples fato de mudarem e ocultarem seu nome, de mentirem sobre sua idade e de admitirem eles próprios que podem passar sem ser reconhecidos, não é lógico que se possa negar que necessariamente existam de verdade.

(Heinrich Neuhaus, *Pia et ultimissima admonestatio de Fratribus Roseae-Crucis. nimirum: an sint? quales sint? unde nomen illud sibi asciverint*, Danzica, Schmidlin, 1618 — ed. fr. 1623, p. 5)

Dizia Diotallevi que Hesed é a sefirah da graça e do amor, fogo branco, vento do sul. Naquela noite no periscópio pensava que os últimos dias que vivi na Bahia com Amparo se colocavam sob aquele signo.

Recordo — quanta coisa se recorda, enquanto se espera no escuro, por horas a fio — uma daquelas últimas noites. Tínhamos os pés doídos de tanto andar pelas vielas e becos, e fomo-nos deitar cedo, mas sem vontade de dormir. Amparo estava encolhida contra o travesseiro em posição fetal, e fingia ler por entre os joelhos levemente afastados um dos meus pequenos manuais de umbanda. De quando em quando virava-se preguiçosamente de costas, as pernas abertas, o livro sobre o ventre, e ficava ouvindo-me, enquanto eu lia em voz alta o livro sobre os rosa-cruzes e procurava fazê-la interessar-se por minhas descobertas. A noite estava agradável, mas, como havia escrito Belbo em um de seus *files*, exausto de literatura, não exalava um hálito de vento. Havíamo-nos concedido um bom hotel, da janela se avistava o mar e no vão da cozinha ainda iluminada confortava-me a vista uma cesta de frutas tropicais compradas naquela manhã no mercado.

"Aqui diz que em 1614 aparece na Alemanha um escrito anônimo *Allgemeine und general Reformation*, ou *Reforma geral e completa do universo inteiro, acompanhada da Fama Fraternitatis da Honorável Fraternidade Rosa-Cruz, dirigida a todos os sábios e soberanos da Europa, juntamente com uma breve resposta do Sr. Haselmeyer, que por esse motivo foi atirado a um cárcere pelos Jesuítas e posto a ferros na prisão. Agora impressa e tornada pública a todos os corações sinceros*. Editado em *Cassel por Wilhelm Wessel*"

"Não é longo demais?"

"Parece que no século XVII os títulos eram todos assim. Quem o diz é Lina Wertmüller. Trata-se de uma obra satírica, uma fábula sobre a reforma geral da humanidade, e além do mais copiada em parte de *Minudências do Parnaso*, de Traiano Boccalini. Mas contém um folheto, um libelo, um manifesto de uma dezena de páginas, a *Fama Fraternitatis*, que seria republicada em parte no ano seguinte, juntamente com outro manifesto, dessa vez em latim, a *Confessio fraternitatis Roseae Crucis, ad eruditos Europae*. Em ambos a Fraternidade Rosa-Cruz se apresenta e fala do próprio fundador, um misterioso C.R... Somente mais tarde, e por intermédio de outras fontes, pôde-se apurar ou estabelecer que se tratava de um certo Christian Rosencreutz."

"Por que ali não consta o nome completo?"

"Olha, era comum usarem-se iniciais, aqui ninguém é designado por inteiro, chamam-se todos G.G.M.P.I., e mesmo quando se trata de um nome afetivo, este é chamado de P.D... São relatados os anos de formação do C.R., que primeiro visita o Santo Sepulcro, depois veleja para Damasco, passa pelo Egito, dali vai a Fez, que na época devia ser um dos santuários da sabedoria muçulmana. Nosso Christian, que já sabia grego e latim, aprende por lá línguas orientais, física, matemática, ciências naturais, e acumula toda a sabedoria milenária dos árabes e dos africanos, até a Cabala e a magia negra, traduzindo além disso para o latim um misterioso *Liber M*, dominando todos os segredos do macro e do microcosmo. Já havia dois séculos que estava em moda tudo o que fosse oriental, principalmente quando não se compreendia o que era."

"Fazem sempre assim. Famintos, frustrados, explorados? Quereis a taça do mistério? Aqui a tendes..." E enrolava um pedaço de papel. "E das boas."

"Veja que até você quer se alienar."

"Mas sei que isso é química, e só. Não há mistério, até quem não sabe hebraico exagera. Venha aqui."

"Espere. Depois o tal de Rosencreutz passa pela Espanha e também ali faz uma apropriação das doutrinas mais ocultas e diz que está cada vez mais se aproximando do Centro de todos os saberes. E no curso dessas viagens, que para um intelectual da época representava um verdadeiro *trip* de cultura geral, percebe que precisa fundar na Europa uma sociedade que dirija os governantes pelos caminhos da sabedoria e do bem."

"Uma ideia original. Valeu a pena ter estudado tanto. Quero mamão gelado."

"Está na geladeira. Não seja preguiçosa, vai lá, estou trabalhando."

"Quem trabalha é formiga e se você é formiga tem que agir como tal. Vá buscar provisões."

"O mamão é deleite, portanto que vá a cigarra. Se não vou eu e você fica lendo."

"Cristo, de jeito nenhum. Odeio a cultura do homem branco. Vou eu."

Amparo andava em direção à cozinha, e me agradava desejá-la à contraluz. Enquanto isto C.R. retornava à Alemanha, e em vez de dedicar-se à transmutação de metais, como lhe teria então permitido seu enorme saber, decide consagrar-se a uma reforma espiritual. Funda a Fraternidade e inventa uma língua e uma escrita mágicas, que serviriam de fundamento à sabedoria dos irmãos no porvir.

"Assim vou acabar sujando o livro, põe na minha boca, não, não banque a tola, assim, isso. Nossa, que bom este mamão, rosencreutzlische Mutti-ja-ja... Mas sabe que aquilo que os rosa-cruzes escreveram nos primeiros anos teria podido iluminar o mundo, sequioso de verdade?"

"Que foi que escreveram?"

"Aí é que está o nó, pois o manifesto não diz, te deixa com a pulga atrás da orelha. É uma coisa tão importante, mas tão importante que deve permanecer secreta."

"Que putos."

"Não, não, ai, não quero mais. Todavia os rosa-cruzes, à medida que se multiplicam, resolvem disseminar-se pelos quatro cantos do mundo, empenhados em cuidar gratuitamente dos enfermos, em não endossar hábitos que os tornem reconhecíveis, em adotar sempre os costumes dos países em que estejam, em se reunir uma vez por ano e em permanecer secretos durante um século."

"Vai me desculpar, mas que reforma é essa que queriam fazer se já tinha acabado de haver uma? E Lutero, o que era, um cocô?"

"Mas isso aconteceu antes da reforma protestante. Aqui uma nota diz que de uma leitura atenta da *Fama* e da *Confessio* se intui..."

"Quem intui?"

"Quando se intui, se intui. Não importa quem. É a razão, o bom senso... Ei, mas que é isso, estamos falando dos rosa-cruzes, um assunto sério..."

"Eu sei."

"Pois bem, como se intui, Rosencreutz nasceu em 1378 e morreu em 1484, com a bela idade de 106 anos, e não é difícil intuir que a confraria secreta tenha contribuído não pouco para aquela Reforma que em 1615 festejava o seu centenário. Tanto é verdade que no brasão de Lutero há uma rosa e uma cruz."

"Bela fantasia."

"Você queria que Lutero pusesse no brasão uma girafa em chamas ou um relógio liquefeito? Cada um é fruto de seu próprio tempo. Entendi de quem sou filho e agora fique quieta, deixe-me prosseguir. Em torno de 1604, os rosa-cruzes, enquanto restauram parte de seu palácio ou castelo secreto, encontram uma lápide em que estava fincado um grande prego. Extraem o prego, rui uma parte da parede, aparece uma porta, sobre a qual está escrito em letras grandes POST CXX ANNOS PATEBO..."

Eu já vira a expressão na carta de Belbo, mas não consegui deixar de reagir: "Meu Deus...!"

"Que houve?"

"É que num documento dos templários... Uma história estranha que nunca te contei, de um tal coronel..."

"E daí? Os templários copiaram os rosa-cruzes, pronto."

"Mas os templários vieram antes."

"Então os rosa-cruzes copiaram dos templários."

"Querida, sem você eu viveria em curto-circuito."

"Querido, quem te estragou foi o tal Agliè. Você está esperando a revelação."

"Eu? Estou lá esperando alguma coisa?"

"Ainda bem, cuidado com o ópio dos povos."

"*El pueblo unido jamás será vencido.*"

"Ria, vai rindo. Continua, leia para mim o que diziam aqueles cretinos."

"Aqueles cretinos aprenderam tudo o que havia na África, não ouviu?"

"Eles já estavam na África começando a empacotar-nos e a mandar-nos para cá."

"Deem graças a Deus. Podiam ter nascido em Pretória." Dei-lhe um beijo e prossegui. "Além da porta se descobriu um sepulcro de sete lados e sete ângulos, iluminado prodigiosamente por um sol artificial. No meio, um altar redondo, ornado de vários motos ou emblemas, do tipo NEQUAQUAM VACUUM..."

"Né quá quá? Assinado Pato Donald?"

"Isso é latim, está sabendo? Quer dizer o vácuo não existe."

"Ainda bem, imagina o horror que seria."

"Liga o ventilador para mim, *animula vagula blandula*."

"Mas estamos no inverno."

"Para vocês do hemisfério errado, querida. Estamos em julho, tenha paciência, liga o ventilador, não por eu ser o macho, mas por estar do teu lado. Obrigado. Então, em cima do altar se encontra o corpo intacto do fundador. Nas mãos tem um *Livro I*, transbordante de infinita sabedoria, e pena que o mundo não possa conhecê-la, diz o manifesto, porque senão gulp, wow, brr, sguisssh!"

"Ai."

"Continuando. O manifesto termina prometendo um imenso tesouro ainda por ser descoberto e revelações estupendas sobre as relações entre o macrocosmo e o microcosmo. Não pensem que somos alquimistas de dois vinténs e que vos ensinaremos a fabricar ouro. Isso é coisa de malandros e queremos algo melhor e aspiramos a algo mais elevado, em todos os sentidos. Estamos difundindo esta *Fama* em cinco idiomas, para não falar da *Confessio*, em breve neste cinema. Aguardamos as respostas e o julgamento dos doutos e dos ignorantes. Escrevam-nos, telefonem, mandem seus nomes, veremos se são dignos de participar de nossos segredos, dos quais só lhes demos uma pálida amostra. *Sub umbra alarum tuarum Iehova*."

"Que disse?"

"É a frase de despedida. E ponto final. Em suma, parece que os rosa-cruzes se esquivam de revelar aquilo que aprenderam, e esperam apenas encontrar o interlocutor ideal. Mas nem uma palavra sobre aquilo que sabem."

"Como aquele sujeito da foto do anúncio que vimos numa revista do avião: se me mandar dez dólares ensino-lhe o segredo para tornar-se milionário."

"Mas esse não mente. *Ele* descobriu o segredo. Como eu."

"Ouça, melhor é continuar a ler. Parece que nunca me viu antes."

"É sempre como se fosse a primeira vez."

"Pior. Não dou confiança ao primeiro que chega. Será que quer encontrar tudo? Primeiro os templários, depois os rosa-cruzes, nunca leu, sei lá, Plechanov?"

"Não, espero encontrar o seu sepulcro, dentro de 120 anos. Se Stalin não o tiver enterrado com um caterpílar."

"Que bobo. Vou ao banheiro."

30

E A JÁ FAMOSA FRATERNIDADE DOS ROSA-CRUZES

> *E a já famosa fraternidade dos rosa-cruzes declara que correm delirantes vaticínios por todo o universo. De fato mal surgiu aquele fantasma (embora Fama e Confessio provem que se tratava de simples divertimento de mentes ociosas), logo se produziu uma esperança de reforma universal, gerando coisas em parte ridículas e absurdas, em parte inacreditáveis. E assim homens probos e honestos de vários países se prestaram ao escárnio e à zombaria por terem abertamente patrocinado a causa ou por se terem persuadido de que poderiam manifestar-se a esses irmãos... pelo Espelho de Salomão ou por outra fórmula oculta.*
>
> (Christoph von Besold (?), Apêndice a Tommaso Campanella, *Von der Spanischen Monarchy*, 1623)

O melhor vinha depois, e quando Amparo voltou do banheiro eu já estava na condição de poder antecipar-lhe algumas aventuras admiráveis.

"É uma história incrível. Os manifestos saíram numa época em que pululavam textos desse gênero, todos buscando uma renovação, um século de ouro, um país da cocanha do espírito. Folheiam-se os textos mágicos, faz-se suar os fornos para o preparo de metais, procura-se dominar os astros, elaboram-se alfabetos secretos e línguas universais. Rodolfo II transforma a corte de Praga num laboratório de alquimia, convida Comênio e John Dee, o astrólogo da corte da Inglaterra que havia revelado todos os segredos do cosmo em umas poucas páginas de uma *Monas Ierogliphica*, juro que o título é esse, *monas* significa mônada."

"E que foi que eu disse?"

"O médico de Rodolfo II é aquele Michael Maier que escreve um livro de emblemas visíveis e musicais, a *Atalanta Fugiens*, uma festa de ovos filosofais, dragões que mordem a própria cauda, esfinges, nada é tão luminoso quanto o código secreto, tudo é o hieróglifo de alguma outra coisa. Está vendo só, Galileu deixa cair suas pedras de cima da Torre de Pisa, Richelieu brinca de monopólio com meia Europa, e aqui todos vivem em função de ler as assinaturas do mundo: grandes coisas essas que estão dizendo, pois nós aqui, além da queda dos corpos pesados, nós aqui embaixo (ou aqui em cima), estamos em outra. Em verdade vos digo: *abracadabra*. Enquanto Torricelli construía o barômetro, eles faziam bailados, jogos aquáticos e fogos de artifício no Hortus Palatinus de Heidelberg. E a guerra dos trinta anos estava para arrebentar."

"Quem sabe como estaria contente a Mãe Coragem."

"Mas também eles nem sempre se divertiam. O eleitor palatino em 1619 aceita a coroa da Boêmia, creio que o faça por ter vontade de reinar sobre Praga, a cidade mágica, mas em vez disso os Habsburgo um ano depois o prendem na Montanha Branca, os protestantes são massacrados em Praga, queimam a casa de Comênio, sua biblioteca, matam-lhe a mulher e o filho, e ele escapa de corte em corte a repetir quanto era grande e cheio de esperanças o ideal dos rosa-cruzes."

"Pobre coitado, queria que ele se consolasse com o barômetro? Mas espera um instante, sabe que nós, as mulheres, não apreendemos tudo tão rápido quanto vocês: quem escreveu os manifestos?"

"Aqui está o nó, não se sabe. Vamos verificar, coça-me aqui a rosa-cruz... não, entre as duas omoplatas, nem mais para cima, nem mais à esquerda, aí, aí. Então, nesse ambiente germânico há personagens incríveis. Por exemplo, Simon Studion, que escreve a *Naometria*, um tratado oculto sobre as medidas do Templo de Salomão; Heinrich Khunrath, que escreve um *Amphitheatrum sapientiae aeternae*, cheio de alegorias com letras hebraicas, e cavernas cabalísticas que devem ter inspirado os autores da *Fama*. Estes são provavelmente amigos de uma dessas dez mil panelinhas de utopistas da renascença cristã. A opinião pública diz que o autor é um certo Johann Valentin Andreae, que no ano seguinte publicaria *As bodas químicas de Christian Rosencreutz*, que escrevera quando jovem, logo, essa ideia dos rosa-cruzes já lhe passava pela cabeça havia muito tempo. Mas a seu redor em Tübingen havia outros entusiastas, sonhando com a república de Cristianópolis, que talvez se tenham reunido num só grupo. Mas ao que parece o fizeram por brincadeira, por diversão, não pensando realmente em criar o pandemônio que acabaram criando. Andreae passaria depois a vida a jurar que os manifestos não haviam sido escritos por ele, que ademais não passavam de um *lusus*, um *ludibrium*, uma licenciosidade, invoca sua reputação acadêmica, aborrece-se, diz que os rosa-cruzes, se é mesmo que existiram, não passavam todos de impostores. Mas nada. Mal saem os manifestos, parece que as pessoas não estavam esperando outra coisa. Os doutos de toda a Europa escrevem efetivamente aos rosa-cruzes, e como não sabem onde encontrá-los, mandam-lhes cartas abertas, folhetos, livros impressos. Maier publica ainda nesse mesmo ano uma *Arcana arcanissima*, em que não menciona os rosa-cruzes, mas todos estão convencidos de que se trata deles e que ele saiba bem mais do que se permite dizer. Alguns se vangloriam, dizem que já haviam lido a *Fama* em manuscrito. Não creio que fosse pouca coisa naquela época preparar um livro, quem sabe com ilustrações, mas Robert Fludd nesse mesmo ano de 1615 (escreve na Inglaterra e edita em Leiden, e calcula ainda o tempo de viagem para as provas) põe em circulação uma *Apologia compendiaria Fraternitatem de Rosea Cruce suspicionis et infamiis maculis aspersam, veritatem quasi Fluctibus abluens et abstergens*, para defender os rosa-cruzes e livrá-los das suspeitas, das "máculas" com que foram presenteados, e isso quer dizer que já estava se alastrando um debate entre a Boêmia, a Alemanha, a Inglaterra e a Holanda, tudo com correios a cavalo e eruditos itinerantes."

"E os rosa-cruzes?"

"Silêncio de tumba. *Post 120 annos patebo* patavina. Observam do nada absoluto de seu palácio. Creio fosse exatamente esse silêncio que excitava os ânimos. Se não respondem, quer dizer que existem de fato. Em 1617, Fludd escreve um *Tractatus apologeticus integritatem societatis de Rosea Cruce defendens*, e um certo Aloisius Marlianus diz que é chegado o momento de revelar o segredo dos rosa-cruzes."

"E revela?"

"Pois sim! Torna-o mais complicado ainda. Pois descobre que se subtrairmos os 188 anos prometidos pelos rosa-cruzes de 1618 obtêm-se 1430, que é o ano em que foi instituída a ordem do Tosão de Ouro."

"E que tem a ver?"

"Não compreendo por que 188, já que devia ser 120, mas quando fazemos subtrações e adições místicas, a conta dá sempre certo. Quanto ao Tosão de Ouro, é o mesmo Velocino de Ouro dos Argonautas, e soube de fonte limpa que tem algo a ver com o Santo Graal, e assim, se me é permitido também com os templários. Mas a coisa não acaba aí. Entre 1617 e 1619, Fludd, que evidentemente publicava mais do que a Barbara Cartland, dá a lume outros quatro livros, entre os quais a *Utriusque cosmi historia*, algo assim como breves noções sobre o universo, ilustrado, todo rosa e cruz. Maier enche-se de coragem e publica o seu *Silentium post clamores*, sustentando que a irmandade existia e que não só estava ligada ao Tosão de Ouro mas igualmente à ordem da Jarreteira. Contudo, é humilde demais para ser nela admitido. Veja só os doutos da Europa. Se não acolhem nem mesmo um Maier, é que a coisa devia ser de fato muito exclusiva. E por isso todos os borra-botas começam a arranjar cartas falsas para serem admitidos. Todos dizendo que os rosa-cruzes existem, todos confessando que nunca os viram, todos escrevendo como para marcar encontro, para solicitar uma audiência, ninguém é suficientemente descarado para dizer eu sou rosa-cruz, alguns dizem que não existem porque não foram contatados, outros dizem que existem exatamente para serem contatados."

"E os rosa-cruzes mudos."

"Como peixes."

"Abre a boca se quer mamão."

"Delícia. Entrementes começa a guerra dos trinta anos e Johann Valentin Andreae escreve uma *Turris Babel* para prometer que dentro de um ano surgirá o Anticristo, enquanto um certo Mundus escreve um *Tintinnabulum sophorum...*"

"Bonito, esse tintinnabulum!"

"... que não entendo bulufas o que diz, mas é certo que Campanella, ou quem por ele intervém na *Monarchia Spagnola*, diz que toda essa história dos rosa-cruzes não passa de uma diversão de mentes corruptas... E pronto, entre 1621 e 1623 desaparecem todos."

"Assim, sem mais nem menos?"

"Assim. Cansaram. Como os Beatles. Mas só na Alemanha. Parece até a história de uma nuvem tóxica. Dirige-se para a França. Numa bela manhã de

1623 aparecem nos muros de Paris manifestos rosa-cruzes informando os bons cidadãos de que os deputados do colégio principal da irmandade se haviam transferido para lá e estavam prontos a abrir inscrições. Mas segundo outras versões, os manifestos dizem da maneira mais clara que se trata de Trinta e Seis Invisíveis espalhados pelo mundo em grupos de seis, e que têm o poder de tornar invisíveis os seus adeptos... Caramba, de novo os 36...

"Quais?"

"Aqueles do meu documento dos templários."

"Gente sem imaginação. E aí?"

"Aí surge uma loucura coletiva, este os defende, aquele quer conhecê-los, outro os acusa de praticar satanismo, alquimia e heresia, quando intervém Astarotte dizendo que são ricos, poderosos, capazes de se deslocar voando de um lugar para outro, em suma, o escândalo do dia."

"Sabidos esses rosa-cruzes. Nada como um lançamento em Paris para pôr a coisa na moda."

"Parece que é isso mesmo, veja só o que acontece em seguida, nossa, que época. Cartésio, ele mesmo, tinha estado na Alemanha nos anos anteriores, onde os havia procurado, mas segundo seu biógrafo não os encontrara porque, bem sabemos, eles circulavam por aí disfarçados. Quando regressa a Paris, depois do aparecimento dos manifestos, fica sabendo que todos o consideram um rosa-cruz. No ambiente reinante, não era uma boa fama, causando embaraços até mesmo a seu amigo Mersenne, que já então os tratava como miseráveis, subversivos, magos, cabalísticos, semeadores de doutrinas perversas. Então o que faz Cartésio? Faz-se ver em todos os lugares que pode. E já que todos o veem, o que é inegável, quer provar com isso que não é invisível e, portanto, não é um rosa-cruz."

"Isto é que é método."

"Claro que não bastava negar. Da maneira como andavam as coisas, se alguém chegava à sua frente e lhe dizia 'boa tarde, eu sou um rosa-cruz', era sinal de que não era. O rosa-cruz que se respeita não o diz. Pelo contrário, nega-o em voz alta."

"Contudo não se pode dizer que todo aquele que afirma não ser um rosa--cruz o seja, pois eu digo que não sou e nem por isso sou."

"Contudo negar já é um indício suspeito."

"Não. Porque o que faz o rosa-cruz quando percebe que as pessoas não acreditam em quem diz que é e suspeitam daqueles que dizem que não são? Começa a dizer que é para fazer acreditar que não o seja."

"Diabo. Então daí por diante todos os que dizem ser rosa-cruzes mentem, e no entanto o são de fato! Ah, não, não, Amparo, não vamos cair nessa armadilha deles. Seus espiões andam por toda parte, talvez até mesmo aqui embaixo da cama, e portanto já sabem que nós sabemos. Logo dizem que não são."

"Meu bem, estou ficando com medo."

"Tenha calma, meu amor, aqui estou eu que sou estúpido, quando disserem que não são eu acredito que são, e assim os desmascaro logo. O rosa-cruz desmascarado torna-se tão inócuo, que você o põe para fora pela janela, enxotando-o com o jornal."

"E Agliè? Ele quer que a gente acredite que é o conde de São Germano. Evidentemente para que pensemos que não é. Logo, é um rosa-cruz. Ou não?"

"Escuta, Amparo, vamos dormir?"

"Não, agora quero ouvir o resto."

"Esborrachamento total. A Rosa-Cruz inteira. Em 1627 veio a lume a *Nova Atlântida* de Bacon, e os leitores pensaram que ele falava da terra dos rosa-cruzes, ainda que nunca os tivesse mencionado. O pobre Johann Valentin Andreae morre jurando em falso que não fora ele ou se fosse o dissera por brincadeira, mas já aí a coisa está feita. Tirando vantagem de não estarem em lugar algum, os rosa-cruzes estavam em todos os lugares."

"Como Deus."

"Agora você me fez pensar nisto... Vejamos, Mateus, Lucas, Marcos e João são um bando de patuscos que se reúnem em algum lugar e decidem fazer uma competição, inventam um personagem, estabelecem alguns poucos fatos essenciais, e depois cada qual está livre para fazer o que quiser e depois vê-se quem fará melhor. Finalmente, as quatro narrativas caem em mãos de amigos que começam a se manifestar, Mateus é bastante realista mas insiste demais com aquela história do Messias, Marcos não é mau mas um tanto desordenado, Lucas é elegante, força é admiti-lo, João já exagera na filosofia... mas seja como for, os livros agradam, circulam de mão em mão, quando os quatro percebem o que está acontecendo já é tarde demais, Paulo já encontrou Jesus na estrada de Damasco, Plínio inicia sua investigação por ordem do imperador preocupado, uma legião de apócrifos finge que também está sabendo do caso... *toi, apocryphe lecteur, mon semblable, mon frère*... Pedro ergue a cabeça, fica sério, João ameaça dizer a verdade, Pedro e Paulo mandam-no prender, agrilhoam-no na ilha de Patmos e o pobre coitado começa a ver coisas, vê gafanhotos na cabeceira da cama, fazei calar essas cornetas, de onde vem todo esse sangue... E os outros dizem que ele bebe, que está esclerosado... E se tivesse acontecido mesmo assim?"

"Foi assim. Leia Feuerbach em vez dos teus livrecos."

"Amparo, já é de madrugada."

"Somos loucos."

"A aurora dos dedos rosa-cruzistas acaricia docemente as ondas..."

"Isso, faz assim. É Iemanjá, veja, está vindo."

"Faça-me *ludibria*..."

"Oh o Tintinnabulum!"

"És minha Atalanta Fugiens..."

"Oh a Turris Babel..."

"Quero a Arcana Arcanissima, o Velocino de Ouro, pálido e rosa como uma concha marinha..."

"Sss... *Silentium post clamores*", ela disse.

31

É PROVÁVEL QUE A MAIORIA DOS
PRETENSOS ROSA-CRUZES

*É provável que a maioria dos pretensos rosa-cruzes
comumente designados como tais, fossem na verdade apenas
Rosacrucianos... É ainda certo que não o eram de modo
algum, pelo simples fato de fazerem parte de tais associações,
o que pode parecer paradoxal e contraditório à primeira
vista, mas que é facilmente compreensível...*

(René Guénon, *Aperçu sur l'initiation*, Paris, Editions
Traditionnelles, 1981, XXXVIII, p. 241)

Voltamos para o Rio e recomecei a trabalhar. Um dia vi numa revista ilustrada que existia uma Ordem da Rosa-Cruz Antiga e Aceita. Propus a Amparo que fôssemos lá dar uma olhada, e ela me acompanhou de má vontade.

A sede ficava numa rua secundária, havia na parte externa uma vitrina com estatuetas de gesso que reproduziam Quéops, Nefertite, a Esfinge.

Sessão plenária precisamente naquela tarde: "Os rosa-cruzes e a umbanda." O orador era um certo professor Bramanti, Referendário da Ordem na Europa, Cavaleiro Secreto do Grão-Priorado In Partibus de Rodes, Malta e Tessalonica.

Decidimos entrar. O ambiente não primava pela arrumação, decorado com miniaturas tântricas que representavam a serpente Kundalini, aquela que os templários queriam despertar com um beijo no traseiro. Disse para mim mesmo que afinal de contas não tinha valido a pena atravessar o Atlântico para descobrir um novo mundo, já que poderia encontrar aquelas mesmas coisas na sede da Picatrix.

Por trás de uma mesa recoberta por um pano vermelho, e diante de uma plateia reduzida e sonolenta, estava o Sr. Bramanti, homem corpulento que, se não fosse pela envergadura, poder-se-ia definir como um tapir. Já havia começado a falar, com oratória contundente, mas não havia muito, pois discorria sobre os rosa-cruzes no tempo da 18ª dinastia, sob o reinado de Amósis I.

Quatro Senhores Velados velavam sobre a evolução da raça que 25 mil anos antes da fundação de Tebas dera origem à civilização do Saara. O faraó Amósis, influenciado por eles, fundara uma Grande Fraternidade Branca, depositária daquela sabedoria pré-diluviana que os egípcios tinham à ponta dos dedos. O Sr. Bramanti sustentava haver documentos (naturalmente inacessíveis aos profanos) que remontavam aos sábios do Templo de Carnaque e a seus arquivos secretos. O símbolo da rosa e da cruz tinha sido portanto idealizado pelo faraó Akhenaton. Há quem tenha o papiro, dizia Bramanti, mas não me perguntem quem.

No álveo da Grande Fraternidade Branca se haviam formado Hermes Trismegisto, cuja influência sobre o Renascimento italiano era tão irrefutável quanto a deste sobre a Gnose de Princeton, Homero, os druidas das Gálias, Salomão, Sólon, Pitágoras, Plotino, os essênios, os terapeutas, José de Arimateia, que trouxe o Graal para a Europa, Alcuíno, o rei Dagoberto, Santo Tomás, Bacon, Shakespeare, Spinoza, Jakob Boehme e Debussy, Einstein. Amparo me sussurrou que lhe parecia só estar faltando Nero, Cambronne, o índio Jerônimo, Pancho Villa e Buster Keaton.

No que dizia respeito à influência dos rosa-cruzes originários sobre o cristianismo, Bramanti fazia observar, a quem ainda não se tivesse apercebido disto, não ser por acaso que a lenda diz que Cristo tenha morrido na cruz.

Os sábios da Grande Fraternidade Branca eram os mesmos que haviam fundado a primeira loja maçônica nos tempos do rei Salomão. Que Dante fosse rosa-cruz e maçom — como por sua vez Santo Tomás — era algo que estava manifesto em sua obra. Nos cantos XXIV e XXV do Paraíso encontram-se o beijo tríplice do príncipe rosa-cruz, o pelicano, as túnicas brancas, as mesmas dos anciãos do Apocalipse, as três virtudes teologais dos capítulos maçônicos (Fé, Esperança e Caridade). Na verdade, a flor simbólica dos rosa-cruzes (a rosa cândida dos cantos XXX e XXXI) fora adotada pela igreja de Roma como símbolo da Mãe do Salvador — e daí a *Rosa Mystica* das ladainhas.

E era evidente que os rosa-cruzes tivessem atravessado os séculos medievais não apenas pela sua infiltração junto aos templários, mas por meio de documentos bem mais explícitos. Bramanti citava um certo Kiesewetter que nos fins do século passado havia demonstrado que os rosa-cruzes na Idade Média fabricaram quatro quintais de ouro para o príncipe eleitor da Saxônia, tendo à mão como prova a página exata do *Theatrum Chemicum* publicado em Estrasburgo em 1613. Poucos, no entanto, terão percebido uma menção aos templários na lenda de Guilherme Tell: Tell fabrica sua seta com um ramo de visco, planta da mitologia ariana, e transpassa a maçã, símbolo do terceiro olho ativado da serpente Kundalini, e sabe-se que os arianos vinham da Índia, onde irão posteriormente esconder-se os rosa-cruzes depois de abandonarem a Alemanha.

Por sua vez, em relação aos vários movimentos que pretendem filiar-se, embora com bastante puerilidade, à Grande Fraternidade Branca, Bramanti reconhecia como bastante ortodoxa a Rosicrucian Fellowship, de Max Heindel, mas só porque nesse ambiente se havia formado Allan Kardec. Todos sabem que Kardec foi o pai do espiritismo, e que de sua teosofia, que contempla a possibilidade de contato com a alma dos mortos, é que se formou a espiritualidade umbanda, glória do nobilíssimo Brasil. Nessa teosofia, Aum Bhandá é uma expressão sânscrita que designa o princípio divino e a fonte da vida ("Enganaram-nos de novo", murmurou Amparo, "nem mesmo umbanda é uma palavra nossa, de africano só tem o som.")

A raiz é Aum ou Um, que é o Om budista, e é o nome de Deus na língua adâmica. *Um* é uma sílaba que pronunciada na forma exata se transforma num poderoso mantra e provoca correntes fluídicas de harmonia na psique através da *siakra* ou Plexo Frontal.

"E que vem a ser plexo frontal?", perguntou Amparo. "Um mal incurável?"

Bramanti ressaltou que era necessário distinguir entre os verdadeiros rosa-cruzes, herdeiros da Grande Fraternidade Branca, obviamente secretos, como a Ordem Antiga e Aceita que ele humildemente representava, e os "rosacrucianos", vale dizer qualquer um que por interesse pessoal se tenha inspirado de má-fé na mística rosa-cruz. Recomendou ao público que não fizesse fé em nenhum rosacruciano que se definisse como rosa-cruz.

Amparo observou que todo rosa-cruz é o rosacruciano de outro.

Um imprudente em meio ao público se levantou e perguntou a Bramanti por que razão sua ordem pretendia ser a autêntica, dado que violava a regra do silêncio, característica de todo verdadeiro adepto da Grande Fraternidade Branca.

Bramanti levantou-se e disse: "Não imaginei que mesmo aqui se haviam de infiltrar os provocadores em nome do materialismo ateu. Nessas condições não direi mais nada." E saiu, com certa majestade.

Naquela noite Agliè telefonou, querendo saber notícias nossas e avisando-nos que no dia seguinte seríamos finalmente convidados para um rito. Nesse meio-tempo, convidava-me para beber alguma coisa. Amparo tinha uma reunião política com os amigos, e fui sozinho ao encontro.

32

VALENTINIANI... PER AMBIGUITATES BILINGUES

Valentiniani... nihil magis curant quam occultare quod predicant: si tamen preadicant, qui occultant... Si bona fides quaeres, concreto vultu, suspenso supercilio — altum est — aiunt. Si subtiliter tentes, per ambiguitates bilingues communem fidem affirmant. Si scire te subostendas, negant quidquid agnoscunt... Habent artificium quo prius persuadeant, quam edoceant.

(Tertulliano, *Adversus Valentinianos*)

Agliè levou-me a um lugar onde ainda se fazia uma *batida* como só os homens sem idade sabem fazer. Saímos, com poucos passos, da civilização de Carmen Miranda, e me encontrei num local escuro, onde algumas pessoas pitavam um fumo de rolo grosso como uma linguiça, enrolado em cordas que pareciam cabos de marinha. Comprimiam o fumo com a ponta do polegar até obterem folhas largas e transparentes, que eram enroladas em pedaços de palha oleosa. Era preciso reacender com frequência, mas compreendia-se o que deve ter sido o tabaco quando sir Walter Raleigh o descobriu.

Contei-lhe sobre a minha aventura daquela tarde.

"Até os rosa-cruzes, então? Seu desejo de saber é insaciável, meu amigo. Mas não dê ouvidos àqueles loucos. Falam todos de documentos incontestáveis, mas jamais mostraram algum. Esse tal Bramanti, já conheço. Mora em Milão, mas viaja pelo mundo para difundir suas ideias. É inócuo, mas acredita até hoje em Kiesewetter. Legiões de rosacrucianos se apoiam naquela página do *Theatrum Chemicum*. Mas se vai consultá-lo — e modestamente esse livro faz parte de minha pequena biblioteca em Milão — não encontrará nenhuma citação."

"Um bufão, o Sr. Kiesewetter."

"Citadíssimo. É que os ocultistas do século XIX também foram vítimas do espírito positivista: uma coisa só é verdadeira se pode ser provada. Veja o debate sobre o *Corpus Hermeticum*. Quando foi introduzido na Europa no século XV, Pico della Mirandola, Ficino e tantas outras pessoas de elevada cultura logo perceberam: aquilo devia ser obra de alguma inteligência antiquíssima, anterior aos egípcios, anterior mesmo a Moisés, pois ali se encontravam ideias que seriam mais tarde enunciadas por Platão e por Jesus."

"Como mais tarde? São os mesmos argumentos de Bramanti sobre o Dante maçom. Se o *Corpus* repete as ideias de Platão e de Jesus, significa que foi escrito depois deles!"

"Está vendo? Até você. E com efeito esse foi o argumento dos filólogos modernos, que até lhe acrescentaram algumas análises linguísticas confusas para mostrar que o *Corpus* tinha sido escrito entre o segundo e o terceiro séculos de nossa era. O mesmo que dizer que Cassandra nasceu depois de Homero porque já sabia que Troia ia ser destruída. É ilusão moderna crer que o tempo seja uma sucessão linear e orientada, que vai de A para B. Pode também perfeitamente vir de B para A, e o efeito produzir a causa... Que quer dizer vir antes ou vir depois? A sua belíssima Amparo vem antes ou depois de seus miscigenados ascendentes? É esplêndida demais — se permite um julgamento desapaixonado de alguém que poderia ser pai dela. Logo vem antes. Ela é a origem misteriosa de tudo o que contribuiu para criá-la."

"Mas neste ponto..."

"O erro está no conceito de 'neste ponto'. Os pontos foram criados pela ciência, depois de Parmênides, para estabelecer de onde e para onde uma coisa se move. Nada se move, e só existe um ponto, o ponto do qual se geram num mesmo instante todos os outros pontos. A ingenuidade dos ocultistas do século XIX, e também do nosso, é querer demonstrar a verdade da verdade com métodos da mentira científica. Não é preciso raciocinar segundo a lógica do tempo, mas segundo a lógica da Tradição. Todos os tempos se simbolizam entre si, e portanto o tempo invisível dos rosa-cruzes existe e existiu sempre, independentemente dos fluxos da história, da história que o senhor representa. O tempo da revelação final não é o tempo dos relógios. Seus vínculos se estabelecem no tempo da 'história sutil', na qual o antes e o depois da ciência contam muito pouco."

"Mas, então, todos aqueles que sustentam a eternidade dos rosa-cruzes..."

"São cientistas oportunistas, que procuram provar aquilo que, ao contrário, se deve saber, sem demonstração. Acha que os fiéis que veremos amanhã à noite sabem ou estão em condições de demonstrar tudo aquilo que lhes disse Allan Kardec? Eles sabem porque estão predispostos a saber. Se todos tivéssemos conservado essa sensibilidade para o segredo, estaríamos ofuscados de revelações. Não é necessário querer, basta estar disposto."

"Mas, afinal, e me desculpe se pareço banal. Os rosa-cruzes existem ou não?"

"Que significa existem?"

"Diga-o você."

"A Grande Fraternidade Branca, chamem-na rosa-cruz, chamem-na cavalaria espiritual, da qual os templários são uma encarnação ocasional, é um grupo de sábios, poucos, pouquíssimos eleitos, que viaja através da história da humanidade para preservar um núcleo de sabedoria eterna. A história não se desenvolve ao acaso. É obra dos Senhores do Mundo, aos quais nada escapa. Naturalmente os Senhores do Mundo se defendem por meio do segredo. E portanto toda vez que encontrar alguém que se diz Senhor, rosa-cruz ou templário, este alguém estará mentindo. Há que procurá-los além."

"Mas então essa história continua infinitamente?"

"Isso mesmo. É a astúcia dos Senhores."

"Mas afinal que querem que se saiba?"

"Que há um segredo. Senão para que viver, se tudo fosse assim como aparece?"

"E qual é o segredo?"

"Aquele que as religiões reveladas não souberam dizer. O segredo está além."

33

AS VISÕES SÃO BRANCAS, AZUIS, BRANCO-VERMELHO-CLARAS

> *As visões são brancas, azuis, branco-vermelho-claras. Enfim, são mistas e sempre claras, cor da chama de uma vela branca; vereis cintilações, sentireis um arrepio ao longo de todo o corpo, tudo isso anunciando o princípio da tração que a coisa exerce sobre aquele que executa a obra.*
>
> (Papus, *Martines de Pasqually*, Paris, Chamuel, 1895, p. 92)

Chegou a noite prometida. Como em Salvador, foi Agliè que nos veio buscar. A tenda onde se ia realizar a sessão, ou *gira*, era numa zona bastante central, se se pode falar de centro numa cidade que estende línguas de terra em meio a seus morros, até lamber o mar, de modo que vista do alto, iluminada à noite, parece uma cabeleira manchada de alopecia escura.

"Lembrem-se, esta noite se trata de umbanda. A possessão não é feita por orixás, mas pelos eguns, que são espíritos de mortos. E também por Exu, o Hermes africano que viram na Bahia, e pela sua companheira, a Pombagira. Exu é uma divindade ioruba, um demônio inclinado ao malefício e à brincadeira, mas existia um deus burlão também na mitologia ameríndia."

"E quem são os mortos?"

"São os *pretos velhos* e os *caboclos*. Os pretos velhos são velhos guias africanos que comandaram sua gente nos tempos da deportação, como o Rei do Congo ou o Pai Agostinho... São a lembrança de uma fase mitigada da escravatura, quando o negro não é mais um animal e está se tornando um amigo da família, um tio, um avô. Os caboclos, ao contrário, são espíritos índios, talvez virgens, a pureza da selva originária. Na umbanda os orixás africanos permanecem ao fundo, já agora inteiramente sincretizados com os santos católicos, e apenas essas entidades intervêm. São eles que produzem o transe: um médium, o *cavalo*, a certo ponto da dança percebe ter sido penetrado por uma entidade superior e perde a consciência de si. Dança sem parar, até que a entidade ou divindade o tenha abandonado, quando se sentirá melhor, mais limpo, purificado."

"Benditos sejam", disse Amparo.

"Benditos, mesmo", disse Agliè. "Entram em contato com a terra-mãe. Esses fiéis foram desraigados, atirados ao horrendo cadinho da cidade e, como dizia Spengler, 'o Ocidente mercantil, no momento da crise, se volta novamente para o mundo da terra'."

Chegamos. De fora, a tenda parecia uma construção comum: também aqui se entrava por um jardinzinho, mais modesto que o da Bahia, e diante da porta do *barracão*, uma espécie de armazém, encontramos a estatueta de Exu, já circundada pelas oferendas propiciatórias.

Quando íamos entrar, Amparo me puxou de lado:

"Já compreendi tudo. Não sacou? Aquele tapir da conferência falava de uma época ariana, este fala do declínio do Ocidente, *Blut und Boden*, sangue e terra, é puro nazismo."

"Não é tão simples assim, meu bem, estamos em outro continente."

"Obrigada pela informação. A Grande Fraternidade Branca! Trouxe-nos aqui para comer o deus de vocês."

"Isso são os católicos, amor, não é a mesma coisa."

"É a mesma coisa, não percebeu? Pitágoras, Dante, Maria Virgem e os maçons. Sempre para nos ludibriar. Faça a umbanda, não faça o amor."

"Agora a sincretizada está sendo você. Vamos lá ver. Isto também é cultura."

"Só há uma cultura: enforcar o último padre nas tripas do último rosa--cruz."

Agliè fez-nos sinal para entrar. Se o exterior era acanhado, lá dentro havia uma fogueira de cores violentas. Era uma sala quadrangular, com uma área reservada à dança dos *cavalos*, o altar ao fundo, protegido por uma grade, para além da qual se erguia o palco dos tambores, os atabaques. O espaço ritual estava ainda desimpedido, enquanto do lado de fora da cancela já se agitava uma multidão, fiéis, curiosos, brancos e pretos misturados, entre os quais se destacavam os médiuns e seus assistentes, os cambonos, vestidos de branco, alguns de pé no chão, outros de tênis. O altar logo me chamou a atenção: pretos velhos, caboclos com penas multicores, santos que podiam parecer de pão de açúcar, não fosse por suas dimensões pantagruélicas, São Jorge com a couraça cintilante e o manto escarlate, São Cosme e São Damião, uma Virgem trespassada de espadas, e um Cristo despudoradamente hiper-realista, com os braços abertos como o redentor do Corcovado, mas colorido. Faltavam os orixás, mas sua presença era notada nos rostos dos presentes, e no odor adocicado de cana e das comidas preparadas, na exalação de tantas respirações devidas ao calor e à excitação pela gira iminente.

Fez-se avante o pai de santo, que se sentou ao lado do altar e acolheu alguns fiéis e os hóspedes, perfumando-os com densas expirações de seu charuto, bendizendo-os e oferecendo-lhes uma taça de licor, como para um rápido rito eucarístico. Ajoelhei-me, juntamente com meus companheiros, e bebi: notei, ao ver um cambono verter o líquido de uma garrafa, que era Dubonnet, mas me empenhei em sorvê-lo como se fosse um elixir de longa vida. No palco, os atabaques já começavam a ensaiar o ritmo, em batidas surdas, enquanto os iniciados estavam entoando um canto propiciatório a Exu e a Pombagira: *Seu Tranca-Ruas é Mojuba! É Mojuba, é Mojuba! Sete Encruzilhadas é Mojuba! É Mojuba, é Mojuba! Seu Maraboé é Mojuba! Seu Tiriri, é Mojuba! Exu Veludo, é Mojuba! A Pombagira é Mojuba!*

Tiveram início as defumações, que o pai de santo fazia com um incensório, de forte odor de incenso indiano, com orações especiais a Oxalá e a Nossa Senhora.

Os atabaques aceleraram o ritmo, e os cavalos invadiram o espaço diante do altar começando a render-se ao fascínio do canto que precedia a dança. A maior parte era constituída de mulheres, e Amparo aproveitou para ironizar sobre a fraqueza de seu sexo ("somos mais sensíveis, não é mesmo?").

Entre as mulheres havia também algumas europeias. Agliè apontou uma loura, que era psicóloga alemã e havia anos assistia aos ritos. Havia tentado tudo, mas quando não se é predisposto, ou predileto, é inútil: ela nunca entrava em transe. Dançava com os olhos perdidos no vazio enquanto os atabaques não davam tréguas nem aos seus nem aos nossos nervos, fortes odores invadindo a sala, perturbando o estômago de todos, praticantes e assistentes. Mas isso me havia acontecido até mesmo nas escolas de samba no Rio, conhecia a potência psicagógica da música e dos sons, a mesma a que se submetem os nossos entusiasmados de sábado à noite em suas discotecas. A alemã dançava com os olhos arregalados, procurando se entregar com cada movimento de seus membros histéricos. Aos poucos mais outras filhas de santo caíam em êxtase, entortavam a cabeça para trás, agitavam-se equóreas, navegavam num mar de deslembranças, e ela tensa, quase chorando, perturbada, como se estivesse procurando desesperadamente atingir o orgasmo, e se agita, e se empenha, e não descarrega os seus humores. Procurava perder o controle e o reencontrava a cada instante, pobre teutã indisposta de cravos bem temperados.

Os eleitos entrementes realizavam seu salto no vazio, o olhar se tornava átono, os membros se enrijeciam, os movimentos se faziam cada vez mais automáticos, mas não casuais, porque revelavam a natureza da entidade que os visitava: alguns suaves, com as mãos que se moviam de lado com as palmas para baixo, como se estivessem nadando, outros curvos e com movimentos lentos, e os cambonos os recobriam com um pano de linho branco, para subtrair à visão dos assistentes tocados por um espírito divino...

Alguns cavalos sacudiam violentamente o corpo e os invadidos pelos pretos velhos emitiam sons surdos — *hum hum hum* — movendo-se com o corpo inclinado para a frente, como um velho que se apoiasse a um bastão, esticando a maxila, assumindo fisionomias ossudas e desdentadas. Os possuídos pelos caboclos, ao contrário, emitiam gritos estridentes de guerreiros — *hiahou!!* — e os cambonos se esforçavam por segurar aqueles que não aguentavam a violência do dom.

Os tambores batiam, os cantos se elevavam no ar espesso de fumo. Eu estava de braço com Amparo, quando em um momento senti que suas mãos transpiravam, o corpo tremia, os lábios se entreabriam. "Não me sinto bem", disse ela, "quero ir embora."

Agliè percebeu o que se passava e ajudou-me a tirá-la dali. Respirando o ar livre da noite, se refez. "Não é nada", disse, "devo ter comido alguma coisa que não me fez bem. Depois, aquele calor, aqueles perfumes..."

"Não", disse o pai de santo que nos havia seguido, "é que ela tem características mediúnicas e reagiu bem aos cantos, eu estava observando."

"Chega!", gritou Amparo, e acrescentou uma palavra qualquer de uma língua que eu não conhecia. Vi o pai de santo empalidecer, ou acinzentar, como se dizia nos romances de aventura quando eram os pretos que empalideciam. "Chega, sinto náuseas, comi alguma coisa que não devia... Por favor, deixem-me aqui tomando um pouco de ar, e voltem. Prefiro ficar sozinha, não sou nenhuma inválida."

Fizemos-lhe a vontade, mas ao regressar, depois daquela interrupção ao ar livre, os perfumes, os tambores, o suor já agora invasivo que impregnava todos os corpos, o próprio ar viciado, agiram sobre mim como um sorvo de álcool sobre alguém que voltasse a beber depois de longa abstinência. Passei a mão pela testa, e um velho me ofereceu um agogô, pequeno instrumento dourado, parecido com o triângulo, mas de campânulas sobre as quais se bate com um bastão. "Suba no palco", disse-me ele, "toque, vai lhe fazer bem."

Havia uma sabedoria homeopática naquele conselho. Eu batia o agogô, procurando adequar-me ao ritmo dos tambores, e aos poucos ia fazendo parte do evento, e participando passei a dominá-lo, desafogando minhas tensões com movimentos das pernas e dos pés, libertando-me do todo que me circundava, provocando-o ou encorajando-o. Mais tarde Agliè me falaria da diferença entre aquele que conhece e o que suporta.

À medida que os médiuns se recuperavam do transe, os cambanos os conduziam para a beira do salão, faziam-nos sentar, ofereciam-lhes charutos e cachimbos. Os fiéis excluídos do processo corriam a se ajoelhar aos pés deles, falavam-lhes ao ouvido, escutavam seus conselhos, recebiam seus influxos benéficos, se desfaziam em confissões, deles obtinham alívio. Alguns davam mostras de um início de transe, que os cambanos encorajavam com moderação, reconduzindo-os depois de novo à multidão, já agora mais dispersa.

Na área dos dançarinos moviam-se ainda muitos candidatos ao êxtase. A alemã agitava-se sem naturalidade à espera de ser tomada pelas forças naturais, mas em vão. Alguns tinham sido possuídos por Exu e exibiam uma expressão perversa, traiçoeira, astuta, avançando a pulos desarticulados.

Foi então que vi Amparo.

Agora sei que Hesed não é apenas a sefirah da graça e do amor. Como recordava Diotallevi, é também o momento da expansão da substância divina que se difunde para a sua periferia infinita. É cuidado dos vivos em relação aos mortos, mas alguém deve ter dito que é também cuidado dos mortos para com os vivos.

Eu, batendo o agogô, não mais acompanhava o que acontecia na sala, empenhado que estava em articular meu controle e em deixar-me guiar pela música. Amparo devia ter voltado ao terreiro havia pouco tempo, e certamente provara o mesmo estranho efeito que me invadira a princípio. Não lhe tinham dado um agogô, ou quem sabe também não o quisesse. Chamada por vozes profundas, havia-se despojado de qualquer vontade de defesa.

Vi-a arrojar-se de um golpe em meio à dança, parar com o rosto anormalmente tenso voltado para o alto, o pescoço quase rígido, depois abandonar-se desmemoriada numa sarabanda lasciva, com as mãos acenando ao oferecimento do próprio corpo. "A Pombagira, a Pombagira!" gritavam alguns alegres com o milagre, porque naquela noite a deusa-demônio ainda não se havia manifestado: *O seu manto é de veludo, rebordado todo em ouro, o seu garfo é de prata, muito grande é seu tesouro... Pombagira das Almas, vem toma cho cho...*

Não ousei intervir. Talvez tenha acelerado as batidas de meu bastão de metal para unir-me carnalmente com aquela mulher que era minha, ou ao espírito ctônio que ela encarnava.

Os cambonos tomaram conta dela, fizeram-na envergar as vestes rituais, ampararam-na enquanto terminava seu transe, breve mas intenso. Lavaram-na para sentar-se quando já estava agora banhada de suor e respirava aceleradamente. Recusou-se a acolher aqueles que se aproximavam mendigando oráculos, e se pôs a chorar.

A dança terminou, abandonei o palco e corri para ela, que já tinha Agliè a seu lado, que lhe massageava levemente as têmporas.

"Que vergonha", dizia Amparo, "não creio nisso, não queria, como é que pode?"

"Isso acontece, acontece", dizia-lhe Agliè com ternura.

"Mas agora não tem perdão", chorava Amparo, "continuo sendo escrava. Saia da minha frente", disse-me com raiva, "sou uma porca e miserável escrava negra, que precisa de um senhor, porque mereço!"

"Isso acontecia até com os louros aqueus", confortava-a Agliè. "É a natureza humana..."

Amparo pediu para ir ao banheiro. O rito estava terminando. Sozinha no meio da sala a alemã dançava ainda, depois de haver acompanhado com olhar invejoso o que ocorrera a Amparo. Mas agora se movia com obstinação dissuadida.

Amparo voltou poucos minutos depois, enquanto nós já nos despedíamos do pai de santo, que se alegrava com o esplêndido sucesso de nosso primeiro contato com o mundo dos mortos.

Agliè dirigiu em silêncio pela noite agora alta, e despediu-se de nós com um aceno de cabeça ao chegarmos em frente à nossa casa. Amparo disse que preferia ficar sozinha. "Por que você não vai dar uma caminhada", me disse, "e volta quando eu já tiver dormido? Vou tomar um comprimido. Peço-lhes desculpa. Volto a dizer, devo ter comido alguma coisa que me fez mal. Todas aquelas mulheres devem ter comido e bebido algo que lhes fez mal. Odeio o meu país. Boa noite."

Agliè compreendeu meu embaraço e me convidou a irmos a um bar em Copacabana, que ficava aberto a noite toda.

Eu estava calado. Agliè esperou que começasse a saborear minha batida, rompendo depois o silêncio e o embaraço.

"A raça, ou a cultura, se prefere, constituem parte do nosso inconsciente. E outra parte é habitada por figuras arquetípicas, iguais para todos os homens e por todos os séculos. Esta noite o clima, o ambiente, relaxaram a vigilância de todos nós, o senhor sentiu por si próprio. Amparo descobriu que os orixás, que acreditava ter destruído em seu coração, habitavam ainda no seu ventre. Não creia que julgue isso um fato positivo. O senhor me ouviu falar a respeito dessas energias supranaturais que vibram em torno de nós neste país. Mas não pense que eu veja com particular simpatia a prática da possessão. Não é a mesma coisa ser um iniciado e ser um místico. A iniciação, a compreensão intuitiva dos mistérios que a razão não consegue explicar, é um processo abissal, uma lenta transformação do espírito e do corpo, que pode conduzir ao exercício de qualidades superiores e até mesmo à conquista da imortalidade, mas é algo de íntimo, de secreto. Não se manifesta exteriormente, é pudica, e sobretudo feita de lucidez e de exclusão. Por isso os Senhores do Mundo são iniciados, mas não tratam com indulgência a mística. O místico é para eles um escravo, o centro de manifestação do numinoso, através do qual se espreitam os sintomas de um segredo. O iniciado encoraja o místico, serve-se dele como o senhor se serve de um telefone para estabelecer contatos a distância, como o químico se serve do cartão de tornassol para saber que em um lugar qualquer uma determinada substância atua. O místico é útil, porque é teatral, se exibe. Os iniciados, ao contrário, só se reconhecem entre si. O iniciado controla as forças que o místico suporta. Nesse sentido não há diferença entre a possessão dos cavalos e os êxtases de Santa Teresa d'Ávila ou de San Juan de la Cruz. O misticismo é uma forma degradada de contato com o divino. A iniciação é fruto de uma longa ascese da mente e do coração. O misticismo é um fenômeno democrático, se não demagógico, e a iniciação é aristocrática."

"Um fato mental e não carnal?"

"De certo modo, sim. A sua Amparo vigiava ferozmente a sua mente, mas não cuidava de seu próprio corpo. O leigo é mais fraco do que nós."

Já era muito tarde. Agliè me informou que estava deixando o Brasil. Deu-me seu endereço em Milão.

Voltei para casa e encontrei Amparo adormecida. Estendi-me em silêncio a seu lado, no escuro, e passei a noite insone. Parecia-me ter ao lado um ser desconhecido.

Na manhã seguinte Amparo me disse, fria, que iria a Petrópolis visitar uma amiga. Despedimo-nos meio sem graça.

Saiu, com uma bolsa de pano e um livro de economia política embaixo do braço.

Durante dois meses não me deu notícias, e não a procurei. Depois me escreveu uma cartinha curta, muito evasiva. Dizia que estava precisando de um tempo, para refletir. Não lhe respondi.

Não senti paixão, ciúmes nem saudade. Sentia-me vazio, mas lúcido, limpo, límpido, como uma panela de alumínio.

Fiquei um ano ainda no Brasil, mas sentindo-me sempre a ponto de partir. Não vi mais Agliè, nem mais os amigos de Amparo, passava horas sem conta na praia apanhando sol.

Soltava pipas, que no Brasil são belíssimas.

Parte 5

GEBURAH

34

BEYDELUS, DEMEYMES, ADULEX

*Beydelus, Demeymes, Adulex, Metucgayn, Atine, Ffex,
Uquizuz, Gadix, Sol, Veni cito cum tuis spiritibus.*

(Picatrix, *Ms. Sloane 1305*, 152, verso)

A Ruptura dos Vasos. Diotallevi nos havia falado com frequência do tardio cabalismo de Isaac Luria, no qual se perdia a ordenada articulação das sefirot. A criação, dizia, é um processo de inspiração e expiração divina, como um hálito ansioso ou a ação de um fole.

"A Grande Asma de Deus", gozava Belbo.

"Experimenta criar do nada. É uma coisa que se faz uma única vez na vida. Deus, para soprar o mundo como se sopra uma ampola de vidro, teve necessidade de contrair-se em si mesmo, para tomar fôlego e depois emitir o longo sibilo luminoso das dez sefirot."

"Sibilo ou luz?"

"Deus soprou e fez-se a luz."

"Multimídia."

"Mas é necessário que as luzes das sefirot sejam recolhidas em recipientes capazes de resistir ao seu esplendor. Os vasos destinados a acolher Keter, Hokmah e Binah resistiram ao seu fulgor, enquanto nas sefirot inferiores, de Hesed a Jesod, a luz e o suspiro emanaram de um só jato e com tanta força que os vasos se despedaçaram. Os fragmentos da luz se dispersaram pelo universo, deles nascendo a matéria ordinária."

"A ruptura dos vasos é uma catástrofe séria", dizia Diotallevi preocupado, "nada é menos vivível do que um mundo abortado. Devia haver um defeito no cosmo desde as origens, que nem mesmo os rabinos mais cultos tinham sido capazes de explicar de todo. Pode ser que no momento em que Deus espira e se esvazia, permaneçam no recipiente originário algumas gotas de óleo, um resíduo material qualquer, o *reshimu*, e Deus já se propaga juntamente com esse resíduo. Ou talvez em alguma parte as conchas, as *qelippot*, os príncipes da ruína, esperavam sorrateiros à tocaia."

"Gente asquerosa essas *qelippot*", dizia Belbo, "agentes do diabólico Dr. Fu Manchu... E depois?"

"Depois", explicava Diotallevi paciente, "à luz do Juízo Severo, de Geburah, dita igualmente Pachad, ou Terror, a sefirah, onde segundo Isaac o Cego o Mal se exibe, as conchas assumem uma existência real."

"Logo estão entre nós", dizia Belbo.

"Olhem em torno", dizia Diotallevi.

"Mas sai-se delas?"

"Na verdade, nelas reentramos", dizia Diotallevi. "Tudo emana de Deus, na contração do *tsimtsum*. Nosso problema é realizar o *tiqqun*, o retorno, a reintegração de Adam Qadmon. Então reconstruiríamos o todo na estrutura equilibrada dos *partsufim*, os rostos, ou melhor, as formas que tomam o lugar das sefirot. A ascensão da alma é como um cordão de seda que permite à intenção devota encontrar tateando, na obscuridade, o caminho em direção à luz. É assim que a cada instante o mundo, combinando as letras da Torá, se esforça por retornar à forma natural que o faça sair de sua horrenda confusão."

E assim estou fazendo eu, agora, em plena noite, na calma nada natural desses morros. Mas naquela noite no periscópio eu ainda me encontrava impregnado da baba viscosa das conchas, que percebia a meu redor, lesmas imperceptíveis incrustadas nas redomas de cristal do Conservatório, confundidas entre barômetros e rodas enferrujadas de relógios em surda hibernação. Eu pensava que, se houve a ruptura dos vasos, a primeira rachadura se formou talvez naquela noite no Rio durante o rito, mas que a explosão se deu quando voltei à pátria. Lenta, sem fragor, como se nos encontrássemos todos presos no lodo da matéria grosseira, onde criaturas verminosas surgem por geração espontânea.

Eu tinha voltado do Brasil sem saber mais quem era. Estava agora aproximando-me dos 30 anos. Naquela idade, meu pai já era pai, sabia quem era e onde vivia.

Estivera fora de meu país enquanto nele aconteciam grandes fatos, e tinha vivido num universo repleto de incredibilidade, onde até mesmo os acontecimentos italianos chegavam aureolados de lenda. Pouco antes de deixar o outro hemisfério, quando lá concluía minha permanência concedendo-me uma viagem aérea sobre a Amazônia, caiu-me entre as mãos um jornal brasileiro, embarcado durante um pouso em Fortaleza. Na primeira página destaca-se a foto de alguém que eu conhecia, por tê-lo visto tomando seus aperitivos anos e anos no Pílades. A legenda dizia: "O homem que matou Moro."

Naturalmente, como soube ao meu retorno, não fora ele quem havia matado Moro. Se posto diante de uma pistola carregada, ele seria capaz de disparar no ouvido para ver se estava funcionando. Estava simplesmente presente quando a Digos* fez uma irrupção num apartamento onde alguém havia escondido três pistolas e dois pacotes de explosivos embaixo da cama. Ele estava em cima da cama superior, estático, porque era o único móvel daquele cubículo que um grupo de ex-combatentes de 1968 havia alugado juntos, para satisfazer as necessidades da carne. Se não estivesse decorado unicamente com um manifesto dos Inti Illimani, podia ser considerado uma *garçonnière*. Mas um dos locatários estava ligado a um grupo armado, e os outros não sabiam que lhe estavam financiando o esconderijo. Assim acabaram todos presos, por um ano.

Eu sabia muito pouca coisa da Itália desses últimos tempos. Deixara-a às vésperas de grandes transmutações, quase sentindo-me culpado por haver fugido no momento do acerto de contas. Quando parti, sabia reconhecer a ideologia de qualquer um pelo tom da voz, pela construção da frase, pelas citações canônicas. Quando retornei já não sabia quem estava com quem. Não se falava mais de revolução, citava-se Desidério, quem se dizia de esquerda mencionava Nietzsche e Céline, as revistas de direita celebravam a revolução do Terceiro Mundo.

Voltei ao Pílades e me senti em terra estranha. O bilhar continuava lá, assim como praticamente os mesmos pintores, mas a fauna jovem havia mudado. Soube que alguns antigos clientes haviam então aberto cursos de meditação transcendental e restaurantes macrobióticos. Perguntei se alguém já havia aberto uma tenda de umbanda. Não, talvez eu fosse pioneiro, por ter adquirido conhecimentos inéditos.

---

* A polícia política. (*N. do T.*)

Para agradar o núcleo histórico, o Pílades instalara então um flipper de modelo antigo, daqueles copiados no Liechtenstein e adquiridos em massa pelos antiquários. Mas ao lado, onde os mais jovens se reuniam, estavam alinhadas outras máquinas de painéis fluorescentes, onde plainavam em grande quantidade formações de abutres rebitados, os camicases do Espaço Sideral, ou uma rã saltava adoidada emitindo borborigmos em japonês. O Pílades era agora um lampejar de luzes melancólicas, e talvez diante do painel das Galácticas tivessem passado mesmo os correios das Brigadas Vermelhas em missão de recrutamento. Mas certamente tiveram que abandonar o flíper, pois não se pode jogar tendo um revólver na cintura.

Dei-me conta disso quando segui o olhar de Belbo ao se fixar sobre Lorenza Pellegrini. Compreendi de maneira imprecisa o que Belbo havia compreendido com maior lucidez, e que encontrei em um de seus *files*. O nome de Lorenza não estava ali mencionado, mas é óbvio que se tratava dela: só ela jogava flíper daquela maneira.

filename: Flíper

Não se joga flíper só com as mãos, mas também com o púbis. O problema do flíper não está apenas em impedir que a bolinha se precipite no buraco, nem em fazer com que ela seja devolvida ao meio de campo com a perícia de um lateral da defesa, mas em obrigá-la a se manter no alto, onde os alvos luminosos são mais abundantes, ricocheteando de um lado para o outro, revolteando-se descompassada e demente, mas por vontade própria. E consegue-se isto não impondo golpes à bola, mas transmitindo vibrações à caixa que a sustenta, de maneira delicada, para que o flíper não perceba e não dê errado. Pode-se fazê-lo só com o púbis, ou também com um jogo de cintura, de modo que o púbis em vez de bater, apenas roce, e se permaneça sempre próximo ao orgasmo. E mais que o púbis, se a anca se move segundo a natureza, são os glúteos que dão o impulso avante, mas com graça, de modo que quando este chega ao púbis já está amortecido, como na homeopatia em que, quanto mais se agita a solução, e quanto mais a substância fica dissolvida na água que se acrescenta pouco a pouco, quase a fazê-la desaparecer de todo, tanto mais potente será o efeito medicamentoso. E eis que do púbis uma corrente infinitesimal se transmite à caixa e o flíper obedece sem

> se neurotizar, a bolinha desliza contra a natureza, contra a inércia, contra a gravidade, contra as leis da dinâmica, contra a astúcia do construtor que a projetou para ser fugaz, e se inebria de *vis movendi*, permanecendo em jogo por tempos memoráveis e imemoriais. Mas requer-se um púbis feminino, que não interponha corpos cavernosos entre o íleo e a máquina, e não haja ali no meio matéria erétil, mas só pele nervos ossos, enfaixados num par de jeans, e um furor erótico sublimado, uma frigidez maliciosa, uma desinteressada adaptabilidade à sensibilidade do parceiro, um gosto de excitar o desejo sem sofrer o seu excesso: a amazona deve fazer o flíper enlouquecer e deleitar-se antecipadamente com a certeza de que depois o abandonará.

Creio que Belbo se apaixonou por Lorenza Pellegrini naquele exato momento, quando percebeu que ela poderia prometer-lhe uma felicidade inalcançável. Mas creio que por intermédio dela tenha começado a perceber o caráter erótico do universo mecânico, a máquina como metáfora do corpo cósmico, o jogo automático como evocação talismânica. Já estava se drogando com o Abulafia e talvez já tivesse penetrado no espírito do projeto Hermes. Certamente já havia visto o Pêndulo. Lorenza Pellegrini, não sei por que curto-circuito, lhe prometia o Pêndulo.

Nos primeiros momentos tive certa dificuldade em readaptar-me ao Pílades. Aos poucos, e não todas as noites, redescobria entre a selva de rostos estranhos alguns familiares, sobreviventes, mesmo enevoados pelo tempo, exigindo-me esforço para reconhecê-los: este, *copywriter* numa agência de publicidade, aquele, um consultor fiscal, outro, vendedor de livros a prestação, mas se antes colocavam as obras do Che, agora ofereciam livros de herbanária, budismo, astrologia. Voltei a vê-los, um pouco mal articulados, já com alguns fios de cabelos brancos, um copo de uísque na mão, e me pareceu que fosse a mesma bebida de dez anos antes, que degustavam lentamente, uma gota por semestre.

"Por onde andas, por que não o temos visto mais por aqui?", perguntou-me um deles.

"Mas quem são *vocês* agora?"

Olhou-me como se eu estivesse ausente há cem anos:

"Quero dizer a turma aqui do ministério da cultura, então?"

Eu havia perdido por demais o compasso.

Resolvi inventar um trabalho para mim. Dei-me conta de que sabia muitas coisas, todas desconexas entre si, mas tinha condições de conectá-las em poucas horas com algumas visitas à biblioteca. Estava certo de que era preciso arranjar uma teoria, mas não conseguia pensar em nada. Ora bastava ter ideias, todos estavam ávidos delas, e tanto melhor se não fossem atuais. Nem mesmo na universidade, onde voltei a pôr os pés para ver se podia ali arranjar alguma coisa. As aulas transcorriam em calma, os estudantes se locomoviam pelos corredores como fantasmas, trocando entre si bibliografias malfeitas. Eu sabia fazer uma boa bibliografia.

Um dia um estudante, tomando-me por docente (os professores tinham então quase a mesma idade dos alunos, ou vice-versa) perguntou-me o que havia escrito esse tal de Lord Chandos de quem tanto se falava num curso sobre as crises cíclicas da economia. Disse-lhe que era um personagem de Hofmannsthal, não um economista.

Naquela noite fui à festa de uns velhos amigos e lá reconheci um que trabalhava numa editora. Passou a trabalhar lá depois que a casa parou de publicar romances de colaboracionistas franceses para se dedicar a textos políticos albaneses. Descobri que se fazia ainda editoria política, mas na área governamental. Mas não desprezavam algum bom livro de filosofia. Livros clássicos, esclareceu.

"A propósito", me disse, "você que é um filósofo..."

"Obrigado, mas ainda não."

"Que é isso, você era um daqueles que sabia tudo no nosso tempo. Hoje estava revendo a tradução de um texto sobre a crise do marxismo, no que era mencionado um tal Anselm of Canterbury. Sabe quem é? Não encontrei nem mesmo no Dicionário de Autores." Eu lhe disse que se tratava de Anselmo d'Aosta, só que os ingleses não chamavam assim porque gostam sempre de ser diferentes dos outros.

Tive uma iluminação: estava ali o emprego. Resolvi montar uma agência de informações culturais.

Uma espécie de detetives do saber. Em vez de ficar de nariz enfiado nos bares e bordéis, devia frequentar livrarias, bibliotecas, corredores de institutos universitários. Depois, ficar no meu escritório, com os pés sobre a mesa e um copo de plástico com uísque trazido num saco do mercado da esquina.

Alguém telefona e diz: "Estou traduzindo um livro e dei com um certo — ou certos — Motocallemin. Não consigo saber que é."

Também não sabes, mas não importa, pedes dois dias de prazo. Vais consultar alguns fichários na biblioteca, ofereces um cigarro ao encarregado da seção de consultas, consegues uma dica. À noite convidas um assistente de islamística ao bar, pagas-lhe uma ou duas cervejas, isso afrouxa a censura, ele te dá as informações que procuras, tudo de graça. Aí telefonas ao cliente: "Ouve lá, os Motocallemin eram teólogos radicais muçulmanos dos tempos de Avicena, que diziam ser o mundo, como direi, uma poeirinha de merda, e se coagulou em formas só por um ato instantâneo e provisório da vontade divina. Bastava Deus se distrair por um momento para que o universo caísse em pedaços. Pura anarquia de átomos sem sentido. Satisfeito? Trabalhei nisso três dias, veja só."

Tive a sorte de encontrar duas salas e uma cozinha num velho edifício da periferia, que devia ter sido uma fábrica, agora com uma ala para escritórios. As salas que tinham sido aí adaptadas davam todas para um longo corredor: eu estava entre uma agência imobiliária e o laboratório de um empalhador de animais (A. Salon — Taxidermista). Parecia estar num arranha-céu americano dos anos 1930, bastava ter a porta de vidro para me sentir um Marlowe. Coloquei um sofá-cama na segunda sala, e o escritório na entrada. Dispus, em duas prateleiras, atlas, enciclopédias e catálogos, que ia adquirindo aos poucos. A princípio é preciso fazer uns pactos com a consciência e escrever até mesmo teses para estudantes desesperados. Não era difícil, bastava copiar aquelas do período anterior. Depois, alguns editores amigos me mandavam livros estrangeiros para ler e opinar, naturalmente os mais desagradáveis e por insignificante remuneração.

Mas acumulava experiências, conhecimento, e não descartava nada. Fichava tudo. Não pensava ainda ter as fichas no computador (estavam acabando de entrar no comércio, e Belbo seria um pioneiro), meus métodos eram artesanais, criando uma espécie de memória feita de cartõezinhos de papelão fino, com remissões cruzadas. Kant... nebulosa... Laplace, Kant... Koenigsberg... os sete pontos de Koenigsberg... teoremas da topologia... Um pouco como aquele jogo que nos desafia a ir de linguiça a Platão em cinco passagens, por associação de ideias. Assim: linguiça-porco-cerda-pincel-maneirismo-Ideia-Platão. Fácil.

Mesmo o original mais minguado me fazia ganhar umas vinte fichinhas para a minha corrente de Santo Antônio. O critério era rigoroso, e creio que seja o mesmo seguido pelos serviços secretos: não há informações melhores do que as outras, a vantagem está em se ficharem todas e depois procurar as conexões. As conexões existem sempre, basta querer encontrá-las.

Após dois anos de trabalho estava satisfeito comigo mesmo. Eu me entretinha. E entrementes conheci Lia.

35

CHAMO-ME LIA

Saiba quem for que o meu nome demanda: chamo-me
Lia, e vou movendo em torno as mãos com que
farei uma guirlanda.

(Purgatório, *XXVII*, 100-102)

Lia. Agora que não tenho esperanças de revê-la, penso que podia jamais a ter conhecido, o que teria sido ainda pior. Quisera que ela estivesse aqui, segurando a minha mão, enquanto reconstruo as etapas de minha ruína. Porque ela me havia prevenido. Mas é melhor que permaneça fora desta história, ela e a criança. Espero que retardem sua volta, que cheguem quando tudo estiver terminado, seja lá como venha a terminar.

Era 16 de julho de 1981. Milão estava ficando despovoada, as salas de consultas das bibliotecas viviam quase vazias.

"O tomo 109 eu é quem ia consultar."

"E por que o deixou aqui na estante?"

"É que fui à mesa verificar uma anotação."

"Isso não é desculpa."

Saiu arrogante em direção à mesa carregando o tomo. Sentei-me à sua frente, procurando observar-lhe o rosto.

"Como consegue ler, se não está em braile?", perguntei-lhe.

Ela tinha levantado a cabeça, e na verdade eu não sabia ainda se era o rosto ou a nuca. "Que disse?", perguntou. "Ah, vejo perfeitamente através deles." Mas ao dizê-lo ergueu o tufo de cabelos, e vi que tinha olhos verdes.

"Você tem olhos verdes", disse-lhe.

"Que mal tem isso?"

"Mal algum, pelo contrário."

E começou assim.

"Come, que você está magro como um palito", disse-me ao jantar. À meia-noite ainda estávamos no restaurante grego ao lado do Pílades, com a vela quase liquefeita no gargalo da garrafa, contando sobre nossas vidas. Nossos trabalhos eram parecidos, ela revia verbetes de enciclopédia.

Tinha a impressão de que lhe devia dizer uma coisa. À meia-noite e meia se desfizera do tufo para me ver melhor e lhe apontei o indicador mantendo o polegar erguido e lhe fiz: "Pim."

"É estranho", disse-me ela, "eu também."

Foi assim que nos tornamos carne da mesma carne, e a partir daquela noite fiquei sendo Pim para ela.

Não tínhamos condições de montar casa nova, eu dormia na casa dela, ela vinha ficar comigo quase sempre no escritório, ou ia à caça, pois era mais determinada do que eu para seguir as pistas, e sabia sugerir-me conexões preciosas.

"Parece que temos uma ficha quase virgem sobre os rosa-cruzes", disse.

"Qualquer dia volto a trabalhar nela, são anotações que trouxe do Brasil..."

"Tá, vou só fazer uma remissão em Yeats."

"Que tem a ver Yeats com isso?"

"Acabo de ler que ele era filiado a uma sociedade rosacruciana que se chamava Stella Matutina."

"O que eu faria sem você?"

Eu voltara a frequentar o Pílades porque ali era uma bolsa de negócios, onde encontrava os meus agentes.

Uma noite, reencontrei Belbo (nos anos anteriores deve ter ido lá poucas vezes, e ele voltava agora depois de ter encontrado Lorenza Pellegrini). Sempre igual, talvez um pouco mais grisalho, emagrecera um pouco, mas não muito.

Foi um encontro cordial, nos limites de sua expansividade. Algumas referências sobre os velhos tempos, sóbrias reticências ao último evento de que tínhamos sido cúmplices e suas consequências epistolares. O comissário De Angelis não dera mais o ar de sua graça. Caso arquivado, quem sabe.

Falei-lhe de meu trabalho e mostrou-se interessado. "No fundo é aquilo que eu gostaria de fazer, uma espécie de Sam Spade da cultura, 20 dólares por dia mais despesas."

"Mas não vêm me procurar aquelas mulheres fascinantes e ninguém me fala do falcão maltês", disse-lhe.

"Nunca se sabe. Diverte-se?"

"Se me divirto?", perguntei-lhe. E, citando-o: "É a única coisa que sei fazer bem."

"Good for you", respondeu.

Vimo-nos outras vezes, contei-lhe sobre minhas experiências brasileiras, mas achava-o sempre um tanto distraído, mais do que de hábito. Quando Lorenza Pellegrini não estava lá, mantinha o olhar fixo na porta, quando ela estava, movia-o com nervosismo pelo bar, seguindo-lhe os movimentos. Uma noite, quase à hora de fechar, disse-me olhando além: "Ouça, podemos precisar de seus serviços, mas não para consultas avulsas. Poderia trabalhar conosco, digamos, algumas horas por semana à tarde."

"Podemos ver. De que se trata?"

"Uma empresa siderúrgica nos encomendou um livro sobre metais. Narrativa feita preferencialmente com imagens. Chegado ao popular, embora sério. Conhece o gênero: os metais na história da humanidade, da idade do ferro às ligas para astronaves. Precisamos de alguém para percorrer as bibliotecas e os arquivos à procura de belas imagens, velhas gravuras, ilustrações de livros do século passado, sei lá, sobre a fusão ou o para-raios."

"Aceito, passo amanhã por lá."

Veio se aproximando Lorenza Pellegrini.

"Você me leva em casa?"

"Por que eu hoje?", perguntou Belbo.

"Porque você é o homem da minha vida."

Ficou vermelho, como só ele podia ficar, olhando agora ainda mais para além. Disse-lhe: "Há uma testemunha." E dirigindo-se a mim: "Está ouvindo? Sou o homem da vida dela. Lorenza."

"Oi."

"Oi."

Levantou-se e sussurrou-lhe alguma coisa ao ouvido.

"Que tem a ver?", disse ela. "Eu só pedi que você me levasse em casa de carro."

"Ah", disse ele. "Desculpe, Casaubon, mas tenho que bancar aqui o *taxi driver* para a mulher da vida de não sei quem."

"Seu bobo", disse ela com ternura, e beijou-o no rosto.

36

SEJA-ME PERMITIDO NO ENTANTO DAR UM CONSELHO

> *Seja-me permitido no entanto dar um conselho ao meu futuro ou presente leitor, que seja realmente melancólico: você não deve ler os sintomas ou prognósticos a seguir, para não ficar perturbado com eles, o que lhe poderia trazer mais mal do que bem, aplicando o que lê a si próprio... como faz a maior parte dos melancólicos.*
>
> (R. Burton, *Anatomy of Melancholy*, Oxford, 1621, Introdução)

Era evidente que Belbo estava ligado de um modo qualquer a Lorenza Pellegrini. Não sabia era com que intensidade e desde quando. Nem mesmo os *files* do Abulafia me permitiram reconstituir o caso.

Por exemplo, não está datado o *file* sobre o jantar com o Dr. Wagner. Belbo conhecia esse Dr. Wagner desde antes de minha viagem, e continuou a relacionar-se com ele mesmo depois do início de minha colaboração com a Garamond, tanto que eu próprio uma vez o vi. Portanto, esse jantar pode vir antes ou depois dessa noite que estou recordando. Se a precede, compreendo bem o embaraço de Belbo, seu contido desespero.

O Dr. Wagner, um austríaco que há muitos anos dava aulas em Paris, daí a pronúncia "Vanhér" para aqueles que gostavam de fingir intimidade, há coisa de dez anos vinha sendo convidado regularmente a vir a Milão por dois grupos revolucionários dos anos imediatamente posteriores a 1968. Ambos os grupos o disputavam, e naturalmente cada um apresentava uma versão radicalmente alternativa de suas ideias. Como e por que esse homem famoso aceitava ser patrocinado pelos extraparlamentares é algo que nunca compreendi. As teorias de Wagner não tinham cor política, por assim dizer, e se ele quisesse podia ser convidado pela universidade, pela associação médica, pela academia. Creio que aceitava o convite daqueles por ser substancialmente um epicurista, fazendo-se reembolsar de despesas principescas. As associações privadas podiam arrecadar juntas muito mais dinheiro que as instituições públicas, e para o Dr. Wagner isso significava viagem de primeira classe, hotel de luxo, mais honorários para as conferências e congressos, calculados segundo a sua tarifa de terapeuta.

O motivo pelo qual os dois grupos encontravam fonte de inspiração nas teorias de Wagner já é outra história. Mas naqueles anos a psicanálise de Wagner parecia bastante desconstrutiva, diagonal, libidinosa, não cartesiana, capaz de sugerir oportunidades teóricas à atividade revolucionária.

Tornava-se difícil fazê-la digerir pelos operários, e talvez por isso os dois grupos, a certo ponto, foram obrigados a escolher entre estes e o Dr. Wagner, e escolheram Wagner. Elaborou-se a ideia de que o novo objeto revolucionário não era mais o operário e sim o desviante.

"Em vez de desviar os proletários, melhor seria proletarizar os desviantes, o que é mais fácil, dado o preço do Dr. Wagner", disse-me um dia Belbo.

A revolução mais cara da história certamente foi essa dos wagnerianos.

A editora Garamond tinha lançado, financiada por um instituto de psicologia, a tradução de alguns de seus ensaios menores, muito técnicos, mas então esgotadíssimos, consequentemente muito requisitados por seus fiéis. Wagner tinha vindo a Milão para apresentá-los, e naquela ocasião iniciara seus contatos com Belbo.

filename: Doktor Wagner

O diabólico doktor Wagner
　Vigésimo sexto capítulo

Quem, naquela manhã cinzenta de

No debate eu lhe havia levantado uma objeção. O satânico ancião ficou certamente irritado com isso, mas não deu a perceber. Pelo contrário, respondeu como se estivesse querendo me aliciar.

Parecia Charlus com Jupien, a abelha e a flor. Um gênio não admite não ser amado e tem que seduzir imediatamente quem dele dissentiu, para que depois o ame. E conseguiu, amei-o.

Mas certamente não me havia perdoado, pois naquela noite do divórcio vibrou-me um golpe mortal. Sem sabê-lo, por instinto: sem saber havia buscado aliciar-me e sem saber resolveu me punir. À custa da deontologia, psicanalisou-me de graça. O inconsciente morde até seus guardiães.

História do marquês de Lantenac em *Noventa e Três*. A nau dos vendeanos navega na tempestade ao largo das costas bretãs, quando um canhão se desprende de sua enchanfradura e à medida que a nau voga e balouça inicia uma corrida desesperada de um extremo ao outro, com aquela massa volumosa com risco de afundar a bombordo e estibordo. Um canhoneiro (ó Deus, exatamente aquele por cuja incúria o canhão não estava preso como devia), com coragem sem igual, uma corrente na mão, atira-se quase sob a mole a ponto de estraçalhá-lo e a detém, reencravando-a e reconduzindo-a ao berço, com o que salva o barco, a tripulação e a missão. Com sublime liturgia, o terrível Lantenac faz com que os homens se enfileirem na ponte de comando, louva o corajoso, arranca do próprio pescoço uma alta condecoração, condecora-o, abraça-o, enquanto a chusma grita seus hurras para o céu.

Em seguida, Lantenac, imperturbável, recorda que o herói foi também responsável pelo acidente e o manda fuzilar.

Esplêndido Lantenac, virtuoso, justo e incorruptível! E assim fez comigo o Dr. Wagner, honrou-me com sua amizade e matou-me dando-me a verdade

e me matou revelando-me o que de fato queria

e me revelou o que, querendo, temia.

História que começa em barezinhos. Necessidade de apaixonar-se.

Certas coisas a gente sente vir, não se apaixona porque se apaixona, a gente se apaixona porque se tem então uma desesperada necessidade de apaixonar-se. Nos períodos em que se sente vontade de apaixonar, deve-se ter o cuidado de saber onde pôr os pés: como ter bebido um filtro, daqueles que fazem enamorar do primeiro que se encontra. Podia ter sido um ornitorrinco.

Porque sentia necessidade precisamente naquele período, quando havia pouco tinha deixado de beber. Relação entre o fígado e o coração. Sente-se bem.

O barzinho é aconchegante, furtivo. Permite uma espera longa e doce pelo dia inteiro, até que te vais esconder na penumbra de uma cadeira de couro, às seis da tarde não há ninguém, a sórdida clientela virá à noite, com o pianista. Escolhe equivocadamente um *american bar* vazio, já ao fim da tarde, o garçom vem só se o chamas três vezes, e já traz pronto um outro martíni.
    O martíni é essencial. Não o uísque, o martíni. O líquido é claro, ergues o cálice e a vês por trás da azeitona. Diferença entre olhar a amada através do coquetel de martíni em que o cálice triangular é pequeno demais e olhá-la através do gim-martíni *on the rocks*, copo grande, seu vulto se decompõe no cubismo transparente do gelo, o efeito se duplica se aproximas os dois copos, cada qual com a fronte contra o frio dos copos e entre a fronte e a fronte os dois copos — com o cálice não podes.
    A hora íntima do barzinho. Depois você esperará tremendo um outro dia. Não existe o resgate da segurança.

Quem se enamora nos barezinhos não tem necessidade de uma mulher só para si. Alguém lhe empresta a dele e vice-versa.

A figura dele. Dava-lhe toda a liberdade, ela estava sempre em viagem. A suspeita liberalidade desse tipo: eu podia telefonar a qualquer hora da noite, ele estava e você não, ele me respondia que você estava ausente, e já que telefonou não sabe acaso onde ela está? Os únicos momentos de ciúme. Mas era também desse modo que eu arrancava Cecilia do tocador de saxofone. Amar ou acreditar que se ama como eterno sacerdote de uma antiga vendeta.

As coisas andavam complicadas com Sandra: aquela vez se dera conta de que a história me prendia demais, que a vida a dois se havia tornado bastante tensa. Devíamo-nos separar? Então separemo-nos. Não, espera, vamos discutir o assunto. Não, assim não podemos continuar. Em suma, o problema era Sandra.
    Quando se anda pelos barezinhos o drama passional não é quem encontras, mas quem deixas.

Aconteceu então o jantar com o Dr. Wagner. Na conferência já dera a um provocador uma definição da psicanálise: — *La psychanalyse? C'est qu'entre l'homme et la femme... chers amis... ça ne colle pas.*

Discutia-se sobre o casal, sobre o divórcio como ilusão da Lei. Oprimido pelos meus problemas, participava da discussão com calor. Deixamo-nos arrastar por jogos dialéticos, falando enquanto Wagner se calava, esquecidos de que tínhamos à nossa frente um oráculo. E foi com ar absorto

e foi com ar fingido

e foi com melancólico desinteresse

e foi como se se inserisse na conversação argumentando fora do assunto que Wagner disse (procuro recordar suas palavras exatas, e porque me ficaram esculpidas na mente, impossível é que me engane): — Em toda a minha atividade nunca tive um paciente neurotizado pelo seu próprio divórcio. A causa do mal-estar era sempre o divórcio do Outro.

O Dr. Wagner, mesmo quando falava, dizia Outro com "o" maiúsculo. A verdade é que estremeci, como se picado por uma áspide

o visconde estremeceu como se picado por uma áspide

um suor gélido orvalhava-lhe a fronte

o barão fitava-o através das volutas indolentes da fumaça de seus delicados cigarros russos

— O senhor quer dizer, perguntei, que se entra em crise não por causa do divórcio do próprio parceiro, mas pelo possível ou impossível divórcio da terceira pessoa que pôs em crise o casal de que se é cônjuge?

Wagner olhou-me com a perplexidade do leigo que encontra pela primeira vez uma pessoa mentalmente perturbada. Perguntou o que eu queria dizer.

Na verdade, fosse o que fosse que tivesse pretendido dizer, eu o tinha dito mal. Tratei de tornar concreto o meu raciocínio. Tomei da mesa a colher e coloquei-a ao lado do garfo: — Quero dizer, aqui estou eu, o Sr. Garfo, casado com ela, a Sra. Colher. E ali temos outro casal, ela a Sra. Faquinha, casada com o Sr. Facão ou Mackie Messer. Ora, eu Garfo creio sofrer porque devo abandonar a minha Colher, e não gostaria, pois amo a Faquinha mas acho melhor que ela permaneça com o Facão. Mas, na verdade, é o senhor que me diz, Dr. Wagner, eu me sinto mal porque a Faquinha não se separa do Facão. É assim?

Wagner, dirigindo-se a outro comensal, respondeu que nunca havia dito tal coisa.

— Como não disse? O senhor disse que nunca encontrou ninguém neurotizado pelo próprio divórcio mas sempre pelo divórcio do outro.

— É possível, não me lembro, disse então Wagner, contrafeito.

— E se o disse, não queria significar aquilo que entendi?

Wagner calou-se por alguns minutos.

Enquanto os comensais esperavam atentos sem conseguir engolir, Wagner fez sinal para que lhe servissem mais vinho, olhou com atenção o líquido contra a luz e por fim falou.

— Se o senhor compreendeu assim, é porque queria compreender assim.

Em seguida voltou-se para outra direção, disse que estava calor, aludiu a uma ária de ópera lírica movendo um grissino* como se dirigisse uma orquestra distante, bocejou, concentrou-se sobre uma torta com creme e, por fim, após nova crise de mutismo, pediu que o levassem de volta para o hotel.

Os convidados olharam para mim como alguém que tivesse arruinado um simpósio do qual teriam podido sair Palavras definitivas.

Na verdade, eu tinha ouvido falar a Verdade.

Telefonei para você. Estava em casa, e com o Outro. Passei uma noite insone. Tudo estava claro: eu não podia suportar que você estivesse com ele. Sandra nada tinha a ver com isto.

Seguiram-se seis meses dramáticos, em que fiquei ali em cima, grudado a você, para envenenar a sua convivência, dizendo-lhe que a queria toda

---

* Biscoito comprido e fino. (*N. do T.*)

para mim, e convencendo-a de que você odiava o Outro. Aí você começou a brigar com ele, o Outro foi ficando mais exigente, ciumento, não saía à noite; quando estava viajando, telefonava duas vezes ao dia, e em plena noite. Uma vez esbofeteou-a. Você me pediu dinheiro porque queria fugir, raspei o pouco que tinha no banco. Você abandonou o leito nupcial, foi para a montanha com alguns amigos, sem deixar endereço. O Outro me telefonava desesperado perguntando se eu sabia onde você estava, eu não sabia, e parecia mentir a ele porque lhe dissera antes que você o havia deixado por minha causa.

Quando você voltou, comunicou-me radiosa que lhe havia escrito uma carta de despedida. Aí então me perguntou o que havia acontecido comigo e Sandra, mas você não me deu tempo de inquietar-me. Disse-me que havia conhecido um cara, com uma cicatriz no rosto e um apartamento muito cigano. Que ia morar com ele. — Não gosta mais de mim? — Ao contrário, você é o único homem da minha vida, mas depois do que aconteceu, preciso viver esta experiência, não bancar a pueril, você me compreende, acontece que abandonei meu marido por sua causa, é preciso dar tempo ao tempo.

— Dar tempo ao tempo? Mas está me dizendo que vai morar com outro.

— Você é um intelectual, e intelectual de esquerda, não se comporte como um qualquer. Até breve.

Devo tudo ao Dr. Wagner.

37

QUEM QUISER REFLETIR SOBRE ESTAS QUATRO COISAS

Quem quiser refletir sobre estas quatro coisas, melhor seria que não tivesse nascido: o que está em cima, o que está embaixo, o que é antes e o que é depois.

(*Talmud*, Hagigah 2.1)

Apareci na Garamond exatamente na manhã em que estavam instalando o Abulafia, enquanto Belbo e Diotallevi se perdiam em sua discussão filosófica sobre os nomes de Deus, e Gudrun observava desconfiada os homens que inseriam aquela nova e inquietante presença entre as pilhas, cada vez mais empoeiradas, de manuscritos.

"Sente-se, Casaubon, olhe aqui os projetos da nossa história dos metais." Quando ficamos a sós, Belbo me mostrou os índices, esboços de capítulos, esquemas de paginação. Eu devia ler os textos e procurar as ilustrações. Mencionei algumas bibliotecas milanesas que me pareciam bem providas.

"Não será suficiente", disse Belbo. "Vai ser preciso visitar outros lugares. Por exemplo, no museu de ciências de Munique há uma fototeca maravilhosa. E em Paris temos o Conservatoire des Arts et Métiers. Gostaria de voltar lá, se tivesse tempo."

"É interessante?"

"Inquietante. O triunfo da máquina no interior de uma igreja gótica..." Hesitou, reordenou alguns papéis na mesa. Depois, como temeroso de dar excessiva importância à sua revelação: "Está lá o Pêndulo", disse.

"Que pêndulo?"

"O Pêndulo. Chama-se pêndulo de Foucault."

Explicou-me o que era o Pêndulo, tal como o vi no sábado, e talvez no sábado o tenha visto assim porque Belbo me preparara a visão. Mas naquele momento não devo ter demonstrado muito entusiasmo, pois Belbo me olhou como a alguém que, diante da Capela Sistina, pergunta se é ali.

"Talvez seja por causa da atmosfera de igreja, mas eu lhe garanto que se experimenta uma sensação muito forte. A ideia de que tudo flui e só ali no alto existe o único ponto fixo do universo... Para quem não tem fé, é um modo de reencontrar Deus, e sem pôr em xeque a própria descrença, pois se trata de um Polo Nada. Sabe, para as pessoas da minha geração, que teve de engolir desilusões no almoço e no jantar, pode ser mesmo confortante."

"A minha engoliu ainda mais, de outras gerações."

"Presunçoso. Não, para vocês não passou de uma estação, cantaram a Carmanhola e logo já estavam na Vendeia. Passará rápido. Para nós, a coisa foi diferente. Primeiro o fascismo, mesmo se passamos por ele quando éramos ainda rapazes, como um romance de aventuras, mas os destinos imortais eram um ponto indiscutível. Depois o ponto indiscutível foi a resistência, principalmente para aqueles como eu que a viram de fora, e dela fizeram um rito de vegetação, o retorno da primavera, um equinócio, ou um solstício, confundo sempre... Depois Deus para uns e a classe operária para outros, e ambos para muitos. Era consolador para um intelectual pensar que éramos o operário, bom, saudável, forte, pronto para refazer o mundo. Depois, vocês também acabaram vendo isso, o operário ainda existia, mas a classe não. Devem ter acabado com ela na Hungria. E aí vocês vieram. Para vocês talvez fosse natural, ou até mesmo uma festa. Para os da minha idade não, era o acerto de contas, o remorso, o arrependimento, a regeneração. Nós havíamos falhado e vocês chegavam para trazer o entusiasmo, a coragem, a autocrítica. Para nós que tínhamos 35 ou 40 anos isso foi uma esperança, humilhante, mas esperança. Devíamo-nos tornar iguais a vocês, a custo de recomeçar do princípio. Não usávamos mais gravata, púnhamos de lado o *trench coat* para comprar japonas e túnicas militares usadas, alguém resolveu eliminar o trabalho para não ter que servir os patrões..."

Acendeu um cigarro e fez que fingia rancor, para desculpar seu desabafo.

"E vocês acabaram cedendo em todas as frentes. Nós, com nossas peregrinações penitenciais às catacumbas ardeatinas,* recusávamo-nos a inventar

---

* Local em que, durante a resistência, os alemães massacraram antifascistas e judeus. Belbo fala em sentido simbólico. (*N. do T.*)

um slogan para a Coca-Cola, porque éramos antifascistas. Contentávamo-nos em trabalhar na Garamond por uma miséria porque o livro pelo menos era democrático. E vocês então, para se vingarem dos burgueses que não conseguiram enforcar, vendem-lhes videocassetes e revistas especializadas, os imbecilizam com o zen e a manutenção da motocicleta. Impuseram-lhes a preço de subscrição o seu exemplar dos pensamentos de Mao e com as moedas obtidas foram comprar foguetes para as festas da nova criatividade. Sem se envergonharem. Nós passamos a vida a nos envergonhar. Vocês nos enganaram, não representavam nenhuma pureza, era apenas acne juvenil. Fizeram-nos sentir como vermes porque não tivemos coragem de enfrentar a polícia boliviana, e depois acabaram disparando nas costas dos desgraçados que passavam ao longo da rua. Há dez anos tivemos que mentir para arrancar vocês da prisão, e vocês mentiram para mandar para a prisão os seus amigos. Esta é a razão por que gosto desta máquina: é estúpida, não crê, não me faz acreditar, faz aquilo que lhe digo, estúpida ou estúpido que ela, ou ele, é. Um relacionamento honesto."

"Eu..."

"O amigo é um inocente. Fugiu em vez de atirar pedras, doutorou-se, não atirou em ninguém. No entanto, a princípio eu me sentia chantageado até por você. Veja lá bem, nada de pessoal. Ciclos geracionais apenas. E quando vi o Pêndulo, no ano passado, acabei compreendendo tudo."

"Tudo o quê?"

"Quase tudo. Veja, Casaubon, mesmo o Pêndulo é um falso profeta. Olha-se para ele, pensa-se que seja o único ponto fixo do cosmo, mas se o tiramos da abóbada do Conservatoire e o penduramos no teto de um bordel, ele funciona da mesma maneira. Há outros Pêndulos, um em Nova York, no palácio da ONU, outro em San Francisco, no museu da ciência, e quem sabe quantos mais. O pêndulo de Foucault está firme com a terra que gira embaixo dele em qualquer lugar onde se encontre. Qualquer ponto do universo é um ponto fixo, basta prender-se ao Pêndulo."

"Deus está em toda parte?"

"Em certo sentido sim. Por isso o Pêndulo me perturba. Promete-me o infinito, mas deixa a mim a responsabilidade de decidir onde quero tê-lo. Assim não basta adorar o Pêndulo ali onde está, é preciso tomar de novo uma decisão, e procurar o melhor ponto. No entanto..."

"No entanto?"

"No entanto, não vai me levar de modo algum a sério, não é, Casaubon? Não, posso estar tranquilo, somos gente que não leva a sério... No entanto, dizia, a sensação é a de que na vida fomos fixando o Pêndulo em tantos lugares, e ele nunca funcionou, ao passo que, no Conservatoire, funciona tão bem... E se no universo houvesse pontos privilegiados? Aqui no teto desta sala? Não, ninguém iria acreditar. Requer-se atmosfera. Não sei, talvez estejamos sempre buscando o ponto ideal, talvez ele esteja bem próximo de nós, mas não o reconhecemos, e para reconhecê-lo seria necessário acreditar... Em suma, vamos lá ver o Sr. Garamond."

"Para fixar o Pêndulo?"

"Ah, tolice. Vamos tratar de coisas sérias. Para que eu possa pagar-lhe é preciso que o patrão o veja, toque, cheire, e diga que está bem. Venha ser ungido pelo patrão, seu toque cura a escrófula."

38

MESTRE SECRETO, MESTRE PERFEITO

Mestre Secreto, Mestre Perfeito, Mestre por Curiosidade, Intendente dos Edifícios, Eleito dos Nove, Cavaleiro do Arco Real de Salomão ou Mestre do Nono Arco, Grande Escocês da Abóbada Sagrada, Cavaleiro do Oriente ou da Espada, Príncipe de Jerusalém, Cavaleiro do Oriente e do Ocidente, Príncipe Cavaleiro de Rosa-Cruz e Cavaleiro da Águia e do Pelicano, Grande Pontífice ou Sublime Escocês da Jerusalém Celeste, Venerável Grão-Mestre de Todas as Lojas ad vitam, Cavaleiro Prussiano e Patriarca Noaquita, Cavaleiro da Acha Real ou Príncipe do Líbano, Príncipe do Tabernáculo, Cavaleiro da Serpente de Cobre, Príncipe de Compaixão ou de Graça, Grande Comendador do Templo, Cavaleiro do Sol ou Príncipe Adepto, Cavaleiro de Santo André da Escócia ou Grão-mestre da Luz, Cavaleiro Grã-eleito Kadosh e Cavaleiro da Águia Branca e Negra.

(Altos graus da Maçonaria de Rito Escocês Antigo e Aceito)

Percorremos o corredor, subimos três lances de escadas, e passamos por uma porta de vidro esmerilhado. De súbito entramos em outro universo. Se as salas que tínhamos visto até então eram escuras, empoeiradas, repletas, estas pareciam a saleta *vip* de um aeroporto. Música ambiente, paredes azuis, uma sala de espera confortável com móveis assinados, as paredes decoradas com fotografias nas quais se entreviam senhores com cara de deputado que confiavam uma vitória alada a senhores com cara de senador. Sobre uma mesinha, atiradas com desenvoltura, como na saleta de um dentista, algumas revistas de capa acetinada, *A Argúcia Literária, O Atanor Poético, A Rosa e o Espinho, Parnaso Enótrio, O Verso Livre*. Nunca as vira em circulação, e depois soube por quê: eram distribuídas apenas aos clientes da Manuzio.

Se a princípio eu tinha achado que entrara na sede da Garamond, tive logo que mudar de opinião. Estávamos nos escritórios de outra editora. Havia na entrada da Garamond uma pequena vitrine escura e embaçada, com os últimos livros publicados, mas os livros da Garamond eram modestos, com as folhas ainda por cortar e uma capinha sóbria e acinzentada, deviam lembrar as publicações universitárias francesas, com aquele papel que com pouco tempo amarelava, de modo a sugerir que o autor, principalmente se jovem, o tivesse publicado muitos anos. Havia outra vitrine, iluminada no interior, que exibia os livros da Manuzio, alguns abertos em páginas significativas: capa branca, leve, revestida de plástico transparente, muito elegante, e um papel tipo arroz com belos caracteres nítidos.

As coleções da Garamond tinham títulos sérios e reflexivos como "Estudos Humanísticos" ou "Philosophia". As coleções da Manuzio tinham nomes delicados e poéticos: A Flor que não Colhi (poesia), A Terra Incógnita (narrativa), A Hora do Oleandro (acolhia títulos como *Diário de uma Jovem Enferma*), A Ilha de Páscoa (me parecia que de ensaios variados), Nova Atlântida (a última obra publicada era *Koenigsberg Redimida — Prolegômenos a toda metafísica futura que se apresente como duplo sistema transcendental e ciência do númeno fenomenal*). Sobre todas as capas, o emblema da casa, um pelicano em cima de uma palmeira, com a legenda "tenho o que dou".

Belbo foi vago e prático: o Sr. Garamond possuía duas casas editoras, eis tudo. Nos dias seguintes dei-me conta de que a passagem entre a Garamond e a Manuzio era privada e confidencial. Na verdade, a entrada oficial da Manuzio era pela via Marchese Gualdi, e na via Gualdi o universo poeirento da via Sincero Renato dava lugar a fachadas impecáveis, degraus espaçosos, entrada com elevadores de alumínio. Ninguém teria suspeitado que um apartamento de um velho prédio da via Sincero Renato se comunicasse, com apenas três curtos lances de escada em desnível, com um edifício da via Gualdi. Para obter a permissão, o Sr. Garamond deve ter dado saltos mortais, creio que fora recomendado por um de seus autores, funcionário do Departamento de Engenharia Civil.

Fomos imediatamente recebidos pela Sra. Grazia, meio matrona, com fular de etiqueta e *tailleur* da mesma cor das paredes, que nos introduziu com um esmerado sorriso na sala do mapa-múndi.

A sala não era imensa, mas fazia lembrar o salão* do Palazzo Venezia, com um globo terrestre à entrada, e a escrivaninha de mogno do Sr. Garamond ao fundo, de tal modo que me pareceu vê-lo através de um binóculo ao contrário. Garamond fez sinal para que nos aproximássemos, e eu me sentia intimidado. Mais tarde, quando entrou De Gubernatis, Garamond sairia ao seu encontro, e esse gesto de cordialidade lhe haveria de conferir ainda mais carisma, porque o visitante primeiro o veria atravessar a sala, depois iria atravessá-la seguro pelo braço por Garamond, e o espaço quase por encanto se teria duplicado.

Garamond fez-nos sentar em frente à sua mesa, e foi áspero e cordial. "O Dr. Belbo me falou a seu respeito, Dr. Casaubon. Precisamos de colaboradores de peso. Como terá compreendido, não se trata de uma admissão, não temos condição. Sua assiduidade será adequadamente compensada, direi mesmo sua devoção, se me permite, pois o nosso trabalho é uma missão."

Disse um valor que me pagaria por horas de trabalho estimados, que na época me pareceu razoável.

"Ótimo, meu caro Casaubon." Eliminou o título a partir do momento em que eu me havia tornado seu subordinado. "Essa história dos metais vai ficar esplêndida, direi mais, vai ser belíssima. Popular, acessível, mas científica. Deve atingir a fantasia do leitor, mas cientificamente. Vou lhe dar um exemplo. Leio aqui nos primeiros esboços que existia aquela esfera, como se chama, de Magdeburgo, dois hemisférios acasalados, dentro dos quais se faz o vácuo pneumático. Atrelam-se duas parelhas de cavalos normandos, uma de cada lado, os cavalos puxam em direções opostas e as calotas não se separam. Bem, isso é um fato científico. O senhor deve particularizá-lo, entre todos os outros menos pitorescos. E uma vez particularizado, deve encontrar sua imagem, o afresco, o óleo, seja o que for. Da época. E depois a estampamos em página inteira, em cores."

"Há uma gravura", disse eu, "que conheço."

"Está vendo? Ótimo. Página inteira, em cores."

"Mas sendo uma gravura terá que ser em preto e branco", disse eu.

---

* Do gabinete de Mussolini. (*N. do T.*)

"Ah é? Muito bem, pois seja em preto e branco. Exatidão é exatidão. Mas sob fundo ouro, deve atingir o leitor, deve fazê-lo sentir-se ali, no dia em que fizeram a experiência. Claro? Cientificismo, realismo, paixão. Pode-se usar a ciência e agarrar o leitor pelas vísceras. Haverá algo de mais dramático, de mais teatral, do que madame Curie, que entra em casa à noite e no escuro vê uma luz fluorescente, meu Deus, que coisa será aquilo... É o hidrocarbonato, a golconda, o flogístico ou como diabos o chamem, e pronto, madame Curie tinha inventado os raios X. Dramatizar. Mas respeitando a verdade."

"Mas que tem a ver os raios X com os metais?", perguntei.

"E o rádio não é um metal?"

"Creio que sim."

"Pois então? Do ponto de vista dos metais pode-se pôr em foco todo o universo do saber. Qual foi o título que resolvemos dar ao livro, Belbo?"

"Pensamos em algo sério, como *Os metais e a cultura material*."

"E deve ser mesmo sério. Mas com aquele algo mais, aquele nada que diz tudo, vejamos... *História universal dos metais*. Os chineses também entram nessa história?"

"Entram."

"Então pronto, universal. Não se trata de um truque publicitário, é a pura verdade. Ou, também, *A maravilhosa aventura dos metais*."

Foi nesse momento que a Sra. Grazia anunciou o comendador De Gubernatis. O Sr. Garamond hesitou um momento, olhou para mim com um ar de dúvida, Belbo lhe fez um sinal, como a dizer-lhe que doravante podia confiar. Garamond ordenou que fizesse entrar o visitante e levantou-se para ir ao seu encontro. De Gubernatis estava de jaquetão, tinha uma roseta na lapela, uma caneta no bolsinho do paletó, um jornal dobrado e metido no bolso grande, uma pasta embaixo do braço.

"Queira sentar-se, meu caro comendador; meu dileto amigo De Ambrosiis me falou a seu respeito, uma vida inteira dedicada ao serviço público. E uma veia poética secreta, não é mesmo? Vamos, mostre-nos lá esse tesouro que tem entre as mãos... Quero apresentar-lhe aqui dois dos meus diretores gerais."

Fê-lo sentar-se em frente à mesa atulhada de manuscritos, e acariciou com as mãos vibrantes de interesse a capa da obra que lhe estava sendo entregue:

"Não me diga nada, sei tudo. O senhor é de Vipiteno, uma grande e nobre cidade. Uma vida dedicada ao serviço aduaneiro. E em segredo, dia após dia, noite após noite, estas páginas, nascidas do espírito da poesia. A poesia... que consumiu a juventude de Safo e alimentou as cãs de Goethe... Fármaco, diziam os gregos, veneno e antídoto. Naturalmente vamos ler essa sua criação, pretendo ter pelo menos três pareceres, um da casa e dois de consultores (anônimos, lamento, mas ficariam muito expostos), a Manuzio só publica livros de cuja qualidade esteja segura, e qualidade, o senhor sabe melhor do que eu, é algo imponderável, é necessário descobri-la com um sexto sentido, muitas vezes um livro tem certas imperfeições, excessos, até Svevo escrevia mal, o senhor sabe melhor que eu, mas, por Deus, percebo aqui uma ideia, um ritmo, uma força. Eu sei, eu sei, não me precisa dizer, mal deitei os olhos sobre o *incipit* destas suas páginas e senti algo, mas como não quero julgar por mim só, mesmo depois de tantas vezes, e quantas, os pareceres foram pouco entusiásticos, mas eu me obstinava porque não se pode condenar um autor sem se ter entrado, como direi, em sintonia com ele, como, por exemplo, se abro ao acaso este seu texto e cai sob os meus olhos este verso, 'como no outono, a margem que definha', bem, não sei como é o resto, mas sinto uma inspiração, recolho uma imagem, às vezes com um texto se compartilha de um êxtase, de um enlevo... *Cela dit*, meu caro amigo, ah, por Deus, se se pudesse fazer tudo o que se quer! Mas até mesmo a editora é uma indústria, a mais nobre das indústrias, mas uma indústria. Mas sabe quanto custa hoje a impressão, e o papel? Veja, veja, só nos jornais de hoje, para quanto subiu a *prime rate* na Wall Street. Parece não nos atingir, não é? Pois nos atinge, e como. Sabem que taxam até o armazém? Eu não vendo, e eles taxam a devolução. Pago até o fracasso, o calvário dos gênios que os filisteus não reconhecem. Este papel velino, e me permita dizer, é muito elegante que o senhor tenha batido o texto neste papel tão fino, sente-se nisto o poeta; um impostor qualquer teria usado um papel extraforte, para ofuscar os olhos e confundir o espírito, mas esta é poesia escrita com o coração, hã, as palavras são pedras e transformam o mundo, este papel velino custa para mim tanto quanto o papel de cédula."

O telefone tocou. Soube depois que Garamond costumava apertar um botão embaixo da mesa quando queria que a Sra. Grazia lhe passasse uma chamada qualquer.

"Alô! Caro Mestre! Como? Mas que ótimo! Grande notícia, é como se os sinos tocassem. Um novo livro seu é um acontecimento. Mas, claro, a Manuzio se sente orgulhosa, comovida, direi melhor feliz de ter o senhor entre seus autores. Viu o que disseram os jornais a propósito de seu último poema épico. Coisa para Nobel. Infelizmente o senhor está muito à frente de seu tempo. Tivemos grande dificuldade em vender três mil exemplares..."

O comendador De Gubernatis empalideceu: três mil exemplares eram para ele um marco inesperado.

"Não chegaram a cobrir os custos de produção. É só ver por trás destas portas de vidro quanta gente preciso ter na redação. Hoje para se pagar um livro é necessário vender pelo menos dez mil exemplares, e para a felicidade de muitos é possível vender-se até muito mais que isso, mas são escritores, como dizer, com uma vocação diferente, Balzac era grande e vendia livros como se fossem pães, Proust era igualmente grande e publicava suas obras a expensas próprias. O senhor acabará sem dúvida nas antologias acadêmicas, mas não nas bancas das estações, isto aconteceu até mesmo com Joyce, que publicou por conta própria, como Proust. Livros como o seu só me posso dar ao luxo de publicar um a cada dois ou três anos. Dê-me três anos de prazo..." Seguiu-se uma longa pausa. No rosto de Garamond desenhava-se um doloroso embaraço.

"Como? Por sua conta? Não, não se trata do montante, este pode até ser reduzido... É que a Manuzio não costuma... Certo, o senhor sabe melhor que eu, até mesmo Joyce e Proust... Certo, compreendo..."

Outra pausa sofredora. "Está bem, vamos falar sobre isto. Estou sendo sincero, o senhor está impaciente, quer ver a obra na rua, façamos por assim dizer uma *joint venture*, os americanos são mestres nisto. Passe por aqui amanhã, e faremos aqui uns cálculos... Meus cumprimentos e minha admiração."

Garamond saiu como de um sonho, e passou a mão sobre os olhos, depois fez como que se desse conta repentinamente da presença do visitante. "Desculpe. Era um Escritor, um verdadeiro escritor, talvez um dos Grandes. E no entanto, talvez mesmo por isso... Às vezes nos sentimos humilhados, ao ter que fazer uma coisa destas. Não fosse nossa vocação. Mas voltemos ao senhor. Já conversamos os pontos principais, eu lhe escreverei, digamos dentro de um mês. Seu texto fica conosco, em boas mãos."

O comendador De Gubernatis saiu sem dizer palavra. Havia posto o pé na forja da glória.

39

CAVALEIRO DOS PLANISFÉRIOS

Cavaleiro dos Planisférios, Príncipe do Zodíaco, Sublime Filósofo Hermético, Supremo Comendador dos Astros, Sublime Pontífice de Ísis, Príncipe da Colina Sagrada, Filósofo de Samotrácia, Titã do Cáucaso, Infante da Lira de Ouro, Cavaleiro da Vera Fênix, Cavaleiro da Esfinge, Sublime Sábio do Labirinto, Príncipe Brâmane, Místico Guardião do Santuário, Arquiteto da Torre Misteriosa, Sublime Príncipe da Cortina Sagrada, Intérprete dos Hieróglifos, Doutor Órfico, Guardião dos Três Fogos, Custódio do Nome Incomunicável, Sublime Édipo dos Grandes Segredos, Pastor Amado do Oásis dos Mistérios, Doutor do Fogo Sagrado, Cavaleiro do Triângulo Luminoso.

(Graus do Rito Antigo e Primitivo dos Memphis-Misraim)

A Manuzio era uma editora para AEPs.

Um AEP, no jargão da Manuzio, era — mas por que uso o imperfeito?, os AEPs ainda são, pois tudo lá continua como se nada tivesse acontecido, eu é que agora projeto tudo num passado tremendamente remoto, porque aquilo que aconteceu naquela noite marcou-se como uma dilaceração do tempo, na nave da abadia de Saint-Martin-des-Champs a ordem dos séculos se subverteu... ou talvez porque de súbito, a partir daquela noite, eu tenha envelhecido alguns decênios, ou o temor de que Eles me encontrem me leve a falar como se agora estivesse escrevendo a crônica de um império em desagregação, estendido no *balneum*, com as veias cortadas, à espera de afogar-me em meu próprio sangue...

Um AEP é um Autor a Expensas Próprias, e a Manuzio é uma dessas empresas que nos países anglo-saxônios se denominam *vanity press*. Faturamento altíssimo, despesas de gestão mínimas. Garamond, a Sra. Grazia, o contador dito diretor-administrativo metido numa divisória ao fundo, e Luciano, o despachante deficiente físico, no imenso armazém do subsolo.

"Não chego a entender como Luciano consegue empacotar livros com um braço só", me dissera Belbo, "acho que se ajuda com os dentes. Mas não empacota grande coisa: os despachantes das editoras normais expedem livros para as livrarias enquanto Luciano só envia livros para seus próprios autores. A Manuzio não se interessa por leitores... O importante, diz o Sr. Garamond, é que os autores não nos traiam, sem leitores podemos sobreviver."

Belbo admirava o Sr. Garamond. Via-o portador de uma força que a ele tinha sido negada.

O sistema Manuzio era muito simples. Alguns poucos anúncios nos jornais locais, nas revistas especializadas, nas publicações literárias da província, principalmente aquelas que duram poucos números. Espaços publicitários de tamanho médio, com a foto do autor e pequenas legendas incisivas: "uma altíssima voz da nossa poesia", ou ainda "nova demonstração do poder narrativo do autor de *Floriana e as irmãs*".

"A partir daí a rede está armada", explicava Belbo, "e os AEPs caem nela aos enxames, se numa rede se cai aos enxames, mas a incongruência da metáfora é típica dos autores da Manuzio e acabei pegando o vezo, me desculpe."

"E depois?"

"Veja o caso De Gubernatis. Daqui a um mês, enquanto o nosso aposentado se macera em ânsia, o Sr. Garamond lhe telefona convidando-o para jantar em companhia de outros escritores. O encontro será num restaurante árabe, muito exclusivo, sem letreiro na porta; toca-se uma sineta e anuncia-se o próprio nome a um recepcionista. Interior luxuoso, luzes difusas, música ambiente. Garamond aperta a mão ao maître, chama os garçons pelo nome e faz voltar a garrafa de vinho porque aquela vindima não é de sua confiança, ou diz 'vai me desculpar, mas este não é o cuscuz que se faz em Marraquesh'. De Gubernatis é apresentado ao comissário Caio, todos os serviços da alfândega aérea estão sob seu controle, mas antes de mais nada inventor, apóstolo do Cosmoranto, a linguagem da paz universal, que está sendo discutida na Unesco. Em seguida ao professor Fulano, forte índole narrativa, prêmio Petruzzellis della Gattina de 1980, mas igualmente um luminar da ciência médica. Quantos anos o senhor lecionou, professor? Outros tempos, ali sim os estudos eram realmente sérios. E a nossa requintada poetisa, Odolinda Mezzofanti Sassabetti, autora dos *Castos Pruridos*, que você naturalmente conhece."

Belbo me confidenciou que sempre se havia perguntado por que todos os AEPs de sexo feminino assinavam suas obras com dois sobrenomes, Lauretta Solimeni Calcanti, Dora Ardenzi Fiamma, Carolina Pastorelli Cefalù. Por que as escritoras importantes têm todas apenas um sobrenome, salvo Ivy Compton-Burnett, e algumas não têm nem mesmo o sobrenome, como Colette, e uma AEP se chama Odolinda Mezzofanti Sassabetti? Porque um verdadeiro escritor escreve por amor à sua obra, e não lhe importa ser conhecido por um pseudônimo, veja Nerval, ao passo que um AEP quer ser reconhecido pelos vizinhos, pelos moradores de seu bairro, e dos outros onde antes residiu. Ao homem basta seu próprio nome, mas à mulher não, pois há os que a conheceram ainda solteira e os que a conhecem já casada. Daí usar os dois nomes.

"Para encurtar, uma noitada densa de experiências intelectuais. De Gubernatis terá a impressão de estar bebendo um coquetel de LSD. Ouvirá as bisbilhotices dos convidados, o delicioso comentário sobre o grande poeta notoriamente impotente, e que mesmo como poeta não vale grande coisa, deitará olhares luzentes de comoção sobre a nova edição da *Enciclopédia dos Italianos Ilustres* que Garamond fará aparecer de improviso, mostrando ao comissário a página (viu aqui, meu caro, o senhor também entrou no Panteão, oh, pura justiça)."

Belbo me havia mostrado a enciclopédia. "Ainda há pouco eu estava dando uma de paternal: mas na verdade nenhum de nós é inocente. A enciclopédia é feita exclusivamente por mim e Diotallevi. Mas juro que não fazemos isso para engordar o salário. É uma das coisas mais divertidas do mundo, e todos os anos é necessário preparar a edição atualizada. A estrutura é mais ou menos assim: uma entrada se refere a um escritor célebre e a seguinte a um AEP, consistindo o problema em calibrar bem a ordem alfabética e não desperdiçar espaço com os escritores célebres. Veja por exemplo a letra L."

LAMPEDUSA, Giuseppe Tomasi di (1889-1959). *Escritor siciliano. Viveu muito tempo ignorado e tornou-se célebre após a morte com seu romance* O Gattopardo.

LAMPUSTRI, Adeodato (1919-). *Escritor, educador, combatente (medalha de bronze na África Oriental), pensador, narrador e poeta. Seu vulto projeta-se na literatura italiana de nosso século, após revelar-se com o lançamento, em 1959, do primeiro volume da trilogia de amplo fôlego,* Os Irmãos Carmassi, *a saga de uma família de pescadores lucanos descrita com impressionante realismo e alta inspiração poética. A esta obra, distinguida com o prêmio Petruzzellis della Gattina de 1960, seguiram-se nos anos posteriores* Os bem servidos *e* A pantera dos olhos sem cílios, *que talvez ainda mais do que em sua obra inicial dão a medida de seu vigor poético, de sua fulgurante imaginação plástica, da inspiração lírica deste artista incomparável. Dedicado funcionário ministerial, Lampustri é considerado em seu ambiente funcional como uma personalidade muito íntegra, pai e esposo exemplar, orador de fino gosto.*

"De Gubernatis certamente vai querer figurar na enciclopédia", explicou Belbo. "Sempre acha que a fama dos escritores famosos não passava de um equívoco, uma conspiração de críticos complacentes. Mas principalmente vai ficar satisfeito de entrar para uma família de escritores que são ao mesmo tempo diretores do serviço público, bancários, magistrados, aristocratas. Num instante terá alargado seu círculo de conhecimentos, e agora quando precisar pedir um favor já sabe a quem se dirigir. O Sr. Garamond tem o poder de arrancar De Gubernatis da província e projetá-lo para o vértice. Lá pelo fim do jantar lhe dirá ao ouvido para passar na manhã seguinte em seu escritório."

"E na manhã seguinte aqui está."

"Pode ter certeza. Passará a noite insone, sonhando com a grandeza de Adeodato Lampustri."

"E depois?"

"Depois, na manhã seguinte, Garamond lhe dirá: ontem à noite não ousei dizer-lhe para não humilhar os demais, que coisa sublime, não digo por causa dos pareceres entusiásticos, ou, melhor ainda, positivos, mas digo por mim mesmo, em caráter pessoal, que passei uma noite sobre essas suas páginas. Livro para prêmio literário. Grande, grande. Voltará para a mesa de trabalho, baterá com a mão sobre o manuscrito, já agora amarfanhado, consumido pelo olhar delicado de pelo menos quatro leitores, amarfanhar os manuscritos é função da Sra. Grazia, e fitará o AEP com ar perplexo. Que vamos fazer? Que vamos fazer? perguntará De Gubernatis. E Garamond dirá que quanto ao valor da obra não se discute nem sequer um segundo, mas se trata sem dúvida de algo muito à frente de nosso tempo, e quanto à tiragem não se poderá fazer mais que 2.500 exemplares no máximo. Para De Gubernatis dois mil seria o bastante para cobrir todas as pessoas que conhece, o AEP não pensa em termos planetários, ou melhor, seu planeta é composto de rostos conhecidos, colegas de escola, diretores de banco, professores que ensinaram como ele no mesmo colégio de ensino médio, coronéis reformados. Todas pessoas que o AEP quer que entrem em seu mundo poético, mesmo aqueles que não o quisessem como o salsicheiro ou o prefeito... Diante do risco de que Garamond volte atrás, depois que todos em casa, em sua terra natal, na repartição, sabem que ele apresentou o manuscrito a um grande editor de Milão, De Gubernatis fará suas contas. Podia interromper o seu depósito a prazo, fazer um empréstimo, vender suas poucas ações, Paris vale bem uma missa. Oferece-se timidamente para participar das despesas. Garamond vai-se mostrar perturbado, a Manuzio não costuma fazer isso, e vai por aí afora, negócio feito, afinal o senhor me convenceu, no fundo até Proust e Joyce tiveram que se dobrar à dura realidade, os custos são tantos, por ora vamos editar apenas dois mil exemplares, mas o contrato será para um máximo de dez mil. Note bem que duzentos exemplares lhe serão entregues, oferta da editora, para enviá-los a quem bem entender, outros duzentos vão para os jornais e revistas porque queremos fazer um rebuliço como se fosse a Angélica dos Golon, e distribuímos 1.600. Sobre estes, bem entendido, não incidem direitos para o senhor, mas se o livro tiver boa aceitação, reeditamos e o senhor terá os seus 12 por cento contratuais."

Depois vi o contrato-padrão que De Gubernatis, então em pleno *trip* poético, assinaria sem ao menos ler, enquanto o contador ficaria lamentando por ter o Sr. Garamond calculado as despesas muito por baixo. Dez páginas de cláusulas em corpo oito, traduções estrangeiras, direitos subsidiários, adaptações para o teatro, o rádio e o cinema, edições em braile para os cegos, cessão do resumo para o *Reader's Digest*, garantia em caso de processo por difamação, direito do autor de aprovar as alterações redacionais, competência do foro de Milão para o caso de desavença... O AEP devia chegar exausto com os olhos já agora perdidos em sonhos de glória às cláusulas deletérias, onde se diz que dez mil exemplares é a tiragem máxima mas não se fala de tiragem mínima, que a soma a pagar não está condicionada à tiragem, da qual só se falou oralmente, e sobretudo que dentro de um ano o editor tem o direito de transformar a obra em pasta de papel, a menos que o autor queira ficar com os exemplares não vendidos, pela metade do preço de capa. Assinado.

O lançamento seria arbitrário. Comunicado à imprensa de dez laudas, com biografia e ensaio crítico. Nenhum pudor, já que tudo seria atirado à cesta nas redações dos jornais. Tiragem efetiva: mil exemplares em folhas soltas, dos quais só 350 seriam encadernados. Duzentos exemplares para o autor, uns cinquenta para as livrarias secundárias e consorciadas, cinquenta para as revistas e jornais da província, uns trinta por desencargo de consciência aos jornais, quem sabe poderiam dar uma linha que fosse sobre os livros recebidos. A sobra seria mandada como oferta grátis aos hospitais e penitenciárias, e compreende-se assim por que os primeiros não curam e os segundos não redimem.

No verão aconteceria o prêmio Petruzzellis della Gattina, criação do Sr. Garamond. Custo total: comida e hospedagem para os jurados, dois dias, e Niké de Samotrácia em vermelhão. Telegrama de felicitações dos autores da Manuzio.

Chegaria finalmente o momento da verdade, um ano e meio depois. Garamond lhe escreveria: Caro amigo, como havia previsto, seu livro apareceu com cinquenta anos de avanço. Resenhas críticas, como viu, aos montes, prêmios e elogios da crítica, *ça va sans dire*. Mas exemplares vendidos muito poucos, o público não está preparado. Somos forçados a desocupar o armazém, ao término do contrato (anexo). Ou vai para a fábrica de papel, ou o senhor os adquire por metade do preço de capa, como é privilégio seu.

De Gubernatis enlouquece de dor, os parentes o consolam, as pessoas não te compreendem, é claro que se pertencesses à panelinha, se tivesses mandado o suborno a esta hora teriam falado de teu livro até no *Corriere*, são todos uma máfia, é preciso resistir. Dos exemplares de autor sobraram apenas cinco, há tantas pessoas importantes ainda para se mandar, não podes permitir que tua obra seja transformada em papel higiênico, vejamos quanto se pode arrecadar, será dinheiro bem empregado, vive-se uma vida só, digamos que se possam adquirir quinhentos exemplares, e quanto ao resto *sic transit gloria mundi.*

Na Manuzio sobraram 650 exemplares em folhas soltas, o Sr. Garamond manda encadernar quinhentos e lhes envia contrapagamento. Conclusão: o autor pagou generosamente os custos da produção de dois mil exemplares, a Manuzio imprimiu apenas mil e só encadernou 850, dos quais quinhentos foram pagos uma segunda vez. Uns 50 autores por ano, e a Manuzio fecha sempre o balanço com forte ativo.

E sem remorsos: distribui felicidade.

40

OS COVARDES MORREM MUITAS VEZES

Os covardes morrem muitas vezes, antes de morrer.

(Shakespeare, *Julius Caesar*, II, 2)

Sempre observei um contraste entre a devoção com que Belbo se entregava aos respeitáveis autores da Garamond, procurando arrancar de suas obras livros de que pudesse se orgulhar, e a pirataria com que colaborava não só para lograr os incautos da Manuzio, mas ainda enviando à via Gualdi os autores que julgava imprestáveis para a Garamond — como o vi tentar fazer com o coronel Ardenti.

Perguntava-me amiúde, trabalhando com ele, o motivo por que aceitava tal situação. Não era por dinheiro, creio. Conhecia bastante bem o seu ofício para poder encontrar um trabalho que lhe pagasse melhor.

Passei a admitir com o tempo que fizesse isso porque assim podia cultivar seus estudos sobre a estultícia humana, e a partir de um observatório exemplar. Aquilo que ele chamava estupidez, o paralogismo inapreensível, o insidioso delírio transvestido de argumentação impecável, o fascinava, e vivia a repeti--lo. Mas também esta era uma máscara. Era Diotallevi quem estava ali por brincadeira, talvez esperando que lhe aparecesse, um dia, num livro Manuzio, uma combinação inédita da Torá. E por brincadeira, por puro divertimento, e troça, e curiosidade, também lá estava eu, especialmente depois que a Garamond havia lançado o seu projeto Hermes.

Para Belbo, a história era diferente. Fiquei certo disso depois de haver remexido em seus *files*.

filename: Vendetta tremenda vendetta

Chega assim. Mesmo se há alguém no escritório, agarra-me pela gola do paletó, estende o rosto e me beija. Anna, que quando beija está na ponta dos pés. Me beija como se jogasse flíper.
    Sabe que isso me embaraça. Mas me expõe.
    Não mente nunca.
    — Te amo.
    — Nos vemos no domingo?
    — Não, vou passar o fim de semana com um amigo...
    — Uma amiga, quer dizer.
    — Não, um amigo, você conhece, aquele que estava comigo no bar na semana passada. Já lhe prometi, não vai querer que eu falte.
    — Que você falte, não, mas também que não me venha fazer... Por favor, preciso receber um autor.
    — Algum gênio a ser lançado?
    — Um infeliz a ser destruído.

Um infeliz a ser destruído.

Acabo de vir do Pílades onde fui te encontrar. Esperei por muito tempo, depois fui sozinho, senão iria encontrar a galeria fechada. Alguém ali me disse que já tinham ido para o restaurante. Fingi olhar os quadros, a arte já está morta desde os tempos de Höderlin, pensei. Gastei vinte minutos para encontrar o restaurante, porque os galeristas escolhem sempre aqueles que se tornarão famosos só depois de um mês.
    Estavas lá, em meio aos rostos de costume, e ao teu lado o homem da cicatriz. Não tiveste um instante de embaraço. Olhaste-me com cumplicidade e — como fazes, ao mesmo tempo? — em tom de desafio, como a dizer: e então? O intruso com a cicatriz me observou como um intruso. Os demais a par de tudo, à espera. Eu tinha que arranjar um motivo para briga. Eu me sairia bem mesmo se ele me acertasse. Todos sabiam que estavas ali com ele para provocar-me. Se eu provocasse ou não, meu papel estava garantido. Estava, contudo, dando vexame.
    Espetáculo por espetáculo, escolhi a comédia brilhante, tomei parte com delicadeza na conversação, esperando que alguém admirasse o meu controle.

O único que me admirava era eu.

É covarde quem se sente covarde.

O vingador mascarado. Como Clark Kent protejo jovens gênios incompreendidos e como o Super-Homem puno os velhos gênios justamente incompreendidos. Colaboro para explorar aqueles que não tiveram a minha coragem, e não sabem se limitar ao papel de espectador.

É possível? Passar a vida a punir quem jamais saberá que está sendo punido? Queres ser um Homero? Tome, patife, e acredite em você.

Odeio quem me tenta vender uma ilusão de paixão.

41

NO PONTO EM QUE O ABISMO

Quando lembramos que Daath está situado no ponto em que o Abismo intercepta a Pilastra Mediana, e que em cima da Pilastra Mediana está o Sendeiro da Flecha... e que também aí está a Kundalini, vemos que em Daath se oculta o segredo da geração ou da regeneração, a chave das manifestações de todas as coisas para a diferenciação das duplas de opostos e sua União em um Terceiro.

(Dion Fortune, *The Mystical Qabalah*, Londres,
raternity of the Inner Light, 1957, 7.19)

Contudo, eu não devia me ocupar da Manuzio, mas da maravilhosa aventura dos metais. Comecei minha exploração pelas bibliotecas milanesas. Partia dos manuais, fichava a bibliografia, e dali recorria aos originais mais ou menos antigos, onde pudesse encontrar ilustrações decentes. Nada pior do que ilustrar um capítulo sobre viagens espaciais com uma foto da última sonda americana. O Sr. Garamond tinha me ensinado que no mínimo se precisa de um anjo de Doré.

Amealhei reproduções curiosas, mas não eram suficientes. Quando se prepara um livro ilustrado, para se escolher uma boa imagem é preciso descartar pelo menos outras dez.

Tive permissão para ir pesquisar em Paris, por quatro dias. Poucos para percorrer todos os arquivos. Tinha ido com Lia, chegado numa quinta-feira e reservado lugar de volta no trem da segunda à noite. Cometi o erro de programar o Conservatoire para segunda, e na segunda descobri que o Conservatoire fechava precisamente naquele dia. Tarde demais, voltei com o rabo entre as pernas.

Belbo ficou contrariado com isso, mas como eu havia achado muita coisa interessante, levamos para o Sr. Garamond ver. Ele folheou as reproduções que eu havia recolhido, muitas delas em cores. Depois olhou o trabalho e disse: "Meu caro. Nossa casa tem uma missão, aqui se trabalha pela cultura, *ça va sans dire*, mas não somos a Cruz Vermelha, ou melhor ainda, não somos a Unicef. Era necessário adquirir todo este material? Digo isso porque estou vendo aqui um cidadão de cuecas com bigodes à moda d'Artagnan, circundado por abracadabras e capricórnios, mas quem é, Mandrake?"

"Primórdios da medicina. Influência do zodíaco sobre as várias partes do corpo, com as ervas medicinais correspondentes. E os minerais, inclusive os metais. Doutrina dos sinais cósmicos. Tempos em que os limites entre a magia e a ciência ainda estavam tênues."

"Interessante. Mas que quer dizer este frontispício? Philosophia Moysaica. Que tem a ver Moisés com isso, não é primitivo demais?"

"É a disputa sobre o *unguentum armarium*, ou melhor, sobre o *weapon salve*. Durante cinquenta anos médicos ilustres discutiram se esse unguento, esfregado sobre a arma que causou o ferimento, podia sarar a ferida."

"Troço de doido. E isso é ciência?"

"Não no sentido como hoje a entendemos. Mas eles discutiam sobre essa história porque as maravilhas da imantação haviam sido descobertas há pouco, e por isso estavam convencidos de que se podia exercer uma ação a distância. Como dizia também a magia. E naquele tempo, ação a distância por ação a distância... Compreende, eles se enganaram, mas Volta e Marconi não se enganarão. Que são a eletricidade e o rádio senão ações exercidas a distância?"

"Vejam só. Parabéns ao nosso Casaubon. Ciência e magia de braços dados, hein? Grande ideia. E agora toca a trabalhar, tire um pouco desses dínamos horrendos, e ponha um pouco mais de Mandrake. Algumas evocações demoníacas, sei lá, sobre fundo ouro."

"Não queria exagerar. Esta é a maravilhosa aventura dos metais. As extravagâncias funcionam só quando vêm a propósito."

"A maravilhosa história dos metais deve ser sobretudo a história de seus erros. Põe-se uma bela extravagância e depois na legenda se diz que é falsa. No entanto lá está, e o leitor se apaixona, pois vê que mesmo os grandes homens eram despropositados como ele."

Contei-lhe sobre uma estranha experiência que havia tido às margens do Sena, não distante do Quai Saint-Michel. Entrara numa livraria que, em duas vitrinas simétricas, alardeava sua própria esquizofrenia. De um lado, obras sobre computadores e o futuro da eletrônica, do outro só ciências ocultas. E dentro a mesma coisa: Apple e Cabala.

"Incrível", disse Belbo.

"Óbvio", disse Diotallevi. "Ou, pelo menos, serias o último que devias te surpreender, Jacopo. O mundo das máquinas procura descobrir o segredo da criação: letras e números."

Garamond não falava. Havia cruzado as mãos, como se rezasse, e tinha os olhos no alto. Depois bateu palmas: "Tudo o que disseram aqui confirma uma ideia que tive já há alguns dias... Mas tudo a seu tempo, preciso ainda refletir sobre isso. Vamos tocar em frente. Muito bem, Casaubon, vamos rever o seu contrato, o senhor é um colaborador precioso. E não se esqueça, meta muita Cabala e computador em nossa história. Os computadores são feitos com silício. Ou não?"

"Mas o silício não é um metal, é um metaloide."

"Vai querer sutilizar sobre desinências? E que é, *rosa rosarum*? Computador. E Cabala."

"Que não é um metal", insisti.

Acompanhou-nos até a porta. Na soleira me disse: "Casaubon, a editoria é uma arte, não uma ciência. Não banquemos os revolucionários, que o tempo já passou. Ponha Cabala. Ah, a propósito de sua nota de despesas, permiti-me desaprovar a cabine do trem. Não por avareza, bem entendido. Mas é que a pesquisa implica, como direi, um certo espírito espartano. De outra forma, não fica merecedora de crédito."

Voltou a convocar-nos alguns dias depois. Tinha em seu gabinete, informou Belbo, um visitante que nos queria apresentar.

Fomos a sua sala. Garamond estava conversando com um senhor gordo, com cara de anta, bigodes aloirados sob um grande nariz animal, e sem queixo algum. Julguei conhecê-lo, e logo me lembrei, era o professor Bramanti, que tinha ouvido no Rio, referendário, ou seja o que fosse da ordem rosa-cruz.

"O professor Bramanti", disse Garamond, "afirma que agora seria o momento exato, para um editor perspicaz e sensível ao clima cultural destes anos, de lançar uma coleção de ciências ocultas."

"Pela... Manuzio", sugeriu Belbo.

"Por quem mais seria?", sorriu astutamente o Sr. Garamond. "O professor Bramanti, que além do mais me foi recomendado por um caro amigo, o Dr. De Amicis, autor do esplêndido *Crônicas do Zodíaco*, que publicamos este ano, lamenta que as poucas coleções existentes nessa matéria, quase sempre trabalho de editores de pouca seriedade e consideração, notoriamente superficiais, desonestos, incorretos, direi mais, imprecisos, não fazem certamente justiça à riqueza, à profundidade desse campo de estudos..."

"Os tempos são propícios a essa revalorização da cultura da inatualidade, após a falência das utopias do mundo moderno", disse Bramanti.

"O senhor diz coisas santas, professor. Mas deve perdoar a nossa... Ah, Deus, não direi ignorância, mas pelo menos nossa indecisão a respeito: em que pensa o senhor quando fala de ciências ocultas? Espiritismo, astrologia, magia negra?"

Bramanti fez um gesto de desalento: "Oh, por caridade! Mas essas são precisamente as patranhas que estão sendo ministradas aos ingênuos. Falo de ciência mesmo, ainda que oculta. Decerto a astrologia também entra, mas não para dizer à datilógrafa se encontrará no próximo domingo o amor de sua vida. Será antes um estudo sério sobre os Decanatos, por assim dizer."

"Entendo. Científico. Isso está em nossa linha, é certo, mas gostaria que o senhor fosse um pouco mais explícito."

Bramanti relaxou-se na poltrona e correu os olhos em torno da sala, como que buscando inspiração astral. "Pois bem, eu posso dar um exemplo. Eu diria que o leitor ideal de uma coleção desse gênero deveria ser um adepto da rosa-cruz, e portanto um conhecedor *in magiam, in necromantiam, in astrologiam, in geomantiam, in pyromantiam, in hydromantiam, in chaomantiam, in medicinam adeptam*, para citar o livro de Azoth, aquele que foi ofertado por uma criança misteriosa ao Estauróforo, como se relata no *Raptus philosophorum*. Mas o conhecimento do adepto deve abarcar outros campos, como a fisiognosia, que diz respeito à física oculta, estática, dinâmica e cinemática, astrologia ou biologia esotérica, e o estudo dos espíritos da natureza, zoologia hermética e astrologia biológica. Acrescente cosmognosia, que estuda a astrologia, mas sob o prisma astronômico, cosmológico, fisiológico, ontológico, ou a antropognosia, que estuda a anatomia homológica, as ciências divinatórias, a fisiologia fluídica, a psicurgia, a astrologia social e o hermetismo da história. Depois vêm as matemáticas qualitativas, ou seja, como o senhor bem sabe, a aritmologia... Mas os conhecimentos preliminares postulariam a cosmografia do invisível, o magnetismo, as auras, os sons, os fluidos, psicometria e clarividência, e em geral o estudo dos outros cinco sentidos hiperfísicos, para não falarmos de astrologia horoscópica, que já é uma degeneração do saber quando não levada a efeito com as devidas precauções, e depois, a fisiognômica, leitura do pensamento, artes divinatórias (tarô, interpretação dos sonhos) até os graus superiores, como a profecia e o êxtase. Será necessário que se disponha de informações suficientes sobre os manejamentos fluídicos, a alquimia, espagiria, telepatia, exorcismo, magia cerimonial e evocatória, teurgia de base. Para o ocultismo verdadeiro e propriamente dito, aconselharei explorações nos campos da Cabala primitiva, bramanismo, gimnosofia, hieróglifos de Mênfis..."

"Fenomenologia templar", insinuou Belbo.

Bramanti iluminou-se: "Sem dúvida. Mas esquecia-me, antes algumas noções de necromancia e feitiçaria das raças não brancas, onomancia, furores proféticos, taumaturgia voluntária, sugestões, ioga, hipnotismo, sonambulismo, química mercurial... Wronski, para a tendência mística, aconselhava ter presente as técnicas dos possessos de Loudun, dos convulsos de San Medardo, as beberagens místicas, vinho do Egito, elixir da vida e acqua tofana. Para o princípio do mal, mas aqui entendo que já estaríamos chegando à seção mais reservada de uma possível coleção, direi que é necessário familiarizar-se com os mistérios de Belzebu como destruição própria, e de Satã como príncipe destronado, de Eurinômio, de Moloch, íncubos e súcubos. Para o princípio positivo, mistérios celestes de São Miguel, São Gabriel e São Rafael e dos agatodemônios. Depois, os mistérios de Ísis, de Mitra, de Morfeu, de Samotrácia e de Eleusis e os mistérios naturais do sexo viril, falo, Pau da Vida, Chave da Ciência, Bafomé, malho, os mistérios naturais do sexo feminino, Ceres, Ctéis, Pátera, Cibele, Astarte."

O Sr. Garamond inclinou-se para a frente com um sorriso insinuante: "Não se esqueceu dos gnósticos..."

"Mas certamente não, se bem que sobre esse argumento específico circula muita pacotilha, de escassa seriedade. Em todo caso, todo ocultismo sadio é uma Gnose."

"É o que acho", disse Garamond.

"E tudo isto seria bastante", disse Belbo, com tom brandamente interrogativo.

Bramanti encheu as bochechas, transformando-se de repente de anta em roedor. "O bastante... para iniciar, não para iniciados, se me perdoam o jogo de palavras. Mas aí com uns cinquenta volumes os senhores já poderiam atrair um público de milhares de leitores, que esperam apenas uma palavra segura... Com um investimento de algumas centenas de milhões; venho exatamente ao Sr. Dr. Garamond porque o sei disposto a aventuras ainda mais generosas, com um modesto percentual que me tocaria, como diretor da coleção..."

Bramanti dissera o bastante e começava a perder qualquer interesse aos olhos de Garamond. Com efeito, foi dispensado às pressas e com grandes promessas futuras. O famoso conselho consultivo iria avaliar atentamente a proposta.

42

ESTAMOS TODOS DE ACORDO

Mas sabei que estamos todos de acordo,
seja o que for que dissermos.

(Turba Philosophorum)

Quando Bramanti saiu, Belbo observou que ele devia destapar o rabo. O Sr. Garamond não conhecia a expressão e Belbo tentou algumas respeitosas paráfrases, sem sucesso algum.

"Em todo o caso", disse Garamond, "não nos façamos difíceis. Aquele senhor mal tinha dito cinco palavras e eu já sabia que não se tratava de um cliente para nós. Ele. Mas aqueles de quem ele fala, sim, autores e leitores. Este Bramanti chegou a corroborar certas reflexões que eu vinha fazendo já há alguns dias. Aqui estão, senhores." E tirou teatralmente da gaveta três livros.

"Eis aqui três volumes publicados nestes anos, e todos de sucesso. O primeiro é em inglês e não li, mas o autor é um crítico ilustre. E que foi que escreveu? Olhem o subtítulo, um romance gnóstico. E agora olhem este: aparentemente um romance de fundo policial, um best-seller. E de que se trata? De uma igreja gnóstica nos arredores de Turim. Os senhores sabem quem são esses gnósticos..." Deteve-nos com um sinal da mão. "Não importa, para mim basta saber que são uma coisa demoníaca... Eu sei, eu sei, talvez esteja indo muito depressa, mas não quero falar como os senhores, quero falar como Bramanti. Neste momento, estou sendo o editor e não o professor de gnosiologia comparada ou que outro nome tenha. Que vi de lúcido, promissor, convidativo, direi mesmo curioso, no discurso de Bramanti? Essa extraordinária capacidade de colocar tudo junto, ele não disse gnósticos, mas os senhores viram que bem podia tê-lo dito, entre geomancia, gerovital e radamés ao mercúrio.

E por que insisto? Porque aqui tenho outro livro, de uma jornalista famosa, contando acontecimentos incríveis em Turim, isso mesmo, em Turim, a cidade da indústria automobilística: bruxarias, evocações do demônio, e tudo para gente de importância, não para os pobres-diabos do interior. Casaubon, Belbo me disse que o senhor esteve no Brasil e assistiu aos ritos satânicos daqueles selvagens de lá... Está bem, depois me dirá exatamente o que eram, mas dá no mesmo. O Brasil está aqui, senhores. Entrei outro dia naquela livraria, como se chama, tanto faz, era uma livraria que há seis ou sete anos vendia textos anarquistas, revolucionários, tupamaros, terroristas, direi mais, marxistas... E então? Como se reciclou? Com as coisas de que falava Bramanti. É verdade, hoje estamos numa época confusa, e se vamos a uma livraria católica, onde antigamente só havia catecismo, aí encontramos até mesmo a reavaliação de Lutero, mas nunca um livro em que se diga que a religião é todo um embuste. No entanto, nessas livrarias a que me refiro, vende-se tanto o autor em que se crê quanto aquele que diz o contrário, porque abordam um argumento, como direi..."

"Hermético", sugeriu Diotallevi.

"Isso, creio que seja essa a palavra exata. Vi pelo menos dez livros sobre Hermes. E lhes venho a falar de um Projeto Hermes. Entraremos no ramo."

"No ramo de ouro",* disse Belbo.

"Exatamente, nele", disse Garamond, sem apreender o sentido da citação, "é um filão de ouro. Eu me dei conta de que engolem tudo, desde que seja hermético, como dizia o senhor, desde que diga o contrário daquilo que estudaram em seus livros de escola. E creio que seja até mesmo um dever cultural: não sou um benfeitor por vocação, mas nestes tempos tão negros oferecer a alguém uma fé, uma fresta para o sobrenatural... A Garamond, seja como for, tem sempre uma função científica..."

Belbo empertigou-se. "Pareceu-me que o senhor estivesse pensando na Manuzio."

"Nas duas. Ouçam-me. Andei investigando aquela livraria, depois fui a uma outra, seriíssima, onde havia também a sua prateleira de ciências ocultas. Sobre o assunto há estudos universitários, e estão ao lado de livros escritos

---

* Referência ao *The Golden Bough*, de Frazer. (*N. do T.*)

por pessoas como Bramanti. Ora, raciocinemos: talvez Bramanti jamais tenha encontrado aqueles autores universitários, mas os leu, e os leu como se fossem iguais a ele. Esses tipos, tudo o que a gente diz, eles pensam que se trata do problema deles, como a história do gato que via o casal discutir sobre divórcio e achava que estavam preocupados com os miúdos de seu almoço. Você viu só, Belbo, mal você tocou naquela história dos templários, ele imediatamente, *okay*, os templários também entram, e entra a Cabala, a loteria esportiva e o fundo do café. São onívoros. Onívoros. Viu a cara de Bramanti: um roedor. Um público imenso, dividido em duas grandes categorias, estou vendo-as desfilar diante dos meus olhos, e são legião. Em primeiro lugar aqueles que escrevem, e a Manuzio está aqui de braços abertos. Basta atraí-los publicando uma coleção que se faça notar, que poderia intitular-se, vejamos..."

"A Tábula Esmeraldina", disse Diotallevi.

"O quê? Não, muito complicado, a mim por exemplo não diz nada, precisamos de algo que lembre algo mais..."

"Ísis Revelada", disse eu.

"Ísis Revelada! Soa bem, muito bom, Casaubon, está na linha de Tutancâmon, do escaravelho das pirâmides. Ísis Revelada, com uma capa levemente supersticiosa, mas não muito. E continuemos. Depois, há a segunda leva, a dos que compram. Bem, meus amigos, os senhores me dizem que a Manuzio não está interessada naqueles que compram. Foi o médico que disse? Dessa vez venderemos os livros da Manuzio, meus senhores, será um salto qualitativo! E, por fim, sobram os estudos de nível científico, e aqui entra em cena a Garamond. Ao lado dos estudos históricos e das outras coleções universitárias, encontramos um consulente sério e publicamos três ou quatro livros por ano, numa coleção séria, rigorosa, com um título explícito, mas não pitoresco..."

"Hermética", disse Diotallevi.

"Ótimo. Clássico, dignificante. Os senhores poderão me perguntar por que gastar dinheiro com a Garamond quando podemos ganhar com a Manuzio. Mas a coleção séria dá reclame, atrai pessoas sensatas que farão outras propostas, indicarão pistas, e atrai também as outras, os Bramanti, que serão desviados para a Manuzio. Parece-me um projeto perfeito, o Projeto Hermes, uma operação limpa, rendosa, que consolida o fluxo ideal entre as duas casas... Senhores, ao trabalho. Visitem as livrarias, levantem bibliografias, mandem vir catálogos, vamos ver o que estão fazendo em outros países... E depois quem sabe quanta gente nos veio procurar trazendo consigo alguns tesouros, e as mandamos embora porque então não nos serviam. E faço questão, Casaubon, mesmo na história dos metais vamos colocar um pouco de alquimia. O ouro é um metal, quero crer. Os comentários depois, sabem que sou aberto às críticas, sugestões, contestações, como se faz entre pessoas cultas. O projeto entra em execução a partir deste momento. Sra. Grazia, mande entrar aquele senhor que está esperando há duas horas, isto não é modo de se tratar um autor!", disse, abrindo-nos a porta e tratando de se fazer ouvir na sala de espera.

43

PESSOAS QUE ENCONTRAMOS PELA RUA

*Pessoas que encontramos pela rua... se dão em segredo à
prática de Magia Negra, ligam-se ou procuram ligar-se aos
Espíritos das Trevas, para satisfazer seu desejo de ambição,
ódio, amor, para fazer — numa palavra — o mal.*

(J.K. Huysmans, Prefácio J. Bois, *Le satanisme
et la magie,* 1895, pp. VIII-IX)

Achei que o projeto Hermes fosse uma ideia apenas em esboço. Não conhecia ainda o Sr. Garamond. Enquanto nos dias seguintes me demorava pelas bibliotecas à cata de ilustrações sobre os metais, na Manuzio já estavam trabalhando.

Dois meses depois vi nas mãos de Belbo um número, ainda cheirando a tinta, do *Parnaso Enótrio,* com um longo artigo, "Renascer do ocultismo", no qual o famoso hermetista Dr. Moebius, pseudônimo novinho em folha de Belbo, que assim ganhava sua primeira remuneração extra no Projeto Hermes, falava do miraculoso renascimento das ciências ocultas no mundo moderno e anunciava que a Manuzio pretendia enveredar por esse caminho editando uma nova coleção, a Ísis Revelada.

Nesse ínterim, o Sr. Garamond escreveu uma série de cartas às várias revistas dedicadas a hermetismo, astrologia, tarô, ufologia, assinando com um nome qualquer, e pedindo informações sobre a nova coleção anunciada pela Manuzio. Em vista disso, os redatores das revistas haviam lhe telefonado pedindo informações e ele bancara o misterioso, dizendo não poder ainda revelar os primeiros dez títulos, que estavam já no prelo. Dessa maneira o universo dos ocultistas, certamente bastante agitado por contínuos rufares de tantãs, já estava agora a par do Projeto Hermes.

"Disfarcemo-nos de flores", dizia-nos o Sr. Garamond, que nos havia acabado de convocar à sala do mapa-múndi, "que as abelhas aparecem."

Mas não era tudo. Garamond queria mostrar-nos o fôlder (*dépliant*, como o chamava — mas é assim que se diz nas editoras milanesas): uma coisa simples, quatro páginas, mas em papel acetinado. A primeira página reproduzia aquilo que seria o emblema da capa da série, uma espécie de sinete dourado (chama-se Pentáculo de Salomão, explicava Garamond) em fundo negro, a borda da página enquadrada por uma decoração que evocava muitas suásticas entrelaçadas (a suástica asiática, explicava Garamond, aquela que aponta no sentido do sol, e não a nazista, que segue como os ponteiros do relógio). No alto, no lugar do título dos volumes, uma legenda: "há mais coisas entre o céu e a terra..." Nas páginas internas celebrava-se a glória da Manuzio a serviço da cultura, e alguns slogans eficazes acenavam o fato de que o mundo moderno exige certezas mais profundas e luminosas do que a ciência lhe pode dar: "Do Egito, da Caldeia, do Tibete, uma sabedoria esquecida — para o renascimento espiritual do Ocidente."

Belbo perguntou-lhe a quem se destinavam os fôlderes e Garamond sorriu como sorri, dizia Belbo, a alma danada do rajá de Assam.* "Mandei buscar na França o anuário de todas as sociedades secretas que existem hoje no mundo, e não me venham perguntar como é que pode haver um anuário público das sociedades secretas, pois há, aqui está ele, éditions Henry Veyrier, com endereço, número de telefone, código postal. Antes, quero que Belbo dê uma olhada nele para eliminar as que não interessam, pois vejo que aí também figuram os jesuítas, o Opus Dei, os Carbonários e o Rotary Club, mas deixando todas aquelas que tenham colorações ocultas, como algumas que já assinalei."

Ele folheava: "Vejam aqui: Absolutistas (que acreditam na metamorfose), Aetherius Society da Califórnia (relações telepáticas com Marte), Astara de Lausanne (juramento de segredo absoluto), Atlanteans da Grã-Bretanha (procura da felicidade perdida), Builders of the Adytum da Califórnia (alquimia, cabala, astrologia), Círculo E.B. de Perpignan (dedicado a Hator, deusa do amor e guardiã da Montanha dos Mortos), Círculo Eliphas Levi de Maule (não sei quem é esse Levi, deve ser aquele antropólogo francês, ou como se

---

* Referência a um personagem de Emilio Salgari. (*N. do T.*)

chama), Cavaleiros da Aliança Templar de Toulouse, Colégio Druídico das Gálias, Convent Spiritualists of Jericho, Cosmic Church of Truth da Flórida, Seminário Tradicionalista de Ecône na Suíça, Mórmons (estes já encontrei até num romance policial, mas talvez não existam mais), Igreja de Mitra em Londres e Bruxelas, Igreja de Satã de Los Angeles, Igreja Luciferiana Unificada da França, Igreja Rosicruciana Apostólica de Bruxelas, Irmãos das Trevas ou Ordem Verde da Costa do Ouro (talvez estes não, quem sabe lá em que língua escrevem), Escuela Hermetista Occidental de Montevidéu, National Institute of Kabbalah de Manhattan, Central Ohio Temple of Hermetic Science, Tetra-Gnosis de Chicago, Irmãos Antigos da Rosa-Cruz de Saint Cyr-sur-Mer, Fraternidade Joanita pela Ressurreição Templar em Kassel, Fraternidade Internacional de Ísis de Grenoble, Ancient Bavarian Illuminati de São Francisco, The Sanctuary of the Gnosis de Sherman Oaks, Grail Foundation of America, Sociedade do Graal do Brasil, Hermetic Brotherhood of Luxor, Lectorium Rosicrucianum da Holanda, Movimento do Graal de Estrasburgo, Ordem de Anúbis de Nova York, Temple of Black Pentacle de Manchester, Odinist Fellowship da Flórida, Ordem da Jarreteira (nessa deve estar metida até mesmo a rainha da Inglaterra), Ordem do Vril (maçonaria neonazista, sem endereço), Militia Templi de Montpellier, Ordem Soberana do Templo Solar de Monte Carlo, Rosa-Cruzes do Harlem (estão vendo, até os negros, agora), Wicca (associação luciferina de obediência céltica, invocam os 72 gênios da Cabala)... em suma, devo continuar?"

"Todas existem, mesmo?", perguntou Belbo.

"E até mais. Ao trabalho, faça a lista definitiva e depois expedimos as cartas. Mesmo se forem estrangeiras. Entre essa gente, as notícias viajam. Agora só falta fazer uma coisa. Precisamos circular pelas livrarias adequadas e falar não só com os livreiros, mas também com os clientes. Deixar escapar na conversa que existe uma coleção assim e assado."

Diotallevi fez-lhe notar que não podiam expor-se daquela maneira, que era preciso arranjar divulgadores, e Garamond disse para procurá-los: "Desde que sejam de graça."

Bela pretensão, comentou Belbo ao voltarmos para a sala. Mas os deuses do subsolo nos protegiam. Exatamente naquele momento entrou Lorenza Pellegrini, mais solar que nunca, Belbo tornou-se radiante, ela viu os fôlderes e se interessou por eles.

Ao saber do projeto da casa ao lado, seu rosto se iluminou: "Que bacana, tenho um amigo simpaticíssimo, ex-tupamaro uruguaio, que trabalha numa revista chamada *Picatrix* e me leva sempre a sessões espíritas. Fiz amizade com um ectoplasma fabuloso, que agora sempre chama por mim toda vez que se materializa!"

Belbo olhou para Lorenza como se lhe fosse perguntar alguma coisa, mas depois desistiu. Creio que já se habituara a esperar de Lorenza os fantasmas mais preocupantes, mas que tivesse decidido preocupar-se apenas com aqueles que pudessem lançar uma sombra sobre o seu relacionamento amoroso (amava-a?). E naquela referência à *Picatrix* tinha visto, mais que o fantasma do coronel, a figura do uruguaio simpaticíssimo. Mas Lorenza já estava falando de outro assunto e nos revelava estar frequentando muitas daquelas pequenas livrarias onde se vendem os livros que a Ísis Revelada gostaria de publicar.

"São um espetáculo, sabiam", estava dizendo. "A gente encontra ali ervas medicinais, e instruções para fazer um homúnculo, exatamente como Fausto fez com Helena de Troia, oh, Jacopo, vamos fazer nós dois, quero tanto ter um homúnculo seu, depois saímos aí com ele como se fosse um bassê. É fácil, segundo o livro basta recolher num frasco um pouco de sêmen humano, não será difícil para você, espero, não fique encabulado, seu tolo, depois mistura-se com hipômanes, ao que parece um líquido que é... secregado... segretado... como se diz?..."

"Secretado", afirmou Diotallevi.

"É mesmo? Em suma, aquilo que expelem as éguas grávidas, já aí acho que é mais difícil, pois se eu fosse uma égua grávida não ia querer que me viessem recolher o hipômanes, principalmente se se tratasse de desconhecidos, mas creio que se possa encontrar sintético, como os agarbates. Depois mete-se tudo num frasco e deixa-se macerar durante quarenta dias e pouco a pouco vamos vendo formar-se uma figurinha, como um fetozinho, que dois meses depois se transforma num homúnculo belíssimo, e sai dali e se põe a nosso serviço, creio que não morrem nunca, imagine, podem até levar flores ao seu túmulo quando você morrer!"

"E que mais se vê nessas livrarias?", perguntou Belbo.

"Gente fantástica, gente que fala com os anjos, que faz ouro, além de mágicos profissionais com cara de mágico profissional..."

"Como é a cara do mágico profissional?"

"Tem em geral o nariz aquilino, as sobrancelhas de um russo e os olhos rapaces, usa cabelo até o pescoço, como os pintores de antigamente, e barba, mas não cerrada, com mechas entre o queixo e as faces, e bigodes que se projetam para a frente e caem até os lábios em tufos, e por força, já que os lábios são muito levantados em relação aos dentes, pobrezinho, e os dentes saem para fora, todos um tanto acavalados. Não devia sorrir com aqueles dentes, mas o fato é que sorri com doçura, mas os olhos (já lhes disse que são rapaces, não?) nos fitam de maneira inquietante."

"*Facies hermetica*", comentou Diotallevi.

"Será? Vejam, então. Quando entra alguém e pergunta por um livro, digamos, que tenha rezas contra os espíritos do mal, eles informam logo ao livreiro o título certo, que é precisamente aquele que o livreiro não tem. No entanto, se você faz amizade com eles e lhes pergunta se o livro é eficaz, sorriem de novo com compreensão como se falassem a crianças e dizem que é preciso estar-se sempre muito atento a esse gênero de coisas. Depois citam casos de diabos que fizeram coisas horrendas a amigos seus, a gente se assusta e eles nos tranquilizam dizendo que muitas vezes tudo não passa de histeria. Em suma, você já não sabe se acredita neles ou não. Quase sempre os livreiros me dão varinhas de incenso, certa vez um me deu uma figuinha de marfim contra o mau-olhado."

"Agora, se lembrar", disse-lhe Belbo, "quando for outra vez por lá pergunte se sabem algo sobre a nova coleção da Manuzio, e pode até mostrar o fôlder a eles."

Lorenza lá se foi com uma dúzia de fôlderes. Imagino que nas semanas seguintes até tenha trabalhado bem, mas não acreditava que as coisas pudessem acontecer tão depressa. Poucos meses depois a Sra. Grazia já não conseguia mais segurar os diabólicos, como havíamos definido os AEPs com interesses ocultistas. Que, como queria a natureza deles, eram legião.

44

INVOCA AS FORÇAS

> *Invoca as forças da Távola da União, seguindo o Supremo Ritual do Pentagrama, com o Espírito Ativo e Passivo, com Eheieh e Agla. Retorna ao altar e recita a seguinte Invocação aos Espíritos Enoquianos: Ol Sonuf Vaorsag Goho Iad Balt, Lonsh Calz Vonpho, Sobra Z-ol Ror I Ta Nazps, od Graa Ta Malprg... Ds Hol-q Qaa Nothoa Zimz, Od Commah Ta Nopbloh Zien...*
>
> (Israel Regardie, The Original Account of the Teachings, Rites and Ceremonies of the Hermetic Order of the Golden Dawn, Ritual for Invisibility, St. Paul, Llewellyn Publications, 1986, p. 423)

A sorte nos ajudou, e tivemos uma primeira entrevista de altíssima qualidade, pelo menos relativamente à nossa iniciação.

Na ocasião, o trio estava completo, eu, Belbo e Diotallevi, e quando entrou o visitante, pouco faltou para que déssemos um grito de surpresa. Tinha a *facies hermetica* descrita por Lorenza Pellegrini e, além do mais, vestia roupa preta.

Entrou olhando em torno com circunspecção e se apresentou (professor Camestres). À pergunta "professor de quê?" fez um gesto vago, como a convidar-nos à reserva. "Desculpem", disse, "não sei se os senhores se ocupam do problema de um ponto de vista puramente técnico, comercial, ou se estão filiados a algum grupo iniciático..."

Tranquilizamo-lo. "Não se trata de excesso de prudência de minha parte", disse, "mas não gostaria de ter qualquer envolvimento com alguém da OTO." Logo, diante de nossa perplexidade: "Ordo Templi Orientis, o conciliábulo dos últimos pretensos seguidores de Aleister Crowley... Vejo que não estão familiarizados com... Melhor assim, pois não haverá preconceitos da parte dos senhores." Aceitou sentar-se. "Porque, vejam só, a obra que lhes gostaria de apresentar entra corajosamente em confronto com a de Crowley. Nós todos, inclusive eu, permanecemos fiéis às revelações do *Liber AM vel legis,* que, como talvez saibam, foi ditado a Crowley em 1904, no Cairo, por uma inteligência superior de nome Aiwaz. A esse texto se atêm igualmente os seguidores da OTO até hoje, e às suas quatro edições, a primeira das quais precedeu de nove meses o arrebentar da guerra dos Bálcãs, a segunda de nove meses a Primeira Guerra Mundial, a terceira de nove meses a guerra sino-japonesa, a quarta de nove meses as chacinas da guerra civil espanhola..."

Não pude evitar de cruzar os dedos. Ele percebeu meu gesto e sorriu funéreo: "Compreendo a preocupação dos senhores. Considerando que lhes estou trazendo aqui agora a quinta reedição daquele livro, o que poderá acontecer daqui a nove meses? Nada, podem estar tranquilos, pois o que lhes proponho é o *Liber legis*; revisto e aumentado, já que tive a ventura de ser visitado não por uma simples inteligência superior, mas pelo próprio Al, princípio supremo, ou na verdade Hoorpaar-Kraat, que seria portanto o duplo ou o gêmeo místico de Ra-Hoor-Kuit. Minha única preocupação, até mesmo para impedir influências nefastas, é que esta minha obra possa ser publicada no solstício do inverno."

"Isso podemos ver", disse Belbo, encorajante.

"Isso me deixa contente. O livro fará furor nos ambientes iniciáticos, pois como os senhores poderão compreender, minha fonte é mais séria e mais acreditada que a de Crowley. Não sei como Crowley podia levar a efeito os rituais da Besta sem ter em conta a Liturgia da Espada. Só desembainhando a Espada se compreende o que vem a ser o Mahapralaya, ou seja, o Terceiro olho da Kundalini. Além do mais, em sua aritmologia, totalmente baseada no Número da Besta, não levou em conta 93, 118, 444, 868 e 1001, e os Novos Números."

"Que significam?", perguntou Diotallevi, subitamente animado.

"Ah", disse o professor Camestres, "como já se dizia no primeiro *Liber legis*, cada número é infinito, e não há diferença!"

"Compreendo", disse Belbo. "Mas o senhor não acha que tudo isso pode ser um tanto obscuro para o leitor comum?"

Camestres quase saltou da cadeira. "Mas é absolutamente indispensável. Quem compreendesse esses segredos sem a necessária preparação iria precipitar-se no Abismo! Só em torná-los públicos de maneira velada incorro em graves riscos, podem estar certos. Circulo no âmbito de adoração da Besta, mas de modo bem mais radical que Crowley, como verão nas minhas páginas sobre o *congressus cum daemone*, as prescrições para o adorno do templo e a conjugação carnal com a Dama Escarlate e a Besta que Ela Cavalga. Crowley só foi até o congresso carnal dito contra a natureza, e eu busco levar o ritual para além do Mal como assim o concebemos, e afloro o inconcebível, a pureza absoluta da Goetia, o extremo umbral do Bas-Aumgn e do Sa-Ba-Ft..."

A Belbo só restava agora sondar a capacidade financeira de Camestres. Fê-lo com longos rodeios, ao fim dos quais chegou à conclusão de que este, assim como Bramanti, não tinha a menor intenção de autofinanciar-se. Começava então a fase de desvencilhamento, com a branda proposta de ficar com os originais para exame durante uma semana, e depois veríamos. Mas nesse ponto Camestres aferrara o manuscrito contra o peito, dizendo que nunca fora tratado com tamanha desconfiança, e saiu porta afora deixando entender que tinha meios não convencionais de fazer arrepender-se quem o havia ofendido.

Em pouco tempo, no entanto, tínhamos dezenas de originais garantidamente AEPs. Requeriam um mínimo de avaliação, visto que se queria igualmente vendê-los. Excluída a hipótese de conseguirmos ler todos, consultávamos os índices, dando uma olhada no texto e depois comentando as nossas descobertas.

45

DAÍ DECORRE UMA EXTRAORDINÁRIA PERGUNTA

Daí decorre uma extraordinária pergunta.
Os egípcios conheciam a eletricidade?

(Peter Kolosimo, *Terra senza tempo*,
Milão, Sugar, 1964, p. 111)

"Descobri um texto sobre as civilizações desaparecidas e os países misteriosos", disse Belbo. "Parece que a princípio existia um continente Mu, para os lados da Austrália, e dali se difundiram as grandes correntes migratórias. Uma vai para a ilha de Avalon, outra para o Cáucaso e as nascentes do Indo, depois vêm os celtas, os fundadores da civilização egípcia e por fim a Atlântida..."

"Coisa antiga: de gente que escreve livros sobre Mu sou capaz de pôr em cima da mesa uma centena", disse eu.

"Mas este talvez valha a pena. Além disso, tem um belíssimo capítulo sobre as migrações gregas no Yucatán, contada no baixo-relevo de um guerreiro, em Chichén Itzá, que se assemelha a um legionário romano. Duas gotas d'água..."

"Todos os elmos do mundo ou têm plumas ou crinas de cavalo", disse Diotallevi. "Não constitui prova."

"No teu conceito, no dele não. O autor encontra a adoração da serpente em todas as civilizações e deduz daí que todas têm uma origem comum..."

"Quem não já adorou a serpente?", disse Diotallevi. "Salvo naturalmente o Povo Eleito."

"É verdade, eles adoravam os bezerros."

"Foi um momento de fraqueza. Eu descartaria também esse, mesmo valendo a pena. Celtismo e arianismo, Kaly-yuga, crepúsculo do ocidente e espiritualidade da SS. Posso ser paranoico, mas isso me cheira a nazista."

"Para a Garamond não é necessariamente uma contraindicação."

"Sim, mas para tudo há um limite. Porém, li um outro sobre gnomos, ondinas, salamandras, elfos e sílfides, fadas... Mas vêm à baila mesmo aqui as origens da civilização ariana. Parece que os SS nascem dos Sete Anões."

"Não dos Sete Anões, mas dos Nibelungos."

"Mas estes de quem se fala aqui são o Pequeno Povo irlandês. E más são as fadas, os pigmeus são bons, só que um pouco despeitados."

"Ponha-o à parte. E Casaubon encontrou alguma coisa?"

"Só um texto curioso sobre Cristóvão Colombo: analisa sua assinatura e encontra imediatamente uma relação com as pirâmides. Ele tinha a intenção de reconstruir o Templo de Jerusalém, dado que era o grão-mestre dos templários no exílio. Como era notoriamente um judeu português e, portanto, exímio cabalista, foi com invocações talismânicas que conseguiu domar a tempestade e livrar-se do escorbuto. Não examinei os textos sobre a Cabala porque imaginei que Diotallevi os tivesse visto."

"Todos com letras hebraicas trocadas, fotocopiados desses panfletos do Livro da Interpretação dos Sonhos."

"Lembrem-se de que estamos escolhendo textos para a Ísis Revelada. Não nos percamos em filologia. Talvez aos diabólicos agradem as letras hebraicas extraídas do Livro da Interpretação dos Sonhos. Estou incerto em relação a todas as contribuições sobre a maçonaria. O Sr. Garamond me recomendou que tivesse os pés no chão, pois não quer imiscuir-se nas diatribes entre os vários ritos. Contudo, não desprezarei este sobre o simbolismo maçônico na gruta de Lourdes. Nem este outro, muito bonito, sobre a aparição de um cavaleiro, provavelmente o conde de São Germano, íntimo de Franklin e de Lafayette, no momento da invenção da bandeira dos Estados Unidos. Embora explique bastante bem o significado das estrelas, confunde-se a propósito das listras."

"O conde de São Germano?", disse eu. "Vejam só!"

"Por quê, conhece-o?"

"Se lhes disser que sim, não vão me acreditar. É melhor deixar para lá. Tenho aqui uma monstruosidade de quatrocentas páginas contra os erros da ciência moderna: o átomo, uma mentira judaica, o erro de Einstein e o segredo místico da energia, a ilusão de Galileu e a natureza imaterial da lua e do sol."

"Nessa linha", disse Diotallevi, "o que mais me agradou foi esta resenha das ciências fortianas."

"E o que são?"

"Decorrem do nome de um certo Charles Hoy Fort, que colecionou uma grande quantidade de notícias inexplicáveis. Uma chuva de rãs em Birmingham, pegadas de um animal legendário em Devon, escadas misteriosas e impressões de ventosas na superfície de algumas montanhas, irregularidade nos intervalos dos equinócios, inscrições sobre meteoritos, neve negra, temporais de sangue, seres alados a oito mil metros nos céus de Palermo, rotas luminosas nos mares, restos de gigantes, cascata de folhas mortas na França, precipitações de matéria viva em Sumatra, e naturalmente todas as marcas deixadas em Machu Picchu e outros cumes da América do Sul que atestam a aterrissagem de potentes astronaves em época pré-histórica. Não estamos sozinhos no universo."

"Nada mal", disse Belbo. "O que me intriga, no entanto, são estas quinhentas páginas sobre as pirâmides. Sabiam que a pirâmide de Quéops se encontra exatamente no trigésimo paralelo, o que atravessa o maior número de terras emersas? Que as relações geométricas encontradas na pirâmide de Quéops são as mesmas que se encontram em Pedra Pintada na Amazônia? Que o Egito possuía duas serpentes com plumas, uma no trono de Tutankhamon e outra na pirâmide de Sakkara, e isto nos leva a Quetzalcoatl?"

"Que tem a ver Quetzalcoatl com a Amazônia, se faz parte do panteão mexicano?", perguntei.

"Bem, talvez o elo se tenha perdido. De outra forma, como justificar que as estátuas da ilha da Páscoa sejam megalíticas como as celtas? Um dos deuses polinésios se chama Ya, e é claramente o Iod dos hebreus, como o antigo húngaro Io-v', o deus grande e bom. Um antigo manuscrito mexicano mostra a Terra como um quadrado circundado pelo mar, tendo ao centro uma pirâmide que traz na base a inscrição Aztlan, semelhante a Atlas ou Atlântida. Por que de ambos os lados do Atlântico se encontram pirâmides?"

"Porque é mais fácil construir pirâmides do que esferas. Porque o vento produz as dunas em forma de pirâmide e não de Partenon."

"Odeio o espírito do Iluminismo", disse Diotallevi.

"Continuo. O culto de Rá não aparece na religião egípcia antes do Novo Império e, portanto, provém dos celtas. Lembre-se de São Nicolau e seu trenó.

No Egito pré-histórico, a nave solar era um trenó. Tendo em vista que esse trenó não poderia deslizar na neve no Egito, sua origem devia ser nórdica..."

Não cedemos: "Mas antes da invenção da roda, os trenós eram usados até mesmo sobre a areia."

"Não interrompa. O livro diz que primeiro é necessário identificar as analogias e depois encontrar as razões. E aqui diz que, no fim, mesmo as razões são científicas. Os egípcios conheciam a eletricidade, senão não poderiam ter feito aquilo que fizeram. Um engenheiro alemão encarregado de construir os esgotos de Bagdá descobriu pilhas elétricas ainda em funcionamento que remontavam aos Sassânidas. Nas escavações da Babilônia vieram à luz acumuladores fabricados há quatro mil anos. E finalmente a arca da aliança (que devia recolher as tábuas da lei, a vara de Aarão e um vaso de maná do deserto) era uma espécie de cofre elétrico capaz de produzir descargas da ordem dos 500 volts."

"Já vi isto num filme."

"E agora? Donde acham que os argumentistas de cinema tiram suas ideias? A arca era feita de madeira de acácia, revestida de ouro no interior e no exterior, o mesmo princípio dos condensadores elétricos, dois condutores separados por um isolante. Era circundada por uma grinalda toda de ouro. E era colocada numa zona seca onde o campo magnético acumulava 500-600 volts por metro vertical. Aqui se diz que Porsenna, por meio da eletricidade, tinha conseguido libertar seu reino da presença de um terrível animal chamado Volt."

"Foi por isso que Volta escolheu este sobrenome exótico. Antes chamava-se simplesmente Szmrszlyn Krasnapolskij."

"Levemos a sério. Mesmo porque, além dos manuscritos, tenho aqui um leque de cartas que propõem revelações sobre as relações entre Joana d'Arc e os Libri Sibillini, Lilith, demônio talmúdico e a grande mãe hermafrodita, o código genético e a escrita marciana, a inteligência secreta das plantas, o renascimento cósmico e a psicanálise, Marx e Nietzsche na perspectiva de uma nova angelologia, o Número de Ouro e os Cortiços de Matera, Kant e o ocultismo, mistérios eleusinos e o jazz, Cagliostro e a energia atômica, homossexualidade e gnose, Golem e a luta de classes, para terminar com uma obra em oito volumes sobre o Graal e o Sagrado Coração."

"O que pretende demonstrar? Que o Graal é uma alegoria do Sagrado Coração ou que o Sagrado Coração é uma alegoria do Graal?"

"Compreendo a diferença e a aprecio, mas creio que para o autor vão bem as duas coisas. Em suma, a esta altura já não sei mais como proceder. Precisamos ouvir o Sr. Garamond."

Ouvimo-lo. Disse que em princípio não se devia descartar nada, e ouvir a todos.

"Mas veja o senhor que a maior parte dessa tralha repete coisas que se encontram em todas as edições de bancas de jornais", disse eu. "Os autores, mesmo aqueles editados, se copiam entre si, um dá como testemunho a afirmação de outro, e todos usam como prova decisiva uma frase de Jâmblico, por assim dizer."

"E daí?", disse Garamond. "Vão querer vender aos leitores alguma coisa que ignorem? Acontece que os livros da Ísis Revelada falam exatamente das mesmas coisas que os outros falam. Confirmam-se entre si, logo são verdadeiros. Desconfiem da originalidade."

"Está certo", disse Belbo, "mas é preciso saber o que é óbvio e o que não é. Precisamos de um consultor."

"De que tipo?"

"Não sei. Deve ser mais excêntrico que diabólico, mas deve conhecer bem o mundo deles. E depois nos dirá o que devemos considerar para a Hermética. Um estudioso sério do hermetismo renascentista..."

"Muito bem", disse Diotallevi, "mas aí no primeiro instante em que lhe pomos na mão o Graal e o Sagrado Coração ele sai batendo a porta."

"Então esquece."

"Acho que conheço a pessoa adequada", disse eu. "Um tipo certamente erudito, que leva bastante a sério esses assuntos, mas com elegância, direi mesmo com ironia. Conheci-o no Brasil, mas agora já deve estar em Milão. Devo ter o telefone dele em algum lugar."

"Contate-o", disse Garamond. "Com cautela, depende do preço. E trate de aproveitá-lo igualmente para a maravilhosa aventura dos metais."

Agliè pareceu contente de me ouvir. Pediu-me notícias da deliciosa Amparo, fiz-lhe timidamente compreender que se tratava de um assunto já encerrado, desculpou-se, fez algumas observações corteses sobre a facilidade com que os jovens podem abrir sempre novos capítulos em sua vida. Acenei-lhe com um projeto editorial. Mostrou-se interessado, disse que teria todo o prazer em conversar conosco e marcamos um encontro em sua casa.

Desde o início do Projeto Hermes até aquele dia eu me divertira despreocupadamente à custa de meio mundo. Agora estes começavam a apresentar a conta. Eu também era uma abelha que corria em direção à flor, mas não o sabia ainda.

46

CHEGARÁS JUNTO À RÃ VÁRIAS VEZES

Durante o dia chegarás junto à rã várias vezes e proferirás palavras de adoração. E lhe pedirás que realize os milagres que desejas... Nesse ínterim farás uma cruz sobre a qual deverás imolá-la.

(De um Ritual de Aleister Crowley)

Agliè morava para os lados da praça Susa: uma pequena rua particular, sobradinho fim de século, sobriamente floral. Veio abrir-nos a porta um velho criado de terno listrado, que nos fez entrar num pequeno salão e pediu-nos que aguardássemos a chegada do senhor conde.

"Então o homem é conde?", perguntou Belbo.

"Não lhe disse? É o próprio São Germano, redivivo."

"Não pode ser redivivo, se nunca morreu", sentenciou Diotallevi. "Não será acaso Ashaverus, o judeu errante?"

"Segundo alguns, o conde de São Germano era também o Judeu Errante."

"Estão vendo?"

Agliè entrou, sempre impecável. Apertou nossas mãos e logo se desculpou: uma desagradável reunião, de todo imprevista, o obrigava a estar ainda por uns dez minutos no seu escritório. Ordenou ao criado que nos trouxesse café e pediu-nos que sentássemos. Depois saiu, afastando uma pesada cortina de couro antigo. Não era uma porta, e enquanto tomávamos café ouvíamos vozes excitadas que nos chegavam do compartimento ao lado. A princípio começamos a conversar entre nós em tom normal, para não ouvirmos o que diziam, mas Belbo observou que talvez os perturbássemos com isto. Num instante de silêncio, ouvimos uma voz, e uma frase, que suscitaram nossa curiosidade.

Diotallevi levantou-se com ar de quem ia admirar uma estampa seiscentista que havia na parede, exatamente ao lado da cortina. Era uma caverna nas montanhas, à qual alguns peregrinos chegavam subindo por sete degraus. Dali a pouco fingíamos os três estar examinando a gravura.

A voz que tínhamos ouvido era certamente a de Bramanti, que dizia: "Em suma, eu não mando diabo à casa de ninguém!"

Naquele dia concluímos que Bramanti, além do aspecto, também tinha voz de anta.

A outra voz era a de um desconhecido, com forte sotaque francês, e de tom estridente, quase histérico. Por vezes se introduzia no diálogo a voz de Agliè, suave e conciliante.

"Vamos, senhores", disse naquele momento Agliè, "já que vieram pedir meu veredicto, e me sinto honrado por isso, agora é preciso que me escutem. Antes de mais nada, permita-me que lhe diga, meu caro Pierre, que acho pelo menos imprudente de sua parte o fato de ter escrito aquela carta..."

"O caso é muito simples, *senhorr* conde", respondia a voz francesa, "o Sr. Brramanti aqui escreve um artigo, numa revista que *tudos* nós estimamos, onde faz ironia a bem *dizerr* pesada contra alguns *luciferrianos* que aceitam a hóstia sem nem mesmo *crerrem* na presença real, para *tirarr* disso dinheiro e patati e patatá. Ora, *tudos* sabem que a única Eglise Luciferienne reconhecida é aquela de que sou modestamente Tauroboliaste e Psicopompo, e sabe-se que minha igreja não pratica o satanismo vulgar e não faz mixórdia com as hóstias, como o cânone Docre à Saint-Sulpice. Na carta eu disse que não somos satanistas *vieux jeu*, *adorradores* du Grand Tenancier du Mal, e que não temos necessidade de fazer momices da Igreja de Roma, com todos aqueles cibórios e aquelas como se diz casubole... Somos principalmente Palladianos, mas como todo mundo sabe, para nós *Lucifér* é o *prancípio* do bem, e *Adonís* sim é o *prancípio* do mal porque foi ele que criou este mundo e Lucifér tinha tentado de se *oporr*..."

"Está bem", dizia Bramanti exaltado, já disse, posso ter pecado por leviandade, mas isto não o autorizava a ameaçar-me de sortilégio!"

"Ora essa! A minha era uma metáfora! O *senhorr* foi quem por ricochete me fez o *envoûtement*!"

"Coisa nenhuma, eu e meus confrades não temos tempo a perder para expulsar diabretes! Nós praticamos o Dogma e Ritual da Alta Magia, não somos feiticeiros!"

"*Senhorr* conde, apelo para si. O Sr. *Brramanti* tem evidentes *ligaçons* com o abbé Boutroux, e desse sacerdote o *senhorr* sabe bem que mandou tatuar *crucifixes* nas plantas dos pés para poder pisar sobre nosso *senhorr*, ou *melhorr* sobre seu... *Bon*, faz sete dias encontrei esse pretenso *abate* na livraria Du Sangreal, o *senhorr* conhece, ele sorri para mim, muito *asquerroso* como de costume, e me diz que *orra* pois muito bem que vamos ver uma noite destas... Mas que *querr dizerr* por uma noite destas? *Querr dizerr* que, dois dias depois começam as visitas, estou *parra* me *deitarr* e sinto na *carra* uns *chocs fluidícos*, o senhor sabe que são *emanaçons* facilmente *reconocíveis*."

"Vai ver que esfregou a sola dos sapatos no carpete."

"Ah, é? E então por que haviam de *voarr* os bibelôs, um dos meus alambiques me bateu na testa, caiu por terra meu Bafomé de gesso, que *erra* uma lembrança de meu *povre* pai, e na parrede *aparreceram* escritas em letras ruges, orduras que não ouso dizer? Ora sabem muito bem que há um ano o finado monsieur Gros havia acusado aquele abbé de *fazerr* cataplasmas com matéria fecal, perdoem-me, e o *abate* o condenou à morte; duas semanas depois o *povre* monsieur Gros morria *misterriosamente*. Até o *jury* de honra convocado pelos martinistas de Lyon concluiu que esse Boutroux *manubra* substâncias venenosas..."

"Com base em calúnias...", dizia Bramanti.

"Oh, não me diga! Um processo sobre *matérria* dessa *naturreza* é sempre *indiciárrio*..."

"Sim, mas no tribunal não foi dito também que Gros era um alcoólatra com cirrose em último grau."

"Mas não seja *puerril*! A *feitiçarria* procede pelas vias *naturrais*, e se alguém tem cirrose vão acertá-lo *exactamente* no *órgano* doente, é o abc da magia negra..."

"E então todo aquele que morrer de cirrose é o bom Boutroux, não me faça rir!"

"Pois então conte-nos o que aconteceu em Lyon naquelas duas semanas... Capela desconsagrada, hóstia com o tetragrammaton, o seu Boutroux com uma longa veste vermelha com a cruz *virrada parra* baixo, e madame Olcott, a sua vidente *particularr*, *parra* não *dizerr* mais, que lhe *aparrece* com o tridente sobre a fronte, e os cálices vazios que se enchem sozinhos de sangue, e o *abate* a *cuspirr* na boca dos fiéis... É verdade ou *non*?"

"Mas o senhor leu demais Huysmans, meu caro!", ria-se Bramanti. "Foi um evento cultural, uma reevocação histórica, como as celebrações da escola de Wicca e dos colégios druídicos!"

"Olé, o carnaval de Veneza..."

Ouvimos um alvoroço, como se Bramanti estivesse a ponto de atirar-se contra o adversário, e Agliè o contivesse a custo. "Está vendo como é, está vendo não é mesmo?", dizia o francês com a voz acima do tom. "Mas preste *atençon*, Bramanti, pergunte ao seu amigo Boutroux o que lhe aconteceu! Se ainda não sabe, ele está no hospital, pergunte a ele quem lhe quebrou a *carra*! Mesmo não praticando aquela goetia deles, sei também algumas coisas, e quando percebi que minha casa estava assombrada, tracei no chão o círculo de defesa, e embora eu próprio não creio, mas os seus diabretes sim, ergui o *escapulárrio* do Carmelo, e lhes fiz o contrassinal, *l'envoûtement retourné*, e zás. O seu *abate* deve ter passado uns maus bocados!"

"Veja só!", bufava Bramanti, "veja que é ele quem faz os malefícios."

"Senhores, vamos acabar com isto", disse Agliè, gentil mas firme. "Agora ouçam-me. Sabem o quanto aprecio no plano cognoscitivo estas revisitações de rituais antiquados, e para mim a igreja luciferiana ou a ordem de Satã são igualmente respeitáveis para além de suas diferenças demonológicas. Conhecem meu ceticismo a respeito, mas afinal de contas pertencemos sempre à mesma cavalaria espiritual e os conclamo a um mínimo de solidariedade. Além do mais, senhores, mesclar o Príncipe das Trevas com meros despeitos pessoais! Se fosse verdadeiro, seria pueril. Vamos acabar com essas histórias de ocultistas. Comportam-se como vulgares franco-maçons. Boutroux é um dissociado, sejamos francos, e melhor seria, caro Bramanti, que o convidasse a revender a um ferro-velho aquela sua parafernália de Fausto dos subúrbios..."

"Ha-ha, *c'est bien dit ça*", ria debochadamente o francês, "*c'est de la brocanterie...*"

"Redimensionemos os fatos. Houve um debate sobre o que chamaremos formalismos litúrgicos, os ânimos se inflamaram, mas não acreditamos em quimeras. Saiba, caro Pierre, não excluo de todo a presença em sua casa de entidades estranhas, é a coisa mais normal do mundo, mas com um mínimo de bom senso poderíamos explicar tudo como sendo um *poltergeist...*"

"Ah, isto não descarto", disse Bramanti, "a conjuntura astral naquele período..."

"E então! Vamos, um aperto de mão e um abraço fraterno."

Ouvimos sussurros de desculpas recíprocas. "Até o senhor sabe", disse Bramanti, "às vezes, para identificar aquele que verdadeiramente espera a iniciação, é preciso admitir inclusive o folclore. Até aqueles comerciantes do Grand Orient, que não creem em nada, têm um cerimonial."

"Bien entendu, le rituel, ah ça..."

"Mas não estamos mais nos tempos de Crowley, entenderam?", disse Agliè. "Agora me despeço. Tenho outros visitantes."

Voltamos rapidamente ao divã, e ficamos à espera de Agliè com circunspecção e desenvoltura.

47

OS SENTIDOS DESPERTOS E A MEMÓRIA PERCUTIDA

> *Portanto, nossa alta tarefa consiste em encontrar ordem nessas sete medidas, uma ordem que seja capaz, suficiente e distinta, e que tenha sempre os sentidos despertos e a memória percutida... Esta alta e incomparável colocação tem não somente a propriedade de nos conservar as ditas coisas palavras e artes... mas nos dá ainda a verdadeira sabedoria...*
>
> (Giulio Camillo Delminio, *L'idea del Theatro*, Florença, Torrentino, 1550, Introdução)

Poucos minutos depois Agliè entrava. "Desculpem-me, caros amigos, mas estou saindo de uma discussão bastante desagradável, para dizer o mínimo. Como sabe nosso amigo Casaubon, considero-me um cultor da história das religiões, e isso faz com que não raro alguns recorram às minhas luzes, mais talvez ao meu bom senso que à minha doutrina. É curioso, sabem, mas entre os adeptos de estudos sapienciais, encontramos às vezes personalidades bastante singulares... Não me refiro aos costumeiros buscadores de consolações transcendentais ou aos espíritos melancólicos, mas mesmo a pessoas de profundo saber, e de grande finura intelectual, que no entanto se entregam a extravagâncias noturnas e perdem o sentido de limite entre a verdade tradicional e o arquipélago do surpreendente. As pessoas com as quais acabei de me reunir estavam questionando sobre conjecturas pueris. Mas, como se costuma dizer, isso acontece nas melhores famílias. Mas, por favor, acompanhem-me ao meu pequeno escritório, onde poderemos conversar em ambiente mais confortável."

Ergueu a cortina de couro, e nos fez entrar no aposento. Não diríamos que fosse um escritório pequeno, amplo como era, e decorado com delicadas estantes de antiquário, recobertas de livros bem encadernados, certamente todos de respeitável idade. O que nos surpreendeu, mais que os livros, foram algumas vitrinazinhas cheias de objetos indefiníveis, que nos pareceram pedras, e pequenos animais, não percebemos se empalhados ou mumificados ou artisticamente reproduzidos. Todo o conjunto como que submerso numa luz difusa e crepuscular. Parecia provir de uma grande janela geminada ao fundo, de vidraças reticuladas a chumbo em formato de losangos, de uma transparência cor de âmbar, mas a luz da janela se amalgamava com a de uma grande lâmpada pousada sobre uma mesa de mogno escuro, recoberta de papéis. Era uma dessas lâmpadas que se encontram às vezes sobre as mesas de leitura das velhas bibliotecas, um enorme garrafão verde com cúpula, capaz de projetar um oval branco sobre a página, deixando o resto do ambiente numa penumbra opaca. Esse jogo de luzes diversas, ambas artificiais, reavivava em vez de ofuscar a policromia do teto.

Era um teto abobadado, que o efeito decorativo simulava sustentar dos quatro lados por pequenas colunas cor de tijolo com diminutos capitéis dourados, mas o *trompe-l'oeil* das imagens que o compunham, repartidas por sete zonas, fazia-o parecer uma abóbada de arestas, e a sala inteira assumia um tom de capela mortuária, impalpavelmente pecaminosa, melancolicamente sensual.

"Meu pequeno teatro", disse Agliè, "à maneira daquelas fantasias renascentistas onde se representavam enciclopédias visuais, coleções do universo. Mais do que uma habitação, uma máquina para recordar. Não há imagem que se veja que, combinando-se devidamente com outras, não revele ou sintetize um mistério do mundo. Observem aquela série de figuras, que o pintor quis fazer semelhantes às do palácio de Mântua: são os 36 decanos, senhores do céu. E por capricho, e fidelidade à tradição, de quem encontrei esta esplêndida reconstrução devida a não se sabe quem, eu quis que mesmo os pequenos objetos correspondessem, nos escrínios, às imagens do teto, resumindo os elementos fundamentais do universo, o ar, a água, a terra e o fogo. O que explica a presença desta graciosa salamandra, por exemplo, obra-prima de taxidermia de um caro amigo meu, ou desta delicada reprodução em miniatura, na verdade um pouco tardia, da eolípila de Eros, onde a água contida na esfera, quando se ativa este forninho a álcool que lhe serve de alguidar, aquece-se e escapa por esses biquinhos laterais, provocando a rotação. Mágico instrumento, que os sacerdotes egípcios já usavam em seus santuários, como nos ensinam tantos textos ilustres. Usavam-no para simular um prodígio, pois as turbas veneram os prodígios, ao passo que o verdadeiro prodígio está na lei áurea que regula a mecânica secreta e simples, aérea e elementar, do ar e do fogo. Esta é a sabedoria que tinham nossos ancestrais, e os homens da alquimia, e que os construtores de cíclotrons perderam. Por isso volto o olhar para o meu teatro da memória, filho de tantos outros, mais vastos, que fascinaram os grandes espíritos do passado, e sei. Sei, mais do que os assim chamados sábios. Sei que assim como é embaixo, assim é no alto. E não há mais o que saber."

Ofereceu-nos charutos cubanos, de forma curiosa, não retos, mas contorcidos, encrespados, bem como encorpados e grossos. Emitimos algumas exclamações de admiração e Diotallevi se aproximou das estantes.

"Ah", dizia Agliè, "uma biblioteca mínima, como veem, não mais que duas centenas de livros, tenho muitos mais em minha casa de família. Mas modestamente todos os daqui são de valor e raridade, naturalmente não dispostos ao acaso, pois a ordem das matérias verbais segue a das imagens e dos objetos."

Diotallevi ensaiou timidamente tocar num dos volumes. "Tenha a bondade", disse Agliè, "é o *Oedypus Aegyptiacus*, de Athanasius Kircher. Como sabem, ele foi o primeiro depois de Horapollus a tentar interpretar os hieróglifos. Homem fascinante, quem me dera ter aqui um museu das maravilhas como o dele, que hoje se crê disperso, porque não encontra quem sabe procurar... Conversador amabilíssimo. Como ficou satisfeito no dia em que descobriu que este hieróglifo significava 'os benefícios do divino Osíris sejam providos de cerimônia sagrada e da cadeia dos gênios...' Depois veio aquele embusteiro do Champollion, homem odiento, creiam-me, de uma vaidade infantil, que insistia em afirmar que o sinal correspondia apenas ao nome de um faraó. Que engenho têm os modernos em depreciar os símbolos sagrados. A obra não é assim tão rara: custa menos que uma Mercedes. Mas vejam esta, a primeira edição de 1595 do *Amphitheatrum sapientiae aeternae*, de Khunrath. Dizem que só existem dois exemplares no mundo. Este é o terceiro. Já esta aqui é a primeira edição do *Telluris Theoria Sacra*, de Burnetius. Não lhe posso olhar as gravuras à noite sem experimentar uma sensação de claustrofobia mística. A profundidade de nosso globo... Insuspeitada, não é verdade? Vejo que o Dr.

Diotallevi está fascinado pelos caracteres hebraicos do *Traicté des Chiffres*, de Vigenère. Veja agora este: é a primeira edição da *Kabbala denudata* de Knorr Christian von Rosenroth. Os senhores certamente sabem, pois o livro foi traduzido, de modo parcial e inepto, e divulgado em inglês no princípio deste século por aquele infeliz McGregor Mathers... Vocês devem saber algo sobre aquele escandaloso conciliábulo que tanto fascinou os estetas britânicos, a Golden Dawn. Daquele bando de falsificadores de documentos iniciáticos só poderia sair uma série de degenerações sem-fim, da Stella Mattutina às igrejas satânicas de Aleister Crowley, que evocava os demônios para obter a graça de alguns cavalheiros devotos do *vice anglais*. Soubessem, caros amigos, quantas pessoas dúbias, para não dizer pior, acabamos por encontrar quando nos dedicamos a esses estudos, mas os senhores verão com seus próprios olhos assim que começarem a publicar nessa área."

Belbo aproveitou-se da ocasião que lhe fornecia Agliè para entrar no assunto. Disse-lhe que a Garamond desejava publicar uns poucos livros ao ano de caráter, esotérico, disse.

"Oh, esotérico", sorriu Agliè, e Belbo enrubesceu.

"Digamos... hermético?"

"Sim, hermético", sorriu Agliè.

"Bem", disse Belbo, "talvez eu esteja usando os termos confusamente, mas decerto o senhor sabe de que gênero se trata."

"Oh", sorriu ainda Agliè, "não se trata de um gênero. É um saber. O que os senhores desejam é publicar uma resenha do saber não degenerado. Talvez para os senhores seja apenas uma questão de escolha editorial, mas se eu vier a colaborar, para mim será uma espécie da procura da verdade, uma *queste du Graal*."

Belbo advertiu que, assim como o pescador que atira sua rede está sujeito a recolher também conchas vazias e saquinhos de plástico, na Garamond iriam aparecer muitos originais de discutível seriedade, motivo por que se procurava um leitor rigoroso que soubesse separar o trigo do joio, assinalando inclusive as escórias curiosas, pois havia uma outra editora amiga que gostaria lhe fossem encaminhados os autores que não fossem rigorosamente de primeira classe... Naturalmente tratava-se ainda de fixar uma forma digna de remuneração.

"Graças aos céus sou daqueles que se costumam chamar uma pessoa abastada, que além de curiosa é igualmente cuidadosa. Basta-me, no curso de minhas investigações, encontrar outro exemplar de Khunrath, ou outra bela salamandra embalsamada, ou um chifre de narval (que me envergonharia de fazer figurar em minha coleção, mas que no entanto o tesouro de Viena exibe como sendo um chifre de unicórnio), e ganho com uma rápida e agradável transação muito mais que os senhores me possam oferecer por dez anos de consultoria. Verei seus originais datilografados com espírito de humildade. Estou convencido de que mesmo no texto mais esquálido encontrarei um reflexo qualquer, se não da verdade, pelo menos de bizarra mentira, e não raro os extremos se tocam. Vou-me enfadar apenas com a obviedade, e por esse enfado é que os senhores me pagarão. Com base no enfado que eu venha a ter, enviarei aos senhores no fim do ano uma pequena nota, que manterei nos limites do valor simbólico. Se a julgarem excessiva, mandem-me uma caixa de vinho de boa qualidade."

Belbo ficou perplexo. Estava acostumado a tratar com colaboradores teimosos e famintos. Abriu a maleta que trazia consigo e dela tirou um original volumoso.

"Não gostaria que o senhor fizesse uma avaliação demasiado otimista. Veja por exemplo este, que me parece típico da média."

Agliè abriu o original: "A língua secreta das Pirâmides... Vejamos o índice... O Pyramidion... Morte de lorde Carnavon... O testemunho de Heródoto..." Fechou-o. "Os senhores leram?"

"Eu, rapidamente, nos últimos dias", disse Belbo.

Devolveu-lhe o maço. "Pois então me confirme se minha apreciação está correta." Sentou-se por trás da mesa, meteu a mão no bolso do casaco, dele retirou o porta-pílulas que eu já vira no Brasil, girou-o entre os dedos delicados e finos que ainda há pouco haviam acariciado seus livros prediletos, ergueu os olhos para a decoração do teto, e pareceu-me recitar um texto que conhecesse desde muito.

"O autor deste livro lembrará aos seus leitores que Piazzi Smyth descobriu as medidas sagradas e esotéricas das pirâmides em 1864. Permitam-me que cite apenas em números inteiros, porque na minha idade a memória começa a trair-nos... É curioso observar que a base das pirâmides seja um quadrado de 232 metros de lado. A altura originária era de 148 metros. Isso traduzido em cúbitos sagrados egípcios dá uma base de 366 cúbitos, ou seja, o número de dias do ano bissexto. Para Piazzi Smyth a altura multiplicada por 10 à nona potência dá a distância da Terra ao Sol: 148 milhões de quilômetros. Uma boa aproximação para aqueles tempos, visto que hoje a distância calculada é de 149 milhões e meio de quilômetros, e não se quer dizer com isso que os modernos tenham razão. A base dividida pela largura de uma das pedras dá 365. O perímetro da base é de 931 metros. Dividindo-se pelo dobro da altura tem-se 3,14, o número π. Esplêndido, não é verdade?"

Belbo sorria embaraçado. "Impossível. Mas diga-me como faz para..."

"Deixa o Dr. Agliè falar, Jacopo", disse solícito Diotallevi.

Agliè agradeceu-lhe com um sorriso educado. Falava enquanto percorria o olhar pelo teto, mas me pareceu que sua inspeção não era nem ociosa nem casual. Seus olhos seguiam um traçado, como se lesse nas imagens o que fingia reevocar na memória.

48

UMA BOA APROXIMAÇÃO

> *Ora, do ápice à base, as medidas da Grande Pirâmide, em polegadas egípcias, são 161 bilhões. Quantos seres humanos viveram na terra de Adão até hoje? Uma boa aproximação seria algo entre 153 e 171 bilhões.*
>
> (Piazzi Smyth, *Our Inheritance in the Great Pyramid*, Londres, Isbister, 1880, p. 583)

"Imaginemos que o seu autor sustente que a altura da pirâmide de Quéops seja igual à raiz quadrada do número dado pela superfície de cada um dos lados. Naturalmente as medidas vão referidas em pés, mais próximos dos cúbitos egípcios e hebraicos, e não em metros, porque o metro é uma medida abstrata inventada nos tempos modernos. O cúbito egípcio em pés é igual a 1,728. Embora não tenhamos as alturas precisas, podemos refazê-las por meio do piramidião, que era a pequena pirâmide colocada no ápice da grande pirâmide para constituir-lhe a ponta. Era de ouro ou de outro metal que luzisse ao sol. Agora tomemos a altura do piramidião, multipliquemo-la pela altura da pirâmide inteira, multipliquemos o total por dez elevado à quinta e teremos a largura da circunferência equatorial. Tem mais, se tomarmos o perímetro da base e o multiplicarmos por 24 elevado à terceira e dividido por dois, teremos o raio médio da Terra. E, ainda, a área coberta pela base da pirâmide multiplicada por 96 por dez à oitava dá 196.810.000 milhas quadradas, que correspondem à superfície terrestre. É isso?"

Belbo adorava manifestar espanto, de hábito, usando uma expressão que aprendera na cinemateca, vendo a cópia original de *Yankee Doodle Dandy* com James Cagney: "*I am flabbergasted!*" E assim disse. Evidentemente Agliè conhecia igualmente bem o inglês coloquial porque não conseguiu esconder sua satisfação sem se envergonhar desse ato de vaidade. "Caros amigos", disse, "quando um autor, cujo nome desconheço, elabora uma compilação sobre o mistério das pirâmides, só vai conseguir dizer aquilo que até mesmo as crianças sabem. Teria ficado surpreso se dissesse algo de novo."

"Logo", hesitou Belbo, "este senhor está dizendo simplesmente verdades comprovadas."

"Verdades?", riu-se Agliè, abrindo de novo sua carteira de charutilhos finíssimos e deliciosos. "*Quid est veritas*, como dizia um conhecido meu de muitos anos. Em parte trata-se de um monte de tolices. Para início de conversa, se dividirmos a base exata da pirâmide pelo dobro exato de sua altura, calculando-se mesmo os decimais, não se obtém o número (...) e sim 3,1417254. Ínfima diferença, mas que conta. Além disso, um discípulo de Piazzi Smyth, Flinders Petrie, que fez medidas também em Stonehenge, diz ter surpreendido o mestre um dia a limar os ressaltos graníticos da antecâmara real para que as contas dessem certo... Ninharias, talvez, mas Piazzi Smyth não era homem que inspirasse confiança, basta ver a maneira como dava o nó da gravata. Contudo, em meio a tantas idiotices, vamos encontrar igualmente verdades irrefutáveis. Senhores, querem ter a bondade de seguir-me até a janela?"

Escancarou teatralmente os batentes, convidou-nos a olhar para fora, e nos mostrou ao longe, no ângulo entre a pequena rua e o grupo de casas, um quiosque de madeira onde se vendiam provavelmente bilhetes de loteria.

"Senhores", disse, "convido-os a avaliar as medidas daquele quiosque. Verão que o comprimento do patamar é de 149 centímetros, vale dizer, um centésimo milionésimo da distância da Terra ao Sol. A altura posterior dividida pela largura da janela dá 176/56 = 3,14. A altura frontal é de 19 decímetros, o que é equivalente ao número de anos do ciclo lunar grego. A soma das alturas das duas arestas anteriores e das duas posteriores perfaz 190 x 2 + 176 x 2 = 732, que é a data da vitória de Poitiers. A espessura da base é de 3,10 centímetros e a largura das molduras da janela é de 8,8 centímetros. Substituindo os números inteiros pelas correspondentes letras alfabéticas teremos $C_{10}H_8$, que é a fórmula da naftalina."

"Fantástico", disse eu, "o senhor mediu?"

"Não", disse Agliè. "Mas um certo Jean-Pierre Adam fê-lo em relação a um outro quiosque. Presumo que os quiosques de loteria tenham mais ou menos as mesmas dimensões. Com os números podemos fazer tudo o que quisermos. Se temos o número sagrado 9 e queremos obter 1314, data em que morreu na fogueira Jacques de Molay — data significativa para aqueles que como eu se professam devotos da tradição cavaleirosa templar — que devemos fazer? Multiplicá-lo por 146, data fatídica da destruição de Cartago. Como cheguei ao resultado? Dividi 1314 por dois, por três, etc., até encontrar uma data satisfatória. Podia ter dividido 1314 por 6,28 — o dobro de 3,14 — e obteria 209. Pois bem, este é o ano em que subiu ao poder Átalo I, rei de Pérgamo. Satisfeitos?"

"Então o senhor não acredita em numerologia de espécie alguma", disse Diotallevi desiludido.

"Eu? Creio firmemente nelas, creio que o universo seja um conceito admirável de correspondências numéricas e que a leitura do número, e a sua interpretação simbólica, sejam uma via de conhecimento privilegiada. Mas se o mundo, ínfero e súpero, é um sistema de correspondências onde *tout se tient*, é natural que o quiosque e a pirâmide, ambos obras humanas, inconscientemente tenham reproduzido em sua estrutura as harmonias do cosmo. Esses pretensos piramidólogos descobrem por meios incrivelmente complicados uma verdade linear, bem mais antiga, e já sabida. A lógica da pesquisa e da descoberta é que é pervertida, porque é a lógica da ciência. A lógica da sapiência não tem necessidade de descobertas, porque já sabe. Por que se precisa demonstrar aquilo que não poderia ser de outra maneira? Se há um segredo, é bem mais profundo. Esses autores permanecem simplesmente na superfície. Imagino que se refiram até mesmo àquelas fábulas de que os egípcios conheciam a eletricidade..."

"Não lhe pergunto mais como fez para adivinhar."

"Estão vendo? Contentam-se com a eletricidade como um engenheiro Marconi qualquer. Seria menos pueril a hipótese da radioatividade. Conjectura interessante que, diferentemente da hipótese elétrica, explicaria a conclamada maldição de Tutancâmon. Como conseguiram os egípcios erguer as enormes pedras das pirâmides? Erguem-se pedregulhos com descargas elétricas, fazem--nos voar com a fissão nuclear? Os egípcios tinham descoberto a maneira de eliminar a força de gravidade, e possuíam o segredo da levitação. Uma outra forma de energia... Sabe-se que os sacerdotes caldeus acionavam máquinas sagradas mediante puros sons, os de Carnaque e de Tebas podiam fazer escancarar as portas de um templo com o som de sua voz; e a que outra coisa poderá referir-se, reflitamos, a lenda do Abre-te Sésamo?"

"E então?", perguntou Belbo.

"Aí está, meu amigo. Eletricidade, radioatividade, energia atômica, o iniciado sabe que tudo isso são metáforas, disfarces superficiais, mentiras convencionais, no máximo piedosos sucedâneos de alguma força ancestral, e esquecida, que o iniciado procura, e um dia conhecerá. Talvez devêssemos falar", e hesitou um instante, "das correntes telúricas."

"De quê?", perguntou não sei mais quem de nós três.

Agliè parecia desiludido: "Estão vendo? Estava à espera de que entre os postulantes dos senhores houvesse alguém capaz de me dar algo mais interessante. Mas estou vendo que é tarde. Bem, meus amigos, o pacto está feito, e o resto não passa de divagações de um velho estudioso."

Enquanto nos estendia a mão, entrou o camareiro e sussurrou-lhe alguma coisa ao ouvido. "Oh, a minha cara amiga", disse Agliè, "tinha-me esquecido. Peça-lhe que espere um minuto... não, no salão não, na salinha turca."

A cara amiga devia ser familiar à casa, pois que estava agora à porta do escritório, e sem olhar para nós, na penumbra do dia já chegando ao fim, avançava firme em direção a Agliè, e acariciando-lhe o rosto com dengo lhe dizia: "Simão, não me faça esperar na antessala!" Era Lorenza Pellegrini.

Agliè inclinou-se levemente, beijou-lhe a mão, e lhe disse, indicando-nos: "Minha querida Sophia, sabe muito bem que a casa é sua, esta e qualquer outra que sua presença ilumine. Mas estava me despedindo aqui destas visitas."

Lorenza deu-se conta de nossa presença e fez um alegre sinal de cumprimento — não me lembro jamais de tê-la visto surpresa ou embaraçada com qualquer coisa. "Oh, mas que beleza", disse, "vocês também conhecem meu amigo! Jacopo, como vai." (Não perguntou como estava, disse-lhe.)

Vi Belbo empalidecer. Despedimo-nos, Agliè disse estar contente por aquela amizade em comum. "Considero essa nossa amiga uma das criaturas mais autênticas que jamais tive a ventura de conhecer. Em sua franqueza encarna, permitam-me esta fantasia de velho sabedor, a Sophia exilada sobre a Terra. Mas ouve, minha doce Sophia, não consegui avisá-la a tempo, a noitada prometida foi adiada para daqui a algumas semanas. Sinto muito."

"Não importa", disse Lorenza, "ficarei esperando. E vocês, estão indo ao bar?", perguntou-nos, ou melhor ordenou. "Ótimo, ainda fico aqui uma meia hora. Quero que Simão me dê um de seus elixires, que vocês precisam provar, e ele diz ser só para os eleitos. Depois os encontro lá."

Agliè sorriu com um tom de tio indulgente, fê-la sentar-se e nos acompanhou até a saída.

Ganhamos a rua e nos dirigimos para o Pílades, em meu carro. Belbo permanecia mudo. Nada falamos durante todo o trajeto. Mas no balcão do bar conseguimos romper o encanto.

"Espero não os ter jogado nas mãos de um louco", disse eu.

"Não", disse Belbo. "O homem é inteligente, e sutil. Só que vive num mundo diferente do nosso." Depois acrescentou, sombrio: "Ou quase."

49

UMA CAVALARIA TEMPLAR E INICIÁTICA

A Traditio Templi postula de per si uma tradição de cavalaria templar, cavalaria espiritual e iniciática...

(Henri Corbin, *Temple et contemplation*,
Paris, Flammarion, 1980)

"Acho que consegui entender esse seu Agliè, Casaubon", disse Diotallevi, que no Pílades pediu um frisante branco, enquanto todos nós temíamos por sua saúde espiritual. "É um curioso das ciências secretas, que desconfia dos diletantes e dos que ouvem por alto. Mas, como entreouvimos hoje, apesar de desprezá-los os ouve assim mesmo, os critica, mas não se dissocia deles."

"Hoje, o senhor, o conde, o margrave Agliè, ou seja lá o que for, pronunciou uma expressão-chave", disse Belbo. "Cavalaria espiritual. Despreza-os mas sente-se ligado a eles por um vínculo de cavaleiro espiritual. Acho que o entendi."

"Em que sentido?", perguntamos.

Belbo estava agora no terceiro martíni (uísque à noite, preconizava, porque acalma e induz à *rêverie*, martíni ao fim da tarde porque excita e fortalece). Pôs-se a falar-nos de sua infância em ***, como já havia feito antes comigo.

"Isso foi entre 1943 e 1945, quero dizer na passagem do fascismo à democracia, depois novamente à ditadura da república de Salò, mas já com a guerra dos *partigiani* nas montanhas. Eu tinha 11 anos no início dessa história e morava na casa de meu tio Carlos. Morávamos na cidade, mas em 1943 os bombardeios estavam se intensificando e minha mãe resolveu que devíamos migrar, como então se dizia. Em *** moravam tio Carlos e tia Catarina. Tio Carlos provinha de uma família de lavradores, e havia herdado a casa de ***, com as terras que foram dadas a meias a um tal de Adelino Canepa. O meeiro trabalhava, colhia cereais, fazia vinho, e entregava metade dos proventos ao proprietário. Situação de tensão, é óbvio: o meeiro se considera explorado, o mesmo acontecendo com o proprietário que achava só estar desfrutando metade dos rendimentos de suas terras. Os proprietários odiavam os meeiros e os meeiros odiavam os proprietários. Mas conviviam, no caso de tio Carlos. Tio Carlos em 1914 tinha-se alistado como voluntário nos grupos alpinos. Temperamento rude de piemontês, pondo acima de tudo o dever e a pátria, tornara-se primeiro-tenente e depois capitão. Para encurtar a história, numa batalha do Carso, viu-se ao lado de um recruta idiota que tinha deixado uma granada explodir-lhe nas mãos — senão por que haveria de chamá-la de granada de mão? Em suma, estava para ser atirado à vala comum quando um enfermeiro percebeu que ainda estava vivo. Levaram-no para um hospital de campanha, extraíram-lhe um olho, que havia ficado pendurado por fora da órbita, cortaram-lhe o braço, e segundo tia Catarina inseriram-lhe também uma placa de metal sob o couro cabeludo, porque havia perdido um pedaço da caixa craniana. Em suma, uma obra-prima de cirurgia, por um lado, e um herói, por outro. Medalha de prata, cruz de cavaleiro da coroa de Itália, e depois da guerra um cargo seguro na administração pública. Meu tio acabou coletor de impostos em ***, onde havia herdado a propriedade dos seus, e foi residir na velha casa, ao lado da qual morava Adelino Canepa e sua família."

Tio Carlos, como coletor de impostos, era um dos figurões do lugar. E como mutilado de guerra e cavaleiro da coroa de Itália, não podia senão simpatizar com o governo que estava no poder, que por sinal era a ditadura fascista. E tio Carlos, era fascista?

"Na medida em que, como se dizia em 1968, o fascismo havia revalorizado os ex-combatentes e os gratificava com condecorações e promoções na carreira, digamos que tio Carlos fosse moderadamente fascista. O bastante para ser odiado por Adelino Canepa, que ao contrário era antifascista, por motivos óbvios. Tinha que dirigir-se a ele todos os anos para acertar sua declaração de renda. Chegava à coletoria com ar cúmplice e arrogante, depois de haver tentado seduzir tia Catarina com algumas dúzias de ovos. E se encontrava em frente a tio Carlos, que não só como herói era incorruptível, mas que conhecia melhor do que ninguém o quanto Canepa lhe havia roubado ao longo do ano, e não lhe perdoava um centavo. Adelino Canepa julgou-se vítima da ditadura, e começou a espalhar calúnias sobre tio Carlos. Moravam na mesma casa, um no andar de cima, outro ao rés do chão, encontravam-se de manhã e de noite, mas não se cumprimentavam jamais. Os contatos eram feitos por intermédio de tia Catarina, e depois de nossa chegada, por intermédio de minha mãe, a quem Adelino Canepa exprimia toda a sua simpatia pelo fato e compreensão de ser cunhada de um monstro. O tio voltava para casa todas as tardes às seis, com seu costumeiro jaquetão cinza, o chapéu e um exemplar da *Stampa* ainda por ler. Caminhava ereto, como alpino, com o olho acinzentado que fixava o monte a conquistar. Passava diante de Adelino Canepa, que àquela hora tomava a fresca sentado em um banco do jardim, e era como se este não existisse. Depois cruzava pela Sra. Canepa à entrada do andar de baixo, tirava-lhe cerimoniosamente o chapéu. Assim todas as tardes, ano após ano."

Eram oito horas, Lorenza não chegava como havia prometido, Belbo andava pelo quinto martíni.

"Chega 1943. Certa manhã tio Carlos entrou em meu quarto, despertou-me com um grande beijo e disse 'rapaz, quer saber a maior notícia do ano? Botaram Mussolini fora do poder'. Nunca cheguei a saber se tio Carlos sofreu ou não por isso. Era um cidadão muito íntegro e um servidor do Estado. Se sofreu, não falou a respeito, e continuou a recolher os impostos para o governo Badoglio. Depois veio o 8 de setembro, a região em que vivíamos caiu sob o controle da República Social, e tio Carlos se acomodou. Recolhia os tributos para a República Social. Adelino Canepa, no entanto, começava a gabar-se de seus contatos com os primeiros contingentes de *partigiani*, feitos lá nos montes, e prometia exercer uma exemplar vingança. Nós, os mais jovens, não sabíamos ainda o que eram os *partigiani*. Fantasiávamos a seu respeito, mas ninguém os tinha visto ainda. Falava-se de um chefe badogliano, um tal Terzi (um nome de guerra, naturalmente, como ocorria então, e muitos diziam haver ele tomado aquele Terzi das histórias em quadrinhos). Era um ex-comandante dos carabineiros, que nas primeiras refregas contra os fascistas e a SS tinha perdido uma perna, e comandava todas as brigadas que havia nas colinas em torno a ***. E a fatalidade aconteceu. Um dia, os *partigiani* apareceram na vila. Tinham descido das colinas e vagueavam pelas ruas, ainda sem uniforme definido, apenas com lenços azuis, disparando rajadas de metralhadora para o alto, apenas para anunciar sua presença. A notícia circulou, todos se trancaram em casa, não se sabia ainda que tipo de gente eram. Tia Catarina expressou algumas leves preocupações, pois se diziam amigos de Adelino Canepa, ou pelo menos Adelino Canepa se dizia amigo deles, quem sabe iriam fazer alguma coisa contra o tio? E fizeram. Fomos informados de que por volta das onze horas uma coluna de *partigiani* com metralhadoras apontadas havia entrado na coletoria e prendido o tio, levando-o para destino ignorado. Tia Catarina se estirou na cama, começou a sair-lhe uma espuma esbranquiçada pela boca e profetizou que tio Carlos tinha sido morto. Bastava um golpe com a coronha do fuzil, e por causa da placa subcutânea morreria do golpe. Atraído pelos gritos da tia, chegou Adelino Canepa seguido da mulher e filhos. A tia gritou-lhe que era um judas, que fora ele quem denunciara o tio aos *partigiani* só porque recolhia impostos para a República Social; Adelino Canepa jurou por tudo que havia de mais sagrado que aquilo não era verdade, mas via-se que estava se sentindo responsável, por ter dado demais com a língua nos dentes. A tia o expulsou dali. Adelino Canepa chorou, apelou para minha mãe, lembrou todas as vezes em que nos entregou um coelho ou um frango por uma quantia irrisória, minha mãe trancou-se num silêncio respeitoso, tia Catarina continuou a expelir espuma branca, pela boca. Eu chorava. Finalmente, depois de duas horas de agonia, ouvimos gritos, e tio Carlos apareceu de bicicleta, que guiava com um só braço, como que parecendo vir de algum passeio. Logo percebeu todo aquele alvoroço no jardim e teve a cara de pau de perguntar o que havia acontecido. Odiava os dramas, como toda a gente daquelas nossas bandas. Subiu, acercou-se do leito de dor em que tia Catarina ainda se agitava com suas pernas magras, e perguntou-lhe por que estava assim tão agitada."

"O que afinal havia acontecido?"

"Aconteceu que os *partigiani* de Terzi tinham provavelmente dado ouvidos às calúnias de Adelino Canepa e identificaram tio Carlos como um dos representantes locais do regime, prendendo-o para dar uma lição a toda a gente do povoado. Tio Carlos foi levado num caminhão para fora da cidade e encontrou-se diante de Terzi, fulgindo em suas condecorações de guerra, a metralhadora na mão direita, a esquerda apoiada na muleta. E tio Carlos, mas estou certo de que não foi por astúcia, mas por instinto, hábito, ritual cavaleiresco, destacou-se dos presentes, prestou-lhe continência e apresentou-se, major dos alpinos Carlos Covasso, mutilado de guerra e inválido da pátria, condecorado com medalha de prata. E Terzi, destacando-se igualmente dos demais, também se apresenta, suboficial Rebaudengo, dos Reais Carabineiros, comandante da brigada badogliana Bettino Ricasoli, medalha de bronze. Onde, perguntou tio Carlos? E Terzi, atento à hierarquia: Na colina de Pordoi, senhor major, altitude 327. Por Deus, teria dito tio Carlos, eu estava na altitude 328, terceiro regimento, Sasso di Stria! Na batalha do solstício? Na batalha do solstício. E o canhoneio do monte Cinco Dedos? Ora, com mil demônios se não me lembro! E a carga de baioneta na vigília de São Cipriano? Com todos os raios! Enfim, coisas do gênero. Depois, um deles sem braço, o outro sem a perna, como um só homem deram um passo à frente e se abraçaram. Terzi ter-lhe-ia dito veja senhor major, acontece que o senhor recolhe impostos para o governo fascista submisso ao invasor. Veja, comandante, teria dito tio Carlos, tenho família e recebo proventos do governo central, que é este que aí está, mas que não fui eu que escolhi, que faria o senhor no meu lugar? Caro major, ter-lhe-ia respondido Terzi, em seu lugar procederia como o senhor, mas pelo menos trate de levar a coisa menos à risca, deixe afrouxar um pouco. Veremos, teria dito tio Carlos, nada tenho contra os senhores, que também são filhos da Itália e valorosos combatentes. Creio que se entenderam porque ambos diziam Pátria com 'p' maiúsculo. Terzi ordenou que dessem uma bicicleta ao senhor major e meu tio regressou a casa. Adelino Canepa não deu mais as caras por alguns meses. Aí está, não sei bem se cavalaria espiritual é exatamente isso, mas o certo é que há vínculos que sobrevivem acima dos partidos."

50

SOU A PRIMEIRA E A ÚLTIMA

*Porque sou a primeira e a última. Sou a preferida
e a odiada. Sou a prostituta e a santa.*

(Fragmento de Nag Hammadi, 6, 2)

Entrou Lorenza Pellegrini, Belbo olhou para o teto e pediu um último martíni. Havia tensão no ar e fiz sinal de levantar-me. Lorenza me reteve. "Não, venham todos comigo, hoje é o vernissage de Riccardo, que está inaugurando uma nova tendência! É ótimo, você o conhece bem, Jacopo."

Eu sabia quem era esse Riccardo, ia sempre ao Pílades, mas então não compreendi por que Belbo se concentrou com maior empenho ainda em fixar o teto. Depois de ler os *files* é que vim a saber que Riccardo era o homem da cicatriz, com quem Belbo não teve coragem de sair na briga.

Lorenza insistia, a galeria não era longe do Pílades, tinham organizado uma festa para valer, até mesmo uma bacanal. Diotallevi ficou inteiramente desconcertado e disse logo que tinha de ir embora, eu estava na dúvida, mas era evidente que Lorenza queria também que eu fosse, e até isto fazia sofrer Belbo, que via distanciar-se o momento do diálogo a sós. Mas não pude fugir ao convite e lá fomos.

Eu não gostava muito desse Riccardo. No início dos anos 1960 produzia quadros muito chatos, diminutas tessituras em negro e cinza, muito geométricas, um pouco op-art, que faziam dançar os olhos. Eram intituladas *Composição 15, Paralaxe 17, Euclides X.* Mal começou 1968 expunha nas casas ocupadas, tinha mudado muito pouco a palheta, então apenas contrastes violentos de negro e branco, a malha era maior, e os títulos soavam *Ce n'est qu'un début, Molotov, Cem flores.* Quando voltei a Milão, vi-o expor num círculo onde se adorava o Dr. Wagner, havia eliminado o negro, trabalhava com estruturas brancas, nas quais os contrastes eram dados apenas com os relevos dos traços num papel Fabriano poroso, de modo que os quadros, explicava, revelavam perfis diversos segundo a incidência da luz. Intitulavam-se *Elogio da ambiguidade*, *A/Través*, *Ça*, *Bergstrasse* e *Denegação 15*.

Naquela noite, mal entrei na nova galeria, compreendi que a poética de Riccardo havia sofrido profunda evolução. A exposição se intitulava *Megale Apophasis*. Riccardo tinha passado para o figurativo, com uma palheta rutilante. Jogava com citações, e como não acreditava que ele soubesse desenhar, imagino trabalhasse projetando na tela o diapositivo de algum quadro célebre — a escolha girava entre *pompiers* fim de século e simbolistas do Novecento. Sobre o traçado original trabalhava com uma técnica pontilhada, por meio de gradações infinitesimais de cores, percorrendo ponto a ponto todo o espectro, de modo a iniciar sempre de um núcleo muito luminoso e acabar em negro absoluto — ou vice-versa, segundo o conceito místico ou cosmológico que quisesse exprimir. Havia montanhas de onde emanavam raios de luz, decompostos num polvilhado de esferas de cores tênues, através das quais se viam céus concêntricos com acenos de anjos de asas transparentes, algo assim como o Paraíso de Doré. Os títulos eram *Beatrix*, *Mystica Rosa*, *Dante Gabriele 33*, *Fiéis de Amor*, *Atanor*, *Homunculus 666* — de onde surge a paixão de Lorenza pelos homúnculos, conforme me disse. O quadro maior se intitulava *Sophia*, e representava uma espécie de fusão de anjos negros que esfumava na base gerando uma criatura branca acariciada por grandes mãos lívidas, decalcada naquela que se vê erguida contra o céu em *Guernica*. A mistura era dúbia, e de perto a execução resultava tosca, mas vista de dois ou três metros, o efeito era muito lírico.

"Sou um realista da velha guarda", me sussurrou Belbo, "só entendo Mondrian. O que representa um quadro não geométrico?"

"Mas ele antes era geométrico", disse eu.

"Aquilo não era geometria. Eram pastilhas de azulejo de banheiro."

Enquanto isto Lorenza tinha corrido a abraçar Riccardo, ele e Belbo trocaram um sinal de cumprimento. Havia atropelo, a galeria parecia um *loft* de Nova York, de paredes inteiramente brancas e com os tubos de canalização aparentes no teto. Quem sabe quanto teriam gastado para retrodatá-la assim. Num canto, um sistema de amplificação atordoava os visitantes com música oriental, coisas com sitar, se bem recordo, daquelas em que não se reconhece a melodia. Todos passavam alheios diante dos quadros para aglomerar-se junto à mesa ao fundo, e pegar seu copo de plástico. Havíamos chegado quando a festa já ia avançada, a atmosfera densa de fumo, algumas garotas de quando em vez ameaçando movimentos de dança no centro da sala, mas todos ainda ocupados em conversar, e em consumir o bufê, na verdade bastante variado. Sentei-me num divã aos pés do qual jazia uma grande taça de vidro, ainda pela metade de salada de frutas. Estava a fim de servir-me de um pouco, pois não havia jantado, mas tive a impressão de nela distinguir a marca de um pé que tivesse pisado no meio os cubinhos de fruta, reduzindo-os a um pavê homogêneo. O que não era impossível, pois o chão estava coalhado de poças de vinho branco, e alguns convidados já se moviam com dificuldade.

Belbo tinha conseguido apoderar-se de um copo e movia-se com indolência, sem destino aparente, vez por outra dando uma palmadinha no ombro de alguém. Andava à cata de Lorenza.

Mas poucos estavam firmes. As pessoas estavam entregues a uma espécie de movimento circular, como abelhas que procurassem uma flor ainda desconhecida. Eu não procurava nada, no entanto me havia erguido, e me deslocava seguindo os impulsos que me eram enviados pelo grupo. Vi um pouco à frente Lorenza, que vagava representando relações passionais com um e com outro, a cabeça erguida, o olhar propositalmente míope, os ombros e os seios firmes e retos, um passo divertido de girafa.

A certo ponto, o fluxo natural imobilizou-me num ângulo por detrás de uma mesa, com Belbo e Lorenza de costas um para o outro, finalmente reunidos, talvez por acaso, e bloqueados assim como eu. Não sei se haviam percebido a minha presença, mas com aquele grande barulho de fundo ninguém mais ouvia o que diziam os outros. Consideravam-se isolados, e fui obrigado a lhes ouvir a conversa.

"Então", dizia Belbo, "onde foi que conheceu esse seu Agliè?"

"Meu? Deve ser seu também, pelo que vi hoje. Você pode conhecer Simão e eu não. Essa é boa."

"Por que o chama de Simão? Por que ele a chama de Sophia?"

"Ah, é uma brincadeira! Conheci-o em casa de amigos, está ouvindo? E acho-o fascinante. Beija minha mão como se eu fosse uma princesa. E podia ser meu pai."

"Cuidado para que não se torne o pai de seu filho."

Tive a impressão de me ouvir falando a Amparo na Bahia. Lorenza tinha razão. Agliè sabia como se beija a mão de uma jovem senhora que ignora esse rito.

"Por que Simão e Sophia?", insistia Belbo. "Ele se chama Simão?"

"É uma história maravilhosa. Você sabia que nosso universo é fruto de um erro e que um pouco é por minha culpa? Sophia era a parte feminina de Deus, porque então Deus era mais fêmea do que macho, foram vocês homens que depois lhe puseram a barba e o chamaram de Ele. Eu era a sua metade boa. Diz Simão que eu quis gerar o mundo sem pedir permissão, eu a Sophia, que se chama também, espera lá, a Ennoia. Creio que minha parte masculina não queria criar, talvez não tivesse coragem, talvez fosse impotente, e eu em vez de conjugar-me com ele quis fazer o mundo sozinha, não resisti, creio que tenha sido por excesso de amor, é verdade, adoro todo esse universo muito doido. Por isso sou a alma deste mundo. Assim diz Simão."

"Que simpático. Diz isso a todas?"

"Não, estúpido, só a mim. Porque me compreende melhor que você, não procura reduzir-me à sua imagem. Compreende que deve deixar-me viver minha vida a meu modo. E foi assim que fez Sophia, pôs-se a fazer o mundo. Deparou com a matéria primordial, que era asquerosa, creio que não usava desodorante, e não foi de propósito mas parece que foi ela quem fez o Demo... como se diz?"

"Não será o Demiurgo?"

"Isso, ele mesmo. Não me lembro se foi Sophia quem fez esse Demiurgo ou se já existia e ela o induziu a fazer, do informe, o mundo em que depois nos tornamos. O Demiurgo devia ser um trapalhão e não sabia fazer o mundo como se deve, nem sequer deveria tê-lo feito de todo, porque a matéria é má e ele não estava autorizado a meter nela as mãos. Em suma, arranjou aquilo que estamos vendo, e Sophia ficou lá dentro. Prisioneira do mundo."

Lorenza falava, e bebia muito. A cada dois minutos, enquanto muitos se tinham posto a oscilar suavemente no meio da sala, com os olhos fechados, Riccardo passava diante dela e despejava alguma coisa no copo. Belbo procurava interrompê-lo, dizendo que Lorenza já havia bebido muito, mas Riccardo ria balançando a cabeça, e ela se rebelava, dizendo que suportava melhor o álcool do que Jacopo porque ela era mais jovem.

"*Okay, okay*", dizia Belbo. "Não dê ouvidos ao vovô. Dê ouvidos a Simão. Que foi que lhe disse mais?"

"Isto, que sou prisioneira do mundo, ou antes dos anjos maus... porque nessa história os anjos são maus e ajudaram o Demiurgo a fazer toda essa confusão... os anjos maus, dizia, me mantêm entre eles, não me querem deixar escapar, e me fazem sofrer. Mas de tempos em tempos entre os homens há quem me reconheça. Como Simão. Disse-me que já lhe havia acontecido uma outra vez, há mil anos, porque ele não disse a você, mas Simão é praticamente imortal, você nem pode imaginar quanta coisa já viu..."

"Está bem, está bem. Mas agora não beba mais."

"Ssst... Simão encontrou-me uma vez quando eu era prostituta num bordel de Tiro, e eu me chamava Helena..."

"Aquele sujeito lhe disse isso? E você ficou toda contente. Permita-me que lhe beije a mão, putalhona de meu universo de merda... Que cavalheiro."

"No caso a putalhona seria aquela Helena. Além disso, naquele tempo quando se dizia prostituta queria dizer-se que uma mulher era livre, sem vínculos, uma intelectual, uma que não queria bancar a doméstica. Você sabe melhor do que eu que a prostituta era uma cortesã, que tinha salão, hoje estaria trabalhando em relações públicas; você é capaz de chamar de puta uma mulher que faz relações públicas, como se fosse uma baiaca qualquer dessas que pegam chofer de caminhão na estrada?"

Nessa altura Riccardo passou novamente ao seu lado e puxou-a pelo braço. "Vamos dançar", disse.

Foram para o meio da sala, executando suaves movimentos um tanto desvairados, como se batessem num tambor. Mas de quando em quando Riccardo a puxava contra si, e lhe pousava a mão na nuca, possessivamente, e ela o seguia de olhos cerrados, o rosto aceso, a cabeça caída para trás, com os cabelos que lhe escorriam pelos ombros, em vertical. Belbo acendia um cigarro após o outro.

Pouco depois Lorenza agarrou Riccardo pela cintura e fê-lo mover-se lentamente, até chegarem a um passo de Belbo. Continuando a dançar, Lorenza tomou-lhe o copo da mão. Segurava Riccardo com a esquerda, o copo com a direita, volvia o olhar um tanto úmido para Jacopo, e parecia chorar, mas lhe sorria... E lhe falava.

"E não foi a única vez, sabe?"

"A única o quê?", perguntou Belbo.

"A única vez que encontrou a Sophia. Alguns séculos depois de Simão houve também Postel."

"Um que entregava cartas?"

"Idiota. Era um sábio do Renascimento, que lia hebreu..."

"Hebraico."

"Dá no mesmo. Lia como as crianças leem Mickey. À primeira vista. Pois bem, num hospital de Veneza encontrou uma velha criada analfabeta, a sua Joanna, olhou-a e disse, já vi tudo, esta é a nova encarnação da Sophia, da Ennoia, a Grande Mãe do Mundo que desceu entre nós para redimir o mundo inteiro que tem uma alma feminina. E assim Postel leva Joanna consigo, todos o chamam de louco, mas ele lhufas, a adora, quer libertá-la da prisão dos anjos, e quando ela morre ele fica a olhar para o sol durante uma hora e passa muitos dias sem beber nem comer, possuído por Joanna, que não existe mais, mas é como se existisse, porque sempre está lá, e habita o mundo, pois de tempos em tempos refloresce, ou seja, reencarna... Não é uma história de fazer chorar?"

"Estou banhado em lágrimas. E você gosta tanto assim de ser Sophia?"

"Mas eu sou até mesmo para você, meu amor. Sabe que antes de me conhecer você usava umas gravatas horríveis e tinha caspa na gola do paletó?"

Riccardo voltara a segurar-lhe a nuca. "Posso participar da conversa?", perguntou.

"Você fica quietinho e dance. Não passa do instrumento de minha luxúria."

"Para mim está bem."

Belbo continuava como se o outro não existisse: "Então você é sua prostituta, sua feminista que faz relações públicas, e ele é o seu Simão."

"Eu não me chamo Simão", disse Riccardo, com a voz já empastada.

"Não estamos falando a seu respeito", disse Belbo. Eu estava embaraçado por causa dele. Sempre tão discreto com seus próprios sentimentos, Belbo colocava em cena sua disputa amorosa em frente a uma testemunha, mais ainda, de um rival. Mas, lembrando-me de nossa última conversa, percebi que, pondo-se a nu defronte do outro, no momento em que o adversário verdadeiro era ainda um terceiro, ele reafirmava na única maneira que lhe era concedida a sua posse de Lorenza.

Entrementes Lorenza lhe respondia, depois de haver pedido outro copo a alguém: "Mas por brincadeira. Pois eu amo você."

"Ainda bem que não me odeia. Ouça, estou a fim de voltar para casa, tive uma crise de gastrite. Ainda sou prisioneiro da matéria baixa. Simão a mim não prometeu coisa alguma... Você vem comigo?"

"Mas vamos ficar mais um pouco. Está tão bom. Não está se divertindo? Além disso, não vi ainda os quadros. Você sabe que Riccardo fez um inspirado em mim?"

"Quantas coisas gostaria de fazer inspirado em você", disse Riccardo.

"Não seja vulgar. Sai pra lá. Estou falando com Jacopo. Jacopo, por Deus, só você pode fazer suas brincadeiras intelectuais com seus amigos, e eu não? Quem é que me trata como uma prostituta de Tiro? Você."

"Esta é muito boa. Eu. Sou eu quem lança você nos braços dos velhos."

"Porque nunca me tentou tomar entre os seus. Não é um sátiro. Você tem raiva de não ter vontade de me levar para a cama e de me considerar apenas um *partner* intelectual."

"*Allumeuse.*"

"Isto mesmo é que você não devia ter dito. Riccardo, vamos procurar alguma coisa para beber."

"Não, espera", disse Belbo. "Agora me diga se o leva mesmo a sério, quero saber se você está doida ou não. E para de beber. Diga-me logo se o leva a sério!"

"Mas, amor, isto é uma brincadeira nossa, minha e dele. O bonito da história é que quando Sophia compreende quem é, e se liberta da tirania dos anjos, fica livre do pecado..."

"E você parou de pecar?"

"Por favor, reconsidere", disse Riccardo beijando-a pudicamente na fronte.

"Ao contrário", respondeu ela a Belbo, sem olhar para o pintor, "tudo aquilo já não é mais pecado, pode-se fazer o que se quiser para se libertar da carne, pois se está além do bem e do mal."

Afastou Riccardo com um movimento brusco. Proclamou em voz alta: "Eu sou a Sophia e para libertar-me dos anjos devo perpetar... perpretar... per-pe-trar todos os pecados, até mesmo os mais deliciosos!"

Avançou, cambaleando levemente, até um ângulo da sala onde estava sentada uma garota vestida de preto, os olhos muito maquiados, a carnadura pálida. Arrastou-a para o meio do salão e começou a ondular com ela. Estavam quase ventre contra ventre, os braços soltos ao longo do corpo. "Posso amar até você", disse. E beijou-a na boca.

Os outros se haviam colocado em semicírculo em redor das duas, um tanto excitados, e alguém gritou qualquer coisa. Belbo havia sentado, com uma expressão impenetrável, e observava a cena como um empresário que assistisse à apresentação de um candidato. Estava suado e tinha um tique no olho esquerdo, que eu nunca lhe havia notado. De repente, quando Lorenza já estava dançando há pelo menos uns cinco minutos, apelando cada vez mais para o exibicionismo, ele teve um rompante: "Agora venha cá."

Lorenza parou, abriu as pernas, estendeu os braços para a frente e gritou: "Eu sou a prostituta e a santa!"

"Você é uma bosta", disse Belbo levantando-se. Avançou para ela, agarrou-a com violência pelo pulso, e arrastou-a em direção à porta.

"Pare", gritou ela, "eu não permito..." Depois rompeu em lágrimas e lançou-lhe os braços em torno ao pescoço. "Amor, mas eu sou a sua Sophia, não precisa ficar zangado por isso..."

Belbo passou-lhe ternamente o braço em torno aos ombros, beijou-a na têmpora, consertou-lhe os cabelos, depois disse para a sala: "Desculpem, é que ela não está habituada a beber assim."

Ouvi algumas risadinhas entre as pessoas da sala. Creio que Belbo também as ouviu. Ao ver-me à porta, fez algo que nunca soube se foi dirigido a mim, aos outros, ou a ele mesmo. Fê-lo em surdina, quando os outros já tinham se desinteressado deles.

Segurando sempre Lorenza pelos ombros, voltou-se de viés para a sala e disse baixinho, com o tom de quem diz uma vulgaridade: "Quiquiriqui."*

---

* Refere-se ao grito do Dr. Unrath no *Anjo Azul*, romance de Heinrich Mann, e no filme com Marlene Dietrich. (*N. do T.*)

51

QUANDO ENTÃO ALGUMA SUMIDADE CABALÍSTICA

> *Quando então alguma Sumidade Cabalística te quiser dizer alguma coisa, não penses que seja coisa frívola, coisa vulgar ou comum: mas um mistério, um oráculo...*
>
> (Thomaso Garzoni, *Il Theatro de vari e diversi cervelli mondani*, Veneza, Zanfretti, 1583, discurso XXXVI)

O material iconográfico encontrado em Milão e Paris não bastava. O Sr. Garamond me autorizou a passar alguns dias em Munique, no Deutsches Museum.

Ia à noite nos barezinhos do Schwabing, ou naquelas criptas imensas onde tocam senhores idosos de bigodes, com bermudas de couro, e onde os amantes sorriem em meio à densa fumaça dos vapores suínos por cima de canecos de chope de um litro, um casal ao lado do outro, e passava as tardes a percorrer o fichário das reproduções. Às vezes abandonava o arquivo e passeava pelo museu, onde reconstruíram tudo aquilo que um ser humano possa ter inventado, aperta-se um botão e um diorama petrolífero se anima com as sondas em ação, entra-se num verdadeiro submarino, faz-se os planetas girarem, brinca-se de produzir ácidos e reações em cadeia — um Conservatoire menos gótico e de todo futurível, frequentado por escolares endemoninhados que aprendem a amar os engenheiros.

No Deutsches Museum fica-se sabendo ainda tudo sobre mineração: desce-se por uma escada e entra-se numa mina, repleta de perfurações, elevadores para homens e cavalos, galerias pelas quais se arrastam crianças (espero que de cera) macilentas e exploradas. Percorrem-se corredores tenebrosos e intermináveis, para-se subitamente à beira de poços negros e sem fundo, sente-se um frio nos ossos, e quase se percebe o cheiro do grisu. Escada para um de cada vez.

Eu estava seguindo por uma galeria secundária, ansioso para rever a luz do dia, quando percebi, inclinado sobre a boca de um abismo, alguém que me pareceu reconhecer. O rosto não era novo, rugoso e sombrio, os cabelos, brancos, o olhar de coruja, mas senti que a roupa devia ser diferente, como se tivesse visto aquela pessoa com um uniforme qualquer, como se reencontrasse depois de muito tempo um padre em trajes civis, ou um capuchinho sem barba. Ele também me olhou e também se mostrou hesitante. Como acontece nesses casos, depois de uma saraivada de olhares furtivos, alguém tomou a iniciativa e ele me cumprimentou em italiano. De repente consegui visualizá-lo em suas vestes habituais: devia trazer um longo guarda-pó amarelecido e certamente seria o Sr. Salon. A. Salon, taxidermista. Tinha seu laboratório a poucas portas do meu escritório, no corredor da grande fábrica recondicionada onde eu bancava o Marlowe da cultura. Algumas vezes cruzei com ele pelas escadas e trocamos um sinal de cumprimento.

"Curioso", disse apertando-me a mão, "somos coinquilinos há tantos anos e nos apresentamos aqui nas vísceras da Terra, a mil quilômetros de distância."

Trocamos algumas frases de cortesia. Tive a impressão de que ele sabia perfeitamente bem o que eu fazia, o que não era pouco, porquanto eu próprio não sabia com exatidão. "Mas por que aqui num museu da técnica? Em sua editora os senhores se ocupam de coisas bem mais espirituais, me parece."

"Como é que sabe?"

"Oh," fez um gesto vago, "as pessoas falam, eu recebo muitas visitas..."

"Que tipo de gente vai a um empalhador, perdão, a um taxidermista?"

"Vários. O senhor dirá como todo mundo que não se trata de uma profissão vulgar. Mas os clientes não me faltam, e são de todos os tipos. Museus, colecionadores privados."

"Não vejo com frequência animais empalhados nas casas particulares", disse eu.

"Não? Depende das casas que o senhor frequente... Ou das adegas."

"Há quem guarde animais empalhados nas adegas?"

"Alguns o fazem. Nem todos os presépios estão à luz do sol, ou da lua. Temo esse tipo de clientes, mas sabe como é, o trabalho... Temo os seres subterrâneos."

"Por isso passeia pelos subterrâneos?"

"Questão de controle. Temo os subterrâneos, mas quero entendê-los. Não que haja muitas possibilidades. As catacumbas de Roma, me dirá. Mas ali não há mistérios, estão cheias de turistas, e sob o controle da Igreja. Há os esgotos de Paris... Já esteve lá? Podem ser visitados às segundas, quartas e no último sábado de cada mês, entrando-se pela Ponte de l'Alma. Também esse é um percurso de turistas. Naturalmente em Paris também existem as catacumbas, e as caves subterrâneas. Para não falar no metrô. O senhor já esteve no número 145 da rue Lafayette?"

"Confesso que não."

"Um pouco fora de mão, entre a Gare de l'Est e a Gare du Nord. Um edifício à primeira vista imperceptível. Só o começamos a observar devidamente ao notarmos que as portas que parecem de madeira são na verdade de ferro pintado, e as janelas dão para quartos desabitados há séculos. Nem uma só luz. Mas as pessoas passam e não sabem."

"Não sabem o quê?"

"Que a casa é falsa. É apenas uma fachada, um invólucro sem teto, sem interior. Vazio. É apenas a boca de uma chaminé. Serve para a aeração e a descarga de vapores do metrô regional. E quando a gente percebe, tem a impressão de estar diante da boca dos mundos inferiores, que bastaria penetrar por aquelas paredes para ter acesso à Paris subterrânea. Já me aconteceu passar horas e horas diante daquelas portas que mascaram a porta das portas, a estação de partida para a viagem ao centro da Terra. Por que o senhor acha que a fizeram?"

"Para a ventilação do metrô, o senhor mesmo disse."

"Bastavam umas escotilhas. Não, é diante desses subterrâneos que começo a suspeitar. Compreende?"

Parecia iluminar-se ao falar da obscuridade. Perguntei-lhe por que suspeitava dos subterrâneos.

"Porque se existem os Senhores do Mundo, só podem estar no subsolo, é uma verdade que todos adivinham, mas que poucos ousam exprimir. Talvez o único que tenha ousado dizê-lo às claras tenha sido Saint-Yves d'Alveydre. Conhece?"

Talvez tivesse ouvido algum dos diabólicos mencioná-lo, mas tinha recordações imprecisas.

"É aquele que nos falou de Agarttha, a sede subterrânea do Rei do Mundo, o centro oculto da Sinarquia", disse Salon. "Não teve qualquer medo, mostrava-se seguro de si. Mas todos aqueles que o seguiram publicamente acabaram eliminados, porque sabiam demais."

Começamos a andar pelas galerias, e o Sr. Salon me falava lançando olhares distraídos ao longo do caminho, à embocadura de novas vias, à abertura de outros poços, como se buscasse na penumbra a confirmação de suas suspeitas.

"O senhor já se perguntou alguma vez por que todas as metrópoles modernas, no século passado, se puseram a construir com tanta pressa os metropolitanos?"

"Para resolverem seus problemas de circulação. Ou não?"

"Quando não havia tráfego de carros, mas circulavam apenas as carroças? Esperava uma explicação mais sutil, tratando-se de um homem do seu talento!"

"O senhor tem alguma?"

"Talvez", disse Salon, e pareceu dizê-lo com ar absorto e ausente. Mas era uma forma de interromper o discurso. De fato logo afirmou que precisava ir-se. Depois de ter-me apertado a mão, deteve-se ainda um segundo, como se tomado por um pensamento casual: "A propósito, aquele coronel... como se chamava, aquele que veio há alguns anos à Garamond falar-lhes de um tesouro dos templários? O senhor não soube mais dele?"

Senti-me como que vergastado por aquela brutal e indiscreta ostentação de conhecimentos sobre assuntos que julgava reservados e sepultos. Quis perguntar-lhe como conseguira saber, mas tive medo. Limitei-me a dizer-lhe, com ar indiferente: "Oh, uma história antiga, de que já me esqueci. Mas a propósito: por que disse 'a propósito'?"

"Eu disse a propósito? Ah, sim, certo, parece-me que ele havia encontrado qualquer coisa num subterrâneo..."

"Como sabe?"

"Não sei. Não me lembro de quem me falou sobre isso. Talvez um cliente. Mas sempre fico curioso quando entra em cena um subterrâneo. Mania de velho. Boa tarde."

Lá se foi, e eu fiquei a refletir sobre o significado daquele encontro.

52

UM TABULEIRO DE XADREZ COLOSSAL
QUE SE ESTENDE SOB A TERRA

> *Em certas regiões do Himalaia, entre os 22 templos que representam os 22 Arcanos de Hermes e as 22 letras de alguns alfabetos sagrados, o Agarttha forma o Zero místico, o inencontrável... Um tabuleiro de xadrez colossal que se estende sob a Terra, através de quase todas as regiões do Globo.*
>
> (Saint-Yves d'Alveydre, *Mission de l'Inde en Europe*, Paris, Calmann Lévy, 1886, p. 54 e 65)

Quando voltei a encontrar Belbo e Diotallevi, levantamos juntos várias hipóteses. Salon, excêntrico e bisbilhoteiro, que se deleitava de alguma forma com os mistérios, havia conhecido Ardenti, e tudo acabava aí. Ou então: Salon sabia algo sobre o desaparecimento de Ardenti e trabalhava para aqueles que o tinham feito desaparecer. Outra hipótese ainda: Salon era um informante da polícia...

Depois vimos outros diabólicos, e Salon se confundiu entre os seus símiles.

Alguns dias após recebemos Agliè na redação, para dar sua opinião sobre alguns originais, que Belbo lhe havia mandado. Julgava-os com precisão, severidade, indulgência. Agliè era astuto, não lhe fora necessário muito para perceber o jogo duplo da Garamond-Manuzio, e não mais lhe ocultamos a verdade. Parecia compreender e justificar. Destruía um texto com poucas observações mordazes, e depois observava com educado cinismo que para a Manuzio podia servir perfeitamente.

Perguntei-lhe o que saberia dizer-me sobre Agarttha e Saint-Yves d'Alveydre.

"Saint-Yves d'Alveydre...", disse. "Um homem bizarro, sem dúvida, desde jovem frequentava os seguidores de Fabre d'Olivet. Era um simples funcionário do Ministério do Interior, mas muito ambicioso... Não julgamos que tenha procedido bem quando se casou com Marie-Victoire..."

Agliè não havia resistido. Passara à primeira pessoa. Evocava recordações.

"Quem era Marie-Victoire? Adoro os mexericos", disse Belbo.

"Marie-Victoire de Risnitch, belíssima quando era íntima da imperatriz Eugênia. Mas quando conheceu Saint-Yves já havia passado dos 50. E ele estava nos 30. *Mésalliance* para ela, é natural. Mas não só, para dar-lhe um título havia comprado não me lembro que terras, que pertenceram a um certo marquês d'Alveydre. E assim o nosso desenvolto personagem pôde ornar-se daquele título, enquanto em Paris cantavam *couplets* sobre o 'gigolô'. Podendo viver então de rendas, dedicou-se a seu sonho. Meteu na cabeça a ideia de encontrar uma fórmula política que conduzisse a uma sociedade mais harmoniosa. Sinarquia como o contrário de anarquia. Uma sociedade europeia, governada por três conselhos que representassem o poder econômico, o poder judiciário e o poder espiritual, ou seja, a igreja e a ciência. Uma oligarquia iluminada que eliminasse as lutas de classe. Já ouvimos falar de coisas piores."

"Mas e Agarttha?"

"Dizia que fora visitado um dia por um misterioso afegão, um tal de Hadji Scharipf, que afegão não podia ser, já que o nome é claramente albanês... E este lhe havia revelado o segredo da sede do Rei do Mundo Agarttha, o Inencontrável — ainda que Saint-Yves jamais tenha usado esta expressão, foram os outros que o fizeram mais tarde."

"Mas onde se dizem tais coisas?"

"Na *Mission de l'Inde en Europe*. Uma obra que tem influenciado muitos pensadores políticos contemporâneos. Havia em Agarttha cidades subterrâneas, e abaixo delas, seguindo em direção ao centro, havia cinco mil *pundit* que a governavam — obviamente o número cinco mil recorda as raízes herméticas da língua védica, como os senhores perfeitamente sabem. E cada raiz é um hierograma mágico, ligado a uma potência celeste e com a sanção de uma potência infernal. A cúpula central de Agarttha é aclarada no alto por uma série de espelhos que deixam chegar a luz através apenas da gama enarmônica das cores, das quais o espectro solar de nossos tratados de física não constitui senão a diatônica. Os sábios de Agarttha estudam todas as línguas sagradas para chegarem a uma linguagem universal, o Vattan. Quando abordam mistérios muito profundos, erguem-se da terra levitando para o alto e iriam esfacelar o crânio contra a abóbada da cúpula se seus confrades não os contivessem. Preparam os raios, orientam as correntes cíclicas dos fluidos interpolares e extratropicais, as derivações interferenciais nas diversas zonas de latitude e longitude da Terra. Selecionam as espécies, e criam pequeníssimos animais, porém de virtudes psíquicas extraordinárias, como um dorso de tartaruga com uma cruz amarela em cima e com um olho e uma boca em cada extremidade. Animais polípodes que podem se mover em todas as direções. Em Agarttha provavelmente se refugiaram os templários após sua dispersão, e ali exerceram funções de vigilância. Algo mais?"

"Mas... ele falava a sério?", perguntei.

"Creio que tenha tomado a história ao pé da letra. A princípio consideramo-lo um exaltado, depois nos demos conta de que aludia, talvez de modo visionário, a uma direção oculta da história. Não se diz que a história é um enigma sanguinolento e insensato? Não é possível, deve haver um desígnio. É necessário que exista uma Mente. Por isso algumas criaturas sensatas pensaram, no correr dos séculos, nos Senhores ou no Rei do Mundo, talvez não como uma pessoa física, mas uma categoria, uma classe coletiva, a encarnação sempre e sempre provisória de uma Intenção Estável. Algo com o que estavam certamente em contato as grandes ordens sacerdotais ou cavaleirescas desaparecidas."

"O senhor acredita nisto?", perguntou Belbo.

"Pessoas mais equilibradas do que ele buscam os Superiores Desconhecidos".

"E os encontram?"

Agliè riu quase para si mesmo, com bonomia. "E que Superiores Desconhecidos seriam esses se se deixassem conhecer pelo primeiro que viesse? Senhores, o trabalho nos espera. Ainda temos um original, e por coincidência é exatamente um tratado sobre sociedades secretas."

"Coisa boa?", perguntou Belbo.

"Bem pode imaginar. Mas para a Manuzio poderia servir."

53

NÃO PODENDO DIRIGIR ABERTAMENTE OS DESTINOS TERRESTRES

Não podendo dirigir abertamente os destinos terrestres
porque os governos a isso se oporiam, aquelas associações
misteriosas só podem agir por meio de sociedades secretas...
Essas sociedades secretas, criadas à medida que sua
necessidade se fazia sentir, estão divididas em grupos
distintos e aparentemente opostos, professando de quando em
vez as mais antagônicas opiniões para dirigir separadamente
e com confiança todos os partidos religiosos, políticos,
econômicos e literários, e estão ligadas, a fim de terem um
endereço comum, a um centro desconhecido onde nasceu
a mola poderosa que busca movimentar assim de maneira
invisível todos os cetros da Terra.

(J.M. Hoene-Wronski, cit. por P. Sédir, *Histoire et doctrine des Rose-Croix*, Rouen, 1932)

Um dia vi o Sr. Salon à porta de seu laboratório. De repente, naquele lusco-fusco, esperei que ele emitisse o pio da coruja. Cumprimentou-me como um velho amigo e me perguntou como iam as coisas. Fiz-lhe um gesto vago, sorri-lhe, e segui em frente.

Assaltou-me de novo o pensamento de Agarttha. Tal como me contara Agliè, as ideias de Saint-Yves podiam constituir algo de fascinante para um diabólico, mas não eram inquietantes. No entanto, nas palavras e na fisionomia de Salon em Munique eu percebera alguma inquietação.

Por isso, ao sair resolvi dar um pulo na biblioteca e procurar a *Mission de l'Inde en Europe*.

Havia a confusão de costume na sala dos arquivos e no balcão de pedidos. Aos empurrões, me apoderei da gaveta que procurava, encontrei as indicações, preenchi a ficha e passei-a ao encarregado. Ele informou-me que o livro estava emprestado com outra pessoa e, como acontece nas bibliotecas, pareceu contente por isso. Mas naquele exato momento ouvi uma voz às minhas costas: "Olhe, aqui está, acabo de restituí-lo." Voltei-me. Era o comissário De Angelis.

Reconheci-o, ele reconheceu-me — com demasiada rapidez, direi. Eu o vira em circunstâncias que para mim eram excepcionais, ele durante uma investigação rotineira. Além do mais, nos tempos de Ardenti eu usava uma barbinha rala e o cabelo um pouco mais comprido. Que olho.

Será que me tinha sob observação desde que voltara do Brasil? Ou talvez fosse apenas bom fisionomista, os policiais devem cultivar o espírito de observação, memorizar os nomes, os rostos...

"O Sr. Casaubon! E andamos lendo os mesmos livros!"

Estendi-lhe a mão: "Agora já sou doutor, há algum tempo. É possível até que venha a fazer o concurso e entre para a polícia, como o senhor me aconselhou naquele dia. Assim posso ter prioridade nos livros."

"Basta chegar primeiro", me disse. "Mas agora que devolvi o livro, pode lê-lo em seguida. Mas antes permita que lhe ofereça um café."

O convite me incomodou, mas não podia me esquivar. Sentamo-nos num bar das proximidades. Perguntou-me por que estava interessado na missão da Índia, e fui tentado de repente a perguntar-lhe a mesma coisa, mas resolvi primeiro arranjar cobertura. Disse-lhe que continuava nas horas vagas os meus estudos sobre os templários: os templários, segundo Eschenbach, abandonam a Europa e vão para a Índia e segundo alguns para o reino de Agarttha. Agora cabia a ele revelar-se. "E diga-me", perguntei-lhe, "como é que o senhor se interessa também por esse tema?"

"Ah sabe", respondeu, "desde que o senhor me indicou aquele livro sobre os templários comecei a me dedicar a esse assunto. O senhor bem sabe que dos templários se chega automaticamente a Agarttha." *Touché*. Depois disse: "Estou brincando. Procurei o livro por outras razões. É porque..." Hesitou. "Bem, quando não estou de serviço, frequento as bibliotecas. Para não me tornar uma máquina, ou para não permanecer apenas um investigador de polícia, veja lá o senhor qual a fórmula mais gentil. Mas conte-me a seu respeito."

Exibi-lhe minha resenha autobiográfica, até o ponto da maravilhosa história dos metais.

Perguntou-me: "Mas naquela editora, e na editora ao lado, não estão fazendo livros sobre ciências ocultas?"

Como havia sabido a respeito da Manuzio? Informações recolhidas quando tinha Belbo sob controle, há alguns anos? Ou andava ainda na pista de Ardenti?

"Com todos aqueles tipos como o coronel Ardenti que apareciam na Garamond e que a Garamond procurava descarregar sobre a Manuzio", disse eu, "o senhor Garamond acabou resolvendo cultivar o filão. Parece que dá lucro. Se está à procura de tipos como o velho coronel, ali o senhor os encontra aos potes."

Disse: "Sim, mas Ardenti desapareceu. Espero que com os outros não aconteça o mesmo."

"Ainda não, estive para dizer infelizmente. Mas perdoe-me a curiosidade, comissário. Imagino que na sua profissão seja um tanto comum os casos de gente que desaparece ou coisa pior. O senhor dedica a cada um deles um tempo assim... tão longo?"

Olhou-me com expressão divertida: "E que lhe faz pensar que eu ainda dedico tempo ao coronel Ardenti?"

Pois bem, aquilo era um jogo e chegara a minha vez de jogar. Devia pagar para ver e ele devia descobrir as cartas. Eu nada tinha a perder. "Vamos lá, comissário", disse-lhe, "o senhor sabe tudo a respeito da Garamond e da Manuzio, e está aqui à procura de um livro sobre Agarttha..."

"Por quê, então Ardenti lhe havia falado sobre Agarttha?"

Atingido, de novo. Na verdade Ardenti nos havia falado inclusive sobre Agarttha, pelo que me lembrava. Procurei sair-me bem: "Não, mas tinha uma história sobre os templários, como se recorda."

"Certo", disse. Depois acrescentou: "Mas não deve pensar que acompanhamos um caso até a sua solução final. Isto só acontece na televisão. Ser policial é o mesmo que ser dentista, vem um paciente, usa-se a broca, faz-se um curativo, manda-se que volte dentro de 15 dias, e enquanto isto passam por nós cem outros pacientes. Um caso como aquele do coronel pode permanecer no arquivo até por dez anos, depois no correr de outro caso, recolhendo-se a confissão de um tipo qualquer, escapa algum indício, e bangue, circuito mental, e volta-se a pensar um pouco... Até que dispare outro curto-circuito, ou que não ocorra nada, e estamos conversados."

"E que lhe ocorreu recentemente que o fez disparar o curto-circuito?"

"Pergunta indelicada, não acha? Mas não há nada de mistério, pode acreditar. O coronel voltou à baila por acaso, estávamos investigando um tipo, por motivos completamente diversos, e nos demos conta de que ele frequentava o clube Picatrix, de que o senhor já deve ter ouvido falar..."

"Não, conheço a revista, mas não a associação. Que houve lá?"

"Ah, nada demais, gente tranquila, talvez um pouco exaltada. Mas me lembrei de que Ardenti também o frequentava, a habilidade do policial está toda nisto, em se lembrar de onde já ouviu o nome ou viu um rosto, mesmo a dez anos de distância. E por isso me perguntei o que poderia ter acontecido na Garamond. Tudo aqui."

"E que tem a ver o clube Picatrix com suas investigações políticas?"

"Pode ser a indiscrição da consciência tranquila, mas o senhor tem o ar de ser tremendamente curioso."

"Foi o senhor que me convidou para o café."

"É verdade, e estamos ambos em nossas horas de folga. Olhe, de um certo ponto de vista neste mundo tudo tem a ver com tudo." Era um belo filosofema hermético, pensei. Mas de repente acrescentou: "Com isto não estou dizendo que tudo tem a ver com a política, mas sabe... Houve época em que investigávamos as brigadas vermelhas nas casas ocupadas e as brigadas negras nos clubes de artes marciais, hoje bem que podia ser o contrário. Vivíamos num mundo estranho. Posso lhe garantir, nossa profissão era mais fácil há dez anos. Hoje até mesmo entre as ideologias não há mais religião. Há vezes em que penso em transferir-me para o setor de entorpecentes. Pelo menos o cara que vende heroína vende heroína e não se discute. Baseia-se em valores conhecidos."

Permaneceu um tempo em silêncio, incerto, creio. Depois tirou do bolso do paletó um caderninho que parecia um livro de missa. "Ouça, Casaubon, o senhor frequenta por profissão pessoas um tanto estranhas, vai às bibliotecas à procura de livros ainda mais estranhos. Ajude-me. Que sabe sobre a sinarquia?"

"Agora o senhor me deixou numa situação difícil. Quase nada. Ouvi falar a respeito de Saint-Yves, e é tudo."

"E o que andam falando por aí?"

"Se andam falando por aí, não tomei conhecimento. Para falar francamente, isso me cheira a fascismo."

"De fato, muitas dessas teses vêm sendo retomadas pela Action Française. E se as coisas parassem por aí, eu estaria à vontade. Encontro um grupo que fala de sinarquia e consigo atribuir-lhe uma coloração. Mas começo a estudar o assunto e fico sabendo que por volta de 1929 um tal Vivian Postel du Mas e uma Jeanne Canudo fundam o grupo Poláris que se inspira no mito de um Rei do Mundo, e em seguida propõem um projeto sinárquico: serviço social contra os lucros capitalistas, eliminação da luta de classes por meio de movimentos cooperativos... Parece um socialismo do tipo fabiano, um movimento personalista e comunitário. Mas seja o Poláris sejam os fabianos irlandeses, o fato é que são acusados de serem emissários de uma conspiração sinárquica organizada pelos judeus. E quem os acusa? Uma *Revue Internationale des Sociétés Secrètes*, que fala de um complô judaico-maçônico-bolchevista. Muitos de seus colaboradores estão ligados a uma sociedade integralista de direita, mais secreta ainda, a Sapinière. E afirmam que todas as organizações políticas revolucionárias não passam da fachada de um complô diabólico, urdido num cenáculo ocultístico. O senhor me dirá, por favor, se estamos enganados: Saint-Yves acaba por inspirar grupos reformistas, a direita faz de cada vara um feixe e vê a todas elas como filiações demo-pluto-social-judaicas. Até Mussolini pensava assim. Mas por que são acusados de serem dominados por cenáculos ocultistas? Pelo pouco que sei, basta ver a Picatrix, aquilo é gente que pensa pouquíssimo no movimento operário."

"Também penso assim, Sócrates. E então?

"Obrigado pelo Sócrates, mas agora vem o melhor. Quanto mais leio sobre o assunto, mais as ideias me confundem. Nos anos 1940 nascem vários grupos que se dizem sinárquicos, e falam de uma nova ordem europeia guiada por um conselho de grandes cabeças acima dos partidos. E para onde se convergem esses grupos? Para o ambiente dos colaboracionistas de Vichy. Agora, o senhor me diz, estamos embrulhados de novo, a sinarquia é de direita. Alto lá. Depois de tanto ler, me dou conta de que todos estão de acordo sobre o único ponto: a sinarquia existe e governa secretamente o mundo. Mas aqui está o mas..."

"Qual mas?"

"Mas em 24 de janeiro de 1937, Dimitri Navachine, maçom e martinista (não sei o que quer dizer martinista, mas parece que se trata de uma daquelas seitas), conselheiro econômico do Front popular depois de ter sido diretor de um banco moscovita, é assassinado por uma *Organisation secrète d'action révolutionnaire et nationale*, mais conhecida como a Cagula, financiada por Mussolini. Diz-se então que a Cagula é dirigida por uma sinarquia secreta e que Navachine teria sido morto porque havia descoberto os mistérios. Um documento provindo de ambientes da esquerda denuncia durante a ocupação alemã um Pacto sinárquico do Império, responsável pela derrota francesa, pacto esse que seria a manifestação de um fascismo latino do tipo português. Mas depois vem a furo que o pacto teria sido redigido por du Mas e Jeanne Canudo, e conteria as ideias que vinham publicando e divulgando por toda a parte. Nada de secreto. Mas como secretas, e até mesmo secretíssimas, essas ideias são reveladas em 1946 por um certo Husson, denunciando um pacto sinárquico revolucionário de esquerda, e as revela no escrito *Synarchie, panorama de 25 années d'activité occulte*, assinando como... espere que me lembro, isto, Geoffroy de Charnay."

"Essa é boa", disse eu, "Charnay era o companheiro de Molay, o grão-mestre dos templários. Morreram juntos na fogueira. Temos aqui então um neotemplário que ataca a sinarquia de direita. Mas a sinarquia nasce em Agarttha, que é o refúgio dos templários!"

"Não lhe disse? Veja, o senhor está me dando uma pista a mais. Infelizmente só serve para aumentar a confusão. Logo a direita denuncia um Pacto sinárquico do Império, socialista e secreto, mas que de secreto não tem nada, mas o mesmo pacto sinárquico secreto, como viu, é denunciado também pela esquerda. Agora vejamos esta nova interpretação: a sinarquia é um complô jesuíta para subverter a Terceira República. Tese exposta por Roger Mennevée, de esquerda. Para que eu viva tranquilo, minhas leituras me dizem ainda que em 1943 em alguns meios militares de Vichy, a favor de Pétain sim, mas antigermânicos, circulam documentos demonstrando que a sinarquia era um complô nazista: Hitler era um rosa-cruz influenciado pelos maçons, os quais, como vê, passam do complô judaico-bolchevista para o complô imperial-germânico."

"E assim estamos resolvidos."

"Quem dera. Eis outra revelação. A sinarquia é um complô dos tecnocratas internacionais. É a tese que sustenta em 1960 um tal Villemarest em *Le 14e complot du 13 mai*. O complô tecnossinárquico visa a desestabilizar os governos, e para fazê-lo instiga as guerras, apoia e fomenta golpes de Estado, provoca cisões internas nos partidos políticos favorecendo as lutas de correntes... Reconhece esses sinárquicos?"

"Meu Deus, é o SIM, o Estado Imperialista das Multinacionais, como nos falavam dele as Brigadas Vermelhas alguns anos antes..."

"Resposta exata! E então o que faz o comissário De Angelis se encontra em alguma parte uma referência à sinarquia? Vai perguntar ao Dr. Casaubon, especialista nos templários."

"E eu lhe digo que existe uma sociedade secreta com ramificações em todo o mundo, conspirando para difundir o boato de que existe um complô universal."

"O senhor brinca, mas eu..."

"Não estou brincando. Venha ler os originais que chegam à Manuzio. Mas se prefere uma interpretação mais terra a terra, é como a anedota do gago que diz não ter sido aceito como locutor da rádio porque não estava inscrito no partido. Precisamos sempre atribuir a alguém nossos próprios fracassos, as ditaduras encontram sempre um inimigo externo para unir seus próprios sequazes. Como dizia alguém, para cada problema complexo há uma solução simples, só que errada."

"E se encontro uma bomba num trem enrolada num papel mimeografado que fala de sinarquia, ficarei contente em dizer que se trata de uma revolução simples para um problema complexo?"

"Por quê? O senhor encontrou bombas em trens que... Não, desculpe. São problemas que realmente não me dizem respeito. Mas por que motivo está me falando disso?"

"Porque esperava que o senhor soubesse mais do que eu. Talvez porque me alivie um pouco ver que o senhor também se sente perdido nesse campo. O senhor diz que tem que ler malucos demais, e considera isso uma perda de tempo. Para mim, os textos de seus malucos, digo seus, da gente normal, são textos importantes. Para mim talvez o texto de um louco explique como funciona a mente daquele que põe uma bomba num trem. Ou tem medo de se transformar num espião da polícia?"

"Não, palavra de honra. No fundo, procurar ideias nos fichários é a minha profissão. Se deparar com a informação adequada, me lembrarei do senhor."

Enquanto se levantava, deixou cair a última pergunta: "E nos seus originais... nunca encontrou nenhuma referência ao Tres?"

"O que vem a ser?"

"Não sei. Deve ser uma associação, ou qualquer coisa do gênero, nem sei ao certo se existe. Ouvi falar a respeito, e me veio à lembrança ao mencionar os malucos. Meus cumprimentos a seu amigo Belbo. Diga-lhe que não lhes estou vigiando os movimentos. É que a minha profissão é de fato terrível, e o caso é que me agrada."

Ao voltar para casa me perguntava quem tinha feito melhor negócio. Ele me contara um monte de coisas, eu, nada. Poderia suspeitar que ele talvez houvesse extraído de mim algo de que eu não me desse conta. Mas por suspeita cai-se até na psicose da conspiração sinárquica.

Quando contei o episódio a Lia, ela me disse: "Para mim ele estava sendo sincero. Queria mesmo era desabafar. Você acha que ele encontra alguém na polícia que lhe dê atenção quando indaga se Jeanne Canudo era de esquerda ou de direita? Ele queria saber se era só ele quem não entendia, ou se a história era de fato complicada. E você não lhe soube dar a única resposta verdadeira."

"Existe alguma?"

"Claro. Que não há nada para se compreender. Que a sinarquia é Deus."

"Deus?"

"Sim. A humanidade não suporta a ideia de que o mundo tenha surgido por acaso, por engano, só porque quatro átomos sem critério se chocaram na autoestrada molhada. E então é preciso encontrar uma conspiração cósmica, Deus, os anjos ou os demônios. A sinarquia decorre dessa mesma função em proporções mais reduzidas."

"E então eu lhe devia explicar que as pessoas põem bombas nos trens porque estão à procura de Deus?"

"Talvez."

54

O PRÍNCIPE DAS TREVAS

O príncipe das trevas é um cavalheiro.

(Shakespeare, *King Lear*, III, iv, 140)

Estávamos no outono. Certa manhã fui à via Marchese Gualdi, porque precisava pedir autorização ao Sr. Garamond para encomendar algumas fotos em cores do exterior. Dei com Agliè na sala de espera da Sra. Grazia, inclinado sobre o fichário dos autores da Manuzio. Não o incomodei, pois já estava atrasado para o meu encontro.

Terminada a conversa técnica, perguntei ao Sr. Garamond o que fazia Agliè na sala de sua secretária.

"Aquele homem é um gênio", disse Garamond. "Pessoa de uma sutileza, de uma doutrina extraordinárias. Uma noite destas levei-o para jantar com alguns outros autores nossos e ele fez boa figura. Que palestra, que estilo. Cavalheiro de velha estirpe, grão-senhor, não perdeu a forma. Que erudição, que cultura, direi mais, que informação. Contou-nos histórias curiosíssimas sobre personagens de há cem anos passados, juro-lhe, como se os tivesse conhecido pessoalmente. E sabe que ideia me deu, ao voltar para casa? Ele logo ao primeiro lance havia fotografado os meus convidados, e agora os conhecia melhor do que eu. Disse-me não ser necessário esperar que os autores para a Ísis Revelada apareçam por si mesmos. Trabalho desperdiçado, e originais para ler, além de não se saber se estão dispostos a contribuir para as despesas. Em vez disso, temos uma verdadeira mina a explorar: o fichário de todos os autores publicados pela Manuzio durante os últimos vinte anos! Compreende? Escrevemos a esses nossos antigos e gloriosos autores, ou pelo menos àqueles que ficaram com as sobras, para dizer-lhes caro senhor, inauguramos uma coleção sapiencial e tradicional de alta espiritualidade. Um autor da sua finura não gostaria de fazer uma incursão por essa terra incógnita, etc., etc., etc.? Ele é um gênio, afirmo-lhe. Creio que deseja reunir-se conosco no próximo domingo. Quer nos levar a um castelo, uma rocha, direi mais, uma esplêndida vila na região de Turim. Parece que por ali ocorrem coisas extraordinárias, um rito, uma celebração, um sabá, durante o qual alguém fabricará ouro ou mercúrio ou algo parecido. É todo um mundo a descobrir, caro Casaubon, mesmo sabendo-se que tenho o máximo respeito por aquela ciência à qual o senhor se está dedicando com tanta paixão, e devo dizer até que estou muito, muito satisfeito com a sua colaboração, eu sei, temos que examinar aquele pequeno ajuste financeiro a que o senhor se referiu, não me esqueci, falaremos dele a seu tempo. Agliè me disse que estará presente inclusive aquela senhora, aquela bela senhora, talvez não de fato belíssima, mas certamente um tipo, tem alguma coisa no olhar, aquela amiga de Belbo, como se chama..."

"Lorenza Pellegrini."

"Acho que é esse o nome. Existe alguma coisa entre ela e o nosso Belbo?"

"Acho que são bons amigos."

"Ah! Assim é que responde um cavalheiro. Muito bem, Casaubon. Mas não era por curiosidade, é que eu me sinto em relação a todos vocês uma espécie de pai e... *glissons, à la guerre comme à la guerre*... Até logo."

Tínhamos de fato um encontro com Agliè, nas colinas de Turim, me confirmou Belbo. Encontro duplo. No princípio da noite, uma festa no castelo de um rosacruciano abastado, e depois Agliè nos levaria a alguns quilômetros de distância onde iria realizar-se, naturalmente à meia-noite, um ritual druídico, sobre o qual tinha sido muito vago.

"Estive pensando", acrescentou Belbo, "que devemos acertar ainda uns pontos sobre a história dos metais, e aqui estamos sempre muito ocupados. Por que não viajamos no sábado e passamos dois dias na minha velha casa de***? O lugar é muito bonito, você vai ver, as colinas valem a pena. Diotallevi vem conosco e talvez também venha Lorenza. Naturalmente... traga quem você quiser."

Ele não conhecia Lia, mas sabia que eu tinha uma companheira. Eu disse que iria só. Havia dois dias eu tinha brigado com Lia. Tinha sido uma idiotice qualquer, na verdade tudo voltaria às boas em uma semana. Mas sentia necessidade de afastar-me de Milão por uns dias.

Assim, chegamos a***, o trio da Garamond e Lorenza Pellegrini. Tinha havido um momento de tensão na partida. Lorenza estava à nossa espera, mas no momento de entrar no carro dissera: "Acho melhor ficar, pois assim vocês podem trabalhar em paz. Depois vou com Simão para encontrar vocês."

Belbo, que tinha as mãos ao volante, estendeu os braços e, olhando fixo para a frente, disse devagar: "Entra." Lorenza entrou no carro e durante toda a viagem, sentada no banco da frente, manteve o braço em volta do pescoço de Belbo, que dirigia em silêncio.

*** continuava aquela cidadezinha que Belbo havia conhecido durante a guerra. Poucas casas novas, nos disse, agricultura em declínio, porque os jovens se mandavam todos para as cidades grandes. Mostrou-nos algumas colinas, agora transformadas em pasto, que no passado eram douradas plantações de trigo. O vilarejo aparecia de repente, a uma curva do caminho, aos pés de uma colina, onde estava a casa de Belbo. A colina era baixa e deixava ver além a vastidão de Monferrato, coberta de uma leve névoa luminosa. Enquanto subíamos, Belbo nos mostrou uma pequena colina em frente, quase nua, no topo da qual havia uma capela, flanqueada por dois pinheiros. "O Bricco", disse. Depois acrescentou: "Para vocês não tem o menor significado, mas nós costumávamos fazer piquenique ali na segunda-feira de Páscoa. Agora de carro lá se chega em cinco minutos, mas naquela época ia-se a pé, e era uma verdadeira peregrinação."

55

CHAMO TEATRO

Chamo teatro [o lugar em que] as ações das palavras e dos pensamentos, e em particular de um discurso e de uma discussão, são mostradas como num teatro público, onde se representam tragédias e comédias.

(Robert Fludd, *Utriusque Cosmi Historia*, Tomi Secundi Tractatus Primi Sectio Secunda, Oppenheim (?), 1620 (?), p. 55)

Chegamos à casa. Uma vila, na verdade: um sobrado patriarcal, que tinha no andar de baixo as grandes adegas onde Adelino Canepa — o meeiro mal-humorado que havia denunciado o tio aos *partigiani* — fabricava vinho com uvas colhidas na propriedade dos Covasso. Via-se que estava desabitada há tempos.

Numa pequena casa de colonos, ao lado, ainda morava uma velha, nos disse Belbo, tia de Adelino; os demais já haviam morrido ambos, os tios, os Canepa, e só restava a centenária a cultivar uma hortazinha, com quatro galinhas e um porco. As terras haviam sido vendidas para pagar os impostos de transmissão, as dívidas, não se lembrava mais. Belbo foi bater à porta da casa de colono, a velha apareceu à janela, levou algum tempo até reconhecer o visitante, depois lhe fez amplas manifestações de apreço. Queria que entrássemos em sua casa, mas Belbo recusou, cumprimentando-a e agradecendo muito.

Assim que entramos na vila, Lorenza lançava exclamações de júbilo à medida que descobria as escadas, os corredores, os quartos sombrios com seus móveis antigos. Belbo estava na defensiva, observando que cada um tem o palácio que pode, mas, no fundo, comovido. Vinha ali de quando em vez, nos disse, mas cada vez mais raro.

"Mas aqui se trabalha confortavelmente, no verão a casa é fresca e no inverno as paredes grossas a protegem do gelo, e há fogões de aquecimento por todo lado. Naturalmente, quando era rapazote, fugido da cidade, ocupávamos apenas aqueles dois quartos laterais ao fundo do grande corredor. Agora estou utilizando a ala dos meus tios. Trabalho aqui onde era o escritório de tio Cartos." Ali havia uma dessas antigas secretárias, com pouco espaço para pousar os papéis, mas mil e uma gavetinhas à vista ou escondidas. "Não conseguiria meter aqui em cima o Abulafia", disse. "Mas nas poucas vezes que venho aqui me agrada escrever à mão, como fazia quando criança." Mostrou-nos um armário majestoso: "Aqui está, quando eu morrer, não se esqueçam, aqui está toda a minha produção literária juvenil, poesias que compus aos 16 anos, esboços de aventuras em seis volumes que escrevi aos 18... e vai por aí..."

"Vamos ver, vamos ver!", gritou Lorenza batendo as mãos, e avançando felina em direção do armário.

"Espere aí", disse Belbo. "Não há nada para ver. Nem mesmo eu vejo mais essa papelada. Em todo caso, depois de morto virei queimar tudo."

"Isto aqui deve ser lugar de fantasmas, suponho", disse Lorenza.

"Sem dúvida. Nos tempos do tio Carlos, não, era muito alegre. Era geórgico. Agora venho aqui precisamente por ser bucólico. É inspirador trabalhar à noite enquanto os cães ladram no vale."

Mostrou-nos os quartos onde iríamos dormir: o meu, o de Diotallevi e o de Lorenza. Lorenza olhou o quarto, tocou a velha cama com uma grande coberta branca, farejou os lençóis, disse que parecia estar numa história dos tempos da avó porque cheiravam a alfazema, Belbo disse que não era verdade, era só cheiro de mofo, Lorenza disse que não importava e depois, apoiando-se à parede, avançando levemente as ancas e o púbis para a frente, como se estivesse a derrotar o flíper, perguntou: "Mas vou dormir aqui sozinha?"

Belbo olhou para o outro lado, mas nesse lado estávamos nós, olhou de novo para o outro, depois adiantou-se para o corredor e disse: "Depois tratamos disto. Em todo caso aí tem um refúgio só para você." Diotallevi e eu nos afastamos, e ouvimos Lorenza perguntar a Belbo se se envergonhava dela. Ele disse que se lhe não tivesse mostrado o quarto seria ela a perguntar onde ele achava que ela iria dormir. "Eu fiz a primeira jogada, assim você não tem escolha", dizia. "O astuto afegão!", disse ela, "pois agora vou dormir no meu quartinho." "Está bem, está bem", disse Belbo irritado, "mas nós estamos aqui para trabalhar, vamos para o terraço."

E fomos trabalhar então num grande terraço, onde havia sido construída uma pérgula, onde havia refrigerantes e muito café. As bebidas alcoólicas estavam banidas até a noite.

Da varanda via-se o Bricco, e no alto da colinazinha do Bricco, uma grande construção sem adornos, muito simples, com um pátio e um campo de futebol. Em torno, moviam-se figurinhas multicores, crianças, pareceu-me. Belbo foi quem nos mostrou: "É o oratório salesiano. Foi ali que dom Tico me ensinou a tocar. Na banda."

Lembrei-me da corneta que Belbo não ganhara de presente, aquela vez depois do sonho. Perguntei: "Corneta ou clarim?"

Teve um átimo de pânico: "Como foi que... Ah, é verdade, eu lhe contei a história do sonho e da corneta. Não, dom Tico me ensinou a tocar corneta, mas na banda eu tocava *gênis*."

"Que diabo é *gênis*?

"Velhas histórias de menino. Agora vamos trabalhar."

Mas enquanto trabalhávamos vi que olhava com frequência na direção do oratório. Tive a impressão de que, para poder olhá-lo bem, nos falasse de outra coisa. Vez por outra interrompia o assunto: "Aqui embaixo houve um dos mais violentos tiroteios do fim da guerra. Aqui em *** havia uma espécie de acordo entre fascistas e *partigiani*. No verão, durante dois anos seguidos, os *partigiani* haviam ocupado o lugarejo, e os fascistas não vinham perturbá-los. Os fascistas não eram daqui, os *partigiani* sim, eram todos rapazes do lugar. Em caso de choques sabiam como mover-se entre as plantações de milho, as capoeiras e as moitas. Os fascistas se entocavam na cidade, e saíam só para os rastreamentos. No inverno era mais difícil para os *partigiani* ficar ao relento, não havia onde se esconder, você podia ser visto de longe na neve e com uma metralhadora era fácil abater-se alguém até a um quilômetro de distância. Então os *partigiani* subiam para as colinas mais altas. E ali também ficavam à vontade, pois conheciam as passagens, as grutas, os refúgios. E os fascistas ficavam controlando a planície. Mas naquela primavera estávamos às vésperas da libertação. Os fascistas ainda andavam por aqui, mas tinham receio, suponho, de voltar para a cidade, porque pressentiam que o golpe final seria dado lá embaixo, como aconteceu depois no 25 de abril. Talvez por contingência dos acordos, os *partigiani* esperavam, não queriam o confronto, agora já se sentiam seguros de que em breve aconteceria algo, à noite a BBC dava notícias cada vez mais confortantes, intensificavam-se as mensagens especiais para a Franchi,* amanhã vai chover ainda, tio Pedro trouxe o pão, ou coisas desse gênero, talvez tu, Diotallevi, as tivesses ouvido... Em suma, deve ter sido um mal-entendido, os *partigiani* desceram quando os fascistas ainda não se haviam retirado, a verdade é que um dia minha irmã estava aqui na varanda e foi lá dentro dizer que havia dois rapazes brincando de perseguir um ao outro de metralhadora na mão. Não nos espantamos, deviam ser rapazes que para passar o tempo andavam brincando com as armas; uma vez por brincadeira um havia disparado de verdade e a bala foi plantar-se no tronco de uma árvore da rua embaixo da qual minha irmã brincava. Ela nem percebera aquilo, foram os vizinhos que lhe disseram, e então lhe ensinaram a correr para casa quando visse duas pessoas brincando com armas. Estão brincando de novo, disse entrando, para mostrar que sabia obedecer. Foi nesse momento que ouvimos a primeira rajada. Só que foi seguida de uma outra, e mais outra, e logo as rajadas eram tantas, que se ouviam os golpes secos dos fuzis, o tá-tá-tá das metralhadoras de mão, algum estampido mais surdo, talvez de granada, e por fim o pipocar da metralhadora pesada. Percebemos que não estavam mais brincando. Mas não tivemos tempo de discutir o assunto porque já então nem ouvíamos mais as nossas vozes. Pim pum bangue ratatatá. Agachamo-nos para nos esconder embaixo do tanque, eu minha irmã e minha mãe. Depois chegou tio Carlos, arrastando-se de gatinhas pelo corredor, para nos dizer que daquele lado estávamos muito expostos, que era melhor ir para o outro. Fomos transferidos para a outra ala, onde tia Catarina chorava porque a avó tinha saído..."

"Foi quando encontraram a avó com a cara metida no chão no meio dos dois fogos..."

---

* Organização da resistência italiana, comandada por Eduardo Sogno, cujo nome da guerra era Franchi. (*N. do T.*)

"E como sabe disso?"

"Você me contou em 1973, naquele dia depois da passeata."

"Puxa, que memória. Com você, a gente precisa estar atento ao que diz... Mas foi isso mesmo. Meu pai também não estava em casa. Como soubemos depois, estava no meio do tiroteio e escondeu-se num portão, e não podia sair porque atiravam em quem passasse de um lado ou de outro da rua, e do alto da torre da prefeitura um manípulo da Brigada Negra varria a praça com metralhadora. Escondida no portão estava também a ex-autoridade fascista da cidade. A certo ponto disse que conseguiria correr para casa, bastando virar a esquina. Esperou um momento de silêncio, saiu pelo portão, chegou até a esquina e foi atingido nas costas pela metralhadora da prefeitura. A reação emotiva de meu pai, que havia já feito até mesmo a Primeira Guerra Mundial, foi esta: é melhor ficar escondido no portão."

"É um lugar realmente cheio de recordações dulcíssimas este aqui", observou Diotallevi.

"Podem não acreditar", disse Belbo, "mas são dulcíssimas. E são as únicas coisas verdadeiras de que me lembro."

Os outros não compreenderam, eu intuí, e agora sei. Principalmente naqueles meses, em que estava navegando na mentira dos diabólicos, e depois de anos em que havia colecionado desilusões das mentiras românticas, os dias de *** lhe voltavam à memória como um mundo em que uma bala é uma bala, ou te desvias ou a apenha, e as duas partes ajustavam contas frente a frente, marcadas pelas suas cores, o vermelho e o negro, ou o cáqui e o verde-gris, sem equívocos, ou pelo menos assim lhe parecia então. Um morto era um morto era um morto era um morto. Não como o coronel Ardenti, misteriosamente desaparecido. Pensei que talvez lhe devesse falar sobre a sinarquia, que já se insinuava naqueles anos. Não tinha sido talvez sinárquico o encontro entre tio Carlos e Terzi, ambos colocados nos extremos opostos do mesmo ideal cavaleiroso? Mas por que roubar a Belbo a sua Combray? As recordações eram doces porque lhe falavam de uma única verdade que havia conhecido, e só depois iniciara a dúvida. Salvo que, como me havia deixado compreender, mesmo naqueles dias da verdade permaneceu como espectador. Guardava na lembrança o tempo em que via o nascer da memória alheia, da História, e de tantas histórias que não seria ele a escrever.

Ou teria havido um momento de glória e de escolha? Porque disse: "Mas também naquele dia pratiquei o ato de heroísmo de minha vida."

"Ó meu John Wayne", disse Lorenza. "Conta."

"Ah, não foi nada demais. Depois de me arrastar para perto dos meus tios, eu insisti em permanecer de pé no corredor. A janela ficava ao fundo, nós no primeiro andar, ninguém poderia acertar-me, achava. E me sentia como o comandante em meio ao quadrado das tropas, enquanto as balas assoviam em torno. Depois, tio Carlos se irritou, arrastou-me para dentro bruscamente, eu estava a ponto de chorar porque acabava assim a minha diversão, quando naquele preciso instante ouvimos três tiros, vidros quebrados e uma espécie de ricochete, como se alguém tivesse atirado no corredor uma bola de tênis. Uma bala tinha penetrado pela janela, batera no cano de água, ricocheteara e fora encravar-se no chão, exatamente no ponto em que eu estava antes. Se ainda ali estivesse de pé, me teria acertado a perna. Quem sabe."

"Meu Deus, não queria ver você perneta", disse Lorenza.

"Talvez hoje estivesse contente", disse Belbo.

Na verdade, também naquele caso não havia escolhido. Fora arrastado para dentro pelo tio.

Depois de algum tempo, distraiu-se de novo. "Um tempo depois subiu aqui o Adelino Canepa. Disse-nos que estaríamos todos mais seguros se fôssemos para a adega. Ele e o tio não se falavam havia anos, já lhes contei. Mas no momento da tragédia Adelino voltara a ser um ente humano, e o tio até lhe apertou a mão. Foi assim que passamos uma hora no escuro em meio aos tonéis, sentindo um odor de incontáveis colheitas que nos subia um pouco à cabeça, enquanto lá fora disparavam. Depois as rajadas enfraqueceram, o som dos tiros nos chegava mais brando. Percebemos que um dos grupos se retirava mas não sabíamos ainda qual. Até que de uma janelinha acima de nossas cabeças, que dava para um beco, ouvimos uma voz, em dialeto: '*Monssu, i'è d'la repubblica bele si?*'"

"Que significa isto?", perguntou Lorenza.

"Aproximadamente: cavalheiro, poderia ter a gentileza de nos informar se estamos ainda nas paragens adeptas da República Social Italiana? Naqueles tempos, 'república' era uma palavra terrível. Tratava-se de um *partigiano* que interrogava um passante, ou alguém à janela, e portanto o beco estava de novo praticável, e os fascistas se tinham ido embora. Já estava escurecendo. Dali a pouco chegaram afinal meu pai e minha avó, cada qual a contar sua aventura. Minha mãe e minha tia foram preparar alguma coisa de comer, enquanto meu tio e Adelino Canepa estavam cerimoniosamente recolhendo os cumprimentos. Por todo o resto da noite continuamos a ouvir rajadas distantes, para os lados das colinas. Os *partigiani* caçavam os fujões. Tínhamos vencido."

Lorenza beijou-o nos cabelos e Belbo fez um sinal de escárnio com o nariz. Sabia que vencera por interposta brigada. Na verdade havia assistido a um filme. Mas, por um momento, correndo o risco do ricochete da bala, entrara no filme. Mas só de passagem, como em *Hellzapoppin'*, quando se trocam as películas e um índio chega a cavalo durante uma festa e pergunta no baile para onde foram, alguém lhe responde "para lá", e ele desaparece numa outra história.

COMEÇOU A SOAR SUA ESPLÊNDIDA CORNETA

Começou a soar sua esplêndida corneta com tal força que toda a montanha em torno ressoou.

(Johann Valentin Andreae, Die Chymische Hochzeit des Christian Rosencreutz, Strassburg, Zetzner, 1616, 1, p. 4)

Estávamos no capítulo sobre as maravilhas dos condutos hidráulicos, e que seria ilustrado por uma gravura do século XVI tirada das *Spiritalia* de Héron na qual se via uma espécie de altar sobre o qual um autômato, por meio de uma engenhoca a vapor, tocava uma corneta.

Reconduzi Belbo às suas lembranças: "Mas como é mesmo aquela história do seu Ticho Brahe, ou como se chama, que lhe ensinou a tocar corneta?"

"Dom Tico. Nunca soube se era seu sobrenome ou o nome próprio. Nunca mais voltei ao oratório. Eu havia ido lá por acaso: a missa, o catecismo, os esportes, e ganhava-se um santinho do beato Domingos Sávio, aquele adolescente de calças amarrotadas de fazenda grosseira, que nas estátuas está sempre aferrado à batina de Dom Bosco, com os olhos no céu, para não ouvir os companheiros que contam anedotas indecentes. Descobri que Dom Tico estava organizando uma banda de música, composta de rapazes de 10 a 14 anos. Os menores tocavam clarim, flautim, saxofone soprano, e os mais velhos aguentavam com o bombardino e o bombo. Usavam uniforme, blusão cáqui e calças azuis com um bonezinho de viseira. Um sonho, e quis ser um deles. Dom Tico disse que precisava de um *gênis*."

Esquadrinhou-nos com superioridade e recitou: "*Gênis*, no jargão bandístico, é uma espécie de trombone pequeno que na verdade se chama saxorne sopranino em mi bemol. É o instrumento mais imbecil de toda a banda de música. Faz umpa-umpa-umpa-umpap quando o tom da marcha sobe e depois do parapapá-pa-pa-pá-pááá passa a baixar o tom e faz pa-pa-pa-pa-pá... Mas se aprende facilmente, pertence à família dos metais, como o trompete. O trompete requer mais fôlego e uma boa embocadura, sabem, aquela espécie de calo circular que se forma nos lábios, como Armstrong. Com uma boa embocadura economiza-se o fôlego e o som sai límpido e puro, sem que se sinta o sopro; por outro lado, não se devem inflar as maçãs do rosto, isso só acontece na ficção e nas caricaturas."

"Mas e corneta?"

"A corneta eu aprendi sozinho, naquelas tardes de verão em que não havia ninguém no oratório, e eu me escondia na plateia do teatrinho... Mas estudava corneta por motivos eróticos. Estão vendo aquele povoado lá embaixo, a 1 quilômetro do oratório? Era ali que morava Cecilia, filha da benfeitora dos salesianos. Toda vez que a banda se apresentava, nos dias de festa, depois da procissão, no pátio do oratório e principalmente no teatro, antes das récitas da filodramática, Cecilia e a mãe estavam sempre na primeira fila, no lugar de honra, junto ao pároco da catedral. Naquelas ocasiões, a banda começava com uma marcha chamada *O Bom Princípio*, que abria com o som das cornetas, as cornetas em si bemol, de ouro e prata, bem polidas para o evento. Os cornetistas se levantavam e faziam o solo. Depois sentavam-se e a banda atacava. Tocar corneta era o único meio de me fazer notar por Cecilia."

"Ou então?", perguntou Lorenza enternecida.

"Não havia alternativa. Primeiro, eu tinha 13 anos e ela 13 e meio, e uma menina de 13 anos e meio já é uma mulher, ao passo que o menino não é mais que um molecote. Além de tudo, ela amava o saxofonista contralto, um tal de Papi, horrendo e pelado, conforme me parecia, e só tinha olhos para ele, que balia lascivo, porque o saxofone, quando não é o de Ornette Coleman e é tocado numa banda, principalmente pelo horrendo Papi, é (ou me parecia então) um instrumento caprino e vulgar, que tem a voz, como direi, de uma modelo que desandou a beber e a fazer a vida..."

"Que fazem as modelos que fazem a vida? Que é que você sabe disso?"

"Pois bem, Cecilia não sabia nem mesmo que eu existia. Enquanto me esforçava em subir a colina para ir buscar leite num curral lá no alto, ia inventando histórias esplêndidas, em que ela era raptada pelas Brigadas Negras e eu corria para salvá-la; enquanto as balas me assoviavam nos ouvidos e faziam chaque chaque caindo na grama, eu lhe revelava aquilo que ela não podia saber, que sob identidade falsa eu dirigia a resistência em todo o Monferrato, e ela me confessava que sempre havia esperado isso, e àquele ponto me envergonhava, porque sentia como uma golfada de mel nas veias, juro-lhes que nem sequer me umedecia o prepúcio, era outra coisa, bem mais terrível e grandiosa, e ao voltar para casa corria a confessar-me... Creio que o pecado, o amor e a glória sejam aquilo, quando você desce pela corda feita de lençóis amarrados à janela de Villa Triste,* com ela enlaçada ao seu pescoço, suspensa no vazio, e sussurra que sempre sonhara com você. O resto é apenas sexo, cópula, perpetuação da semente infame. Mas para encurtar, se eu passasse à corneta, Cecilia não poderia ignorar-me, eu de pé, deslumbrante, e o miserável saxofone sentado. A corneta é guerreira, angélica, apocalíptica, vitoriosa, soa a carga, o saxofone faz dançar os gostosões do subúrbio com os cabelos untados de brilhantina, de rosto colado com moças suadas. Eu estudava corneta, como um louco, até que me apresentei a Dom Tico e lhe pedi que me ouvisse, e me sentia como Oscar Levant ao fazer o primeiro teste na Broadway com Gene Kelly. E Dom Tico me disse: "Você é cornetista, mas..."

"Não seja dramático", disse Lorenza, "conta logo, não nos deixe com o fôlego suspenso."

"Mas eu tinha que arranjar alguém para me substituir no *gênis*. Vire-se, foi o que disse Dom Tico. E eu logo arranjei alguém. Deveis saber então, ó caros filhos meus, que naqueles tempos viviam em *** dois miseráveis colegas de escola, embora dois anos mais velhos do que eu, e isso muito lhes revelará sobre a atitude deles no aprendizado. Esses dois sujeitos se chamavam Annibale Cantalamessa e Pio Bo.** Um: histórico."

"O que é isso?", perguntou Lorenza.

Expliquei, cúmplice: "Quando Salgari se refere a um fato verdadeiro (ou que ele supõe verdadeiro), digamos que Touro Sentado chamado depois Little Big Horn come o coração do general Custer, ao fim da história mete uma nota ao pé de página dizendo: 1. Histórico."

---

* Mansão ajardinada em Milão onde a SS torturava os *partigiani* capturados. (*N. do T.*)
** Os nomes significam em italiano Canta-a-missa e Pio Boi. (*N. do T.*)

"Isso mesmo. É histórico que Annibale Cantalamessa e Pio Bo se chamavam assim, nem era esse o seu lado pior. Eram vadios, surrupiavam revistas de histórias em quadrinhos nas bancas de jornais, roubavam figurinhas de bala dos que tinham coleções e deixavam o sanduíche de presunto apoiado sobre o livro de aventuras terra-mar-e-ar que você lhes havia emprestado mal ganhara de presente de Natal. O Cantalamessa se dizia comunista, o Bo, fascista, mas estavam ambos dispostos a se vender ao adversário por uma atiradeira, contavam histórias de conteúdo sexual, com imprecisos conhecimentos anatômicos, e faziam competições para saber quem tinha se masturbado mais vezes na noite anterior. Eram indivíduos prontos a tudo, por que não ao *gênis*? Foi assim que resolvi conquistá-los. Eu engrandecia a farda dos músicos executantes, levava-os a execuções públicas, deixava-os entrever sucessos amorosos com as Filhas de Maria... Caíram no engodo. Eu passava os dias no teatrinho, com uma longa vara na mão, como tinha visto nas ilustrações dos folhetos sobre os missionários, dava-lhes pancadas nos dedos quando erravam a nota, o *gênis* só tem três teclas que se movem com o indicador, o médio e o anular, e o resto é questão de embocadura, já disse. Não vos entediarei por mais tempo, ó meus pequenos ouvintes: chegou o dia em que pude apresentar a Dom Tico dois *gênis*, não direi perfeitos mas, pelo menos na primeira prova, preparada depois de longas tardes insones, aceitáveis. Dom Tico estava convencido, lhes havia fornecido os uniformes, e me passara à corneta. E ao cabo de uma semana, na festa de Maria Auxiliadora, abertura da estação teatral com *O pequeno parisiense,* as cortinas fechadas, diante das autoridades, eu estava de pé, a tocar o início de *O bom princípio.*"

"Oh, esplendor", disse Lorenza, com o rosto ostensivamente aspergido de um terno ciúme. "E Cecília?"

"Não estava. Talvez estivesse doente. Não tinha como o saber. Apenas não estava."

Ergueu o olhar circularmente para a plateia, porque àquele ponto se sentia bardo, ou jogral. Calculou a pausa. "Dois dias depois Dom Tico me mandava chamar e me explicava que Annibale Cantalamessa e Pio Bo haviam arruinado a noite. Não mantinham o ritmo, distraíam-se nas pausas, soltavam piadinhas, não entravam no momento exato. 'O *gênis*', me disse Dom Tico, 'é a ossatura da banda, é sua consciência rítmica, a alma. A banda é como um rebanho, os instrumentos são as ovelhas, o maestro é o pastor, mas o *gênis* é o cão fiel e rosnador que mantém as ovelhas a passo. O maestro olha principalmente para o *gênis*, e se o *gênis* o acompanha, as ovelhas todas seguirão. Meu caro Jacopo, devo pedir-te um grande sacrifício: tens que voltar para o *gênis*, junto com aqueles dois. Tu tens senso de ritmo, me ajudarás a mantê-los no compasso. Prometo-te que assim que eles se tornarem autônomos, farei com que voltes à corneta!' Eu devia tudo a Dom Tico. Disse-lhe que sim. E na festa seguinte as cornetas mais uma vez se levantaram e tocaram o ataque de abertura de *O bom princípio* diante de Cecilia, novamente na primeira fila. Eu estava no limbo, *gênis* entre os *gênis*. Quanto aos dois miseráveis, jamais se tornaram autônomos. E eu nunca mais voltei à corneta. A guerra acabou, voltei para a cidade, abandonei os metais, e de Cecilia não soube mais nem mesmo o sobrenome."

"Pobre menino", disse Lorenza abraçando-lhe os ombros. "Mas eu ainda resto."

"Pensei que você preferia os saxofones", disse Belbo. Depois beijou-lhe as mãos, girando apenas a cabeça. Voltou a ficar sério. "Ao trabalho", disse. "Vamos fazer uma história do futuro, e não uma crônica do tempo perdido."

À noite foi muito celebrada a queda da proibição antialcoólica. Jacopo parecia haver-se esquecido de seus humores elegíacos, e se mediu com Diotallevi. Imaginavam máquinas absurdas, para descobrir a cada passo que já tinham sido inventadas. À meia-noite, depois de uma noitada cheia, todos acharam que já era hora de experimentarmos o que era dormir naquelas colinas.

Meti-me na cama do velho quarto, com os lençóis mais úmidos do que estavam de tarde. Jacopo havia insistido para que usássemos o braseirinho, uma espécie de armação oval que mantém as cobertas levantadas, e sob a qual se põe um pequeno fogareiro com brasas, isso talvez para nos fazer provar todos os prazeres da vida no campo. Mas quando a umidade é latente, o braseirinho a leva para fora, sente-se uma tepidez deliciosa, mas o tecido parece molhado. Paciência. Acendi um abajur daqueles de franjas, em que as mariposas batem as asas antes de morrer, como quer o poeta. E procurei adormecer lendo o jornal.

Mas durante uma ou duas horas ouvi passos no corredor, um abrir e fechar de trincos, a última vez (a última que ouvi) uma porta bateu com violência. Lorenza Pellegrini estava pondo os nervos de Belbo à prova.

Já quase caindo no sono, ouvi arranharem a minha porta. Poderia ser um animal (mas não tinha visto nem cães nem gatos pela casa) e tive a impressão de que era um convite, uma solicitação, uma isca. Talvez Lorenza estivesse fazendo aquilo porque se sabia observada por Belbo. Talvez não. Havia considerado até então Lorenza como propriedade de Belbo, pelo menos nos meus parâmetros, e desde que estava com Lia me tornara insensível a outros fascínios. Os olhares maliciosos, frequentemente de conluio, que Lorenza me lançava às vezes na redação ou no bar, quando queria perturbar Belbo, como à procura de um aliado ou de uma testemunha, faziam parte, sempre pensei, de uma brincadeira de sociedade, e além disso Lorenza Pellegrini tinha a virtude de olhar a todos com um ar de quem desafia sua capacidade amatória, mas de maneira curiosa, como se sugerisse "te desejo, mas para mostrar-te que tens medo"... Aquela noite, sentindo aquele rascar, aquele escorrer de unhas contra o verniz do batente, provei uma sensação diferente: dei-me conta de que desejava Lorenza.

Meti a cabeça embaixo do travesseiro e pensei em Lia. Quero fazer um filho com Lia, disse para mim. E vou ensinar a ele (ou ela) a tocar corneta, assim que começar a soprar.

57

DE TRÊS EM TRÊS ÁRVORES, ESTAVA
APENAS UMA LANTERNA

De três em três árvores, de ambos os lados, estava apenas
uma lanterna, e uma esplêndida virgem, igualmente vestida
de azul, a acendia com uma tocha maravilhosa e eu me
demorava, mais que o necessário, a admirar o espetáculo que
era de uma beleza indizível.

(Johann Valentin Andreae, *Die Chymische Hochzeit des*
Christian Rosencreutz, Strassburg, Zetzner, 1616, 2, p.21)

Por volta do meio-dia Lorenza veio se reunir a nós na varanda, sorridente, e anunciou que havia encontrado um excelente trem que passava por *** às dez e meia e com apenas uma baldeação estaria de volta a Milão pela tarde. Perguntou se a acompanharíamos até a estação.

Belbo continuou a folhear as anotações e disse: "Pensei que Agliè estivesse esperando também por você, pareceu-me até que havia organizado toda essa expedição por sua causa."

"Pior para ele", disse Lorenza. "Quem me acompanha?"

Belbo se levantou e nos disse: "Vou lá um instante e volto. Depois podemos ficar ainda por aqui uma ou duas horas. Lorenza, você tem bagagem?"

Não sei se disseram algo mais no trajeto para a estação. Belbo tornou após uns vinte minutos e voltou a trabalhar sem se referir ao incidente.

Às duas encontramos um confortável restaurante na praça do mercado, e a escolha da comida e dos vinhos permitiu a Belbo reevocar outros eventos de sua infância. Mas falava como se citasse trechos de uma biografia alheia.

Havia perdido a felicidade narrativa do dia anterior. Ao meio da tarde fomos ao encontro de Agliè e Garamond.

Belbo dirigia em direção ao sudoeste, enquanto a paisagem mudava pouco a pouco de quilômetro em quilômetro. As colinas de ***, mesmo no outono avançado eram baixas e suaves; agora, no entanto, à medida que avançávamos, o horizonte se tornava cada vez mais amplo, embora a cada curva aumentassem os picos, sobre os quais se encarapitavam os povoados. Mas entre um pico e outro abriam-se horizontes intermináveis, para além da sebe, como completava Diotallevi, verbalizando judiciosamente as nossas descobertas. Assim, enquanto subíamos em terceira, descortinavam-se a cada volta vastas extensões de perfil ondulado e contínuo, que no limite da planura já se esfumava num embaçamento quase invernal. Parecia uma planície modulada de dunas, e era meia montanha. Como se a mão de um demiurgo inábil tivesse comprimido os cimos que lhe parecessem excessivos, transformando-os numa marmelada cheia de corcovas que só ia acabar no mar, quem sabe, ou até nos declives de cadeias mais ásperas e acentuadas.

Chegamos ao vilarejo onde, no bar da praça central, tínhamos marcado encontro com Agliè e Garamond. Ao saber que Lorenza não estava conosco, Agliè, se ficara contrariado com isso, pelo menos não deixou transparecer. "A nossa primorosa amiga não quer partilhar com outros os mistérios que a definem. Pudor singular, que eu muito aprecio", disse. E foi tudo.

Seguimos caminho, à frente a Mercedes de Garamond e atrás a Renault de Belbo, por vales e colinas, até que, quando a luz do sol já estava enfraquecendo, chegamos à vista de uma estranha construção trepada sobre a colina, uma espécie de castelo do século XVIII, amarelo, do qual saíam, pelo menos me pareceu assim a distância, varandas floridas e arborizadas, viçosas apesar da estação.

Ao chegarmos ao pé da escarpa, encontramo-nos num espaço onde já estavam estacionados muitos outros carros. "Paramos aqui", disse Agliè, "e prosseguimos a pé".

O crepúsculo agora se tornava noite. A subida estava delineada pela luz de uma infinidade de archotes, acesos ao longo do aclive.

Curioso, mas de tudo o que aconteceu, desde aquele momento até tarde da noite, só tenho recordações ao mesmo tempo límpidas e confusas. Reevocava-

-as aquela noite no periscópio e notava um ar de família entre as duas experiências. Muito bem, me dizia, agora estás aqui, numa situação desnatural, aturdido por um imperceptível mofo de madeira velha, suspeitando estar dentro de um túmulo, ou no interior de um vaso onde se esteja processando uma transformação. Bastaria esticar a cabeça para fora da cabine para ver na penumbra objetos, que hoje pareciam imóveis, a se agitarem como sombras eleusinas entre os vapores de um encantamento. E assim foi a noitada no castelo: as luzes, as surpresas do percurso, as palavras que ouvia, e mais tarde certamente os incensos, tudo conspirava para me fazer crer que sonhasse, mas de forma anômala, assim como quando se está próximo de despertar e se sonha que se sonha.

Não deveria lembrar-me de nada. E no entanto lembro tudo, como se o não tivesse vivido eu próprio e me fosse contado por alguém.

Não sei se o que recordo, com lucidez tão confusa, foi o que de fato aconteceu ou se o que desejaria que tivesse acontecido, mas certamente foi naquela noite que o Plano tomou forma em nossa mente, como desejo de dar uma forma qualquer àquela experiência informe, transformando em realidade fantástica aquela fantasia que alguém havia desejado real.

"O percurso é ritual", nos estava dizendo Agliè enquanto subíamos. "Estes são jardins suspensos, os mesmos, ou quase os mesmos, que Salomon de Caus havia imaginado para os hortos de Heidelberg, quero dizer, para o eleitor palatino Frederico V, no grande século rosacruciano. A luz é pouca, mas assim é que deve ser, pois melhor é intuir do que ver: nosso anfitrião não reproduziu com fidelidade o projeto de Salomon de Caus, mas concentrou-o num espaço mais reduzido. Os jardins de Heidelberg imitavam o macrocosmo, mas quem os reconstruiu aqui imitou somente o microcosmo. Estão vendo aquela gruta, construída em *rocaille*?... Decorativa, sem dúvida. Mas Caus tinha presente o emblema da *Atalanta Fugiens* de Michael Maier em que o coral é a pedra filosofal. Caus sabia que por meio das formas dos jardins se podiam influenciar os astros, pois há caracteres que pela sua configuração imitam a harmonia do universo..."

"Prodigioso", disse Garamond. "Mas como pode um jardim influenciar os astros?"

"Há signos que se inclinam uns para os outros, que se olham uns aos outros e que se abraçam, e obrigam ao amor. E não têm, não devem ter, forma definida. Cada qual, segundo dita seus ímpetos ou o arrebatamento de seu espírito, experimenta determinadas forças, como acontecia com os hieróglifos dos egípcios. Só pode haver ligação entre nós e os seres divinos através de sinais, de figuras, caracteres e outras cerimônias. E assim são estes jardins. Cada aspecto deste terraço reproduz um mistério da arte alquímica, embora não estejamos em grau de lê-los, nem mesmo o nosso hospedeiro. Singular dedicação ao segredo, convenhamos, da parte deste homem que gasta tudo quanto acumulou ao longo dos anos para desenhar ideogramas de que não conhece a significação."

Subíamos, e de terraço em terraço os jardins mudavam de fisionomia. Alguns tinham forma de labirinto, outros, de figuras de emblemas, mas se podia ver o desenho dos terraços inferiores apenas dos terraços superiores, e foi assim que distingui do alto o formato de uma coroa e muitas outras simetrias que não havia notado ao passar por elas, e que em todo caso não as saberia decifrar. Cada terraço, visto por quem se movesse entre as sebes, por efeito de perspectiva mostrava algumas imagens, mas, visto novamente do terraço superior, provia novas revelações, talvez de sentido contrário, e cada degrau daquela escada falava assim duas línguas distintas ao mesmo tempo.

Percebemos, à medida que subíamos, pequenas construções. Uma fonte de estrutura fálica, que se abria embaixo de uma espécie de arco ou pequeno pórtico, com um Netuno que pisava sobre um golfinho, uma porta com colunas vagamente assírias, e um arco de forma imprecisa, como se tivessem sobreposto triângulos e polígonos a polígonos, com cada vértice encimado pela estátua de um animal, um alce, um macaco, um leão...

"E tudo isto revela alguma coisa?", perguntou Garamond.

"Sem dúvida! Bastaria ler o *Mundus Symbolicus*, de Picinelli, que Alciato tinha antecipado com singular intuição profética. Todo o jardim pode ser lido como um livro, ou como um encantamento, o que vem a ser a mesma coisa. Pudessem, sabendo, pronunciar em voz baixa as palavras que o jardim nos diz, e seriam capazes de dirigir uma das inumeráveis forças que atuam no mundo sublunar. O jardim é um aparelho para dominar o universo."

Mostrou-nos uma gruta. Uma incongruência de algas e esqueletos de animais marinhos, não sei se naturais, de gesso, ou pedra... Entrevia-se lá dentro uma náiade abraçada à base da cauda escamosa de um grande peixe bíblico que estava pousado na corrente de água, a qual fluía da concha que um tritão erguia à maneira de ânfora.

"Gostaria que apreendessem o significado profundo dessa imagem que seria de outra forma um banal divertimento hidráulico. Caus sabia muito bem que se se tomar um vaso e o encher de água e o tapar por cima, mesmo se depois se abrir um furo no fundo, a água não sai por ele. Mas se se abre um furo também em cima, a água deflui ou esguicha embaixo."

"Não é óbvio?", perguntei. "No segundo caso, o ar entra por cima e comprime a água para baixo."

"Típica explicação científica, em que se troca a causa pelo efeito, ou vice-versa. O senhor não deve perguntar por que a água sai no segundo caso. Deve perguntar por que se recusa a sair no primeiro."

"E por que se recusa?", perguntou ansioso Garamond.

"Porque se saísse permaneceria o vácuo no vaso, e a natureza tem horror ao vácuo. *Nequaquam vacui* era um princípio rosacruciano, que a ciência moderna esqueceu."

"Impressionante", disse Garamond. "Casaubon, em nossa maravilhosa história dos metais essas coisas devem ser mencionadas, recomendo-lhe. E não me diga que a água não é um metal. Fantasia, é o que precisa."

"Desculpe-me", disse Belbo a Agliè, "mas o seu argumento é *post hoc ergo ante hoc*. Aquilo que vem depois causa o que vinha antes."

"Não se precisa raciocinar segundo sequências lineares. A água desta fonte não o faz. A natureza não o faz, a natureza ignora o tempo. O tempo é uma invenção do Ocidente."

Enquanto subíamos cruzávamos com outros convidados. Observando alguns deles, Belbo dava cotoveladas em Diotallevi, que comentava em voz baixa: "Aquele, sim, tem *facies hermetica*."

Foi entre os peregrinos de *facies hermetica*, um pouco isolado, com um sorriso de severa indulgência nos lábios, que cruzei com o Sr. Salon. Sorri-lhe, sorriu-me.

"O senhor conhece Salon?", perguntou-me Agliè.

"O senhor conhece Salon?", perguntei-lhe eu. "Para mim é bastante natural, moro no seu edifício. Que pensa dele?"

"Conheço-o muito pouco. Alguns amigos dignos de fé me afirmam que é olheiro da polícia."

Eis por que Salon sabia a respeito de Garamond e de Ardenti. Que conexão haveria entre Salon e De Angelis? Mas me limitei a perguntar a Agliè: "E o que faz um olheiro da polícia numa festa como esta?"

"Os olheiros da polícia", disse Agliè, "vão a todo lado. Qualquer experiência é útil para inventar suspeitas. Junto à polícia a gente se torna tanto mais poderoso quanto mais coisas sabe, ou dá mostras de saber. E não importa que essas coisas sejam verdadeiras. O importante, não se esqueça, é possuir um segredo."

"Mas por que Salon foi convidado a vir aqui?", perguntei.

"Meu amigo", respondeu Agliè, "provavelmente porque o nosso anfitrião segue aquela regra áurea do pensamento sapiencial segundo a qual qualquer erro pode ser o portador desconhecido da verdade. O verdadeiro esoterismo não tem medo dos contrários."

"O senhor quer dizer que no fim todos estão de acordo entre si."

"*Quod ubique, quod ab omnibus et quod semper*. A iniciação é a descoberta de uma filosofia perene."

Assim filosofando, havíamos chegado ao alto do terraço, penetrando por um sendeiro em meio a um amplo jardim que conduzia à entrada da mansão, ou castelinho que fosse. À luz de uma tocha, maior que as outras, encravada no alto de uma coluna, vimos uma jovem envolta em veste azul constelada de estrelas de ouro, que sustinha na mão uma corneta, daquelas que na ópera são tocadas pelos arautos. Como num daqueles autos sagrados em que os anjos ostentam plumas de cartolina, a jovem trazia sobre os ombros duas grandes asas brancas decoradas com formas amigdaloides assinaladas no centro por um ponto, que com um pouco de boa vontade teriam podido passar por olhos.

Vimos o professor Camestres, um dos primeiros diabólicos que nos haviam visitado na Garamond, o adversário da Ordo Templi Orientis. Custamos a reconhecê-lo porque estava mascarado de maneira que nos pareceu singular, mas que Agliè definia como apropriada para o evento: uma túnica de linho branco com os lados cingidos por uma fita vermelha que se cruzava no peito e atrás nas costas, e um curioso chapéu estilo século XVIII sobre o qual despontavam quatro rosas vermelhas. Ajoelhou-se diante da jovem da corneta e disse-lhe algumas palavras.

"Na verdade", murmurou Garamond, "há mais coisas entre o céu e a terra..."

Passamos através de um portal decorado de cenas legendárias que me evocou o cemitério de Staglieno.* No alto, acima de uma complexa alegoria neoclássica, vi esculpidas as palavras *condoleo et congratulor*.

No interior, os convidados eram muitos e estavam bastante animados, aglomerados diante de um bufê num amplo salão de entrada, do qual partiam duas escadarias para o andar superior. Descobri outros rostos não desconhecidos, entre os quais Bramanti e, surpresa, o comendador De Gubernatis, AEP já explorado pela Garamond, mas talvez ainda não colocado diante da horrenda possibilidade de ter todos os exemplares de sua obra-prima transformados em pasta de papel, porque veio ao encontro de nosso diretor externando-lhe respeito e reconhecimento. Veio apresentar seus cumprimentos a Agliè um tipo miúdo, de olhos inflamados. Pelo seu inconfundível acento francês, reconhecemos Pierre, aquele que havíamos ouvido acusar Bramanti de sortilégio através da porta do escritório de Agliè.

Aproximei-me do bufê. Havia garrafas com líquidos coloridos, que não consegui identificar. Servi-me de uma bebida amarela que parecia vinho, que não era ruim, tinha sabor de licor, certamente alcoólica. Talvez contivesse alguma coisa estranha: a cabeça começou a girar-me. Em meu redor se aglomeravam *facies hermetica* junto a rostos severos de policiais aposentados, recolhendo fragmentos de conversas...

"No primeiro estágio deverias conseguir comunicar-te com outras mentes; depois, projetar em outros seres pensamentos e imagens, carregar os lugares com estados emotivos, adquirir autoridade sobre o reino animal. Num terceiro tempo, tentar projetar teu duplo num ponto qualquer do espaço: bilocalização, como fazem os iogues, devendo tu aparecer simultaneamente em várias formas distintas. Trata-se em seguida de passar ao conhecimento suprassensível das essências vegetais. Enfim, tenta a desassociação, que consiste em investir

---

* Cemitério de Gênova, com estátuas de extremo mau gosto. (*N. do T.*)

o conjunto telúrico do corpo, dissolver-se num lugar e reaparecer em outro, integralmente, digo, e não apenas no duplo. Último estágio, o prolongamento da vida física..."

"Não a imortalidade..."

"Não imediatamente."

"Mas tu?"

"É preciso concentração. Não te nego que seja trabalhoso. Sabes, não tenho mais 20 anos..."

Reencontrei meu grupo. Estavam entrando num aposento de paredes brancas e de ângulos recurvos. Ao fundo, como num museu Grévin — mas a imagem que me aflorou à mente aquela noite foi a do altar que eu vira no Rio no terreiro de umbanda — duas estátuas quase de tamanho natural, de cera, revestidas por material cintilante que me parecia de péssimo gosto. Uma delas representava uma dama sobre um trono, com vestes imaculadas, ou quase, consteladas de paetês. Sobre ela pendiam, presas por fios, criaturas de forma imprecisa, que me pareciam ter sido feitas com tecido Lenci.* Num ângulo, um amplificador deixava sair um som longínquo de cornetas, este de boa qualidade, talvez algo de Gabrieli, e o efeito sonoro era de melhor gosto que o efeito visual. Para a direita, outra figura feminina, vestida de veludo carmesim com um cinto branco, a cabeça coroada de louros, junto a uma balança dourada. Agliè estava nos explicando os vários significados, mas mentiria se dissesse que lhe prestava muita atenção. Interessava-me mais a expressão de alguns convidados, que passavam em frente das imagens com ar de reverência, e comoção.

"Não são diferentes daqueles que vão aos santuários ver a virgem negra com vestes cobertas de corações de prata", disse a Belbo. "Pensam talvez que aquela seja a mãe de Cristo em carne e osso? Não, mas também não pensam o contrário. Deleitam-se com a similitude, sentem o espetáculo como visão, e a visão como realidade."

"Sim", disse Belbo, "mas o problema não está em saber se são melhores ou piores do que os que vão ao santuário. Estava me perguntando quem somos nós. Nós que consideramos Hamlet mais real que o nosso porteiro. Terei

---

* Bonecas *kitsch* de tecido marca Lenci, usadas para enfeitar os sofás, camas etc. (*N. do T.*)

o direito de julgar estes aqui, eu que ando à cata de Madame Bovary para convidá-la a cear?"

Diotallevi sacudia a cabeça e me dizia em voz baixa que não se deviam reproduzir imagens das coisas divinas, e que aquelas eram todas epifanias do bezerro de ouro. Mas se divertia.

58

É A ALQUIMIA UMA CASTA MERETRIZ

> *A alquimia é portanto uma casta meretriz, que tem muitos amantes, mas a todos engana e a nenhum deles concede o seu amplexo. Transforma os tolos em mentecaptos, os ricos em miseráveis, os filósofos em loucos, e os enganados em loquazes enganadores...*
>
> (Tritêmio, *Annalium Hirsaugensium Tomi II*, S. Gallo, 1690, p. 141)

A sala ficou de improviso na penumbra e as paredes se iluminaram. Percebi que estavam quase inteiramente recobertas por uma tela semicircular sobre a qual iriam projetar imagens. Ao surgirem, me dei conta de que parte do teto e do movimento eram de material refletor, e refletores eram igualmente alguns dos objetos que antes haviam chamado minha atenção pela sua vulgaridade, os paetês, a balança, um escudo, algumas taças de cobre. Encontravam-se imersos num ambiente equóreo, onde as imagens se multiplicavam, se segmentavam, se fundiam com as sombras dos presentes, o pavimento refletia o teto, este o pavimento, e ambos, as figuras que apareciam nas paredes. Junto com a música, difundiram-se pela sala odores sutis, a princípio incensos indianos, depois outros, mais imprecisos, por vezes desagradáveis.

De início, a penumbra se esfumou numa escuridão absoluta, depois ouviu-se um borbulhar glutinoso, um fervilhar de lava, e estávamos numa cratera, onde uma matéria viscosa e escura estremecia ao fulgor intermitente de labaredas amarelas e azuladas.

Uma água oleosa e pegajosa evaporava para o alto para voltar a descer ao fundo como orvalho ou chuva, e vagava em torno um odor de terra fétida, um cheiro de mofo. Respirava a sepulcro, a tártaro, a tênebras, corria ao meu redor um líquido venenoso que escorria entre línguas de estrume, húmus, pó de carvão, lama, mênstruo, fumaça, chumbo, esterco, cortiça, escuma, nafta, negro mais negro que o negro, que estava agora se aclarando para deixar aparecer dois répteis — um azulado e outro róseo — enlaçados numa espécie de amplexo, a morder-se reciprocamente a cauda, formando como que uma única figura circular.

Era como se eu tivesse bebido álcool além da conta, não via mais meus companheiros, desaparecidos na penumbra, não reconhecia as figuras que deslizavam ao meu lado e percebia-as apenas como delineamentos decompostos e fluidos... Foi então que me senti tomado pela mão. Sei que não era real, contudo não ousei então voltar-me para não descobrir que me havia enganado. Mas sentia o perfume de Lorenza e só então percebi quanto a desejava. Devia ser Lorenza. Estava ali, a retomar aquele diálogo feito de roçares, de rascar de unhas contra a porta, que deixara em suspenso na noite anterior. Enxofre e mercúrio pareciam conjugar-se num calor úmido que me fazia palpitar as virilhas, mas sem violência.

Esperava o Rébis, o menino andrógino, o sal filosofal, o coroamento da obra em branco.

Parecia-me saber tudo. Talvez me aflorassem à mente as leituras dos últimos meses, talvez Lorenza me comunicasse seu saber através do toque de sua mão, cuja palma eu sentia levemente suada.

E me surpreendia a murmurar nomes remotos, nomes que certamente, sabia-o, os filósofos haviam dado ao Branco, mas com os quais eu, talvez, estivesse chamando tremulamente Lorenza — não sei, ou talvez apenas os repetisse de mim para mim como uma ladainha propiciatória: Cobre branco, Cordeiro imaculado, Aibathest, Alborach, Água-benta, Mercúrio purificado, Ouro-pigmento, Azoch, Baurach, Cambar, Caspa, Cerusa, Cera, Chaia, Comerisson, Eletro, Eufrates, Eva, Fada, Favônio, Fundamento da Arte, Pedra preciosa de Givinis, Diamante, Zibach, Ziva, Velo, Narciso, Lírio, Hermafrodito, Hae, Hipóstase, Hyle, Leite da Virgem, Pedra única, Lua cheia, Mãe, Óleo vívido, Legumes, Ovos, Fleuma, Ponto, Raiz, Sal da Natureza, Terra folhada, Teves, Tincar, Vapor, Estrela da Noite, Vento, Virago, Vidro do Faraó, Urina de

Menino, Abutre, Placenta, Mênstruo, Servo fugitivo, Mão esquerda, Esperma dos Metais, Espírito, Estanho, Suco, Enxofre untuoso...

Na secreção, agora acinzentada, se estava desenhando um horizonte de rochas e árvores ressequidas, além das quais um sol negro se punha. Depois veio uma luz quase escurecida, e apareceram imagens cintilantes, que se refletiam por toda a parte criando efeitos de calidoscópio. Os eflúvios eram então litúrgicos, eclesiásticos, comecei a ter uma dor de cabeça, uma sensação de peso na fronte, entrevia uma sala faustosa coberta de tapeçarias douradas, talvez um banquete nupcial, com um noivo principesco e uma noiva vestida de branco, depois um rei ancião e uma rainha no trono, ao lado deles um guerreiro, e outro rei de pele escura. Diante do rei um pequeno altar sobre o qual pousava um livro coberto de veludo negro e um lume num candelabro de marfim. Junto ao candelabro, um globo giratório e um relógio tendo ao alto uma pequena fonte de cristal, da qual corria um líquido cor de sangue. Acima da fonte havia talvez uma caveira, em cujos olhos rastejava uma serpente branca...

Lorenza soprava levemente palavras ao meu ouvido. Mas não ouvia sua voz.

A serpente se movia ao ritmo de uma música triste e lenta. Os velhos monarcas traziam agora uma veste negra e diante deles estavam seis ataúdes cobertos. Ouviram-se alguns sons cavos de tuba, e apareceu um homem com um capuz negro. A princípio foi uma execução hierática, como se se desenrolasse em câmera lenta, que o rei aceitava com dolente alegria, inclinando dócil a cabeça. Depois o encapuzado vibrou uma acha, uma lâmina, e foi o movimento rápido de um pêndulo, o impacto da lâmina se multiplicou por cada uma das superfícies refletoras, e de cada superfície para as outras superfícies, foram mil cabeças que rolaram, e a partir daquele momento as imagens se sucederam sem que eu conseguisse acompanhar os acontecimentos. Creio que aos poucos todos os personagens, inclusive o rei de pele escura, foram decapitados e depostos nos ataúdes, em seguida toda a sala se transformou numa costa marinha, ou lacustre, e vimos atracar seis navios iluminados para os quais se transladaram os féretros, e que depois se afastaram sobre o espelho de água desaparecendo na noite, tudo se desenrolando enquanto os incensos se faziam palpáveis sob a forma de densos vapores, por um momento temi estar entre os condenados, e muitos em torno a mim murmuravam "as núpcias, as núpcias..."

Eu perdera o contato com Lorenza e só então voltava a procurá-la entre as sombras.

Agora a sala era uma cripta, ou uma tumba suntuosa, de abóbada iluminada por um carbúnculo de extraordinária grandeza.

Em cada ângulo apareciam mulheres com túnicas virginais, em torno a uma caldeira em dois planos, um castelinho com embasamento de pedra no pórtico que parecia um forno, duas torres laterais das quais saíam dois alambiques que terminavam num bujão ovoide, e uma terceira torre central, que terminava em forma de fonte...

No pé do castelinho se divisavam os corpos dos decapitados. Uma das mulheres trouxe uma caixa da qual extraiu um objeto redondo que depositou sobre o alicerce, num fórnice da torre central, e de repente a fonte no topo pôs-se a borbotar. Levei algum tempo para reconhecer o objeto, era a cabeça do mouro, que agora ardia como um cepo, pondo em ebulição a água da fonte. Vapores, sopros, gorgulhos...

Lorenza desta vez estava pousando a mão em minha nuca, acariciando-a como eu a vira fazer, furtiva, com Jacopo no automóvel. A mulher trazia uma esfera de ouro, abria um registro no forno do alicerce e deixava correr sobre a esfera um líquido denso e rubro. Depois a esfera abriu-se e em lugar do líquido rubro havia um ovo grande e belo, branco como a neve. As mulheres tomaram-no e o puseram sobre o solo, num covo de areia amarela, até que o ovo se rompeu e dele saiu um pássaro, ainda disforme e ensanguentado. Mas bebendo o sangue dos decapitados começou a crescer diante de nossos olhos tomando formas belas e esplendorosas.

Agora estavam decapitando o pássaro e reduzindo-o a cinzas sobre um pequeno altar. Alguns estavam empapando as cinzas, vertendo aquela pasta em duas fôrmas, depois pondo as fôrmas a cozer num forno, soprando o fogo com dois tubos. Por fim, as fôrmas foram abertas e apareceram duas figuras frágeis e graciosas, quase transparentes, um menino e uma menina, não medindo mais que quatro palmos, macias e carnosas como criaturas vivas, mas de olhos ainda vítreos, minerais. Foram postas sobre duas almofadas e um velho deixou pingar gotas de sangue em suas bocas...

Surgiram outras mulheres trazendo cornetas douradas, decoradas com coroas verdes, e puseram uma delas sobre a cabeça do velho, o qual inclinando a cabeça fê-la roçar pela boca das duas criaturas, suspensas ainda entre um langor vegetal e um doce sono animal, e começou a insuflar alma em seus corpos... A sala voltou a encher-se de luz, a luz desvaneceu-se em penumbra, e depois numa obscuridade interrompida por relâmpagos alaranjados, onde houve um imenso clarão de alvorada enquanto algumas cornetas soavam altas e ressonantes, e depois um fulgor de rubi, insuportável. Naquele ponto perdi de novo Lorenza, e percebi que não haveria mais de encontrá-la.

Tudo se fez de um vermelho flamejante que se esvaneceu aos poucos em índigo e violeta, e a tela desapareceu. Minha dor de cabeça estava se tornando insuportável.

"Mysterium Magnum", dizia Agliè, agora em voz alta e calmamente, ao meu lado. "O renascimento do novo homem por meio da morte e da paixão. Uma bela execução, devo dizer, embora o gosto alegórico talvez tenha incidido sobre a precisão das fases. O que viram foi uma representação, é claro, mas falava de uma Coisa. E o nosso anfitrião pretende haver produzido tal Coisa. Venham comigo, vamos ver o milagre realizado.

59

E SE TAIS MONSTROS SÃO GERADOS

E se tais monstros são gerados, força é pensar que sejam obra da natureza, mesmo quando pareçam diferentes do homem.

(Paracelso, *De Homunculis, in Operum Volumen Secundum*, Geneva, De Tournes, 1658, p. 475)

Levou-nos para fora ao jardim, e de imediato me senti melhor. Não ousava perguntar aos outros se Lorenza havia chegado. Fora sonho apenas. Mas depois de alguns passos entramos numa estufa, e de novo o calor sufocante me aturdiu. Entre as plantas, quase todas tropicais, estavam seis ampolas de vidro, em formato de pera, ou de lágrima, hermeticamente fechadas com um selo, cheias de um líquido azulíneo. Dentro de cada frasco flutuava um ser de cerca de 20 centímetros: reconhecemos o rei de cabelos grisalhos, a rainha, o mouro, o guerreiro e os dois adolescentes coroados de louro, um azul e outro rosa... Agitavam-se com graciosos movimentos natatórios, como se estivessem em seu elemento.

Era difícil concluir se se tratava de modelos de plástico, de cera, ou de seres vivos, mesmo porque a leve turvação do líquido não deixava perceber se o tímido arfar que os animava fosse efeito óptico ou realidade.

"Parece que crescem a cada dia", disse Agliè. "Toda manhã os frascos são enterrados em montes de estrume fresco de cavalo, ainda quente, que fornece a temperatura ideal para o crescimento. Por isso em Paracelso aparecem prescrições nas quais se diz que os homúnculos devem ser mantidos em crescimento à temperatura do ventre do cavalo. Segundo nosso anfitrião, estes homúnculos falam com ele, transmitem-lhe segredos, emitem vaticínios, este lhe revela as verdadeiras medidas do Templo de Salomão, aquele ensina como exorcizar demônios... Para ser honesto, nunca ouvi falar deles."

Tinham fisionomias muito instáveis. O rei olhava com ternura a rainha e tinha um olhar profundamente terno.

"Nosso anfitrião contou-me que encontrou certa manhã o adolescente azul, que teria conseguido fugir de sua prisão, tentando violar o vaso de sua companheira... Mas estava fora de seu elemento, respirava com dificuldade, e conseguiram salvá-lo mesmo a tempo, fazendo-o retornar ao líquido."

"Terrível", disse Diotallevi. "Eu é que não queria tê-los. Ter que carregar esses vasos para toda a parte e procurar esterco em todos os lugares aonde fosse. E nas férias, como se faz? Deixamo-los com o porteiro?"

"Mas talvez", concluiu Agliè, "se trate apenas de lúdios, os diabinhos de Cartésio. Ou de autômatos."

"Diabos, diabos", dizia Garamond. "O senhor, Dr. Agliè, está me revelando um novo universo. Devemo-nos tornar todos um pouco mais humildes, caros amigos. Há mais coisas entre o céu e a terra... Mas enfim, *à la guerre comme à la guerre...*"

Garamond estava simplesmente deslumbrado. Diotallevi mantinha um ar de interessado cinismo, Belbo não manifestava sentimento algum.

Queria acabar com minhas dúvidas e disse-lhe: "Que pena Lorenza não tenha vindo, ela iria se divertir."

"É verdade", respondeu, ausente.

Lorenza não tinha vindo. Eu estava como Amparo no Rio. Sentia-me mal. Sentia-me como defraudado. Não me haviam trazido o agogô.

Deixei o grupo, voltei a entrar no edifício passando ao largo das pessoas, fui em direção ao bufê, pedi um refrigerante, temendo que até este contivesse um filtro. Fiquei à procura do toalete, para poder molhar as têmporas e a nuca. Encontrei-o, e me senti aliviado. Mas ao sair dei com uma escadinha em caracol que me despertou a curiosidade e não pude resistir a uma nova aventura. Talvez mesmo me achando então recuperado, ainda estivesse à procura de Lorenza.

60

POBRE NÉSCIO!

Pobre néscio! Serás tão ingênuo de crer que te ensinem
abertamente os segredos mais importantes e transcendentais?
Asseguro-te que quem quiser explicar segundo o sentido
ordinário e literal as palavras que escreveram os Filósofos
Herméticos, acabará preso nos meandros de um labirinto
do qual não poderá fugir, e não haverá fio de
Ariadne para guiá-lo na saída.

(Artéfio)

Fui dar numa sala abaixo do nível do chão, parcamente iluminada, de paredes em *rocaille* como a fonte do parque. Num ângulo percebi uma abertura, semelhante à campânula de uma corneta que estivesse enfiada no muro, e mesmo de longe já senti que dela provinham rumores. À medida que me aproximei distingui os rumores, até que pude colher frases, nítidas e precisas como se tivessem sido pronunciadas ao meu lado. Uma orelha de Dionísio!

A orelha estava evidentemente ligada a uma das salas superiores e colhia as falas daqueles que passavam junto à embocadura.

"Senhora, vou dizer-lhe aquilo que não disse a mais ninguém. Estou cansado... Trabalhei com o cinabre, e com o mercúrio, sublimei espíritos, fermentos, sais de ferro, de aço e suas escórias, e não encontrei a Pedra. Depois preparei águas fortes, águas corrosivas, águas ardentes, mas o resultado era sempre o mesmo. Usei cascas de ovos, enxofre, vitríolo, arsênico, sal amoníaco, sal de vidro, sais álcalis, sal comum, sal-gema, salitre, sal de soda, sal tincálico, sal de tártaro, sal *alembrot*; mas, creia, não confio neles. É preciso evitar os metais imperfeitos avermelhados, senão se iludirá como aconteceu comigo. Experimentei tudo: sangue, cabelos, a alma de Saturno, as marcassitas, o *aes ustum*, o açafrão de Marte, as escórias e a espuma de ferro, o litargírio, o antimônio; nada. Empenhei-me em extrair água e óleo da prata, calcinei a prata tanto com um sal preparado quanto sem sal algum, e com a aquavita, e só extraí óleos corrosivos, eis tudo. Operei com o leite, o vinho, o coalho, o esperma das estrelas que caem à Terra, a celidônia, a placenta dos fetos, misturei mercúrios aos metais reduzindo-os a cristais, busquei nas próprias cinzas... Finalmente..."

"Finalmente?"

"Não há nada no mundo que requeira mais cautela que a verdade. Dizê-la é o mesmo que fazer uma sangria no coração..."

"Basta, basta, o senhor me exalta..."

"Só à senhora ouso confessar o meu segredo. Não pertenço a época nem a lugar algum. Fora do tempo e do espaço vivo minha eterna existência. Há seres para os quais já não existe anjo da guarda: eu sou um deles..."

"Mas para que o senhor me trouxe aqui?"

Outra voz: "Caro Bálsamo, está brincando de bancar o imortal?"

"Imbecil! A imortalidade não é uma brincadeira. É um fato."

Estava para ir-me, enfastiado daquela bisbilhotice, quando ouvi a voz de Salon. Falava baixo, tenso, como se estivesse segurando alguém pelo braço. Reconheci também a voz de Pierre.

"Vamos lá", dizia Salon, "não vai me dizer que também está aqui para esta palhaçada alquímica. Nem vai me dizer que veio ao jardim para tomar ar. Sabia que depois Heidelberg de Caus aceitou uma incumbência do rei da França para ocupar-se da limpeza de Paris?"

"*Les façades?*"

"Não era Malraux. Suspeito que se tratasse dos esgotos. Curioso, não é mesmo? Esse senhor inventava laranjais e pomares simbólicos para os imperadores, mas o que lhe interessava mesmo eram os subterrâneos de Paris. Naqueles tempos em Paris não havia de fato uma rede de esgotos. Era um misto de canais à flor do chão e condutos enterrados, dos quais muito pouco se sabia. Os romanos desde os tempos da república sabiam tudo sobre sua Cloaca Máxima, e 1.500 anos mais tarde em Paris não se sabe nada do que se passa no subsolo. E Caus aceita o convite do rei porque deseja saber algo mais. O que seria? Depois de Caus, Colbert para limpar os condutos cobertos, este era o pretexto, e note que estamos no tempo do Máscara de Ferro, para lá envia os galés, mas estes começam a navegar no esterco, seguem a corrente até o Sena, e fogem num barco, sem que ninguém ousasse afrontar essas temíveis criaturas envoltas por um fedor insuportável e por nuvens de moscas ... Então Colbert coloca gendarmes nas várias saídas do rio, e os forçados morrem nos cunículos. Em três séculos em Paris conseguiram apenas abrir 3 quilômetros de esgotos. Mas no século XVIII abrem-se 26 quilômetros, e exatamente às vésperas da revolução. Isto não lhe diz nada?"

"Oh, o senhor sabe, isso..."

"É que está chegando ao poder gente nova, que sabe algo que a gente de antes não sabia. Napoleão manda esquadras de homens que avançam pela escuridão, por entre os detritos humanos da metrópole. Quem teve a coragem de trabalhar lá embaixo naquele tempo deve ter encontrado muita coisa. Anéis, ouro, colares, joias, quanta coisa não terá caído sabe-se lá donde naqueles corredores. Os que tinham estômago para engolir aquilo que encontravam saíam depois, tomavam um laxativo e se tornavam ricos. E descobriu-se que muitas casas tinham uma passagem subterrânea que levava diretamente à fossa."

"Ça, alors..."

"Numa época em que se despejavam os urinóis pela janela? E por que se encontraram a partir de então fossas com uma espécie de calçada lateral, e argolas de ferro incrustadas no muro, para que se pudesse nelas agarrar? Essas passagens correspondem àqueles *tapis francs* onde a canalha — a *pègre*, como se dizia então, se reunia, e caso a polícia chegasse podiam fugir e reaparecer em outra parte."

"Folhetim..."

"O senhor acha? A quem está tentando proteger? No tempo de Napoleão III o barão Haussmann obrigou por lei todas as casas de Paris a construírem um reservatório autônomo, e depois um corredor subterrâneo que conduzia aos esgotos gerais... Uma galeria de 2,3 metros de altura e de 1,5 metro de largura. Está percebendo? Cada casa de Paris coligada por um corredor subterrâneo aos esgotos. E sabe qual a extensão atual dos esgotos de Paris? Dois mil quilômetros, e em vários estratos ou níveis. E tudo isso teve início com aquele que projetou em Heidelberg estes jardins..."

"E então?"

"Estou vendo que o senhor não quer mesmo falar no assunto. E, no entanto, sabe algo que não quer dizer-me."

"Peço-lhe por *favorr*. Já é tarde, estou sendo *esperrado parra* um *reunion*." Rumor de passos.

Não compreendia o que Salon tinha em mente. Olhei em volta, espremido como estava entre a *rocaille* e a abertura da orelha, e senti-me no subsolo, eu também sob uma abóbada, e me pareceu que a embocadura daquele canal *fonurgico* não fosse outra coisa senão o início de uma descida aos cunículos obscuros que se projetavam em direção ao centro da Terra, fervilhante de Nibelungos. Senti frio. Estava para me afastar quando ouvi ainda uma voz: "Venha. Vamos agora iniciar. Na sala secreta. Chame os outros."

61

ESSE VELO DE OURO

*Esse Velo de Ouro é guardado por um Dragão tricípite, do
qual a primeira cabeça deriva das águas, a segunda da terra
e a terceira do ar. É necessário que essas três cabeças
acabem num único Dragão poderosíssimo, que
devorará todos os outros Dragões.*

(Jean d'Espagnet, *Arcanum Hermeticae
Philosophiae Opus*, 1623, p. 138)

Encontrei meu grupo novamente. Disse a Agliè que tinha ouvido alguém murmurar a respeito de uma reunião.

"Ah", disse Agliè, "estão curiosos! Mas compreendo. Quando se penetra nos mistérios herméticos quer-se saber de tudo. Pois bem, nesta noite deve ocorrer, pelo que eu saiba, a iniciação de um novo membro da Ordem da Rosa-Cruz Antiga e Aceita."

"Pode-se ver?", perguntou Garamond.

"Não se pode. Não se deve. Não se deveria. Não se poderia. Mas faremos como aqueles personagens da mitologia grega, que viram aquilo que não deviam, e enfrentaram a ira dos deuses. Permitirei que deem uma olhada." Fez-nos subir por uma escadinha até um corredor sombrio, afastou um toldo, e de uma janela envidraçada pudemos lançar a vista sobre uma sala inferior, iluminada por alguns braseiros ardentes. As paredes estavam atapetadas de damasco, bordado a flor-de-lis, e no fundo erguia-se um trono recoberto por um palanquim dourado. Dos lados do trono, emoldurados em papelão, ou em material plástico, pousados sobre dois tripés, um sol e uma lua, um tanto rústicos como execução, mas recobertos de papel laminado ou lâminas de metal, naturalmente de ouro e prata, que faziam certo efeito, pois cada astro era diretamente animado pelas chamas de um braseiro. Por cima do palanquim pendia do teto uma enorme estrela, reluzente de pedras preciosas, ou vidrilhos. O teto estava revestido de damasco azul constelado de grandes estrelas argênteas.

Diante do trono, uma comprida mesa decorada com palmas sobre a qual estava pousada uma espada, e imediatamente diante da mesa um leão empalhado, de fauces escancaradas. Alguém havia evidentemente colocado uma lampadazinha vermelha no interior da cabeça, pois os olhos brilhavam incandescentes e a goela parecia despejar chamas. Pensei que devia estar aí a mão do Sr. Salon e me dei finalmente conta a que espécie de clientes curiosos aludira em nosso encontro na mina de Munique.

À mesa estava Bramanti, vestido com uma túnica escarlate e paramentos verdes bordados, uma capa branca com franjas douradas, uma cruz cintilante ao peito, e um chapéu de formato vagamente mitral, ornado por um penacho vermelho e branco. Diante dele, hieraticamente compostas, uma vintena de pessoas, igualmente de túnica escarlate, mas sem paramentos. Todos traziam ao peito alguma coisa dourada que me pareceu familiar. Lembrei-me de um retrato renascentista, de um grande nariz habsbúrgico, daquele curioso cordeiro de patas pendentes, estrangulado vivo. Aqueles ali estavam adornados com uma imitação aceitável do Tosão de Ouro.

Bramanti agora falava, com os braços erguidos, como se pronunciasse uma ladainha, e os presentes respondiam a intervalos. Depois Bramanti levantou a espada e todos tiraram da túnica um estilete, ou uma espátula, e os ergueram no alto. Foi então que Agliè abaixou o toldo. Havíamos visto até demais.

Afastamo-nos dali (a passos de Pantera Cor-de-Rosa, como precisou Diotallevi, excepcionalmente bem informado sobre as perversões do mundo contemporâneo), e retornamos ao jardim, um tanto ofegantes.

Garamond estava aturdido. "Mas são... maçons?"

"Ora", disse Agliè, "que quer dizer maçons? São adeptos de uma ordem de cavalaria, que se origina dos rosa-cruzes e indiretamente dos templários."

"Mas tudo isto não tem a ver com a maçonaria?", perguntou novamente Garamond.

"Se há algo em comum com a maçonaria, em tudo aquilo que viram, é que mesmo o rito de Bramanti é uma espécie de hobby para profissionalistas e politiqueiros de província. Mas foi assim no início: a maçonaria era uma pálida especulação sobre a lenda templar. E esta é a caricatura de uma caricatura. Exceto que aqueles senhores a estão levando terrivelmente a sério. Ai de nós! O mundo pulula de rosacrucianos e templaristas como aqueles que viram esta noite. Não será deles que se deve esperar uma revelação, mesmo sendo entre eles que se possa encontrar um iniciado digno de fé."

"Mas, apesar de tudo", perguntou Belbo, e sem ironia, sem desconfiança, como se a pergunta lhe dissesse respeito pessoalmente, "apesar de tudo, o senhor os frequenta. Em quem acredita... em quem acreditava, me desculpe, entre todos aqueles?"

"Em ninguém, naturalmente. Tenho ar de pessoa crédula? Observo-os com a frieza, a compreensão, o interesse com os quais um teólogo pode observar a turba napolitana que grita à espera do milagre de São Gennaro. Essa multidão testemunha uma fé, uma necessidade profunda, e o teólogo circula em meio à gente suada e babosa porque poderia encontrar entre ela o santo que se ignora, o portador de uma superior verdade, capaz de um dia deitar nova luz sobre o mistério da santíssima trindade. Mas a santíssima trindade não é São Gennaro."

Não se deixava apanhar. Não sabia como definir seu ceticismo hermético, seu cinismo litúrgico, aquela descrença superior que o levava a reconhecer a dignidade de todas as superstições que desprezava.

"É simples", estava respondendo a Belbo, "se os templários, os verdadeiros, deixaram um segredo e instituíram uma continuidade, será necessário portanto ir à procura deles, e nos ambientes em que mais facilmente poderiam mimetizar-se, onde eles próprios talvez inventem ritos e mitos para transitarem sem ser observados como os peixes na água. Que faz a polícia quando busca o evadido sublime, o gênio do mal? Busca nos *bas-fonds*, nos bares mal frequentados por onde circulam de hábito os marginais de pequeno porte, que jamais chegarão a conceber os crimes grandiosos do procurado. Que faz o estratego do terror para recrutar seus próprios futuros acólitos, e encontrar-se com os seus, e reconhecê-los? Frequenta aqueles círculos de pseudodestruidores onde tantos, que nunca o serão por deficiência de índole, imitam às claras os supostos comportamentos de seus ídolos. Busca-se a luz perdida nos incêndios, ou aquelas moitas onde, depois da labareda, as chamas borbotam sob os restolhos, a borra, a folhagem semicomburida. E onde melhor poderia disfarçar-se o verdadeiro templário senão em meio à multidão de suas caricaturas?"

62
CONSIDEREMOS COMO SOCIEDADES DRUÍDICAS

Consideremos como sociedades druídicas por definição as sociedades que se definem druídicas no título ou no escopo, e que conferem iniciação aos que fazem apelo ao druidismo.

(M. Raoult, *Les druides, Les sociétés initiatiques celtes contemporaines*, Paris, Rocher, 1983, p. 18)

Aproximava-se a meia-noite, e segundo o programa de Agliè era quando nos esperava a segunda surpresa da noite. Deixamos os hortos palatinos e retomamos viagem através das colinas.

Após três quartos de hora de viagem, Agliè fez-nos estacionar os dois carros à entrada de uma mata. Era preciso atravessar uma brenha para se chegar a uma clareira, e não havia estradas nem caminhos.

Prosseguimos, ligeiramente em subida, tropeçando nas moitas: o solo não estava molhado, mas os sapatos escorregavam sobre um depósito de folhas murchas e de raízes viscosas. Agliè de vez em quando acendia uma lanterna para descobrir passagens praticáveis, mas logo a apagava, dizia, para não assinalar nossa presença aos celebrantes. Diotallevi tentou a certo ponto fazer um comentário, não me recordo bem, talvez evocando Chapeuzinho Vermelho, mas Agliè, e com certa tensão, pediu-lhe que se calasse.

Quando estávamos para sair da brenha, começamos a ouvir vozes distantes. Finalmente chegamos à orla da clareira, que agora surgia iluminada por luzes difusas, como chamas, ou melhor, tochas que ondulavam quase ao nível do chão, fulgores débeis e argênteos, como se uma substância gasosa queimasse com frieza química em bolhas de sabão que vagavam por cima da relva. Agliè pediu que parássemos naquele lugar, ainda ao abrigo dos arbustos, e esperássemos, sem nos deixarmos ver.

"Em breve chegarão as sacerdotisas. Também na escuridão as druidesas. Trata-se de uma invocação à grande virgem cósmica Mikil, de que são Miguel não passa de uma adaptação popular cristã, sob a forma de anjo, portanto andrógino, e que por isso pôde tomar o lugar de uma divindade feminina..."

"Mas de onde vêm?", sussurrou Diotallevi.

"De vários lugares, da Normandia, da Noruega, da Irlanda... O evento é bastante singular e esta é uma área propícia para o rito."

"Por quê?", perguntou Garamond.

"Porque alguns lugares são mais mágicos do que outros."

"Mas quem são... na vida real?", perguntou de novo Garamond.

"Pessoas comuns. Datilógrafas, corretoras de seguros, poetisas. Gente que poderíamos encontrar amanhã sem reconhecer."

Estávamos avistando agora uma pequena turba prestes a invadir o centro da clareira. Percebi que as pequenas luzes frias que tínhamos visto eram pequenas lâmpadas que as sacerdotisas traziam à mão, e que eu julgara estarem rentes ao chão porque a clareira estava no alto de uma colina, e de longe eu havia vislumbrado na escuridão as druidesas que, subindo do vale, emergiam à borda da clareira, do lado oposto da planície. Estavam vestidas com túnicas brancas, que flutuavam leves ao vento. Dispuseram-se em círculo, e ao centro se encontravam três celebrantes.

"São as três *hallouines* de Lisieux, Clonmacnois e Pino Torinese", disse Agliè. Belbo perguntou por que precisamente aquelas, e Agliè encolheu os ombros: "Silêncio, esperemos. Não posso resumir em três palavras o ritual e a hierarquia da magia nórdica. Contentem-se com o que lhes digo. Se não lhes digo mais é porque não sei... ou não posso dizer. Devo respeitar alguns compromissos de reserva..."

Tinha notado no centro da clareira um monte de pedras, que lembravam, ainda que vagamente, um dólmen. Provavelmente a clareira tinha sido escolhida por causa da presença daquelas rochas. Uma celebrante subiu sobre a pedra e tocou uma corneta. Parecia, mais ainda do que aquela que tínhamos visto horas antes, um clarim na marcha triunfal da *Aída*. Mas deixava sair um som veludoso e noturno, que parecia vir de muito longe. Belbo tocou-me o braço: "É o ramsinga, o ramsinga dos tugues junto ao baniano sagrado..."

Fui indelicado. Não me dei conta de que ele estava gracejando exatamente para afastar outras analogias, e afundei o punhal na chaga. "Certamente seria menos sugestivo se usassem o gênis", disse.

Belbo concordou. — "Estão aqui exatamente porque não querem o *genis*", disse ele. Pergunto-me agora se não foi naquela noite que ele começou a perceber uma ligação entre seus sonhos e o quanto lhe estava acontecendo naqueles meses.

Agliè não havia acompanhado a nossa conversa mas nos tinha ouvido sussurrar. "Não se trata de um aviso, nem de um chamado", disse, "trata-se de uma espécie de ultrassom, para estabelecer contato com as ondas subterrâneas. Vejam, agora as druidesas estão todas de mãos dadas, em círculo. Criam uma espécie de acumulador vivo, para receber e concentrar as vibrações telúricas. Agora deve aparecer a nuvem..."

"Que nuvem?", sussurrei.

"A tradição chama-a nuvem verde. Esperem..."

Eu não esperava nenhuma nuvem verde. Mas quase repentinamente elevou-se da terra uma caligem branda, uma névoa, eu diria, se fosse uniforme e maciça. Mas era uma formação em flocos, que se agrumava num ponto e logo, levada pelo vento, elevava-se em tufos como uma meada de algodão-doce, punha-se a flutuar em torno e ia enovelar-se em outro ponto da clareira. O efeito era singular, às vezes apareciam as árvores ao fundo, às vezes tudo se confundia num vapor esbranquiçado, em outras o floco se esfumegava no centro da clareira, distraindo-nos a vista do que acontecia, e deixando desimpedidos as orlas e o céu, onde continuava a resplender a Lua. Os movimentos dos flocos eram repentinos, inesperados como se obedecessem ao impulso de um sopro caprichoso.

Pensei nalgum artifício químico, depois refleti: estávamos a cerca de 600 metros de altura e era possível que se tratasse de fato de nuvens verdadeiras. Previstas pelo rito, evocadas? Talvez não, mas as celebrantes tinham calculado que àquela altura, em circunstâncias favoráveis, aquelas camadas erráticas à flor da terra poderiam formar-se.

Era difícil fugir ao fascínio da cena, mesmo porque as vestes das celebrantes se amalgamavam com a brancura da fumaça, e suas figuras pareciam sair daquela obscuridade láctea, e reentrar nela, como se fossem geradas por ela.

Houve um momento em que a nuvem havia invadido todo o centro do prado e alguns flocos, que subiam desfiando-se para o alto, estavam quase ocultando a Lua, embora não a ponto de tornar lívida a clareira, sempre iluminada às bordas. Então vimos uma druidesa sair da nuvem e correr em direção à mata, gritando, os braços estendidos para a frente, de modo que pensei que nos tivesse descoberto e nos lançasse maldições. Mas, chegando a poucos metros de nós, mudou de direção e se pôs a correr em torno da nebulosa, desapareceu pela esquerda na brancura para reaparecer à direita depois de alguns segundos, novamente chegou bem perto de nós, de modo que lhe pude ver o rosto. Era uma sibila de grande nariz dantesco sobre uma boca fina como uma rágada, que se abria como uma flor submarina, privada de dentes, salvo os dois incisivos e um canino assimétrico. Ouvi, ou pareceu-me ouvir, ou creio agora me recordar que ouvisse — e superponho àquela lembrança outras recordações, juntamente com uma série de palavras que então julguei gaélicas, algumas evocações numa espécie de latim, algo assim como "*o pegnia* (oh, e oh!, *intus*) *et eee uluma!!!*", e de repente a névoa quase desapareceu, a clareira tornou-se límpida, e vi que havia sido invadida por uma vara de porcos, o pescoço gordo circundado por uma corrente de maças ácidas. A druidesa que havia soado a corneta, ainda sobre o dólmen, estava brandindo um punhal.

"Vamos embora", disse Agliè, seco. "Agora acabou."

Dei-me conta, ouvindo-o, de que a nuvem estava agora acima de nós e à nossa volta, e eu quase não enxergava mais meus vizinhos.

"Como acabou?", perguntou Garamond. "Parece-me que o melhor vai começar agora!"

"Acabou o que se podia ver. Não se pode mais. Respeitemos o rito. Vamos embora."

Voltou pela mata, agora absorvida pela umidade que se acumulara. Tremíamos na volta, escorregando sobre um fundo de folhas pútridas, ofegantes e desordenados como um exército em fuga. Encontramo-nos na estrada. Poderíamos estar de volta a Milão em menos de duas horas. Antes de entrar em seu carro com Garamond, Agliè despediu-se de nós: "Desculpem se interrompi o espetáculo. Queria que ficassem conhecendo algo, alguém que vive perto de nós, e para quem no fundo até os senhores trabalham. Mas não se podia ver mais que isso. Quando soube deste evento tive que prometer que não perturbaria a cerimônia. Nossa presença teria influenciado negativamente as fases subsequentes."

"Mas e os porcos? E que está acontecendo agora?", perguntou Belbo.

"O que eu podia dizer já disse."

63

EM QUE TE FAZ PENSAR AQUELE PEIXE?

"Em que te faz pensar aquele peixe?"
"Em outros peixes."
"E em que te fazem pensar os outros peixes?"
"Em outros peixes."

(Joseph Heller, *Catch 22*, Nova York,
Simon & Schuster, 1961, XXVII)

Voltei do Piemonte com muitos remorsos. Mas, ao rever Lia, esqueci todos os desejos que me haviam aflorado.

No entanto, aquela viagem tinha me deixado outros sinais, e acho agora preocupante que então não me preocupasse com eles. Estava pondo definitivamente em ordem, capítulo por capítulo, as imagens para a história dos metais, e não conseguia mais fugir ao demônio das semelhanças, como já me havia acontecido no Rio. Que havia de diferente entre esta estufa cilíndrica de Réaumur, 1750, esta câmara quente para a incubação de ovos, e este atanor do século XVIII, ventre materno, útero escuro para a incubação de sabe-se lá que metais místicos? Era como se tivessem instalado o Deutsches Museum no castelo piemontês que eu visitara na semana anterior.

Tornava-se para mim cada vez mais difícil separar o mundo da magia daquele que hoje chamamos o universo da precisão. Encontrava personagens que eu havia estudado na escola como sendo portadores da luz matemática e física em meio às trevas da superstição, e descobria agora que haviam trabalhado com um pé na Cabala e outro no laboratório. Estava relendo talvez a história inteira através dos olhos dos nossos diabólicos? Mas depois encontrava textos insuspeitos que me diziam como os físicos positivistas mal saídos das universidades andaram a frequentar sessões mediúnicas e cenáculos astrológicos, e como Isaac Newton havia chegado à lei da gravitação universal porque acreditava na existência de forças ocultas (recordava-me de suas explorações no terreno da cosmologia rosacruciana).

Eu fizera da incredulidade um princípio científico, mas agora tinha de desconfiar até dos mestres que me haviam ensinado a me tornar incrédulo.

Disse comigo: sou como Amparo, não creio mas acontece. E me surpreendia a refletir sobre o fato de que na verdade a altura da grande pirâmide era um milionésimo da distância entre a Terra e o Sol, ou que na realidade delineavam-se analogias entre a mitologia céltica e a mitologia ameríndia. E estava começando a interrogar tudo quanto me circundava, as casas, os nomes das lojas comerciais, as nuvens no céu, e as gravuras na biblioteca, para que me contassem não a sua história mas uma outra, que decerto ocultavam, mas que afinal revelavam em virtude de suas misteriosas semelhanças.

Lia salvou-me, pelo menos por um momento.

Contara-lhe tudo (ou quase) sobre a visita ao Piemonte, e cada tarde voltava a casa com novas e curiosas notícias para acrescentar ao meu fichário de remissões recíprocas. Ela comentava: "Come, que você está magro como um palito." Uma noite ela estava sentada junto à escrivaninha, dividira o tufo de cabelo que caía no rosto para me olhar direto nos olhos, tinha posto as mãos no colo como faz uma dona de casa. Nunca se havia sentado assim, afastando as pernas, com a saia esticada de um joelho ao outro. Achei aquela pose desleixada. Mas depois observei-lhe o rosto, e pareceu-me mais luminoso, no qual se diluía um colorido tênue. Ouvia-a, mas ainda não sabia por quê, com todo o respeito.

"Pim", me disse, "não me agrada o modo como você está vivendo essa história da Manuzio. A princípio você recolhia fatos como quem recolhe conchas. Agora parece que está marcando os números da loto."

"É só porque me divirto mais com eles."

"Não se diverte, se apaixona, o que é diferente. Tenha cuidado, pois isso pode deixar você doente."

"Agora não exageremos. No máximo, os doentes são eles. A gente não fica maluco por ser enfermeiro do manicômio."

"Isso ainda não foi provado."

"Sabe que sempre desconfiei das analogias. Pois agora me encontro numa festa de analogias, numa Coney Island, um Primeiro de Maio em Moscou, num Ano Santo de analogias, e percebo que algumas são melhores que as outras e me pergunto se na verdade não deve haver uma razão."

"Pim", continuou Lia, "tenho visto o seu fichário, pois sou eu quem o põe em ordem. Tudo o que os seus diabólicos possam descobrir já está aqui, olhe bem", e tocava na barriga, nos lados, nas coxas e na fronte. Sentada assim, com as pernas afastadas que esticavam a saia, frontalmente, parecia uma babá sólida e florida, ela sempre tão esguia e flexível, porque uma sabedoria pacata a iluminava com uma autoridade matriarcal.

"Pim, não há arquétipos, o que há é o corpo. Dentro do ventre é bonito, porque é lá que cresce o filho, é lá que você enfia o passarinho todo alegre, e é lá que desce a comida gostosa, e por isso é que são belos e importantes a caverna, as saliências, o cunículo, o subterrâneo, e até mesmo o labirinto feito com as nossas boas e santas tripas, e quando alguém quer inventar alguma coisa importante faz com que venha dali, porque dali também você veio no dia em que nasceu, e a fertilidade está sempre num buraco, onde alguma coisa primeiro apodrece e depois de repente surge uma tamareira, um baobá. Mas o alto é melhor que o baixo, porque se você está com a cabeça para baixo, o sangue vem para a sua cabeça, porque os pés fedem mais do que os cabelos, porque é melhor subir numa árvore para colher os frutos do que acabar embaixo da terra engordando os vermes, porque raramente nos faz mal tocar o alto (a gente deve ficar mesmo na varanda) e de hábito nos faz mal cair ao chão, eis por que o alto é angélico e o baixo é diabólico. Mas assim como é verdade o que eu disse antes sobre a minha barriga, são verdadeiras ambas as coisas, é belo o baixo e o dentro, num sentido, e no alto é belo o alto e o fora, e isso nada tem a ver com o espírito de Mercúrio e a contradição universal. O fogo tem calor e o frio provoca a broncopneumonia, principalmente quando se é um sábio de quatro mil anos, e por isso o fogo tem misteriosas virtudes, até porque serve para cozinhar o frango. Mas o frio também conserva esse mesmo frango e se você põe a mão no fogo causa uma bolha desse tamanho, logo se você está pensando numa coisa conservada há milênios, como a sabedoria, deve imaginá-la num monte, no alto (pois já vimos que é bom), mas numa caverna (que é igualmente boa) e no frio eterno das neves tibetanas (que é ótimo). E se depois quiser saber por que a sabedoria vem do Oriente e não dos Alpes suíços, é porque o corpo de seus antepassados de manhã, quando despertava ainda no escuro, olhava para o leste esperando que surgisse o sol e não chovesse, ora porra."

"Sim, mãezinha."

"Claro que sim, meu filhinho. O sol é bom porque faz bem ao corpo, e porque tem o bom senso de reaparecer todos os dias, logo é bom tudo aquilo que retorna, não aquilo que passa e vai e o que se viu se viu. A maneira mais fácil de se voltar ao lugar por onde se passou sem seguir duas vezes pelo mesmo caminho é caminhar em círculo. E como o único animal que se enrosca em círculo é a serpente, eis a razão de tantos ritos e cultos da serpente, porque é difícil representar o retorno do sol enrodilhando um hipopótamo. Além disso se você quer fazer uma cerimônia para invocar o sol, convém mover-se em círculo, porque movendo-se em linha reta você se afasta de casa e a cerimônia deve ser brevíssima, e por outro lado o círculo é a estrutura mais cômoda para um rito, e sabem disso até mesmo os engolidores de fogo nas praças públicas, porque em círculo todos veem da mesma forma quem está no centro, ao passo que numa tribo inteira disposta em fila como um batalhão de soldados, os que estiverem mais longe não verão tão bem, daí por que o círculo e o movimento rotatório e o retorno cíclico são fundamentais em todos os cultos e em todos os ritos."

"Sim, mãezinha."

"Claro que sim. E agora passemos aos números mágicos que tanto atraem os seus autores. Você sabe que um não é dois, um é o seu pequeno trabalho ali, uma é a minha pequena tarefa lá e um são o nariz e o coração e logo está vendo quanta coisa importante é um. E dois são os olhos, as orelhas, as narinas, meus seios, seus bagos, as pernas, os braços e as nádegas. Três é o mais mágico de todos porque o nosso corpo não o conhece, não temos nada que seja em três, e devia ser um número misteriosíssimo que atribuíamos a Deus, onde quer que vivêssemos. Mas pensando bem, eu tenho só uma coisinha e você tem só um coisinho, fica quieto e nada de brincadeiras, e se pusermos essas duas coisinhas juntas acaba dando uma nova coisinha e acabamos em três. Precisamos então de um professor universitário para descobrir que todos os povos têm estruturas ternárias, trinitárias ou coisas do gênero? Mas não faziam religiões utilizando o computador, de modo algum, era tudo gente de bem, que varriam com vassouras mesmo, e todas essas estruturas ternárias não são um mistério, são a narrativa daquilo que você faz e do que eles faziam. Mas dois braços e duas pernas fazem quatro, e eis que quatro é igualmente um belo número, principalmente quando se pensa que os animais têm quatro patas e de quatro é que andam as crianças pequenas, como bem sabia a Esfinge. Cinco não falemos disso, são os dedos da mão, e com as duas mãos tens aquele número sagrado que é o dez, e por força são dez até mesmo os mandamentos, por outro lado se fossem 12, quando o padre diz um, dois, três e mostra os dedos, para chegar aos dois últimos tinha que pedir emprestado a mão do sacristão. Agora toma o corpo e conta todas as coisas que despontam do tronco, braços e pernas, cabeça e pênis são seis, mas para a mulher são sete, por isso me parece que entre os seus autores o número seis nunca foi tomado a sério senão como o dobro de três, porque funciona só para os machos, os quais não têm nenhum sete, e como eles é que mandam, preferem vê-lo como número sagrado, esquecendo-se de que também as minhas tetas despontam para fora, mas paciência. Oito, meu Deus, não temos nenhum oito... não, espere, se não contarmos braços e pernas como um, mas como dois, por causa dos cotovelos e dos joelhos, temos oito grandes ossos longos que balançam para fora, e tome estes oito e mais o tronco e tens nove, e se puder põe aí também a cabeça e temos dez. E sempre girando em torno consegue-se arrancar todos os números que quisermos, pense nos buracos."

"Nos buracos?"

"Sim, quantos buracos tem seu corpo?"

"Bem", comecei a contar. "Olhos narinas orelhas boca cu, oito."

"Está vendo? Outra região em que o oito é um belo número. Mas eu tenho nove! E com o nono faço vir ao mundo, e eis por que o nove é mais divino que o oito! Mas quer a explicação de outras figuras recorrentes? Quer a anatomia do seu menir, de que os seus autores falam tanto? Fica em pé de dia e recline-se à noite, até mesmo o seu coisinho, não me venha dizer o que ele faz de noite, mas o certo é que trabalha direito e depois repousa deitado. Logo, a posição vertical é a vida, e está em relação com o Sol, e os obeliscos erguem-se para o alto como as árvores, enquanto a posição horizontal e a noite são o sono e portanto a morte, daí todos adorarem o menir, as pirâmides, as colunas e ninguém adora os balcões e as balaustradas. Já ouviu alguma vez falar de um culto arcaico ao balaústre sagrado? Está vendo? E mesmo porque o corpo não nos permite, se adoramos uma pedra vertical, mesmo quando somos muitos, todos a veem, mas se adoramos um objeto horizontal, só o veem os que estão na primeira fila e os outros ficam se empurrando dizendo também quero, também quero, o que não é um belo espetáculo para cerimônia mágica..."

"Mas e os rios?..."

"Os rios não é porque são horizontais, mas porque neles tem água, e não vai querer que explique a relação entre a água e o corpo... Oh, em suma, fomos feitos assim, com este corpo, todos, e por isso elaboramos os mesmos símbolos a milhões de quilômetros de distância e por força tudo se assemelha, e por isso as pessoas com sal na cabeça quando veem um fornilho do alquimista, todo fechado e quente por dentro, pensam na barriga da mãe que faz a criança, e só os seus diabólicos veem a Madona que está para fazer o menino e pensam que seja uma alusão ao fornilho do alquimista. Assim é que se passaram milhares de anos a buscar uma mensagem, quando tudo já estava ali, bastava olharem-se no espelho."

"Você diz sempre a verdade. É o meu Eu, que vem a ser o meu Tu visto por Ti. Quero descobrir todos os secretos arquétipos do corpo." Àquela noite inauguramos a expressão "fazer arquétipos" para indicar nossos momentos de ternura.

Enquanto já me entregava ao sono, Lia me tocou no ombro. "Estava me esquecendo", disse ela. "Estou grávida."

Devia ter escutado Lia. Falava com o conhecimento de quem sabe de onde nasce a vida. Introduzindo-nos nos subterrâneos de Agarttha, nas pirâmides de Ísis Revelada, havíamos entrado na Geburah, a sefirah do terror, o momento em que a cólera se faz sentir no mundo. Não me tinha deixado seduzir, fosse embora por um átimo, pelo pensamento de Sophia? Diz Moisés Cordoveu que o Feminino é a esquerda, e todas as suas direções são de Geburah... A menos que o macho ponha em atuação essas tendências para adornar a Esposa, e enternecendo-a faça-a caminhar para o bem. O mesmo que dizer que cada desejo deve ficar dentro de seus próprios limites. De outra forma Geburah se torna a Severidade, a aparência obscura, o universo dos demônios.

Disciplinar o desejo... Assim fizera naquele terreiro de umbanda, havia tocado o agogô, tomando parte no espetáculo atuando na orquestra, e me havia livrado do transe. Da mesma forma fizera com Lia, regulara o desejo em homenagem à Esposa, e fora premiado na profundeza de minhas gônadas, meu sêmen tinha alcançado a bendição.

Mas eu não soube me preservar. Estava prestes a ser seduzido pela beleza de Tiferet.

Parte 6

TIFERET

64

SONHAR QUE SE MORA NUMA CIDADE... DESCONHECIDA

> *Sonhar que se mora numa cidade nova e desconhecida significa morrer dentro em breve. De fato, os mortos habitam algures, não se sabe onde.*
>
> (Gerolamo Cardano, *Somniorum Synesiorum*, Basileia, 1562, 1, 58)

Se Geburah é a sefirah do mal e do medo, Tiferet é a sefirah da beleza e da harmonia. Dizia Diotallevi: é a especulação iluminante, a árvore da vida, o prazer, a aparência purpurina. É a concordância entre a Regra e a Liberdade.

E aquele ano foi para nós o ano do prazer, da subversão jocosa do grande texto do universo, no qual se celebram os esponsais da Tradição com a Máquina Eletrônica. Criávamos, e tínhamos satisfação com isso. Foi o ano em que inventamos o Plano.

Pelo menos para mim, seguramente, foi um ano feliz. A gravidez de Lia transcorria serenamente; graças à Garamond e à minha agência eu começava a viver agora sem dificuldades, mantinha o pequeno estúdio no velho edifício do subúrbio, mas havíamos reformado o apartamento de Lia.

A maravilhosa história dos metais já estava nas mãos dos tipógrafos e dos revisores. E foi naquela altura que o Sr. Garamond teve uma de suas ideias geniais: "Uma história ilustrada das ciências mágicas e herméticas. Com o material que nos chega dos diabólicos, com a competência que já adquiriram, com a consultoria daquele homem incrível que é Agliè, os senhores estão em condições de preparar no espaço de no máximo um ano um volume de grande formato, quatrocentas páginas inteiramente ilustradas, gravuras a cores de tirar o fôlego. Reciclando parte do material iconográfico da história dos metais."

"Bem", objetei, "o material é diferente. Que faço por exemplo com a foto de um cíclotron?"

"O que faz? Imaginação, Casaubon, imaginação! Que ocorre naquelas máquinas atômicas, naqueles pósitrons megatrônicos ou que nome tenham? A matéria se empapa, deita-se uma pitada de queijo e ela se transforma em quark, buracos negros, urânio centrifugado eu sei lá o quê! A magia transformada em coisa, Hermes e Alquermes, em suma, são os senhores que me devem dar a resposta. Aqui à esquerda a gravura de Paracelso, do Abracadabra com seus alambiques, sob fundo dourado, e à direita os quasares, os agitadores de água pesada, a antimatéria gravitacional galáctica, em suma, será que vou ter que fazer tudo sozinho? O mago não é aquele que não entendia nada e fazia suas lambanças com o argueiro no olho, mas o cientista que arrancou os segredos ocultos da matéria. Descobrir o maravilhoso à nossa volta, levantar a suspeita de que no monte Palomar sabem mais do que aquilo que dizem..."

Para encorajar-me aumentou-me o pagamento, de maneira quase sensível. Pus-me à descoberta das miniaturas do *Liber Solis*, de Trismosin, do *Liber Mutus*, do Pseudo-Lúlio. Abarrotei os arquivos com pentáculos, árvores sefiróticas, decanos, talismãs. Percorria as salas mais esquecidas das bibliotecas, adquiria dezenas de volumes naqueles livreiros que antigamente vendiam a revolução cultural.

Circulava em meio aos nossos diabólicos com uma desenvoltura de psiquiatra que se afeiçoa aos seus pacientes, e acha balsâmicas as brisas que sopram no parque vetusto de sua clínica particular. E em breve começa a escrever páginas sobre o delírio, depois páginas de delírio. E não se dá conta de que os seus doentes o seduziram: crê haver-se tornado um artista. Assim nasceu a ideia do Plano.

Diotallevi aderiu ao jogo porque para ele era oração. Quanto a Jacopo Belbo, acreditava divertir-se tanto quanto eu. Só agora compreendo que não extraía daquilo um verdadeiro prazer. Participava dele como alguém que rói as unhas.

Ou melhor, jogava para encontrar pelo menos um dos falsos endereços, ou o palco sem ribalta, do qual fala no *file* dito Sonho. Teologias substitutivas para um Anjo que não chegaria nunca.

filename: Sonho

Não me recordo se me aconteceu sonhar um sonho dentro do outro, se eles se sucederam durante a mesma noite, ou se simplesmente se alternaram.

Estou à procura de uma mulher, uma mulher que conheço, com a qual tive relações intensas, que não consigo entender por que as tenha afrouxado — eu, por minha culpa, não aparecendo mais. Parece-me inconcebível que tenha deixado passar tanto tempo. Procuro-a certamente, procuro-as, porque a mulher não é uma só, mas muitas, todas perdidas da mesma maneira, por indolência minha — e sou tomado de incerteza, pois uma só me bastaria, porque isto eu sei, que perdi muito perdendo-a. Como sempre não encontro, não tenho mais, não me decido a abrir a agenda onde está seu número de telefone, e se acaso a abro é como se fosse míope, nela não consigo ler os nomes.

Sei onde ela está, ou na verdade não sei em que lugar, mas sei como é, tenho a clara lembrança de uma escada, de um saguão, de um patamar. Não percorro a cidade à procura do local, sou logo tomado por uma espécie de angústia, de bloqueio, continuo a remoer porque permiti, ou quis, que esse relacionamento se rompesse — faltando propositadamente ao último encontro. Estou certo de que ela espera a minha ligação. Se ao menos soubesse como se chama, sei perfeitamente quem é, salvo que não consigo reconstituir-lhe os traços.

Vez por outra, na sonolência que se segue, contesto o sonho. Procura lembrar-te, conheces e te recordas de tudo e com tudo já encerraste todas as contas, ou talvez nem sequer as tenhas aberto. Não há nada que não saiba onde esteja. Não há nada.

Permanece a desconfiança de haver esquecido qualquer coisa, de havê--la deixado entre as dobras da solicitude, como se esquece uma cédula, um bilhete com uma anotação preciosa num bolsinho das calças ou num velho casaco, e só a certa altura se dá conta de que aquela era a coisa mais importante, a decisiva, a única.

Da cidade tenho uma imagem mais nítida. É Paris, estou na *rive gauche*, sei que atravessando o rio me encontrarei numa praça que poderia ser a *place des Vosges*... não, mais aberta, porque ao fundo ergue-se uma espécie de Madeleine. Ultrapassando a praça, girando por trás da igreja, encontro uma rua (há um sebo na esquina) que se inclina em curva para a direita, cortando uma série de ruelas, e sei que estou certamente no Bairro Gótico de Barcelona. Poder-se-ia desembocar numa rua, muito ampla, cheia de luzes, e é naquela rua, recordo-me com evidência eidética, que à direita, ao fundo de uma viela sem saída, está o Teatro.

É incerto o que ocorria naquele lugar de delícias, seguramente algo de levemente e alegremente duvidoso, como um *striptease* (por isso não ouso pedir informações), do qual já sabia bastante a ponto de querer ali voltar, cheio de excitação. Mas em vão, no caminho de Chatham Road as ruas se confundem.

Acordo com o gosto desse encontro falido. Não consigo conformar-me por não saber o que foi que perdi.

Outras vezes estou numa grande casa de campo. É ampla, mas sei que existe outra ala, e não sei mais como chegar a ela, como se as passagens tivessem sido emparedadas. E naquela outra ala há quartos e quartos, bem que os vi uma vez, é impossível que os tenha sonhado em outro sonho, mas com móveis antigos e gravuras desbotadas, consolos com teatrinhos do século XIX feitos de papelão corrugado, divãs com grandes forros bordados, e estantes com uma infinidade de livros, todos os anais do Jornal Ilustrado das Viagens e das Aventuras de Terra, Mar e Ar, não é verdade que se tenham esfrangalhado de tanto manuseio, e a mãe os tenha dado ao apanhador de papéis. Pergunto-me se não terei confundido os corredores e as escadas, porque é ali que gostaria de construir meu bom retiro, entre aqueles odores de velharias preciosas.

Por que não posso sonhar com o serviço militar como todo mundo?

65

UMA ESTRUTURA DE SEIS METROS DE LADO

Era uma estrutura de seis metros de lado, posta no centro da sala: a superfície era formada por muitos cubinhos de madeira, do tamanho de dados, alguns maiores que os outros e ligados entre si por fios muito finos. Em cada face dos cubos estava colado um quadradinho de papel, e nesses quadradinhos estavam escritas todas as palavras de sua língua, com todas as suas conjugações e declinações, mas sem ordem alguma... A uma ordem sua os alunos agarraram cada um uma das quarenta manivelas de ferro que estavam fixadas em torno ao quadro, imprimindo-lhe um rápido movimento giratório, e assim modificando a disposição das palavras. O professor ordenou então a trinta e seis dos alunos que lessem em voz baixa as diversas linhas, tais como apareciam no quadro e, sempre que encontrassem três ou quatro palavras consecutivas que pudessem constituir um fragmento de frase, as ditassem aos quatro outros estudantes...

(J. Swift, Gulliver's Travels, III, 5)

Creio que ao elaborar sobre o sonho, Belbo tenha, mais uma vez, voltado ao pensamento da oportunidade perdida, e ao seu voto de renúncia por não ter sabido aproveitar, se é que houve alguma vez, o Momento. O Plano teve início porque ele havia se resignado a construir para si momentos fictícios.

Perguntei-lhe certa vez por um texto qualquer, e ele começou a revirar em sua mesa uma pilha de manuscritos ali empilhados perigosamente, e sem qualquer critério de tamanho ou grandeza, apenas uns postos sobre os outros.

Localizou o texto que procurava e tentou arrancá-lo da pilha, derrubando o resto. As pastas se abriram e as folhas se arrancaram de seus frágeis fechos de metal.

"Não podia começar dividindo a pilha em duas e procurar na primeira metade?", perguntei. Inútil: ele fazia sempre assim.

E respondia invariavelmente: "A Gudrun depois apanha e põe em ordem. Precisa ter uma missão na vida, senão perde a sua própria identidade."

Mas naquele momento eu estava pessoalmente interessado na salvação dos manuscritos, já que agora fazia parte da casa: "Mas a Gudrun não será capaz de recompô-los, vai colocar folhas erradas em pastas erradas."

"Se tivesse ouvido esta, Diotallevi exultaria. Delas sairiam livros diferentes, ecléticos, casuais. Está na lógica dos diabólicos."

"Mas assim nos encontraremos na situação dos cabalistas. Milênios para encontrar a combinação exata. Está simplesmente substituindo por Gudrun a macaca que bate para todo o sempre na máquina de escrever. A diferença está apenas na duração. Em termos de evolução, não teremos ganho coisa alguma. Não há um programa que permita a Abulafia fazer este trabalho?"

Entrementes entrou Diotallevi.

"Claro que há", dizia Belbo, "e teoricamente permite a inserção de dois mil dados. Basta ter-se a paciência de escrevê-los. Admitamos que sejam versos de poesias existentes. O programa lhe pergunta quantos versos deve ter a poesia, você decide, dez, vinte, cem. Depois o programa extrai do relógio interno do computador o número de segundos, e o randomiza, ou, em palavras pobres, extrai dele uma fórmula de combinações sempre nova. Com dez versos podem-se obter milhares e milhares de poesias casuais. Ontem inseri na máquina versos do tipo *fremem tanto as tílias frescas, tenho as pálpebras cansadas, ah se a aspidistra quisesse, a vida agora te dou* e semelhantes. Eis alguns resultados."

      Conto as noites, soa o sistro...
      Oh morte, a tua vitória...
      Oh, morte a tua vitória...
      Ah se a aspidistra quisesse...

> Do coração da alvorada
> chegaste albatroz sinistro
> (ah se a aspidistra quisesse...)
> Oh, morte a tua vitória.
>
> Fremem tanto as tílias frescas,
> conto as noites, soa o sistro,
> oh gentil que te partiste.
> Fremem tanto as tílias frescas.

"Surgem repetições que não pude evitar, parece que complicaria demais o programa. Mas mesmo as repetições têm um certo sentido poético".

"Interessante", disse Diotallevi. "Isto me reconcilia com a tua máquina. Logo, se eu inserisse nela toda a Torá e depois lhe dissesse, como é o termo?, para randomizar, ela chegaria à verdadeira e própria Torá e recombinaria os versículos do Livro?"

"Claro, é apenas questão de tempo. És capaz de consegui-la em poucos séculos."

Aí eu disse: "Mas se em vez disso metermos aí uma dezena de frases extraídas das obras dos nossos diabólicos, tais como os templários fugiram para a Escócia, ou o Corpus Hermeticum chegou a Florença em 1460, e acrescentarmos alguns conectivos como *é evidente que* ou *isto prova que*, podemos obter sequências reveladoras. Depois preenchemos os claros, ou valorizamos as repetições como sendo vaticínios, insinuações e advertências. Na pior das hipóteses, inventaremos um capítulo inédito da história da magia."

"Genial", disse Belbo, "vamos começar imediatamente."

"Não, já são sete horas. Amanhã."

"Pois vou fazê-la esta noite. Ajude-me apenas um instante, apanhe do chão um punhado daquelas páginas, ao acaso, tome a primeira frase que encontrar, e ela vai nos servir de dado."

Agachei-me e apanhei: "José de Arimateia leva o Graal para a França."

"Ótimo, registrado. Vá em frente."

"Segundo a tradição templar, Godofredo de Bouillon estabelece em Jerusalém o Grande Priorado do Sião. Debussy era um rosa-cruz."

"Desculpem-me", disse Diotallevi, "mas é necessário também inserir alguns dados neutros, como por exemplo que o coala vive na Austrália ou que Papin inventou a panela de pressão."

"Minnie é a noiva de Mickey", sugeri.

"Não exageremos."

"Exageremos, sim. Se começarmos a admitir a possibilidade de que haja um único dado, em todo o universo, que não revele qualquer coisa a mais, já estaremos fora do pensamento hermético."

"É verdade. Pois ponha a Minnie. E se me permitem, porei um dado fundamental: Os templários entram sempre."

"Isso é evidente", confirmou Diotallevi.

Continuamos por mais alguns minutos. Depois estava ficando realmente tarde. Mas Belbo nos disse que não nos preocupássemos. Iria continuar sozinho. Gudrun veio dizer que já estavam fechando, Belbo comunicou-lhe que ficaria a trabalhar mais um pouco e lhe pediu que apanhasse as folhas do chão. Gudrun emitiu alguns sons que podiam pertencer tanto a um latim sem flexões como à língua keremis,* e que exprimiam indignação e desapontamento tanto numa quanto noutra, índice do parentesco universal entre todas as línguas, descendentes de um único tronco adâmico. E continuou, randomizando melhor do que um computador.

Na manhã seguinte, Belbo estava radiante. "Funciona", disse. "Funciona e produz resultados inesperados." Mostrou-nos o *output* impresso.

>Os Templários entram sempre
>Não é verdade o que se segue
>Jesus foi crucificado sob Pôncio Pilatos
>O sábio Ormuz fundou no Egito a rosa-cruz
>Há cabalistas em Provença
>Quem se casou nas bodas de Caná?
>Minnie é a noiva de Mickey

---

* Latim sem flexões, língua universal proposta por Giuseppe Peano (1858-1932); Keremis, língua aglutinante, falada apenas numa perdida república soviética. (*N. do T.*)

> Só consegue
> Se
> Os druidas veneravam as virgens negras
> Então
> Simão o Mago identifica a Sophia numa prostituta de Tiro
> Quem se casou nas bodas de Caná?
> Os Merovíngios se dizem reis por direito divino
> Os templários entram sempre

"Um tanto confuso", disse Diotallevi.

"Não sabes enxergar as conexões. E não dás a devida importância à interrogação que ocorre duas vezes: quem se casou nas bodas de Caná? As repetições são chaves mágicas. Naturalmente integrei, mas integrar a verdade é direito do iniciado. Eis minha interpretação: Jesus não foi crucificado, e por isso os templários renegavam o crucifixo. A lenda de José de Arimateia envolve uma verdade mais profunda: Jesus, e não o Graal, desembarca na França entre os cabalistas de Provença. Jesus é a metáfora do Rei do Mundo, do fundador real da rosa-cruz. E com quem desembarca Jesus? Com sua mulher. Por que nos Evangelhos não se diz quem se casou em Caná? Simplesmente porque eram as bodas de Jesus, bodas de quem não se podia falar porque eram com uma pecadora pública, Maria Madalena. Eis por que então todos os iluminados, de Simão o Mago a Postel, vão procurar o princípio do eterno feminino num bordel. Portanto, Jesus é o fundador da estirpe real da França."

66

SE NOSSA HIPÓTESE É CORRETA

Se nossa hipótese é correta, o Santo Graal... era a estirpe e os descendentes de Jesus, o 'Sang real' de que eram guardiães os templários... Ao mesmo tempo o Santo Graal devia ser, ao pé da letra, o receptáculo que havia recebido e contido o sangue de Jesus. Em outras palavras, devia ser o seio de Madalena.

(M. Baigent, R. Leigh, H. Lincoln, *The Holy Blood and the Holy Graal*, 1982, Londres, Cape, XIV)

"Bem", disse Diotallevi, "ninguém te levaria a sério".

"Pelo contrário, eu venderia alguns cem mil exemplares", disse sério. "A história existe, foi escrita, com variações mínimas. Trata-se de um livro sobre o mistério do Graal e os segredos de Rennes-le-Château. Em vez de só ler manuscritos, devias ler também aquilo que publicam os outros editores."

"Santos Serafins", disse Diotallevi. "Eu não disse? Esta máquina só diz aquilo que todo mundo já sabe." E lá se foi desconsolado.

"Serve e muito", disse Belbo magoado. "Veio-me uma ideia que já havia ocorrido a outros? E daí? Isso se chama poligênese literária. O Sr. Garamond diria que é prova de que digo a verdade. Aqueles senhores devem ter meditado sobre isso durante anos, ao passo que resolvi tudo numa noite."

"Estou do seu lado, a brincadeira vale uma missa. Mas creio que a regra será inserir muitos dados que não provenham dos diabólicos. O problema não é encontrar relações ocultas entre Debussy e os templários. Isto todos fazem. O problema está em encontrar relações ocultas, por exemplo, entre a Cabala e as velas de automóvel."

Dizia ao acaso, mas dera a Belbo uma deixa. Falou-me a respeito alguns dias depois.

"O amigo tinha razão. Qualquer dado se torna importante se está conjugado a outro. A conexão muda a perspectiva. Induz a pensar que todos os aspectos do mundo, todas as vozes, toda palavra escrita ou dita não têm o sentido que parece, mas nos fala de um Segredo. O critério é simples: suspeitar, suspeitar sempre. Podemos mesmo até ler o que está por trás de uma placa de sentido proibido."

"Certo. Moralismo cátaro. Horror da reprodução. O sentido é proibido porque é logro do Demiurgo. Não é por essa via que se encontrará o Caminho."

"Ontem à noite me caiu às mãos o manual de automóvel. Não sei se foi a penumbra, ou se tu me disseste, mas invadiu-me a suspeita de que aquelas páginas diziam Alguma Coisa Mais. E se o automóvel existisse apenas como metáfora da criação? Mas não se deve ficar limitado ao aspecto exterior, ou à ilusão do painel, é necessário ver aquilo que só o Artífice vê, o que está por baixo. O que está por baixo é como o que está por cima. É a árvore das sefirot."

"Não me diga."

"Não sou eu quem digo. *Ela* se diz. Antes de tudo, a árvore motora é uma Árvore, como a própria palavra diz. Pois bem, se contarmos o motor dianteiro, as duas rodas da frente, a freagem, o câmbio, os dois eixos, o diferencial e as duas rodas traseiras, teremos dez articulações, como as sefirot."

"Mas as posições não coincidem."

"Quem foi que disse? Diotallevi nos explicou que em certas versões Tiferet não era a sexta mas a oitava sefirah, e estava sob Nezah e Hod. A minha é a árvore de Belboth, de outra tradição."

"Fiat."

"Mas continuemos com a dialética da Árvore. No alto o Motor, Omnia Movens, do qual diremos que é a Fonte Criadora. O Motor comunica sua energia criativa às duas Rodas Sublimes — a Roda da Inteligência e a Roda da Sabedoria."

"Isso se o carro for de tração dianteira..."

"A beleza da árvore de Belboth é que admite metafísicas alternativas. Imagine-se um cosmo espiritual com tração dianteira, cujo Motor à frente comunica imediatamente seus desígnios às Rodas Sublimes, enquanto na versão materialística temos a imagem de um cosmo degradado, em que o Movimento vem impresso por um Motor Último às duas Rodas Ínfimas: do fundo da emanação cósmica se libertam as forças baixas da matéria."

"E com motor e tração traseiros?"

"Satânico. Coincidência do Súpero e do Ínfero. Deus se identifica com os movimentos da matéria grosseira posterior. Deus como aspiração eternamente frustrada à divindade. Deve depender da Ruptura dos Vasos."

"Não será a Ruptura do Silencioso?"

"Isso nos Cosmos Abortivos, onde o hálito venenoso dos Arcontes se expande no Éter Cósmico. Mas não nos percamos no caminho. Depois do Motor e das duas Rodas, vem a Freagem, a sefirah da Graça que estabelece ou interrompe a corrente de Amor que liga o restante da Árvore à Energia Superna. Um Disco, uma mandala que acaricia outra mandala. Dali o Escrínio de Mutações, ou a caixa de mudanças, como dizem os positivistas, que é o princípio do mal porque permite à vontade humana aumentar ou diminuir o processo contínuo das emanações. Por isso o câmbio automático custa mais, pois aqui é a própria Árvore que decide segundo o Equilíbrio Soberano. Depois vem um Eixo, que por acaso tem o nome de um mago do Renascimento, Cardano,* e a seguir uma Dupla Cônica — note-se a oposição com os quatro Cilindros do motor, na qual há uma Coroa (Keter Menor) que transmite o movimento às rodas terrestres. E aqui se torna evidente a função da sefirah da Diferença, ou diferencial, que com majestoso senso de Beleza distribui as forças cósmicas às duas Rodas da Glória e da Vitória, as quais num cosmo não abortivo (de tração dianteira) seguem o movimento dado pelas Rodas Sublimes."

"A leitura é coerente. E o cerne do Motor, sede do Uno, Coroa?"

"Mas basta ler com olhos de iniciado. O Sumo Motor vive de um movimento de Aspiração e Descarga. Uma complexa respiração divina, em que originariamente as unidades, ditas Cilindros (evidente arquétipo geométrico), eram duas, gerando depois uma terceira, e por fim se contemplam e se movem

---

* Matemático italiano (1501-1576) inventor inclusive da engenhosa suspensão, também chamada junta universal. (*N. do T.*)

por mútuo amor na glória da quarta. Nessa respiração no Primeiro Cilindro (nenhum deles é primeiro por hierarquia, mas por admirável alternância de posição e correspondência), o Pistão, etimologia de Pistis Sophia, desce do Ponto Morto Superior ao Ponto Morto Inferior enquanto o Cilindro volta a encher-se de energia em estado puro. Simplifico, pois aqui entrariam em jogo hierarquias angélicas, ou Mediadores da Distribuição, que como diz o manual 'permitem a abertura e o fechamento das Velas que põem em comunicação o interior dos Cilindros com os condutos de aspiração da mistura' ... A sede interna do Motor só pode se comunicar com o resto do cosmo por essa mediação, e aqui creio que se revela talvez, não quero dizer a heresia, mas o limite originário do Uno, que de qualquer forma depende, para criar, dos Grandes Excêntricos. Será preciso dar uma leitura mais atenta ao Texto. Em todo caso, quando o Cilindro se enche de Energia, o Pistão sobe ao Ponto Morto Superior e realiza a Compressão Máxima. É a *tsimtsum*. É neste ponto que se dá a glória do Big Bang, a Combustão e a Expansão. Uma Centelha dispara, a mistura arde e inflama, esta é, diz o manual, a única Fase Ativa do Ciclo. E ai, ai se na mistura se insinuam as conchas, as *qelippot*, gotas de matéria impura como água ou Coca-Cola, a Expansão não ocorre, ou ocorre em disparos abortivos."

"Shell não quer dizer talvez *qelippot*? Aí então dá para desconfiar. Daqui por diante só Leite de Virgem..."

"Vamos verificar. Pode ser uma maquinação das Sete Irmãs, princípios inferiores que querem controlar o processo da criação... Em todo caso, depois da Expansão, vem a grande expiração divina, que nos textos mais antigos é chamada de Descarga. O Pistão sobe novamente ao Ponto Morto Superior e expele a matéria informe já agora comburida. Mal se obtém essa operação de purificação, recomeça o Novo Ciclo. Que se pensarmos bem é igualmente o mecanismo neoplatônico do Êxodo e do Párodo, admirável dialética do Para Cima e Para Baixo."

"*Quantum mortalia pectora caecae noctis habent!* Os filhos da matéria nunca se deram conta disso!"

"Por isso os mestres da Gnose dizem que não se deve confiar nos Hílicos mas nos Pneumáticos."

"Amanhã lhes preparo uma interpretação mística do catálogo telefônico..."

"Sempre ambicioso o nosso Casaubon. Cuidado que ele acaba resolvendo o problema insondável do Um e dos Múltiplos. Melhor avançar com calma. Estudemos primeiro o mecanismo das máquinas de lavar roupa."

"Elas falam por si. Transformação alquímica, da obra em negro à obra mais branca que o branco."

DA ROSA, NADA DIGAMOS AGORA

Da Rosa, nada digamos agora...

(Sampayo Bruno, *Os Cavaleiros do Amor*,
Lisboa, Guimarães, 1960, p. 155)

Quando se entra num estado de suspeita, não se deixa passar mais indício algum. Depois das extravagâncias sobre a árvore-motora estava disposto a ver sinais reveladores em qualquer objeto que me caísse às mãos.

Mantinha contato com meus amigos brasileiros, e soube que em breve iria realizar-se em Coimbra uma convenção sobre cultura lusitana. Mais pelo desejo de rever-me do que em louvor à minha competência, os amigos do Rio conseguiram fazer com que me convidassem. Lia não podia ir, estava no sétimo mês, a gravidez lhe havia apenas retocado o perfil miúdo, transformando-a numa delicada madona flamenga, mas preferia não enfrentar a viagem.

Passei três alegres noitadas em companhia de velhos amigos e, quando entramos de novo no ônibus em direção a Lisboa, surgiu uma discussão se devíamos parar em Fátima ou Tomar. Tomar era o castelo onde os templários portugueses se haviam entrincheirado depois que a benignidade do rei e do papa os havia salvo do processo e da ruína, transformando-os na Ordem dos Cavaleiros de Cristo. Eu não podia perder um castelo dos templários, e por sorte o resto da comitiva não morria de amores por Fátima.

Se eu pudesse imaginar um castelo templário, esse seria o de Tomar. Sobe-se até ele por um caminho fortificado que costeia os bastiões externos por seteiras em formato de cruz, e ali se respira o ar dos cruzados desde o primeiro instante. Os Cavaleiros de Cristo haviam prosperado durante séculos naqueles recantos: a tradição quer que tanto Dom Henrique o Navegador quanto Cristóvão Colombo tenham pertencido a eles, e na verdade ambos se deram à conquista dos mares — fazendo a fortuna de Portugal. A longa e feliz existência que haviam desfrutado naquele lugar fizera com que o castelo fosse reconstruído e ampliado por vários séculos, a ponto de terem sido à sua parte medieval acrescentadas alas renascentistas e barrocas. Comovi-me ao entrar na igreja dos templários, com sua rotunda octogonal que reproduz a do Santo Sepulcro. Despertou-me a curiosidade o fato de que naquela igreja, conforme o local, as cruzes templárias tinham formas diferentes: problemas que já havia enfrentado ao examinar a confusa iconografia a respeito. Enquanto a cruz dos cavaleiros de Malta permanecera mais ou menos a mesma, a dos templários parecia ter sofrido as influências do século ou da tradição local. Eis por que para os caçadores de templários basta encontrar uma cruz qualquer em qualquer parte para se descobrir nela um rastro dos Cavaleiros.

Depois nossa guia nos levou a ver a janela manuelina, a *janela* por excelência, uma abertura, uma *collage* de achados marinhos e submarinos, algas, conchas, âncoras, amarras e correntes, como a celebrar as aventuras marítimas dos Cavaleiros. Mas de ambos os lados da janela, como a cerrar numa cintura as duas torres que a enquadravam, viam-se esculpidas as insígnias da Jarreteira. Que estaria fazendo o símbolo de uma ordem inglesa naquele mosteiro fortificado português? A guia não nos soube dizer, mas pouco depois, num outro lado, creio que o noroeste, nos mostrou as insígnias do Tosão de Ouro. Não pude deixar de pensar no jogo sutil de alianças que unia a Jarreteira ao Tosão de Ouro, e este aos Argonautas, os Argonautas ao Graal, e o Graal aos templários. Lembrei-me das fantasias de Ardenti e algumas páginas encontradas nos manuscritos dos diabólicos... Tive um sobressalto quando nossa guia nos fez visitar uma sala secundária, de teto dividido em algumas chaves de abóbada. Eram pequenas rosetas, mas em algumas vi esculpida uma face barbuda e um tanto caprina. O Bafomé...

Descemos a uma cripta. Depois de sete degraus, uma pedra nua conduz à abside, onde poderia levantar-se um altar ou um trono de grão-mestre. Mas chegava-se aí passando sob sete chaves de abóbada, cada uma delas em forma de rosa, cada uma maior que a outra, e a última, mais larga, sobreposta a um poço. A cruz e a rosa, e num mosteiro templar, e numa sala certamente construída antes dos manifestos rosacrucianos... Fiz algumas perguntas à guia, que sorriu:

"Se o senhor soubesse quantos estudiosos de ciências ocultas vêm aqui em peregrinação... Dizem que esta teria sido a sala de iniciações..."

Penetrando por acaso numa sala ainda não restaurada, mobiliada com poucos móveis empoeirados, encontrei o chão atulhado de caixinhas de papelão. Revistei-as ao acaso, e me vieram às mãos fragmentos de livros em hebraico, presumivelmente do século XVII. Que coisa fariam os judeus em Tomar? A guia me disse que os Cavaleiros tinham boas relações com a comunidade hebraica local. Fez-me chegar à janela e me mostrou um jardim à francesa, estruturado como um pequeno e elegante labirinto. Obra, me disse, de um arquiteto judeu do século XVIII, Samuel Schwartz.

O segundo encontro em Jerusalém... E o primeiro no Castelo. Não era assim que dizia a mensagem de Provins? Por Deus, o Castelo da Ordenação encontrada por Ingolf não era o improvável Monsalvato dos romances de cavalaria, Avalon a Hiperbórea. Se tivessem que marcar um lugar para a primeira reunião, que outro teriam escolhido os templários de Provins, mais hábeis em dirigir capitanias do que em ler romances da Távola Redonda? Tomar, é claro, o castelo dos Cavaleiros de Cristo, um lugar onde os sobreviventes da ordem gozavam de plena liberdade, de garantias imutáveis, e no qual estavam em contato com os agentes do segundo grupo!

Voltei de Tomar e de Portugal com a mente em chamas. Estava levando finalmente a sério a informação de Ardenti. Os templários, depois de se constituírem em ordem secreta, elaboraram um plano que durou seiscentos anos e concluiu-se em nosso século. Os templários eram pessoas sérias. Logo, se falavam de um castelo, falavam de um lugar verdadeiro. O plano começava em Tomar. E então qual devia ter sido o percurso ideal? Qual a sequência dos outros cinco encontros? Lugares onde os templários pudessem contar com amizades, proteção, cumplicidade. O coronel falava em Stonehenge, Avalon, Agarttha... Tolices. A mensagem pedia releitura.

Naturalmente, dizia comigo mesmo ao voltar para casa, não se trata de descobrir o segredo dos templários, mas de construí-lo.

Belbo parecia perturbado com a ideia de voltar ao documento que lhe havia deixado o coronel, e só foi encontrá-lo vasculhando de má vontade uma das gavetas de sua mesa. No entanto, observei, ele o havia conservado. Relemos juntos a mensagem de Provins. Depois de tantos anos.

Começava com a frase cifrada segundo Tritêmio: *Les XXXVI inuisibles separez en six bandes.* E em seguida:

>   a la... Saint Jean
>   36 p charrete de fein
>   6... entiers avec saiel
>   p... les blancs mantiax
>   r... s... chevaliers de Pruins pour la ...j. nc
>   6 foiz 6 en 6 places
>   chascune foiz 20 a .... 120 a ...
>   iceste est l' ordonation
>   al donjon li premiers
>   it li secunz joste iceus qui... pans
>   it al refuge
>   it a Nostre Dame de l'altre part de l'iau
>   it a l'ostel des popelicans
>   it a la pierre
>   3 foiz 6 avant la feste ... la Grant Pute.

"Trinta e seis anos depois da carreta de feno, na noite de São João do ano 1344, seis mensagens seladas pelos cavaleiros dos mantos brancos, cavaleiros relapsos de Provins, para a vingança. Seis vezes em seis lugares, vinte anos de cada vez num conjunto de 120 anos, eis o Plano. Os primeiros no castelo, depois novamente com aqueles que comeram o pão, de novo no refúgio, de novo em Nossa Senhora além do rio, de novo em casa dos *popelicans*, e de novo na pedra. Vejam, a mensagem diz que em 1344 os primeiros devem ir ao Castelo. E na verdade os cavaleiros se instalarão em Tomar em 1357. Ora, devemos perguntar aonde devem ir os do segundo núcleo. Vamos lá: imaginem que eram templários em fuga, onde iriam constituir o segundo núcleo?"

"Mas... Se é verdade que os da carreta fugiram para a Escócia... por que não haveriam de comer pão na Escócia?"

Havia me tornado imbatível na cadeia das associações. Bastava partir de um ponto qualquer. Escócia, Highlands, ritos druídicos, noite de São João, solstício de verão, fogos de São João, Ramo de ouro... Eis uma pista, embora frágil. Lera algo sobre os fogos de São João no *Ramo de Ouro* de Frazer.

Telefonei para Lia: "Por favor, veja no *Ramo de Ouro* o que há sobre os fogos de São João."

Lia nestas coisas era admirável. Logo achou o capítulo. "O que você quer saber? É um rito antiquíssimo, praticado em quase todos os países da Europa. Celebra o momento em que o Sol está no ápice de seu caminho, e São João foi acrescentado para cristianizar a história..."

"E comem pão na Escócia?"

"Deixe-me ver... Parece que não. Ah, aqui está, não comem pão no dia de São João, mas na noite de primeiro de maio, a noite dos fogos de Beltane, uma festa de origem druídica, especialmente nas Terras Altas escocesas..."

"Aí está! E por que comem o pão?"

"Fazem uma massa de farinha e aveia que é assada sobre as brasas... Depois segue-se um rito que lembra os antigos sacrifícios humanos... São grandes broas que se chamam *bannock*..."

"Como? Soletre para mim!" Soletrou, agradeci-lhe, disse-lhe que era a minha Beatriz, minha Fada Morgana e outras coisas afetuosas. Procurei lembrar-me de minha tese. O núcleo secreto, segundo a lenda, refugia-se na Escócia junto do rei Robert the Bruce e os templários ajudam o rei a vencer a batalha de Bannock Burn. Como recompensa o rei os integra na nova ordem dos Cavaleiros de Santo André da Escócia.

Tirei da estante um grande dicionário de inglês e procurei: *bannok* em inglês medieval (*bannuc* em antigo saxão, *bannach* em gaélico) é uma espécie de torta, cozida ao fogo ou à grelha, de cevada, aveia ou outro cereal. *Burn* é torrente, rio. Bastava traduzir como haviam traduzido os templários franceses mandando notícias da Escócia aos seus compatriotas de Provins, que daí resultava algo assim como o rio ou a torrente da broa, ou da torta, ou do pão. Quem comeu o pão foi quem venceu a batalha da torrente do pão, logo o núcleo escocês, que provavelmente àquela época já se havia expandido por todas as ilhas britânicas. Lógico: de Portugal para a Inglaterra, eis o caminho mais curto, diferente da viagem do Polo à Palestina.

68

QUE TUAS VESTES SEJAM CÂNDIDAS

Que as tuas vestes sejam cândidas... Se for noite, acende muitas luzes, para que tudo fulgure... Agora começa a combinar algumas letras, ou muitas, desloca-as e combina-as até que teu coração se aqueça. Está atento ao movimento das letras e ao que podes produzir ao combiná-las. E quando sentires que teu coração já está aquecido, vires que através da combinação de letras retiras algo que não havias conseguido conhecer por ti só ou com o auxílio da tradição, quando estiveres pronto a receber o influxo da potência divina que penetra em ti, emprega então toda a profundidade de teu pensamento em imaginar em teu coração o Nume e Seus anjos superiores, como se fossem seres humanos que estivessem ao teu lado.

(Abulafia, *Hayye ha-'Olam ha-Ba*)

"Faz sentido", disse Belbo. "E em tal caso qual seria o Refúgio?"

"Os seis grupos se instalam em seis lugares, mas só um deles é chamado de o Refúgio. Curioso. Isso quer dizer que nos outros lugares, como em Portugal ou na Inglaterra, os templários podiam viver sem ser perturbados, ainda que sob outro nome, ao passo que neste têm de esconder-se. Direi que o Refúgio é o lugar onde se refugiaram os templários de Paris, após haverem abandonado o Templo. Como igualmente me parece mais econômico que o percurso vá da Inglaterra para a França, por que não achar que os templários tivessem construído um refúgio na própria Paris, num lugar secreto e protegido? Eram bons políticos e imaginavam que em duzentos anos as coisas teriam mudado e poderiam então agir à luz do sol, ou quase."

"Está bem, Paris. Mas como nos arranjamos com o quarto lugar?"

"O coronel pensava em Chartres, mas se colocamos Paris como terceiro lugar não podemos usar Chartres como quarto, porque evidentemente o plano deve interessar a todos os centros da Europa. E além disso estamos abandonando a pista mística para elaborar uma pista política. O deslocamento parece ocorrer segundo uma sinusoide, por isso devemos remontar ao Norte da Alemanha. Ora, além do rio ou da água, ou seja além-Reno, no território alemão, há uma cidade, não uma igreja, de Nossa Senhora. Vizinha a Dantzig havia a cidade da Virgem, Marienburg."

"E por que um encontro em Marienburg?"

"Porque era a capital dos Cavaleiros Teutônicos! As relações entre os templários e os teutônicos não estavam envenenadas como entre os templários e os hospitalários, que ali estavam como abutres à espera da supressão do Templo para apossar-se de seus bens. Os teutônicos foram criados na Palestina pelos imperadores germânicos como oposição aos templários, mas bem cedo foram chamados para o Norte, a fim de deter a invasão dos bárbaros prussianos. E o fizeram de modo tão perfeito que no correr de dois séculos se tornaram um Estado que se estende sobre todos os territórios bálticos. Movem-se entre a Polônia, a Lituânia e a Livônia. Fundam Koenigsberg, são derrotados uma única vez por Aleksandr Nevski na Estônia, e mais ou menos quando os templários são presos em Paris fixam a capital de seu reino em Marienburg. Se havia um plano da cavalaria espiritual para a conquista do mundo, os templários e os teutônicos tinham dividido suas zonas de influência."

"Sabe do que falo?", disse Belbo. "Sei. Agora o quinto grupo. Onde estavam esses *popelicanos*?"

"Não sei", disse eu.

"Está me desiludindo, Casaubon. Talvez devêssemos perguntar ao Abulafia."

"Não senhor", respondi melindrado. "Abulafia nos deve sugerir conexões inéditas. Mas os popelicanos são um dado, não uma conexão, e os dados são assunto para Sam Spade. Quero alguns dias de prazo."

"Dou-lhe duas semanas", disse Belbo. "Se dentro de duas semanas não me trouxer os popelicanos, traga-me uma garrafa de Ballantines 12 Years Old."

Muito caro para o meu bolso. Ao cabo de uma semana eu trazia os popelicanos aos meus vorazes parceiros.

"Está tudo claro. Acompanhe-me porque temos de voltar ao quarto século, em território bizantino, enquanto na área mediterrânea já se haviam difundido os movimentos de inspiração maniqueísta. Comecemos pelos arcônticos, seita fundada na Armênia por Pedro de Cafarbaruch, que, devemos admitir, é um nome e tanto. Antijudaico, o diabo se identifica com Sabaoth, o deus dos judeus, que vive no sétimo céu. Para alcançar a Grande Mãe da Luz no oitavo céu é necessário refutar tanto Sabaoth quanto o batismo. Concordam?"

"Não", disse Belbo.

"Mas os arcônticos sérios. No quinto século aparecem os messalianos, que entre outras coisas sobreviveram na Trácia até o século XI. Os messalianos não são dualistas, mas monárquicos. No entanto, viviam de cama e mesa com as potências infernais, tanto é verdade que em alguns textos são designados por borboritos, de *borboros*, lama, por causa das coisas inomináveis que faziam."

"E o que faziam?"

"Coisas de costume. Homens e mulheres erguiam para o céu, recolhida na palma da mão, a própria ignomínia, ou seja, esperma ou mênstruo, e depois a comiam dizendo que era o corpo de Cristo. E se por acaso engravidavam suas mulheres, quando lhes convinha metiam-lhes a mão no ventre, arrancavam-lhes o embrião, esmagavam-no em um almofariz, misturavam-no com mel e pimenta e comiam."

"Que nojo", disse Diotallevi, "mel e pimenta!"

"Esses são portanto os messalianos, que alguns chamam de estratióticos e fibiônitos, outros barbélitos, mescla de naaseanos e femiônitos. Mas para outros padres da Igreja os barbélitos eram gnósticos tardios, e portanto dualistas, adoravam a Grande Mãe Barbelo, e os seus iniciados chamavam de borborianos aos hílicos, ou seja, os filhos da matéria, para distingui-los dos psíquicos, que já eram melhores, e dos pneumáticos, que eram os próprios eleitos, o Rotary Club de toda aquela história. Mas talvez os estratióticos fossem apenas os hílicos dos mitraístas."

"Não é tudo um tanto confuso?", perguntou Belbo.

"Certamente. Essa gente toda não deixou documentos. As únicas coisas que sabemos sobre eles provêm das intrigas de seus inimigos. Mas não importa. Isto é só para dizer o emaranhado que era naquele tempo a área médio-oriental. E para dizer de onde surgem os paulicianos. Que são os seguidores de um certo

Paulo de Samósata, a quem se unem alguns iconoclastas expulsos da Albânia. A partir do século VIII esses paulicianos crescem a valer, transformando-se de seita em comunidade, de comunidade em bando, de bando em poder político, com os quais os imperadores de Bizâncio começam a se preocupar, mandando-lhes ao encontro os exércitos imperiais. Difundem-se até os confins do mundo árabe, invadem o território bizantino até os limites do mar Negro. Instalam colônias por toda a parte, e vamos encontrá-los até mesmo no século XVII, quando são convertidos pelos jesuítas, existindo ainda algumas comunidades nos Balcãs ou para além. Ora em que acreditam esses paulicianos? Em Deus, uno e trino, mas admitem que o Demiurgo tenha interferido na criação do mundo, com os resultados que todos sabemos. Rejeitam o Velho Testamento, refutam os sacramentos, desprezam a cruz, não veneram a Virgem, porque Cristo para eles encarnou-se diretamente no céu e passou através da Virgem como se atravessasse um túnel. Os bogomilos, que se inspiraram parcialmente neles, dirão que Cristo entrou por um ouvido de Maria e saiu pelo outro, sem que ela sequer desse por isso. Alguns os acusam ainda de adorar o sol e o diabo e de misturar o sangue das crianças ao pão e ao vinho eucarístico."

"Como todos."

"Eram tempos em que ir à missa para um herético devia ser um verdadeiro sofrimento. Era melhor tornar-se muçulmano. Mas era gente assim. E falo deles para explicar como esses heréticos dualistas ao se difundirem pela Itália e a Provença serão chamados popelicanos, publicanos, populicanos, tantas *gallice etiam dicuntur ab aliquis popelicant!*"

"Aqui estão eles."

"De fato. Os paulicianos continuam no nono século a enlouquecer os imperadores de Bizâncio até que o imperador Basílio jura que se puser as mãos no chefe deles, Chrissocheir, o qual havia invadido a igreja de São João de Deus em Éfeso e dado água benta de beber aos cavalos..."

"... sempre aquele vício", disse Belbo.

"... lhe plantará três flechas na cabeça. Manda-lhe de encontro o exército imperial, estes o capturam, cortam-lhe a cabeça, mandam-na ao imperador, que a põe sobre uma mesa, sobre um *trumeau*, sobre uma colunazinha de pórfiro e zac zac zac manda-lhe três flechadas, creio que uma em cada olho e a terceira na boca."

"Gente boa", disse Diotallevi.

"Não faziam isso por maldade", disse Belbo. "Eram questões de fé. Substância de fatos esperados. Prossiga, Casaubon, que o nosso Diotallevi não compreende essas finuras teológicas, é um porco deicida."

"Para concluir: os cruzados encontram os paulicianos. Encontram-nos próximo de Antioquia por ocasião da primeira cruzada, onde aqueles combatem ao lado dos árabes, e os encontram no cerco de Constantinopla onde a comunidade pauliciana de Filipópolis procura entregar a cidade ao czar búlgaro Joannitsa para causar despeito aos franceses, conforme diz Villehardouin. Aqui está o nexo com os templários e consequentemente resolvido o nosso enigma. A lenda quer que os templários se tenham inspirado nos cátaros, mas, ao contrário, são os cátaros que se inspiraram nos templários. Encontraram as comunidades paulicianas no decorrer das cruzadas e estabeleceram com elas misteriosas ligações, tal como já haviam estabelecido com os místicos e os heréticos muçulmanos. E por outro lado, basta seguir a pista da Ordenação. Só podem passar pelos Bálcãs."

"Por quê?"

"Porque me parece claro que o sexto encontro seja em Jerusalém. A mensagem diz que devem ir à pedra. E onde é que existe uma pedra, que até hoje os muçulmanos veneram e que se quisermos vê-la temos de tirar os sapatos? Exatamente no centro da Mesquita de Omar em Jerusalém, onde outrora estava o Templo dos Templários. Não sei quem estaria esperando em Jerusalém, talvez um núcleo de templários sobreviventes e disfarçados, ou cabalistas ligados aos portugueses, mas o certo é que para chegar a Jerusalém procedendo da Alemanha a estrada mais lógica é essa dos Bálcãs, e ali os esperava o quinto núcleo, o dos paulicianos. Vejam como nesse ponto o Plano se torna claro e simples."

"Confesso que me persuade", disse Belbo. "Mas em que parte dos Balcãs os popelicanos esperam?"

"A meu ver os sucessores naturais dos paulicianos eram os bogomilos búlgaros, mas os templários de Provins não podiam então saber que poucos anos depois a Bulgária seria invadida pelos turcos e permaneceria sob seu domínio durante cinco séculos."

"Pode-se portanto admitir que o Plano se tenha interrompido na passagem dos alemães para os búlgaros. E quando devia isso ocorrer?"

"Em 1824", disse Diotallevi.
"Desculpe-me, mas por quê?"
Diotallevi traçou rapidamente um diagrama.

PORTUGAL	INGLATERRA	FRANÇA	ALEMANHA	BULGÁRIA	JERUSALÉM
1344	1464	1584	1704	1824	1944

"Em 1344 os primeiros grão-mestres de cada um dos grupos se entronizam nos seis lugares prescritos. No curso de 120 anos se sucedem em cada grupo seis mestres e em 1464 o sexto mestre de Tomar encontra o sexto mestre do grupo inglês. Em 1584 o duodécimo mestre inglês encontra o duodécimo mestre francês. A cadeia prossegue nesse ritmo, e se falhou o encontro com os paulicianos, essa falha se deu em 1824."

"Admitamos que tenha falhado", disse eu. "Mas não compreendo por que homens tão argutos, tendo tido nas mãos quatro sextos da mensagem final, não tivessem sido capazes de reconstituí-la. Ou ainda por que, tendo falhado o encontro com os búlgaros, não se tivessem posto em contato com o núcleo sucessivo."

"Casaubon", disse Belbo, "mas acha mesmo que os legisladores de Provins eram uns patetas? Se queriam que a revelação permanecesse oculta por seiscentos anos, haveriam de tomar suas precauções. Cada mestre de um grupo sabe onde encontrar o mestre do núcleo sucessivo, mas não onde encontrar os outros, e nenhum dos outros sabe onde encontrar os mestres dos grupos precedentes. Basta que os alemães tenham perdido os búlgaros para não saberem mais onde encontrar os hierosolimitanos, enquanto estes não saberão onde encontrar nenhum dos outros. E quanto a reconstituir uma mensagem a partir de fragmentos incompletos, depende da maneira pela qual os fragmentos foram divididos. Claro, nunca em sequência lógica. Basta faltar um só pedaço e a mensagem será incompreensível, e aquele que tiver o pedaço que falta não saberá o que fazer com ele."

"Imaginemos", disse Diotallevi, "que o encontro não tenha ocorrido, a Europa é hoje teatro de um balé secreto, entre grupos que se procuram e não se encontram, cada um deles sabendo que bastaria um nadinha apenas para se tornar senhor do mundo. Como se chama aquele empalhador do qual nos falou, Casaubon? Talvez a conspiração exista de fato e a história não passe do resultado dessa batalha para reconstituir a mensagem perdida. Nós não os vemos, e eles, invisíveis, agem ao nosso redor."

A Belbo e a mim veio evidentemente a mesma ideia, e começamos a falar juntos. Faltava-nos muito pouco para chegar à conexão exata. Já havíamos no entanto aprendido que pelo menos duas expressões da mensagem de Provins, a referência a 36 invisíveis separados em seis grupos, e o lapso de 120 anos, apareciam inclusive no curso do debate sobre os rosa-cruzes.

"No fim das contas eram alemães", disse eu. "Vou ler os manifestos rosa-cruccianos."

"Mas se disse que eram falsos", disse Belbo.

"E daí? Também nós estamos construindo um modelo falso."

"É verdade", disse. "Estava me esquecendo."

69

ELLES DEVIENNENT LE DIABLE

> *Elles deviennent le Diable: débiles, timorées, vaillantes à des heures exceptionnelles, sanglantes sans cesse, lacrymantes, caressantes, avec des bras qui ignorent les lois... Fi! Fi! Elles ne valent rien, elles sont faites d'un côté, d'un os courbe, d'une dissimulation rentrée... Elles baisent le serpent...*
>
> (Jules Bois, *Le satanisme et la magie*,
> Paris, Chailley, 1895, p. 12)

Estava se esquecendo, agora sei. É certamente a esse período que pertence este *file*, breve e maluco.

filename: Ennoia

Chegaste em casa, de repente. Tinha a erva. Eu não queria, porque não permito que substância alguma vegetal interfira no funcionamento de meu cérebro (mas minto, porque fumo tabaco e bebo destilados de cereais). Contudo, nas poucas vezes em que no início dos anos 1960 alguém me forçava a participar de uma roda de *joint*, com aquele papel de cigarro viscoso impregnado de saliva, e a última tragada com o alfinete, me vinha a vontade de rir.

Mas ontem tu me ofereceste, e pensei que talvez fosse teu modo de oferecer-te, e fumei com vontade. Dançamos agarrados, como não se faz há muito e — que vergonha — enquanto tocava a Quarta de Mahler. Senti como se entre os meus braços estivesse levitando uma criatura antiga, de rosto doce e enrugado de velha cabra, uma serpente que surgia do fundo das minhas costas, e te adorava como um ser antiquíssimo e universal. Provavelmente continuava a mover-me estreitado ao teu corpo, mas sentia também que estavas alçando voo, transformando-te em ouro, abrindo portas fechadas, movendo os objetos no ar. Eu estava penetrando em teu ventre escuro, Megale Apophasis. Prisioneira dos anjos.

Não eras quem eu procurava? Talvez esteja sempre a esperar por ti. Cada vez que te perdi por não reconhecer-te? Cada vez que te perdi foi por ter-te reconhecido e não ousado? Cada vez que te perdi foi por ter-te reconhecido mas sabendo que devia perder-te?

Mas onde foi que acabaste ontem à noite? Acordei pela manhã, com dor de cabeça.

70

RECORDEMOS AS ALUSÕES SECRETAS

Recordemos bem, no entanto, as alusões secretas a um período de 120 anos que o irmão A..., sucessor de D e último da segunda linha de sucessão — que viveu entre muitos de nós — nos dirige sobre a terceira linha de sucessão...

(Fama Fraternitatis, in *Allgemeine und general Reformation*, Cassel, Wessel, 1614)

Lancei-me a ler por inteiro os dois manifestos dos rosa-cruzes, a *Fama* e a *Confessio*. E dei uma lida também nas *Núpcias Químicas de Christian Rosencreutz*, de Johann Valentin Andreae, porque Andreae era o autor presuntivo dos manifestos.

Esses dois manifestos haviam aparecido na Alemanha entre 1614 e 1616. Cerca de trinta anos após o encontro de 1584 entre os franceses e os ingleses, mas quase um século antes de os franceses se reunirem com os alemães.

Li os manifestos com o propósito de não acreditar no que diziam, mas querendo ver através deles, como se dissessem algo mais. Sabia que para fazê-los dizer outras coisas devia saltar trechos, e considerar algumas proposições como mais relevantes do que outras. Mas era exatamente aquilo que os diabólicos e seus mestres nos estavam ensinando. Que quando nos movemos no tempo sutil da revelação não devemos seguir as cadeias obstinadas e obtusas da lógica e sua monótona sequencialidade. Por outro lado, tomando-os ao pé da letra, os dois manifestos eram um cúmulo de absurdos, enigmas e contradições.

Consequentemente não podiam dizer aquilo que estavam dizendo na aparência, e portanto não eram um chamamento a uma profunda reforma espiritual, nem a história do pobre Christian Rosencreutz. Eram uma mensagem em código que se devia ler sobrepondo-lhe uma retícula que deixasse livres certos espaços e encobrisse outros. Como a mensagem cifrada de Provins, na qual se contavam somente as iniciais. Eu não tinha a retícula, mas bastava pressupô-la, e para pressupô-la bastava ler com desconfiança.

Que os manifestos falavam do Plano de Provins, era incontestável. No túmulo de C.R. (alegoria da Grange-aux-Dîmes, na noite de 23 de junho de 1344!) tinha sido colocado por cautela um tesouro para que os pósteros o descobrissem, um tesouro "escondido... por 120 anos". Que esse tesouro não fosse de tipo pecuniário, era igualmente claro. Não se condenava apenas a ingênua avidez dos alquimistas, mas se dizia abertamente que o que estava prometido era uma grande mutação histórica. Se alguém não o tivesse compreendido, o manifesto seguinte voltava a dizer que não se devia ignorar uma oferta concernente aos *miranda sextae aetatis* (as maravilhas do sexto e último encontro!) e reiterava: "Se ao menos prouvesse a Deus trazer até nós a luz de seu sexto *Candelabrum*... se se pudesse ler tudo num único livro e lendo-o se compreendesse e recordasse o que aconteceu... Como seria bom se pudéssemos transformar por meio do canto (da mensagem lida a viva voz!) as rochas (*lapis exillis!*) em pérolas e pedras preciosas..." E se falava ainda de segredos arcanos, e de um governo a ser instaurado na Europa, e de uma "grande obra" que seria realizada...

Dizia-se que C.R. tinha ido à Espanha (ou a Portugal?) e mostrara aos doutos de lá como "alcançar os verdadeiros *indicia* dos séculos futuros", mas em vão. Por que em vão? Por que um grupo templar alemão, no início do século XVII, trazia a público um segredo ciosíssimo, como se fosse preciso sair a descoberto para reagir a um bloqueio qualquer no processo de transmissão?

Ninguém podia negar que os manifestos tentavam reconstruir as fases do Plano da forma como as havia sintetizado Diotallevi. O primeiro irmão cuja morte se mencionava, ou o fato de que tivesse chegado ao "limite", era o irmão I.O. que morrera na Inglaterra. Portanto, alguém havia chegado triunfalmente ao primeiro encontro. E eram mencionadas uma segunda e uma terceira linhas de sucessão. E até aqui tudo devia ter funcionado bem: a segunda linha, a inglesa, encontra a terceira linha, a francesa, em 1584, e aqueles que escrevem no início do século XVII só podem falar do que ocorreu com os três primeiros grupos. Nas *Núpcias Químicas*, escritas por Andreae em sua juventude, e consequentemente antes dos manifestos (mesmo se tenham aparecido em 1616), são mencionados três templos majestosos, em três lugares que já deviam ser sabidos.

Contudo, me dava conta de que em vez disso os dois manifestos falavam, sim, nos mesmos termos, mas como se tivesse ocorrido alguma coisa inquietante.

Por exemplo, por que tanta insistência sobre o fato de que fosse chegado o tempo, fosse chegado o momento, mesmo tendo o inimigo posto em ação todas as suas astúcias para que a causa não se realizasse? Que causa? Dizia-se que a meta de C.R. era Jerusalém, mas que não havia conseguido alcançá-la. Por quê? Louvavam os árabes porque esses trocavam mensagens entre si, ao passo que na Alemanha os doutos não sabiam ajudar-se uns aos outros. E referiam-se a "um grupo mais numeroso que quer o pasto todo para si". Aqui não só se falava de alguém que estava procurando desvirtuar o Plano para perseguir um interesse particular, mas ainda de um desvirtuamento efetivo.

A *Fama* dizia que no início alguém havia elaborado uma escrita mágica (mas claro, a mensagem de Provins), porém, que o relógio de Deus bate cada minuto "enquanto o nosso não consegue soar nem sequer as horas". Quem havia perdido as batidas do relógio divino, quem não havia sabido chegar a um certo ponto no momento exato? Havia referências a um núcleo originário de irmãos que teriam podido revelar uma filosofia secreta, mas que haviam resolvido dispersar-se pelo mundo.

Os manifestos denunciavam um estorvo, uma incerteza, um sentido de extravio. Os irmãos da primeira linha de sucessão tinham feito de modo a serem substituídos cada qual "por um sucessor digno", mas "esses haviam determinado manter em segredo... o lugar de sua sepultura e até hoje não sabemos onde estão sepultos".

A que aludia? O que era isso que não se sabia? De qual "sepulcro" se desconhecia a localização? Era evidente que os manifestos tinham sido escritos porque determinada informação andava perdida, e fazia-se apelo a quem porventura tivesse conhecimento dela, para que se apresentasse.

O final da *Fama* era inequívoco: "Pedimos novamente a todos os doutos da Europa... que considerem com ânimo benévolo nossa oferta... de nos comunicar suas reflexões... Porque se até o momento não revelamos ainda nosso nome... aquele que nos fizer chegar o próprio nome poderá conferir conosco a viva voz, ou — se houver qualquer impedimento — por escrito."

Exatamente aquilo que se propunha fazer o coronel publicando a sua história. Obrigar alguém a sair do silêncio.

Tinha havido um salto, uma pausa, um parêntese, um desmalhe. Não estava escrito no túmulo de R.C. *"post 120 annos patebo"* apenas para recordar o ritmo dos encontros, estava escrito ainda *"Nequaquam vacuum"*. Não "o vácuo não existe", mas "não deve existir o vácuo". Mas em vez disso, se havia criado um vácuo que devia ser preenchido!

Mas ainda uma vez me perguntava: por que esse discurso era feito na Alemanha, onde apenas a quarta linha devia simplesmente aguardar com santa paciência que chegasse a sua vez? Os alemães não podiam queixar-se — em 1614 — de um encontro marcado em Marienburg, porquanto esse encontro de Marienburg estava previsto para 1704!

Só uma conclusão era possível: os alemães recriminavam o fato de não se ter verificado o encontro precedente!

Eis a chave! Os alemães da quarta linha estavam-se lamentando de que os ingleses da segunda linha haviam perdido os franceses da terceira! Mas claro. Podiam-se reconhecer no texto alegorias de uma transparência de todo pueril: abre-se o sepulcro de C.R. e aí são encontradas as assinaturas dos irmãos do primeiro e do segundo círculos, mas não as do terceiro! Os portugueses e os ingleses lá estão, mas onde estão os franceses?

Em resumo, ambos os manifestos dos rosa-cruzes aludiam, sabendo-se lê-los, ao fato de que os ingleses haviam perdido os franceses. E segundo o que havíamos estabelecido, os ingleses eram os únicos a saber onde haveriam de encontrar os franceses, e os franceses os únicos a saber onde encontrar os alemães. Mas, ainda se em 1704 os franceses houvessem descoberto os alemães, ter-se-iam apresentado a eles sem os dois terços daquilo que lhes deviam entregar.

Os rosa-cruzes saem a descoberto, arriscando o que arriscam, pois essa é a única maneira de salvar o Plano.

NÃO SABEMOS TAMPOUCO COM CERTEZA

Não sabemos tampouco com certeza se os Irmãos da segunda linha tinham os mesmos conhecimentos que os da primeira, nem que tenham sido admitidos no conhecimento de todos os segredos.

(Fama Fraternitatis, in *Allegemeine und general Reformation*, Cassel, Wessel, 1614)

Eu disse isso peremptoriamente a Belbo e a Diotallevi: concordaram que o sentido secreto dos manifestos era claríssimo até mesmo para um ocultista.

"Agora está tudo claro", disse Diotallevi. "Tínhamos insistido em pensar que o plano se houvesse interrompido na passagem entre os alemães e os paulicianos, ao passo que se interrompeu em 1584 na passagem entre a Inglaterra e a França."

"Mas por quê?", perguntou Belbo. "Temos alguma boa razão que explique não terem em 1584 os ingleses conseguido realizar o encontro com os franceses? Os ingleses sabiam onde era o Refúgio, mais ainda, eram os únicos a sabê-lo."

Queria a verdade. E ativou Abulafia. Pediu, para experimentar, uma conexão de apenas dois dados. E o output foi:

Minnie é a noiva de Mickey
Trinta dias tem novembro com abril junho e setembro

"Como interpretar?", perguntou Belbo. "Minnie tem um encontro com Mickey, mas por engano acha que é a 31 de setembro, ao passo que Mickey..."

"Esperem todos!", disse eu. "Minnie só podia cometer um erro se marcasse o encontro para 5 de outubro de 1582!"

"E por quê?"

"A reforma gregoriana do calendário! Mas é natural. Em 1582 entra em vigor a reforma gregoriana que corrige o calendário juliano, e para restabelecer o equilíbrio abole dez dias do mês de outubro, do dia 5 ao dia 14!

"Mas o encontro está marcado para se dar na França em 1584, na noite de São João, ou seja, 23 de junho", disse Belbo.

"Precisamente. Mas, se bem recordo, a reforma não entrou logo em vigor em todos os lugares." Consultei o Calendário Perpétuo que tínhamos na estante. "Aqui está, a reforma foi promulgada em 1582, foram abolidos os dias 5 a 14 de outubro, mas isso funciona só para o papa. A França adota a reforma em 1583 e abole os dias 10 a 19 de dezembro. Na Alemanha ocorre uma dissidência e as religiões católicas adotam a reforma em 1584, como na Boêmia, enquanto as religiões protestantes só vão adotá-la em 1775, percebem, quase duzentos anos depois, para não falar na Bulgária — este é um dado a se ter presente, que a adota apenas em 1917. Vejamos agora na Inglaterra... Passa à reforma gregoriana em 1752! É natural, por ódio aos papistas aqueles anglicanos resistem também por dois séculos. E agora vejam só o que aconteceu. A França aboliu dez dias no final de 1583 e em junho de 1584 todos estavam já habituados. Mas quando na França é 23 de junho de 1584, na Inglaterra ainda é 13 de junho, e imaginem se um bom inglês, ainda que templário, e principalmente naqueles tempos em que as informações andavam em câmara lenta, estaria a par da história. Dirigem à esquerda até hoje e ignoram o sistema métrico decimal... Assim os ingleses se apresentam ao Refúgio no dia 23 de junho lá deles, que para os franceses já era 3 de julho. Ora, vamos supor que o encontro não se devia realizar ao som das fanfarras, mas que era antes um encontro furtivo no local exato e na hora certa. Os franceses vão ao seu lugar no dia 23 de junho, esperam um, dois, três, sete dias, e depois se mandam pensando que alguma coisa deve ter acontecido. Quem sabe desistiram precisamente na véspera, e os ingleses chegam a 3 de julho e não encontram ninguém. Quem sabe também estes esperam uns oito dias, e voltam sem encontrar ninguém. A essa altura os dois grão-mestres estão perdidos."

"Sublime", disse Belbo. "Foi isso. Mas por que tomaram a frente os rosa--cruzes alemães, e não os ingleses?"

Pedi mais um dia de prazo, revistei meus arquivos e voltei à editora esfuziante de orgulho. Tinha encontrado uma pista, aparentemente mínima, mas assim é que trabalha Sam Spade, nada é irrelevante para seus olhos de lince. Por volta de 1584, John Dee, mago e cabalista, astrólogo da rainha da Inglaterra, foi encarregado de estudar a reforma do calendário juliano.

"Os ingleses encontraram os portugueses em 1464. Depois daquela data parece que as ilhas britânicas começam a ser invadidas por um fervor cabalístico. Trabalha-se com aquilo que se aprendeu, preparando-se para o encontro seguinte. John Dee foi o primeiro da fila nesse renascer da magia e do hermetismo. Organiza uma biblioteca pessoal de quatro mil volumes que parece advinda dos templários de Provins. A sua *Monas Ierogliphica* parece inspirada diretamente na *Tabula smaragdina*, bíblia dos alquimistas. E que faz John Dee de 1584 para frente? Lê a *Steganographia* de Tritêmio! E a lê em manuscrito, porque ela será publicada pela primeira vez apenas nos primeiros anos do século XVII. Grão-mestre do núcleo inglês que sofreu a decepção do encontro frustrado, Dee quer descobrir o que teria acontecido, onde estaria o erro. E como além disso é um bom astrônomo, dá um tapa na testa e diz 'que imbecil que fui'. E se põe a estudar a reforma gregoriana, conseguindo para isso o apanágio de Isabel, para ver como reparar o erro. Mas se dá conta de que é tarde demais. Não sabe com quem estabelecer contato na França, mas tem contatos com a área da Europa Central. Praga, nos tempos de Rodolfo II, é um laboratório alquímico, e é de fato naqueles anos que Dee vai a Praga e encontra Khunrath, o autor daquele *Amphitheatrum sapientiae aeternae* cujas tábuas alegóricas inspirarão tanto Andreae quanto os manifestos rosacrucianos. Que ligações estabelece Dee? Não sei. Destruído pelo remorso de haver cometido um erro irreparável, morre em 1608. Nenhum perigo, porque em Londres surge outra figura que já agora por consenso das gentes foi um rosa-cruz e dos rosa-cruzes falou em sua *Nova Atlântida*. Refiro-me a Francis Bacon."

"Bacon fala mesmo a esse respeito?", perguntou Belbo.

"Não exatamente, mas um certo John Heydon reescreve a *Nova Atlântida* sob o título de *The Holy Land*, e nela mete os rosa-cruzes. Mas para nós está bem assim. Bacon não fala abertamente do assunto por motivos óbvios de reserva, mas é como se falasse."

"E quem viver verá."

"Exato. E é exatamente por inspiração de Bacon que se procura ampliar ainda mais as relações entre o ambiente inglês e o ambiente alemão. Em 1613 realizam-se as núpcias de Isabel, filha de Jaime I, que agora ocupa o trono, com Frederico V, eleitor palatino do Reno. Após a morte de Rodolfo II, Praga não é mais o lugar propício, passando a Heidelberg. As núpcias dos dois príncipes são um triunfo de alegorias templares. No curso das cerimônias londrinas a direção está a cargo do próprio Bacon, e tem lugar a representação de uma alegoria à cavalaria mística com a aparição de Cavaleiros no alto de uma colina. É claro que Bacon, tendo sucedido a Dee, é agora o grão-mestre do núcleo templar inglês..."

"...e como é o verdadeiro autor dos dramas de Shakespeare, devemos reler igualmente todo Shakespeare, que certamente não falava de outra coisa senão do Plano", disse Belbo. "Noite de São João; sonho de uma noite de verão. Eu me pergunto como é que ninguém até agora tinha atentado para esses sintomas, essas evidências. Tudo me parece de uma clareza quase insuportável."

"Estávamos sendo desviados pelo pensamento racionalista", disse Diotallevi, "eu sempre disse".

"Deixa Casaubon continuar, pois me parece que fez uma excelente pesquisa."

"Há pouco mais a dizer. Depois das festas londrinas têm início as comemorações de Heidelberg, onde Salomon de Caus havia construído para o eleitorado os jardins pênseis de que vimos uma pálida reevocação aquela noite no Piemonte, como bem recordam. E no decorrer daquelas festas aparece um carro alegórico que celebra o esposo na figura de Jasão, e no alto dos dois mastros da nave representada sobre o carro aparecem os símbolos do Tosão de Ouro e da Jarreteira, espero não se tenham esquecido que o Tosão de Ouro e a Jarreteira aparecem igualmente nas colunas de Tomar... Tudo coincide. No correr de um ano aparecem os manifestos rosacrucianos, o sinal que os templários ingleses, valendo-se da ajuda de alguns amigos alemães, lançam por toda a Europa, para reatarem os fios do Plano interrompido."

"Mas aonde querem chegar?"

72

NOS INUISIBLES PRETENDUS

> *Nos inuisibles pretendus sont (à ce que l'on dit) au nombre de 36, separez en six bandes.*
>
> (*Effroyables pactions faictes entre le diable & les pretendus, Inuisibles*, Paris, 1623, p. 6)

"Talvez tentassem uma operação dupla, por um lado lançando um sinal para os franceses e por outro reatando os fios esparsos do núcleo alemão, que provavelmente fora fragmentado pela Reforma luterana. Mas é precisamente na Alemanha que vai ocorrer a confusão mais forte. Do lançamento dos manifestos até cerca de 1621, os autores vão receber mais respostas que esperavam..."

Citei alguns dos inumeráveis folhetos que haviam aparecido sobre o assunto, com os quais me divertira aquela noite em Salvador com Amparo. "Provavelmente entre todos estes deve haver alguma coisa, mas esta se confunde com um excesso de exaltados, de entusiastas que levam à risca os manifestos, de provocações talvez, que tentam impedir a operação, de pastiches... Os ingleses procuram intervir no debate, controlá-la, não sendo por acaso que Robert Fludd, outro templário inglês, escreve no curso de um ano três obras para insinuar a verdadeira interpretação dos manifestos... Mas a reação é já agora incontrolável, tem início a guerra dos trinta anos, o eleitor palatino é vencido pelos espanhóis, o Palatinato e Heidelberg tornam-se terras de pilhagem, a Boêmia está em chamas... Os ingleses decidem se voltar novamente para a França e tentar ali. E eis por que em 1623 os rosa-cruzes surgem com seus manifestos em Paris, e se dirigem aos franceses com mais ou menos as mesmas ofertas que haviam dirigido aos alemães. E o que se lê num dos libelos escritos contra os rosa-cruzes em Paris, por alguém que desconfiava deles ou queria turvar as águas? Que eram adoradores do diabo, é óbvio, mas como até mesmo na calúnia não se consegue apagar a verdade, insinua-se que eles se reuniam no Marais."

"E então?"

"Mas não conhece Paris? O Marais é o bairro do Templo e, por acaso, o bairro do gueto hebreu! Além do fato de esses libelos dizerem que os rosa--cruzes estão em contato com uma seita cabalística ibérica, os Alumbrados! Talvez os panfletos contra os rosa-cruzes, aparentemente tentando atacar os Trinta e Seis Invisíveis, procurem favorecer sua identificação... Gabriel Naudé, bibliotecário de Richelieu, escreve as *Instructions à la France sur la vérité de l'histoire des Freres de la Rose-Croix*. Que instruções? É um porta-voz dos templários do terceiro núcleo, um aventureiro que se insere num jogo que não é o seu? Por um lado parece que até ele quer fazer os rosa-cruzes passarem por diabólicos de segunda categoria, por outro lado lança insinuações, diz que ainda estão em atividade três colégios rosacrucianos, o que seria verdade, após o terceiro núcleo ainda existem três. Dá indicações mais ou menos fantasiosas (um estaria na Índia nas ilhas flutuantes) mas sugere que um dos colégios seria nos subterrâneos de Paris."

"Então acha que tudo isso explica a guerra dos trinta anos?", perguntou Belbo.

"Sem dúvida alguma", disse eu, "Richelieu recebe informações privilegiadas de Naudé, quer ter uma participação direta na história, mas estraga tudo, intervém por via militar e agita ainda mais as águas. Porém não negligenciarei outros dois fatos. Em 1619 reúne-se o capítulo dos Cavaleiros de Cristo em Tomar, após 46 anos de silêncio. Havia-se reunido em 1573, poucos anos antes do 1584, provavelmente para preparar a viagem a Paris juntamente com os ingleses, e depois do caso dos manifestos rosacrucianos se reúne de novo, para decidir que linha traçar, se deve associar-se à operação dos ingleses ou tentar outros caminhos."

"Certo", disse Belbo, "trata-se agora de gente perdida num labirinto, este escolhe um caminho, aquele outro, outro mais lança protestos, não se sabendo se as vozes que respondem são as de um outro ou se são o próprio eco... Todos avançam às apalpadelas. E que farão no entretempo os paulicianos e os hierosolimitanos?"

"Sei lá", disse Diotallevi. "Mas não deixarei de lado o fato de que nesta época é que se difunde a Cabala luriana e que se começa a falar da Ruptura dos Vasos... E naquela época circula cada vez mais a ideia da Torá como mensagem incompleta. Há um escrito hassídico polaco que diz: se, em vez deste, tivesse ocorrido um outro evento, outras combinações teriam nascido das letras. Embora esteja claro, não agrada aos cabalistas que os alemães tenham querido antecipar os tempos. A justa sucessão e a ordem da Torá permaneceram escondidas, conhecidas apenas pelo Santo, que Ele seja louvado. Mas não me façam dizer tolices. Se até mesmo a santa Cabala for envolvida no Plano..."

"Se há um Plano, deve envolver tudo. Ou é global ou não explica nada", disse Belbo. "Mas Casaubon nos havia mencionado um segundo indício."

"Sim. Aliás é uma série de indícios. Antes ainda de falhar o encontro de 1584, John Dcc já tinha começado a ocupar-se de estudos cartográficos e a promover expedições navais. E em associação com quem? Com Pedro Nuñez, o cosmógrafo real de Portugal... Dee influencia as viagens de descoberta de uma passagem a noroeste em direção a Catai, investe dinheiro na expedição de um tal Frobisher, que se lança em direção ao Polo e torna de lá com um esquimó que todos tomam por mongol, instiga Francis Drake e o impele a fazer a viagem em torno do mundo, insiste para que se demande ao Leste porque o Leste é o princípio de todo conhecimento oculto, e à partida de não sei qual expedição invoca a proteção dos anjos."

"E isso que significa?"

"Parece-me que Dee não estava propriamente interessado na descoberta dos lugares, mas na sua representação cartográfica, e por isso havia trabalhado em contato com Mercator e Ortelius, grandes cartógrafos. É como se, pelos fragmentos da mensagem que tinha entre as mãos, houvesse compreendido que a reconstrução final devia levar à descoberta de um mapa, e procurasse chegar a ele por conta própria. Aliás, seria tentado a dizer mais, como o Sr. Garamond. Seria possível que a um estudioso de seu estofo escapasse a discrepância entre os calendários? E se o fizesse de propósito? Dee dá a impressão de querer reconstituir a mensagem sozinho, passando por cima dos outros núcleos. Suspeito que com Dee tenha tido início a ideia de que a mensagem pudesse ser reconstituída por meios mágicos ou científicos, mas sem precisar esperar que o Plano se cumpra. Síndrome de impaciência. Está nascendo o burguês conquistador, inquina-se o princípio de solidariedade sobre o qual se fundamenta a cavalaria espiritual. Se esta era a ideia de Dee, não falemos de Bacon. A partir daquele momento os ingleses trataram de proceder à descoberta do segredo capitalizando todos os segredos da nova ciência."

"E os alemães?"

"Os alemães teriam concordado em seguir os caminhos da tradição. Assim podemos explicar pelo menos dois séculos da história da filosofia, empirismo anglo-saxão contra idealismo romântico..."

"Estamos reconstruindo gradativamente a história do mundo", disse Diotallevi. "Estamos reescrevendo o Livro. Agrada-me, agrada-me."

73
OUTRO CASO CURIOSO

> *Outro caso curioso de criptografia foi apresentado ao público em 1917 por um dos melhores historiógrafos de Bacon, o Dr. Alfred Von Weber Ebenhoff, de Viena. Baseando-se no mesmo sistema já utilizado para as obras de Shakespeare, começou a aplicá-lo à obra de Cervantes... Prosseguindo na investigação descobriu uma perturbadora prova material: a primeira tradução inglesa do Dom Quixote feita por Shelton contém correções à mão feitas por Bacon. Concluiu daí que essa versão inglesa seria o original do romance e que Cervantes publicara dele simplesmente uma versão espanhola.*
>
> (J. Duchaussoy, *Bacon, Shakespeare ou Saint-Germain?*, Paris, La Colombe, 1962, p. 122)

Que nos dias seguintes Jacopo Belbo se pusesse a ler de modo compulsivo uma infinidade de obras históricas sobre o período dos rosa-cruzes é algo que me parece óbvio. Todavia, quando nos relatou suas conclusões, forneceu-nos a nua trama de suas fantasias, das quais extraímos preciosas sugestões. Sei agora que em vez disso estava escrevendo no Abulafia uma história bem mais complexa na qual o jogo frenético das citações se mesclava com seus mitos pessoais. Posto diante da possibilidade de combinar fragmentos de uma história alheia, estava achando de novo o estímulo para escrever, de forma narrativa, sua própria história. A nós jamais o revelou. E para mim permanece ainda a dúvida se estaria experimentando, com alguma coragem, suas possibilidades de articular uma ficção ou se estaria se identificando, como um diabólico qualquer, com a Grande História que estava revolvendo.

filename: O estranho gabinete do Dr. Dee

Há muito tempo me esqueço de ser Talbot. Desde que resolvi que devia chamar-me Kelley, pelo menos. No fundo só havia adulterado documentos, como todos fazem. Os homens da rainha são impiedosos. Para cobrir minhas pobres orelhas decepadas, fui obrigado a usar este barrete preto, e todos passaram a murmurar que eu era um mago. Pois seja. O Dr. Dee sob essa fama prospera.

Fui encontrá-lo em Mortlake e estava examinando um mapa. Mostrou-se vago, o diabólico velho. Brilhos sinistros nos seus olhos astutos, a mão ossuda que acariciava a barbicha caprina.

— É um manuscrito de Roger Bacon — disse-me — que me foi emprestado pelo imperador Rodolfo II. Conhece Praga? Aconselho-o a visitá-la. Pode vir a encontrar aí algo que mudará a sua vida. *Tabula locorum rerum et thesaurorum absconditorum Menabani...*

Espreitando, vi algo das transcrições que o doutor estava tentando fazer com um alfabeto secreto. Mas ele escondeu rapidamente o manuscrito embaixo de uma pilha de papéis amarelecidos. Viver numa época, e num ambiente, em que toda folha de papel, mesmo quando mal acaba de sair do fabricante, já está amarelada.

Mostrei ao Dr. Dee algumas das minhas produções, mormente os versos sobre a Dark Lady. Luminosíssima imagem da minha infância, escura porque reabsorvida pela sombra do tempo, e subtraída à minha posse. E um calhamaço trágico, a história de Jim do Pango que regressa à Inglaterra em companhia de sir Walter Raleigh, e descobre que o pai foi morto pelo irmão incestuoso. Meimendro.

— Você tem talento, Kelley — disse-me Dee. — Mas não tem dinheiro. Há um rapaz, filho natural de alguém que você não pode nem sequer imaginar quem seja, a quem desejo fazer famoso e respeitado. Como tem pouco talento, você será sua alma secreta. Escreva, e viva à sombra da glória dele, só ele e eu saberemos que é a sua, Kelley.

E eis-me há anos a redigir os calhamaços que, para a rainha e a Inglaterra inteira, passam como sendo desse jovem pálido. *If I have seen further it is by standing on ye sholders of a Dwarf.* Tinha 30 anos e não permitirei a ninguém dizer que esta é a idade mais bela da vida.

— William — disse-lhe eu — deixa crescer os cabelos sobre as orelhas, entrega-te. Tinha um plano (passar-me por ele?).

Pode-se viver odiando o Agita-lança que na realidade se é? *That sweet thief which sourly robs from me.* — Calma Kelley — disse me Dee — crescer na sombra é privilégio de quem se dispõe à conquista do mundo. *Keepe a Lowe Profyle*. William será uma das nossas fachadas. E me pôs a par — oh, apenas em parte — da Conspiração Cósmica. O segredo dos templários! — O lugar — perguntei? — *Ye Globe*.

Por muito tempo vinha me deitando cedo, mas uma vez, à meia-noite, vasculhei a arca privada de Dee, e tendo descoberto fórmulas, quis evocar os anjos como ele faz nas noites de lua cheia. Dee veio me encontrar de bruços, no centro do círculo do Macrocosmo, como se ferido por açoite. Na fronte, o Pentáculo de Salomão. Agora preciso afundar ainda mais sobre os olhos meu capuz.

— Isso você não sabe fazer ainda — disse-me Dee. — Tome cuidado, senão lá se vai o seu nariz. *I will show you Fear in a Handful of Dust...*

Ergueu no ar a mão descarnada e pronunciou a palavra terrível: Garamond! Senti arder uma chama em meu interior. Fugi (na noite).

Foi preciso um ano para que Dee me perdoasse e me dedicasse o seu Quarto Livro dos Mistérios, *"post reconciliationem kellianam"*

Nesse verão fui vítima de uma fúria abstrata. Dee convocou-me a Mortlake, éramos eu, William, Spenser e um jovem aristocrático de olhar fugaz, Francis Bacon. *He had a delicate, lively, hazel Eie. Doctor Dee told me it was like the Eie of a Viper*. Dee pôs-nos a par de uma parte da Conspiração Cósmica. Tratava-se de encontrar em Paris a ala franca dos templários, e casar juntamente com eles as duas partes de um mesmo mapa. Iriam Dee e Spenser, acompanhados por Pedro Núñez. A mim e a Bacon confiou alguns documentos, sob juramento, para que fossem abertos caso eles não tornassem.

Voltaram, cobrindo de insultos o evento. — Não é possível — dizia Dee — o Plano é matemático, tem a perfeição austral da minha *Monas Ierogliphica*. Devíamos encontrá-los, era a noite de São João.

Odeio ser depreciado. Disse: — A noite de São João para vocês ou para eles?

Dee deu um tapa na testa, e vomitou horríveis palavrões. — Oh — disse — *from what power hast thou this powerful might*? O pálido William correu a anotar a frase, plagiário imbecil. Dee consultava febril calendários e efemérides. — Sangue de Deus, Nome de Deus, como pude ser tão estúpido? — Insultava Núñez e Spenser. Depois: — Amanasiel Zorobabel — gritou. E Núñez foi atingido como por um invisível aríete no estômago, recuou pálido alguns passos, e amoleceu por terra. — Imbecil — gritou-lhe Dee.

Spenser estava pálido. Disse a custo: — Pode-se lançar uma isca. Estou terminando um poema, uma alegoria sobre a rainha das fadas, onde havia tentado meter um Cavaleiro da Cruz Vermelha... Deixa-me escrever. Os verdadeiros templários nele se reconhecerão, compreenderão que sabemos, e entrarão em contato conosco...

— Eu te conheço — disse Dee. — Até que o tenhas escrito e que as pessoas cheguem a tomar conhecimento desse teu poema, há de passar um lustro ou talvez mais. Mas a ideia da isca não é de todo má.

— Por que não se comunica com eles por meio de seus anjos, doutor? — perguntei-lhe.

— Imbecil — disse eu de novo, e desta vez para mim. — Não leu Tritêmio? Os anjos do destinatário só intervêm para tornar clara uma mensagem, caso este a receba. Meus anjos não são correios a cavalo. Os franceses estão perdidos. Mas tenho um plano. Sei como encontrar alguns da linha alemã. Temos que ir a Praga.

Ouvimos um rumor, uma pesada cortina de damasco estava sendo erguida, entrevimos por ela uma diáfana mão, depois Ela apareceu, a Virgem Altiva. — Majestade — dissemos ajoelhando-nos. — Dee — disse Ela — sei de tudo. Não creiais que meus antepassados tenham salvo os Cavaleiros para depois lhes conceder o domínio do mundo. Exijo, compreendei, que no fim o segredo seja apanágio de minha Coroa.

— Majestade, quero o segredo, a todo custo, e o quero para a Coroa. Quero encontrar os outros possessores, se é este o caminho mais curto, mas quando me houverem estupidamente confiado o que souberem, não me será difícil eliminá-los, seja a punhal seja a água-tofana.

Na face da Rainha Virgem desenhou-se um sorriso atroz. — Está bem assim — disse — meu caro Dee... Não quero muito, apenas o Poder Total. E a vós, se o conseguirdes, a Jarreteira. A ti, William — e se voltava com lúbrica doçura para o pequeno parasita — uma outra jarreteira, e um outro velo de ouro. Segue-me.

Sussurrei ao ouvido de William: — *Perforce I am thine, and that is in me*... William gratificou-me com um olhar de untuoso reconhecimento e seguiu a rainha, desaparecendo por trás da cortina. *Je tiens la reine!*

Fui com Dee à Cidade de Ouro. Percorremos passagens estreitas e malcheirosas não distantes do cemitério hebraico, e Dee me dizia para tomar cuidado.

— Se a notícia do encontro falhado se tiver difundido — dizia —, os outros grupos já estarão se movimentando por conta própria. Temo os judeus, os hierosolimitanos têm muitos agentes aqui em Praga...

Era noite. A neve cintilava azulada. À entrada escura do bairro judeu amontoavam-se os tabuleiros de mercado natalino, e no meio, revestido de pano vermelho, o obsceno palco de um teatro de fantoches iluminado por tochas fumegantes. Mas logo em seguida se passava sob uma arcada de pedra de cantaria e junto a uma fonte de bronze, de cujo ralo pendiam longas franjas de gelo, e se entrava no átrio de uma outra passagem. Nas velhas portas, cabeças de leão aferravam anéis de bronze. Um leve frêmito percorria aquelas paredes, inexplicáveis rumores estertoravam dos tetos baixos, e se infiltravam nas goteiras. As casas traíam sua vida interior misteriosa, ocultas senhoras da vida... Um velho usurário, envolto numa sotaina esfarrapada, quase nos esbarrou ao passar, e me pareceu ouvi-lo sussurrar: — Cuidado com Athanasius Pernath... Dee murmurou: — Tenho mais receio é de outro Athanasius... E de súbito estávamos no beco dos Fabricantes de Ouro...

Ali, e as orelhas que já não tenho me tremem ao recordá-lo sob o gasto capuz, de repente, na escuridão de uma nova e inopinada passagem parou à nossa frente um gigante, uma horrível criatura escura de expressão átona, o corpo encouraçado por uma pátina brônzea, apoiado em um nodoso bastão espiralado de madeira branca. Um intenso odor de sândalo emanava daquela aparição. Experimentei uma sensação de horror mortal, coagulado por encanto, todo, por aquele ser que me estava defronte. E no entanto não conseguia arredar os olhos do diáfano globo luminoso que lhe envolvia os ombros, no qual podia a custo distinguir o vulto ávido de um íbis egípcio, e atrás dele uma pluralidade de vultos, pesadelos de minha imaginação e da minha memória. Os contornos do fantasma que nos cortava o passo na escuridão da via se dilatavam e se encolhiam, como se uma lenta respiração mineral invadisse a inteira figura... E — horror — em lugar dos pés, ao fixá-los, vi sobre a neve cotos de perna informes cuja carne, escura e exangue, encrespava como em tumores concêntricos.

Oh minhas vorazes lembranças...

— O Golem! — disse Dee. Depois ergueu ambos os braços para o céu, e sua sotaina negra tombava com suas largas mangas para o solo, como a criar um *cingulum*, um cordão umbilical entre a posição aérea das mãos e a superfície, ou as profundidades, da terra. — Jezebel, Malkuth, *Smoke*

Gets in Your Eyes! — disse. E de repente o Golem se dissolveu como um castelo de areia batido pelo ímpeto do vento, ficamos quase cegos com as partículas de seu corpo de argila que se fragmentavam como átomos no ar, e ao fim tivemos aos nossos pés um montículo de cinzas comburidas. Dee inclinou-se, remexeu naquela poeira com seus dedos descarnados, e dela extraiu uma tira de papel que escondeu no peito.

Foi a essa altura que surgiu da sombra um velho rabino, de gorro sebento que muito se assemelhava ao meu capuz.

— Dr. Dee, presumo — disse.

— *Here Comes Everybody* — respondeu humilde Dee —, Rabi Allevi. Que prazer vê-lo...

E ele:

— Por acaso viram um ser passar aqui por estas bandas?

— Um ser? — disse Dee fingindo estupor. — Por quem gerado?

— Ao diabo Dee — disse Rabi Allevi. — Era o meu Golem.

— O seu Golem? Não sei de nada.

— Tome cuidado, Dr. Dee — disse lívido Rabi Allevi. — Este é um jogo muito maior do que imagina.

— Não sei do que fala, Rabi Allevi — disse Dee. — Viemos aqui fabricar algumas onças de ouro para o vosso imperador. Não somos necromantes sem categoria.

— Devolva-me pelo menos a tira — implorou Rabi Allevi.

— Que tira? — indagou Dee com diabólica ingenuidade.

— Seja maldito, Dr. Dee — disse o rabino. — E na verdade vos digo que não vereis o raiar do novo século. E afastou-se na noite, murmurando obscuras consoantes sem quaisquer vogais. Oh, Língua Diabólica e Sagrada!

Dee estava apoiado à parede úmida da passagem, o rosto lívido, os cabelos hirtos, como os da serpente.

— Conheço Rabi Allevi — disse. — Vou morrer a 5 de agosto de 1608, pelo calendário gregoriano. E portanto Kelley, ajude-me a realizar meu projeto. Sereis vós quem o deveis levar a termo. *Gilding pale streams with heavenly alchymy*, recorde-se. Eu haverei de lembrar-me, e William comigo, e contra mim.

Nada mais disse. A névoa tênue que roça o dorso na vidraça, a fumaça amarela que roça o dorso na vidraça, roçava com a língua os contornos da noite. Estávamos agora em outro beco, vapores esbranquiçados emanavam das grades ao nível do chão, pelas quais se entreviam casebres de paredes tortas, superpostas por sucessões de cinzas caliginosas... Entrevi, enquanto descia a escada às apalpadelas (os degraus imprevistamente ortogonais), a figura de um velho de sobrecasaca lisa e de chapéu alto e cilíndrico. Dee também o viu:

— Caligari! — exclamou. — Ele também aqui, e em casa de Madame Sosostris, *The Famous Clairvoyante*! Temos que andar ligeiro.

Apressamos o passo e chegamos à porta de um casebre, numa viela pouco iluminada, sinistramente semítica.

Batemos, e a porta se abriu como por encanto. Entramos num amplo salão, adornado de candelabros de sete braços, tetragramas em relevo, estrelas de davi irradiadas. Velhos violinos, cor de moldura dos quadros antigos, estavam empilhados à entrada sobre um estrado de anamórfica irregularidade. Um grande crocodilo pendia, mumificado, da abóbada da espelunca, oscilando levemente à brisa da noite, ao fosco clarão de uma só tocha, ou de muitas — ou de nenhuma. Ao fundo, diante de uma espécie de tenda ou palanquim, sob a qual se erguia um tabernáculo, num genuflexório, um velho blasfemava em murmúrio incessante os 72 nomes de Deus. Percebi, por subitânea fulguração do Nous, que era Heinrich Khunrath.

— Ao sólido Dee — disse ele, voltando-se e interrompendo sua oração —, que desejas? Parecia um tatu empalhado, um iguana sem idade.

— Khunrath — disse Dee —, o terceiro encontro não se realizou.

Khunrath explodiu numa horrível imprecação:

— *Lapis Exillis!* E agora?

— Khunrath — disse Dee —, vós podeis lançar uma isca e pôr-me em contato com a linha templar germânica.

— Vejamos — disse Khunrath. — Poderei pedir a Maier, que está em contato com muita gente da corte. Mas me direis o segredo do Leite Virginal, do Forno Secretíssimo dos Filósofos.

Dee sorriu — oh o sorriso divino daquele Sábio! Encolheu-se então como se estivesse rezando e sussurrou a meia-voz:

— Quando quiserdes transformar e dissolver em água ou em Leite Virginal o Mercúrio sublimado, metei-o sobre a lâmina na fornalha com a taça contendo a Coisa diligentemente pulverizada, não devendo cobri-la mas fazendo de modo que o ar quente atinja a matéria nua, submetendo-a a um fogo de três carvões, e mantendo-o vivo por três dias solares, depois é retirá-lo e moê-lo bem sobre o mármore fino até se tornar impalpável. Feito isso, metei a matéria dentro de um alambique de vidro, fazendo-a destilar em Balneum Mariae, sobre um caldeirão de água, posto de tal maneira que não se aproxime da água a menos de dois dedos, mas permaneça suspenso no ar, ao mesmo tempo em que se mantém o fogo sob o banho. Então, e só então, embora a matéria da prata não toque a água, mas se encontre naquele ventre quente e úmido, ela se transmutará em água.

— Mestre — disse Khunrath caindo de joelhos e beijando a mão descarnada e diáfana do Dr. Dee. — Mestre, assim farei. E terás o que desejas. Recorda-te destas palavras, a Rosa e a Cruz. Delas ouvirás falar.

Dee envolveu-se na sua sotaina de ferreiro, da qual surgiam apenas os olhos cintilantes e malignos.

— Vamos embora, Kelley — disse. — Este homem agora é nosso. E tu, Khunrath, mantém distante o Golem até nosso retorno a Londres. E depois, que Praga seja uma fogueira apenas.

Fez menção de afastar-se. Khunrath, arrastando-se, agarrou-lhe a fímbria do manto:

— Virá, talvez, a ti, um dia, um homem. Que deseja escrever sobre ti. Sê amigo dele.

— Dá-me o Poder — disse Dee com uma expressão indizível no rosto descarnado —, que sua fortuna estará assegurada.

Saímos. Estava assinalada uma depressão sobre o Atlântico, que se deslocava para oeste ao encontro de um anticiclone situado sobre a Rússia.

— Sigamos para Moscou — disse-lhe.

— Não — respondeu —, retornemos a Londres.

— A Moscou, a Moscou — murmurava demente. — Sabias bem, Kelley, que nunca haverias de ir ali. Esperava-te a Torre.

Regressamos a Londres. O Dr. Dee falou:

— Eles estão procurando chegar à solução antes de nós. Kelley, escreva aí alguma coisa para William... alguma coisa diabolicamente insinuante a respeito deles.

Ventre do demônio, de fato o fiz, mas depois William inquinou o texto e transpôs tudo de Praga para Veneza. Dee estava entregue a todas as fúrias. Porém o pálido e asqueroso William sentia-se protegido por sua real concubina. Não lhe bastava. Como eu, pouco a pouco, lhe passasse seus melhores sonetos, perguntava-me com olhar impudico a seu respeito, sobre Ti, *my Dark Lady*. Que horror sentir teu nome em seus lábios mesquinhos (não sabia que, espírito dúplice e vicário por destino, ele a estava querendo para Bacon).

— Basta — disse-lhe. — Estou cansado de construir na sombra a tua glória. Escreve por ti mesmo.

— Não posso — respondeu-me, com o olhar de quem havia visto um Lêmure. — Ele não me permite.

— Quem? Dee?

— Não, o Verulâmio. Ainda não percebeste que ele agora é que dirige o jogo? Está me obrigando a escrever obras para depois se gabar de serem suas. Compreendeste, Kelley, eu sou o verdadeiro Bacon, mas os pósteros não saberão. Oh parasita! Como odeio aquele demônio!

— Bacon é um miserável, mas tem talento — disse eu. — Por que não escreve de próprio punho?

Não sabia que lhe faltasse tempo. Só nos demos conta anos mais tarde quando a Alemanha foi invadida pela loucura rosa-cruz. Aí então, coligindo dados esparsos, palavras que ao correr da pena deixara escapar, compreendi que o autor dos manifestos dos rosa-cruzes era ele. Escrevia-os sob o falso nome de Johann Valentin Andreae!

Não havia então compreendido para quem Andreae escrevia, mas agora, na escuridão desta cela onde definho, mais lúcido que Dom Isidro Parodi, agora sei. Quem mo disse foi Soapes, meu companheiro de prisão, um ex--templário português: Andreae escrevia um romance de cavalaria para um espanhol que entrementes jazia em outra prisão. Não sei por quê, mas o projeto servia ao infame Bacon, que teria querido passar à história como autor secreto das aventuras do cavaleiro da Mancha, e que pedia a Andreae para lhe redigir em segredo a obra da qual ele depois se fingiria o verdadeiro autor oculto, para poder gozar na sombra (mas por quê, por quê?) o triunfo de um outro.

Porém, divago, agora que passo frio nesta masmorra e o polegar me dói. Estou redigindo, ao frouxo clarão de uma candeia moribunda, as últimas obras que passarão sob o nome de William.

O Dr. Dee morreu, murmurando Luz, mais Luz, e pedindo um palito. Depois disse: *Qualis Artifex Pereo*! Fez-se matar por Bacon. Há anos, antes que a rainha desaparecesse, contraditória de mente e coração, de algum modo o Verulâmio a havia seduzido. Então seus traços se haviam alterado e estava reduzida ao estado de esqueleto. Sua alimentação se limitava a um pãozinho branco e a sopa de chicória. Conservava a seu lado uma espada e nos momentos de cólera a imergia com violência nas cortinas e nos damascos que cobriam as paredes de seu retiro. (E se por detrás estivesse escondido alguém, para escutar? Ou um rato, um rato? Boa ideia, velho Kelley, é preciso anotá-la.) Com a velha reduzida a esse estado, foi fácil a Bacon fazer-lhe crer que era William, o seu bastardo — apresentando-se a seus pés, com ela agora cega, coberto por uma pele de carneiro. O Velo de Ouro! Diria que pretendesse o trono, mas sabia que desejava bem mais, o controle do Plano. Foi então que se tornou visconde de Santo Albano. E, como se sentisse poderoso, eliminou Dee.

A rainha está morta, viva o rei... Eu era agora uma testemunha importuna. Fez-me cair numa cilada, numa noite em que finalmente a Dark Lady teria podido ser minha, e dançava abraçada comigo, perdida sob o controle de ervas capazes de dar visões, ela a Sophia eterna, com seu rosto enrugado de velha cabra... Entrou com uma escolta de soldados, fez-me cobrir os olhos com um lenço, e logo compreendi: o vitríolo! E como ria, Ela, como te rias, Pin Ball Lady — *oh maiden virtue rudely strumpeted, oh gilded honor shamefully misplac'd!* — enquanto ele te tocava com suas mãos rapaces, e tu o chamavas Simão, beijando-lhe a cicatriz sinistra...

Para a Torre, para a Torre, ria-se o Verulâmio. E desde então aqui vegeto, com aquela larva humana que se diz Soapes, e os carcereiros me conhecem apenas como Jim do Pango. Estudei a fundo, e com ardente zelo, filosofia, jurisprudência e medicina, e infelizmente até mesmo teologia. E eis-me aqui, pobre louco, sem saber de mais nada.

De uma seteira assisti às núpcias reais, com os cavaleiros da cruz vermelha que caracolavam ao som das cornetas. Eu devia estar ali a soar a corneta. Cecilia bem sabia, e mais uma vez foi-me arrebatado o prêmio, a meta. Tocava William. Eu escrevia na sombra, para ele.

— Direi como te vingares — sussurrou-me Soapes, e naquele dia se revelou da forma que realmente era, um abade bonapartista, há séculos encerrado naquela masmorra.

— Sairás daqui? — perguntei-lhe.

— *If...* — havia começado a responder. Depois calou-se. Batendo com a colher na parede, num misterioso alfabeto que me confessou haver recebido de Tritêmio, tinha iniciado a transmissão de uma mensagem a alguém que estava na cela ao lado. O conde de Monsalvat.

Passaram-se anos. Soapes nunca parou de bater na parede. Agora sei por quê e com que fim. Chama-se Noffo Dei. Dei (por que misteriosa cabala Dei e Dee soam tão afins? Quem denunciou os templários?), instruído por Soapes, denunciou Bacon. O que terá dito não sei, mas há poucos dias o Verulâmio foi encarcerado. Acusado de sodomia porque, disseram (tremo ao pensar que seja verdade), porque tu, a Dark Lady, a Virgem Negra dos druidas e dos templários, outra coisa não eras, ou não és, do que o eterno andrógino, saído das mãos sapientes de quem, de quem? Agora, agora sei, de teu amante, o conde de São Germano! Mas quem é São Germano senão o mesmo Bacon (quantas coisas sabe Soapes, esse obscuro templário de muitas vidas...)?

O Verulâmio saiu da prisão, readquirindo por artes mágicas os favores do monarca. Agora — disse-me William — passa as noites às margens do Tâmisa, no Pilad's Pub, jogando naquela estranha máquina, inventada por um certo Nolano, que ele depois mandou horrivelmente queimar em Roma, depois de o haver atraído a Londres para arrancar-lhe seu segredo, uma máquina astral, devoradora de esferas desvairadas, que por infinitos e universos mundos, entre um rutilar de luzes angélicas, desferindo obscenos golpes de besta triunfante com o púbis contra a caixa, para fingir simular as aventuras dos corpos celestes na morada dos Decanos e compreender os últimos segredos de sua magna instauração, e o próprio segredo da Nova Atlântida, ele chamou Gottlieb's, parodiando a língua sagrada dos manifestos atribuídos a Andreae... Ah! exclamo para mim (s'écria-t-il), agora lucidamente cônscio, mas tarde demais e em vão, enquanto o coração me pulsa vitoriosamente sob as rendas do colete: eis por que me tomou a corneta, amuleto, talismã, vínculo cósmico que podia comandar os demônios. Que estará tramando em sua Casa de Salomão? É tarde, repito para mim, agora já lhe foram dados demasiados poderes.

Dizem que Bacon está morto. Soapes me assegura não ser verdade. Ninguém há que lhe tenha visto o cadáver. Vive sob um falso nome junto ao landgrave de Hesse, ora iniciado nos mistérios máximos, pronto a prosseguir sua torva batalha pelo triunfo do Plano, em seu nome e sob o seu controle.

Após aquela morte presumida, veio encontrar-me William, com seu sorriso hipócrita, que a grade não conseguia ocultar-me. Perguntou-me por que no soneto 111 eu o fizera escrever sobre um certo Tintureiro, citando-me o verso *To What It Works in, Like the Dyer's Hand*...

— Jamais escrevi estas palavras — disse-lhe. E era verdade... É claro, Bacon foi quem as inseriu, antes de desaparecer, para deixar algum sinal misterioso àqueles que pudessem hospedar São Germano de corte em corte, como especialista em tinturas... Creio que o futuro procurará fazer acreditar que tenha sido ele quem escreveu as obras de William. Como tudo se torna evidente, quando se olha das sombras de uma masmorra!

Where Art Thou, Muse, That Thou Forget'st So Long? Sinto-me cansado, doente. William espera de mim novo material para as suas velhacas clowneries no Globe.

Soapes está escrevendo. Olho por cima de seus ombros. Traça uma mensagem incompreensível: *Rivverrun, past Eve and Adam's*... Esconde o papel, olha para mim, vê-me mais pálido que um Espectro, lê a Morte nos meus olhos. E murmura para mim:

— Descansa. Não tenhas receio. Escreverei por ti.

E assim está fazendo, máscara de uma máscara. Eu lentamente me extingo, e ele me subtrai até a última luz, a da escuridão.

74

EMBORA A VONTADE SEJA BOA

Embora a vontade seja boa, contudo seu espírito e suas profecias parecem evidentes ilusões do demônio... Elas são em grau de enganar muitas pessoas curiosas e de causar grande dano e escândalo à Igreja de Deus Nosso Senhor.

(Parecer sobre Guillaume Postel enviado a Inácio de Loiola pelos padres jesuítas Salmeron, Lhoost e Ugoletto, 10 de maio de 1545)

Belbo contou-nos com indiferença o que havia imaginado, sem nos ler suas páginas, e eliminando as referências pessoais. Deu-nos mesmo a entender que Abulafia lhe havia fornecido as combinações. Eu já havia encontrado em algum lugar a indicação de que Bacon fosse o autor dos manifestos dos rosa-cruzes. Mas um indício me surpreendeu: que Bacon fosse visconde de Santo Albano.

Alguma coisa me rondava a cabeça, algo que tinha a ver com a minha velha tese. Passei a noite seguinte a revirar meus arquivos.

"Senhores", disse na manhã seguinte com certa solenidade aos meus cúmplices, "não podemos inventar conexões. Elas existem. Quando em 1164 São Bernardo lança a ideia de um concílio em Troyes para legitimar os templários, entre os encarregados de organizar a operação estava o prior de Santo Albano, que entre outras coisas traz o nome do primeiro mártir inglês, evangelizador das ilhas britânicas, nascido exatamente em Verulam, que era o feudo de Bacon. Santo Albano, celta e indubitavelmente druida, iniciado como São Bernardo."

"É pouco", disse Belbo.

"Esperem. Esse prior de Santo Albano é o abade de Saint-Martin-des--Champs, a abadia onde será instalado o Conservatoire des Arts des Métiers!"

Belbo reagiu. "Por Deus!"

"Não só", acrescentei, "mas o Conservatoire foi imaginado como uma homenagem a Bacon. Aos 25 de brumário do ano III a Convenção autorizou seu Comité d'Instruction Publique a publicar a obra completa de Bacon. E aos 18 de vendemiário do mesmo ano a mesma Convenção vota uma lei para fazer construir uma casa das artes e dos ofícios que deveria reproduzir a ideia da Casa de Salomão de que fala Bacon na *Nova Atlântida*, como o lugar em que estariam recolhidas todas as invenções técnicas da humanidade."

"E então?", perguntou Diotallevi.

"É que no Conservatoire está o Pêndulo", disse Belbo. E pela reação de Diotallevi compreendi que Belbo havia-lhe falado de suas reflexões sobre o pêndulo de Foucault.

"Vamos com calma", disse eu. "O pêndulo foi inventado e instalado no século passado. Por ora deixemo-lo de parte."

"Deixá-lo de parte?", disse Belbo. "Mas por acaso nunca deu uma olhada na Mônada Hieroglífica de John Dee, o talismã que devia concentrar toda a sabedoria do universo? Não lhe parece um pêndulo?"

"Está bem", disse eu, "admitamos ser possível estabelecer uma relação entre os dois fatos. Mas como se passa de Santo Albano ao Pêndulo?"

Vim a sabê-lo no curso de alguns dias.

"Bem, o prior de Santo Albano é o abade de Saint-Martin-des-Champs, que se transforma assim num centro filotemplar. Bacon, por via de seu feudo, estabelece contato iniciático com os druidas seguidores de Santo Albano. Agora escutem: enquanto Bacon inicia sua carreira na Inglaterra, Guillaume Postel encerra a sua na França."

(Detectei uma imperceptível contração no rosto de Belbo, recordei-me do diálogo na exposição de Riccardo, Postel evocava para ele quem lhe havia furtado idealmente Lorenza. Mas foi coisa de um instante.)

"Postel estuda o hebraico, busca mostrar que esta é a matriz comum de todas as línguas, traduz o *Zohar* e o *Bahir*, tem contatos com os cabalistas, lança um projeto de paz universal afim com aquele dos grupos rosacrucianos alemães, procura convencer o rei de França a fazer uma aliança com o sultão, visita a Grécia, Síria, Ásia Menor, estuda o árabe, em suma reproduz o itinerário de Christian Rosencreutz. E não é por acaso que assina alguns escritos com o nome de Rosispergius, aquele que esparze o orvalho. E Gassendi em seu *Examen Philosophiae Fluddanae* diz que Rosencreutz não vem de *rosa*, mas de *ros*, orvalho. Em seu manuscrito fala de um segredo a ser guardado até que venham os tempos propícios e diz: 'Porque não se atiram pérolas aos porcos.' E sabem onde aparece essa citação evangélica? No frontispício das *Núpcias Químicas*. E padre Marino Mersenne, ao denunciar o rosacruciano Fludd, diz que é da mesma massa desse *atheus magnus* que é feito Postel. Por outro lado, parece que Dee e Postel se encontraram em 1550, e quiçá não soubessem então, e não poderiam sabê-lo senão trinta anos mais tarde, que eram eles dois os grão-mestres do Plano destinados a se encontrarem em 1584. Postel então declara, ouçam esta, que por ser descendente direto do filho mais velho de Noé, e visto que Noé é o fundador da estirpe céltica e portanto da civilização druídica, o rei de França é o único pretendente legítimo ao título de Rei do Mundo. Assim mesmo, o Rei do Mundo de Agarttha, mas disse-o três séculos antes. Deixemos de lado o fato de que se enamora de uma velhota, Joanna, e a considera a Sophia divina; o homem não devia ter todos os seus parafusos no lugar. Observemos bem que tinha inimigos poderosos, que o chamavam de cão, monstro execrável, cloaca de todas as heresias, possuído por uma legião de demônios. Contudo, mesmo com o escândalo de Joanna, a Inquisição não o considera herético, porém *amens*, digamos um tanto pancada. Ou seja, não se ousa destruir o homem porque se sabe que é porta-voz de algum grupo bastante poderoso. Assinalo a Diotallevi que Postel viaja também pelo Oriente e é contemporâneo de Isaac Luria, tirem-se daí as consequências que se queira. Pois bem, em 1564 (ano em que Dee escreve a *Monas Hieroglyphica*) Postel retrata suas heresias e se retira... adivinhem para onde? Para o mosteiro de Saint-Martin-des-Champs! O que ele espera? Evidentemente espera 1584."

"Evidentemente", confirmou Diotallevi.

Prossegui: "Perceberam bem? Postel é o grão-mestre do núcleo francês, à espera de contato com o grupo inglês. Mas morre em 1581, três anos antes do encontro. Conclusões: primeiro, o incidente de 1584 acontece porque no momento justo falta uma mente aguda como Postel, que estaria apto a compreender o que estava acontecendo com a confusão dos calendários; segundo, Saint-Martin era o lugar em que os templários sempre se sentiram em casa e onde se esconde, à espera, o homem encarregado de estabelecer o terceiro contato. Saint-Martin-des-Champs era o Refúgio!"

"Tudo se encaixa como num quebra-cabeça."

"Mas acompanhem-me. Na época do encontro frustrado, Bacon tem apenas vinte anos. Mas em 1621 torna-se visconde de Santo Albano. O que encontra na herança de seus antepassados? Mistério. A verdade é que precisamente naquele ano alguém o acusa de corrupção e fá-lo encarcerar por algum tempo. Bacon havia encontrado alguma coisa que causava temor. A quem? Mas foi certamente naquela época que Bacon compreendeu que Saint-Martin estava sob controle, e concebeu a ideia de ali realizar sua Casa de Salomão, o laboratório onde se pudesse, por meios experimentais, chegar à descoberta do segredo."

"Mas", perguntou Diotallevi, "que podemos encontrar que possa relacionar os herdeiros de Bacon com os grupos revolucionários dos fins do século XVIII?"

"Será talvez a maçonaria?", disse Belbo.

"Esplêndida ideia. Aliás foi o que nos sugeriu Agliè aquela noite no castelo."

"Vamos precisar reconstituir os acontecimentos. Que aconteceu exatamente naqueles meios?"

75

OS INICIADOS ESTÃO NO LIMITE DE TAL VIA

> *Ao sono eterno... não escapariam portanto senão aqueles que já em vida tinham sabido orientar sua consciência para o mundo superior. Os Iniciados, os Adeptos, estão no limite de tal via. Conseguida a recordação, a anámnesis, conforme a expressão de Plutarco, eles se tornam livres, seguem sem vínculos, coroados celebram os "mistérios" e veem sobre a terra a multidão daqueles que não são iniciados e que não são "puros" esmagar-se e revolver-se no lodo e nas trevas.*
>
> (Julius Evola, *La tradizione ermetica*, Roma, Edizioni Mediterranee, 1971, p. 111)

Afoito, candidatei-me a uma pesquisa rápida e precisa. Antes não houvesse prometido. Encontrei-me num atoleiro de livros que iam desde estudos históricos a bisbilhotices herméticas, sem que me fosse possível distinguir facilmente as notícias confiáveis daquelas fantasiosas. Trabalhei como um autômato durante uma semana e por fim decidi elaborar uma lista quase incompreensível de seitas, lojas e conluios. Não que durante o processo não tivesse sentido vez por outra um frêmito, quando via nomes conhecidos que não esperava encontrar em tais companhias, e coincidências cronológicas que julguei curioso registrar. Mostrei o documento a meus dois cúmplices.

1645   Londres: Ashmole funda o Invisible College, de inspiração rosa-cruciana.
1662   Do Invisible College nasce a Royal Society, e desta, como todos sabem, a Maçonaria.

1666   Paris: Académie des Sciences.
1707   Nasce Claude-Louis de Saint Germain, se de fato nasceu.
1717   Criação de uma Grande Loja Londrina.
1721   Anderson promulga a Constituição da maçonaria inglesa. Pedro o Grande, iniciado em Londres, funda uma loja na Rússia.
1730   De passagem por Londres, Montesquieu é aí iniciado.
1737   Ramsay afirma a origem templar da maçonaria. Origem do Rito Escocês, doravante em luta com a Grande Loja Londrina.
1738   Frederico, então príncipe herdeiro da Prússia, é iniciado. Será o protetor dos enciclopedistas.
1740   Nasce na França nessa época um grande número de lojas: os Ecossais Fidèles de Toulouse, o Souverain Conseil Sublime, a Mère Loge Ecossaise du Grand Globe Français, o College des Sublimes Princes du Royal Secret de Bordeaux, a Cour des Souverains Commandeurs du Temple de Carcassonne, os Philadelphes de Narbonne, o Chapitre des Rose-Croix de Montpellier, os Sublimes Elus de la Verité...
1743   Primeira aparição pública do conde de São Germano. É criado em Lyon o grau de Cavaleiro Kadosch, que deve vingar os templários.
1753   Willermoz funda a loja da Parfaite Amitié.
1754   Martines de Pasqually funda o Templo dos Eleitos Cohen (ou talvez o tenha feito em 1760).
1756   O barão von Hund funda a Estrita Observância Templar. Há quem diga ter-se inspirado em Frederico II da Prússia. Fala-se aí pela primeira vez dos Superiores Desconhecidos. Há quem insinue que os Superiores Desconhecidos sejam Frederico e Voltaire.
1758   Chega a Paris o conde de São Germano, que oferece seus serviços ao rei na qualidade de químico especializado em tinturaria. Frequenta os salões da Pompadour.
1759   Formar-se-ia um Conseil des Empereurs d'Orient e d'Occident que três anos mais tarde promulgaria a Constituição e o regulamento de Bordeaux no qual terá origem o Rito Escocês Antigo e Aceito (que no entanto só aparecerá oficialmente em 1801). Típica desse rito será a multiplicação dos graus que se elevam ao número de 33.
1760   São Germano numa ambígua missão diplomática na Holanda. Tem que fugir, acaba preso em Londres e depois libertado. Dom Pernety

funda os Iluminados de Avignon. Martines de Pasqually funda os Chevaliers Maçons Elus de l'Univers.

1762 São Germano na Rússia.

1763 Casanova encontra São Germano na Bélgica: faz-se chamar de Surmont, e transforma uma moeda em ouro.
Willermoz funda o Souverain Chapitre des Chevaliers de l'Aigle Noire Rose-Croix.

1768 Willermoz entra para os Eleitos Cohen de Pasqually. Editado apocrifamente em Jerusalém *Les plus secrets mysteres des hauts grades de la maçonnerie devoilée, ou le vrai Rose-Croix*: aí se diz que a loja dos rosa-cruzes fica na montanha de Heredon, a 60 milhas de Edimburgo. Pasqually encontra Louis Claude de Saint Martin, que se tornará famoso como Le Philosophe Inconnu. Dom Pernety torna-se bibliotecário do rei da Prússia.

1771 O duque de Chartres, conhecido depois por Philippe Egalité, torna-se o grão-mestre do Grand Orient, depois Grand Orient de France, e procura unificar todas as lojas. Resistência por parte das lojas de rito escocês.

1772 Pasqually parte para São Domingos, e Willermoz e Saint Martin fundam um Tribunal Souverain que se tornará depois a Grande Loge Ecossaise.

1774 Saint Martin se retira para tornar-se o Philosophe Inconnu e um delegado de Estrita Observância Templar vai tratar com Willermoz. Nasce daí um Diretório Escocês da Província de Auvergne. Do Diretório de Auvergne nascerá o Rito Escocês Retificado.

1776 São Germano, sob o nome de conde Welldone, apresenta projetos químicos a Frederico II.
Nasce a Société des Philathìtes para congregar todos os hermetistas. Loja das Neuf Soeurs: a ela aderem Guillotin e Cabanis, Voltaire e Franklin. Weishaupt funda os Iluminados da Baviera. Segundo alguns, foi iniciado por um comerciante dinamarquês, Kölmer, que retornava do Egito, e que seria o misterioso Altotas, mestre de Cagliostro.

1778 São Germano encontra-se em Berlim com Dom Pernety. Willermoz funda a Ordre des Chevaliers Bienfaisants de la Cité Sainte. A Estrita

Observância Templar entra em acordo com o Grande Oriente para que seja aceito o Rito Escocês Retificado.

1782 Grande convenção de todas as lojas iniciáticas em Wilhelmsbad.

1783 O marquês Thomé funda o Rito de Swedenborg.

1784 São Germano teria morrido no curso dos trabalhos de instalação de uma fábrica de tinturas para o landgrave de Hesse.

1785 Cagliostro funda o Rito de Mênfis, que se tornará o Rito Antigo e Primitivo de Mênfis-Misraim, aumentando o número dos altos graus para noventa. Estoura, maquinado por Cagliostro, o escândalo do Colar da Rainha. Dumas o descreve como uma conspiração maçônica com o fim de desacreditar a monarquia.

Supressão da ordem dos Iluminados da Baviera, suspeita de tramas revolucionárias.

1786 Mirabeau é iniciado pelos Iluminados da Baviera em Berlim. Aparece em Londres um manifesto rosacruciano atribuído a Cagliostro. Mirabeau escreve a Cagliostro e a Lavater.

1787 Já há cerca de setecentas lojas na França. Sai publicado o *Nachtrag* de Weishaupt, que descreve o diagrama de uma organização secreta na qual cada adepto pode conhecer apenas o próprio imediato superior.

1789 Tem início a Revolução Francesa. Crise das lojas na França.

1794 Aos oito de vendemiário o deputado Grégoire apresenta à Convenção o projeto de um Conservatório de Artes e Ofícios. Será instalado em Saint-Martin-des-Champs em 1799, pelo Conselho dos Quinhentos.

O duque de Brunswick sugere às lojas que se dissolvam porque uma venenosa seita subversiva está agora inquinando todas elas.

1798 Prisão de Cagliostro em Roma.

1801 É anunciada em Charleston a fundação oficial de um Rito Escocês Antigo e Aceito, com 33 graus.

1824 Documento da corte de Viena ao governo francês: são denunciadas associações secretas como os Absolutos, os Independentes, a Alta Loja dos Carbonários.

1835 O cabalista Oettinger diz haver encontrado São Germano em Paris.

1846   O escritor vienense Franz Graffer publica a relação de um encontro entre seu irmão e São Germano, entre 1788 e 1790. São Germano recebe o visitante folheando um livro de Paracelso.

1864   Bakunin funda a Aliança Social-democrática inspirada, segundo alguns, nos Iluminados da Baviera.

1865   Fundação da Societas Rosicruciana em Anglia (segundo outras fontes, em 1860 ou 1867). A ela aderem Bulwer-Lytton, autor do romance rosacruciano *Zanoni*.

1875   Helena Petrovna Blavatsky funda a Sociedade Teosófica. É lançado *Ísis Revelada*. O barão Spedalieri proclama-se membro da Gran Loja dos Irmãos Solitários da Montanha, Irmão Iluminado da Antiga e Restaurada Ordem dos Maniqueus e Alto Iluminado dos Martinistas.

1877   Madame Blavatsky fala do papel teosófico de São Germano. Entre as suas encarnações, constam as de Roger e Francis Bacon, Rosencreutz Proclo, Santo Albano.
O Grande Oriente de França suprime a invocação ao Grande Arquiteto do Universo e proclama liberdade de consciência absoluta. Rompe os vínculos com a Gran Loja Inglesa, e se torna inteiramente leigo e radical.

1879   Fundação da Societas Rosicruciana nos Estados Unidos.

1880   Tem início a atividade de Saint-Yves d'Alveydre. Leopold Engler reorganiza os Iluminados da Baviera.

1884   Leão XIII condena a maçonaria na encíclica *Humanum Genus*. Os católicos se desligam e os racionalistas aderem.

1888   Stanislas de Guaita funda a Ordre Kabbalistique de la Rose-Croix. Fundação na Inglaterra da Hermetic Order of the Golden Dawn. Onze graus, de neófito a Ipsissimus. Dela é imperador McGregor Mathers, cuja irmã se casa com Bergson.

1890   Joséphin Péladan abandona Guaita e funda a Rose + Croix Catholique du Temple et du Graal, proclamando-se Sar Merodak. A contenda entre os rosacrucianos de Guaita e os de Péladan ficará conhecida como guerra das duas rosas.

1898   Aleister Crowley é iniciado na Golden Dawn. Fundará depois a ordem de Thelema por conta própria.

1907   Da Golden Dawn nasce a Stella Matutina, à qual adere Yeats.

1909   Na América do Norte, Spencer Lewis "desperta" o Anticus Mysticus Ordo Rosae Crucis e em 1916 executa com sucesso num hotel a transformação de um pedaço de zinco em ouro.
Max Heidel funda a Rosacrucian Fellowship. Em data incerta seguem-se o Lectorium Rosicrucianum, Les Frères Aînés de la Rose-Croix, a Fraternitas Hermetica, o Templum Rosae-Crucis.

1912   Annie Besant, discípula de madame Blavatsky, funda em Londres a ordem do Templo da rosa-cruz.

1918   Nasce na Alemanha a Sociedade Thule.

1936   Nasce na França La Grand Prieuré des Gaules. Nos "Cahiers de la fraternité polaire", Enrico Contardi-Rhodio fala de uma visita que lhe teria feito o conde de São Germano.

"Que significa tudo isto?", perguntou Diotallevi.

"Não pergunte a mim. Queriam dados, não é mesmo? Pois tomem. Não sei de mais nada."

"Precisamos consultar Agliè. Desconfio que nem mesmo ele conhece todas estas organizações."

"Imagine, se isto é o seu pão! Mas podemos pô-lo à prova. Acrescentemos uma seita que não existe. Fundada recentemente."

Voltou-me à lembrança a curiosa pergunta de De Angelis, se eu já havia ouvido falar alguma vez do Tres. E disse: "O Tres."

"E que vem a ser isso?", perguntou Belbo.

"Se há o acróstico deve haver o texto subjacente", disse Diotallevi, "de outra forma os meus rabinos não teriam podido praticar o Notarikon. Vejamos... Templi Resurgentes Equites Synarchici. Que tal?"

O nome nos agradou, e metemo-lo no fim da lista.

"Com todos estes conventículos, inventar um a mais não era coisa fácil", disse Diotallevi, tomado de uma crise de vaidade.

DILETANTISMO

> *Se fosse o caso de se definir com uma simples palavra o caráter dominante da maçonaria francesa do século XVIII, uma só palavra seria adequada: diletantismo.*
>
> (René Le Forestier, *La Franc-Maçonnerie Templière et Occultiste*, Paris, Aubier, 1970, 2)

Na noite seguinte convidamos Agliè a visitar o Pílades. Embora os novos frequentadores do lugar tivessem retornado ao paletó e à gravata, a presença de nosso convidado, com seu jaquetão azul de risca de giz e sua camisa imaculada, a gravata presa por um alfinete de ouro, não deixou de provocar uma certa sensação. Por sorte, às seis da tarde o Pílades estava bastante vazio.

Agliè desnorteou Pílades pedindo um conhaque de excelente marca. Havia, naturalmente, mas reinava, intacto, numa prateleira por trás do balcão de zinco, talvez houvesse vários anos.

Agliè falava olhando o licor à contraluz, depois aquecendo-o com ambas as mãos, deixando ver com isso nos punhos duas abotoaduras de ouro de estilo vagamente egípcio.

Mostramos-lhe a lista, dizendo havê-la extraído dos originais datilografados dos nossos diabólicos.

"É correto que os templários estivessem ligados a antigas lojas dos mestres pedreiros que se formaram durante a construção do Templo de Salomão. Como é certo que esses associados se referissem ao sacrifício do arquiteto do Templo, Hiram, vítima de misterioso assassínio, e se voltassem para a sua vingança. Depois da perseguição, muitos dos cavaleiros do Templo certamente confluíram para aquelas confrarias de artesãos, fundindo o mito da vingança de Hiram com o da vingança de Jacques de Molay. No século XVIII, em Londres, existiam lojas de pedreiros de fato, as chamadas lojas operativas, mas gradualmente alguns cavalheiros entediados, ainda que respeitabilíssimos, atraídos por seus ritos tradicionais, se empenharam em delas participar. Assim, a maçonaria operativa, coisa de pedreiros de verdade, foi-se transformando em maçonaria especulativa, coisa de pedreiros simbólicos. Nesse clima, um certo Desaguliers, divulgador de Newton, influenciou um pastor protestante, Anderson, que promulga constituição de uma loja de Irmãos Maçons, de inspiração deísta, e começa a falar das fraternidades maçônicas como se fossem corporações que remontassem a quatro mil anos, aos fundadores do Templo de Salomão. Eis a razão da estimada maçônica, o avental, o esquadro, o martelo. Mas talvez por isso mesmo a maçonaria tenha virado moda, atrai os nobres, pelas árvores genealógicas que deixa entrever, mas agrada ainda mais aos burgueses, que não só podem reunir-se de par a par com os nobres, mas são até mesmo autorizados a portar o espadim. Miséria do mundo moderno que nasce, os nobres têm necessidade de um ambiente onde entrar em contato com os novos produtores de capital, enquanto estes — digamos — buscam uma legitimação."

"Mas parece que os templários entram nessa história depois."

"Quem primeiro estabelece uma relação direta com os templários é Ramsay, de quem prefiro não falar. Suspeito que tivesse se inspirado nos jesuítas. De sua pregação é que nasce a ala escocesa da maçonaria."

"Escocesa em que sentido?"

"O rito escocês é uma invenção franco-alemã. A maçonaria londrina havia instituído os três graus de aprendiz, companheiro e mestre. A maçonaria escocesa multiplica os graus, porque multiplicar os graus significa multiplicar os níveis de iniciação e de segredo... Os franceses, que são presunçosos por natureza, ficaram loucos com isso..."

"Mas qual segredo?"

"Nenhum, é óbvio. Se houvesse um segredo — ou antes se eles o houvessem possuído — sua complexidade teria justificado a complexidade dos graus de iniciação. Ramsay, ao contrário, multiplica os graus para fazer crer que existe um segredo. Podem imaginar o frêmito dos bons comerciantes que finalmente podiam tornar-se príncipes da vingança..."

Agliè foi pródigo nos mexericos maçônicos. E falando passava, como era de seu costume, gradualmente a reevocações na primeira pessoa. "Naqueles tempos escreviam-se na França *couplets* sobre a nova moda dos pedreiros-livres, as lojas se multiplicavam e por elas circulavam monsenhores, frades, marqueses e comerciantes, e os membros da casa real tornavam-se grão-mestres. Na Estrita Observância Templar daquele sujeito que era o von Hund entravam Goethe, Lessing, Mozart, Voltaire, surgindo lojas entre os militares, conspirando-se nos regimentos a vingança de Hiram e discutindo-se sobre a revolução iminente. E para os outros a maçonaria era uma *société de plaisir*, um clube, um símbolo de status. Aí se encontrava de tudo, Cagliostro, Mesmer, Casanova, o barão de Holbach, D'Alembert... Enciclopedistas e alquimistas, libertinos e herméticos. E foi o que se viu ao estourar a revolução, quando os membros de uma mesma loja se achavam divididos, parecendo que a grande fraternidade entrava em crise para sempre..."

"Não era uma oposição entre o Grande Oriente e a Loja Escocesa?"

"Em termos. Um exemplo: na loja das Neuf Soeurs tinha entrado Franklin, que naturalmente objetivava sua transformação laica — a ele só interessava sustentar a revolução americana... Mas ao mesmo tempo um dos grão-mestres era o conde de Milly, que estava à procura do elixir da longa vida. Como era um imbecil, ao fazer suas experiências envenenou-se e morreu. Por outra parte pensem em Cagliostro: por um lado inventou ritos egípcios, por outro, andava implicado no caso do colar da rainha, um escândalo arquitetado pelas novas castas dirigentes para desacreditar o Ancien Régime. Cagliostro também estava no meio, compreendem? Procurem imaginar a raça de gente com quem era preciso conviver..."

"Deve ter sido difícil", disse Belbo com compreensão.

"Mas quem são" esses barões von Hund que buscam os Superiores Desconhecidos?"

"Em torno à farsa burguesa haviam surgido grupos de intenções bem diversas, que para fazer adeptos talvez se identificassem com as lojas maçônicas, porém perseguindo fins mais iniciáticos. É nesse momento que ocorre a discussão sobre os Superiores Desconhecidos. Mas infelizmente von Hund não era uma pessoa séria. A princípio faz seus adeptos acreditarem que os Superiores Desconhecidos sejam os Stuarts. Depois estabelece que a finalidade da ordem é resgatar os bens originários dos templários, e angaria fundos por toda parte. Não os achando suficientes, cai nas mãos de um certo Starck, que dizia ter recebido o segredo da fabricação do ouro diretamente dos verdadeiros Superiores Desconhecidos que estavam em Petersburgo. Logo em torno a von Hund e a Starck precipitam-se teósofos, alquimistas a um tanto por onça, rosacrucianos de última hora, e todos juntos elegem grão-mestre um cavaleiro muito íntegro, o duque de Brunswick. Que logo percebe estar em muito má companhia. Um dos membros da Observância, o landgrave de Hesse, chama junto a si o conde de São Germano julgando que aquele senhor pudesse fabricar ouro para ele, e paciência, naquele tempo acontecia fazer-se a vontade dos poderosos. Mas de quebra também se julgava São Pedro. Asseguro-lhes, uma vez Lavater, que era hóspede do landgrave, teve de fazer uma bruta cena com a duquesa de Devonshire porque esta se acreditava Maria Madalena."

"Mas e este Willermoz, esses Martines de Pasqually, que fundam uma seita dentro da outra..."

"Pasqually era um aventureiro. Praticava operações teúrgicas numa câmara secreta, os espíritos angélicos se mostravam a ele sob a forma de passagens luminosas e caracteres hieroglíficos. Willermoz o havia levado a sério porque era um entusiasta honesto mas ingênuo. Fascinado pela alquimia, acreditava numa Grande Obra à qual os eleitos deviam dedicar-se para descobrir o ponto de aliança (ou liga) dos seis metais nobres estudando os cálculos extraídos das seis letras do primeiro nome de Deus, que Salomão fizera conhecer a seus eleitos."

"E então?"

"Willermoz funda muitas regras e entra em muitas lojas ao mesmo tempo, como se usava fazer naqueles tempos, sempre à procura de uma revelação definitiva, temendo que esta estivesse oculta sempre mais além — o que era, na verdade — aliás, esta é talvez a única verdade... E assim se junta aos Eleitos Cohen de Pasqually. Mas em 1772 Pasqually desaparece, parte para São Domingos, abandona tudo em alto-mar. Por que se eclipsa? Acredito que soubesse de algum segredo e não quisesse compartilhá-lo. Em todo caso, paz à sua alma, desaparece naquele continente, obscuro como havia merecido..."

"E Willermoz?"

"Naqueles anos houve uma comoção generalizada pela morte de Swedenborg, homem que teria podido ensinar muita coisa ao Ocidente enfermo, se o Ocidente lhe tivesse dado ouvidos, mas então o século corria em direção à loucura revolucionária para seguir as ambições do Terceiro Estado... Ora, é naqueles anos que Willermoz ouve falar da Estrita Observância Templar de von Hund e fica fascinado por ela. Fora-lhe dito que um templário que assim se declara, digo fundando uma associação pública, não é um templário, mas o século XVIII era uma época de grande credulidade. Willermoz tenta com von Hund várias alianças como se vê pela lista dos senhores, até que von Hund é finalmente desmascarado — e o duque de Brunswick o expulsa da organização.

Deu outra olhadela na lista: "Ah, e Weishaupt, ia-me esquecendo. Os Iluminados da Baviera, com um nome assim, no início atraem muitas mentes generosas. Mas aquele Weishaupt era um anarquista, diríamos hoje um comunista, e sabe lá que desatinos praticavam naquele ambiente, golpes de Estado, destronamento de soberanos, banhos de sangue... Notem que já admirei muito Weishaupt, mas não por suas ideias, e sim por sua clara concepção de como deve funcionar uma sociedade secreta. Mas podemos ter esplêndidas ideias organizativas e finalidades bastante confusas. Em suma, o duque de Brunswick põe-se a gerir a confusão deixada por von Hund e percebe que a partir de então no universo maçônico alemão se encontram três princípios: o filão sapiencial e ocultista, aí compreendidos alguns rosa-cruzes, o filão racionalista, e o filão anárquico-revolucionário dos Iluminados da Baviera. E então propõe às várias ordens e ritos um encontro em Wilhelmsbad para um "convento", como o chamavam na época, digamos, de estados gerais. Estavam em discussão as seguintes perguntas: a ordem tem por origem de fato uma antiga sociedade, e qual? Há de fato os Superiores Desconhecidos, guardiães da tradição antiga e quem são? Quais os verdadeiros fins da ordem? Esse fim é a restauração da ordem dos templários? E vai por aí afora, inclusive abordando o problema se a ordem devia ou não ocupar-se das ciências ocultas. Willermoz adere entusiasta, iria encontrar finalmente resposta às perguntas que fazia a si mesmo honestamente, durante toda a vida... E aqui nasce o caso de De Maistre."

"Que De Maistre?", perguntei. "Joseph ou Xavier?"

"Joseph."

"O reacionário?"

"Se foi reacionário, não o foi bastante. Era um homem curioso. Notem que este defensor da Igreja católica, exatamente quando os primeiros pontífices começam a promulgar bulas contra a maçonaria, se faz membro de uma loja, com o nome de Josephus a Floribus. Mais ainda, aproxima-se da maçonaria quando em 1773 um breve papal condena os jesuítas. Naturalmente De Maistre se aproxima das lojas de tipo escocês, é natural, não é um iluminista burguês, é um iluminado — mas devem atentar a essas diferenças, porque os italianos chamam iluministas aos jacobinos, ao passo que em outros países se chamam com o mesmo nome os seguidores da tradição — uma confusão curiosa..."

Estava saboreando o seu conhaque, tirou da cigarreira de metal quase branca uns *cigarrillos* de forma inusitada ("são confeccionados especialmente por meu tabaconista londrino", dizia, "como os charutos que viram em minha casa, tenham a bondade, são excelentes..."), falava com os olhos perdidos na lembrança.

"De Maistre... Um homem de fino trato, ouvi-lo era um prazer espiritual. E havia adquirido grande autoridade nos círculos iniciáticos. No entanto, em Wilhelmsbad, traiu a expectativa de todos. Envia uma carta ao duque, na qual nega taxativamente a filiação templar, os Superiores Desconhecidos e a utilidade das ciências esotéricas. Refuta por fidelidade à Igreja católica, mas o faz com argumentos de enciclopedista burguês. Quando o duque leu a carta num cenáculo de íntimos, ninguém quis acreditar. De Maistre então afirmava que a finalidade da ordem era apenas uma reintegração espiritual e que os cerimoniais e os ritos tradicionais serviam apenas para manter alerta o espírito místico. Louvava todos os novos símbolos maçônicos, mas dizia que a imagem que representa muitas coisas não representa mais nada. E que — desculpem-me — é contrário a toda tradição hermética, porque o símbolo tanto é mais pleno, relevante, quanto mais for ambíguo, fugaz, senão onde estaria o espírito de Hermes, o deus das mil faces? E a propósito dos templários, De Maistre dizia que a ordem do Templo havia sido criada pela avareza e a avareza a havia destruído, eis tudo. O saboiano não podia esquecer que a ordem fora destruída com o consentimento do papa. Nunca devemos confiar nos legitimistas católicos, por mais ardente que seja sua vocação hermética. Até mesmo a resposta sobre os Superiores Desconhecidos era ridícula: não existem, e a prova é que não os conhecemos. Foi-lhe objetado que certamente não os conhecíamos, porque de outra forma não seriam desconhecidos, acham que essa era uma boa maneira de raciocinar? Curioso como um crente daquela têmpera fosse tão impermeável à noção do mistério. Após o que De Maistre consignava o apelo final, voltemos ao evangelho e abandonemos as loucuras de Mênfis. Não fazia mais que repor a linha milenária da Igreja. Compreende-se em que clima se tenha transcorrido a reunião de Wilhelmsbad. Com a defecção de uma autoridade como De Maistre, Willermoz é reduzido à minoria, e tudo o que se pôde fazer foi no máximo um acordo. Manteve-se o rito templar, adiou-se qualquer conclusão sobre as origens, em suma, um fracasso. Foi naquele momento que o escocesismo perdeu sua oportunidade, e se as coisas tivessem ocorrido de outra maneira, talvez a história do século seguinte fosse diferente."

"E depois?", perguntei. "Não se concertou mais nada?"

"Mas que queriam que fosse concertado, para usar esse termo... Três anos mais tarde, um pregador evangélico que se unira aos Iluminados da Baviera, um certo Lanze, morre atingido por um raio num bosque. Encontraram no corpo instruções da ordem, o governo bávaro interveio, descobre-se que Weishaupt estava tramando contra o governo, e a ordem foi suprimida no ano seguinte. Não só, mas foram publicados escritos de Weishaupt com o suposto projeto dos iluminados, que desacreditam por um século todo o neotemplarismo francês e alemão... Notem que provavelmente os iluminados de Weishaupt estavam do lado da maçonaria jacobina e se tinham infiltrado no filão neotemplar para destruí-lo. Não será de espantar se aquela raça tivesse atraído para seu lado o próprio Mirabeau, o tribuno da revolução. Querem ouvir uma confidência?"

"Diga."

"Homens como eu, interessados em reatar os laços de uma Tradição perdida, veem-se desorientados diante de um evento como o de Wilhelmsbad. Alguém havia adivinhado e se calara, alguém sabia e mentiu. E depois já era tarde demais, primeiro o turbilhão revolucionário, depois o alvoroço do ocultismo do século XIX... Vejam na sua lista, uma consagração da má-fé e da credulidade, um passar de rasteiras, excomunhões recíprocas, segredos que circulam pela boca de todos. O teatro do ocultismo."

"Os ocultistas são pouco confiáveis, não foi o que disse?", perguntou Belbo.

"É preciso saber distinguir-se ocultismo de esoterismo. O esoterismo é a busca de um saber que não se transmite senão por símbolos, sigilosos para os profanos. O ocultismo, ao contrário, que se difunde no século XIX, é a ponta do iceberg, aquele pouco que aflora do segredo esotérico. Os templários eram iniciados, e a prova é que, submetidos a tortura, morrem para salvar o seu segredo. A força com que o ocultaram é que nos dá a segurança de sua iniciação, e nos faz pesarosos de não sabermos o que sabiam. O ocultista é um exibicionista. Como dizia Péladan, um segredo iniciático revelado não serve para nada. Infelizmente Péladan não era um iniciado, mas um ocultista. O século XIX é o século da delação. Todos se afanam em publicar os segredos da magia, da teurgia, da Cabala, do tarô. E quiçá acreditam neles."

Agliè continuava a percorrer nossa lista, com um ou outro sorriso de comiseração. "Helena Petrovna. Bela mulher, no fundo, mas não disse uma única coisa que já não estivesse escrita em todas as paredes... De Guaita, um bibliômano drogado. Papus: esse é bom." Depois parou de repente. "Tres... Mas de onde tiraram esta informação? De que original?"

Ótimo, pensei, deu-se conta da interpolação. Mantivemo-nos na incerteza: "Olha, essa lista foi feita consultando-se vários textos, cuja maior parte já devolvemos aos autores, por ser coisa de mau gosto. Lembra-se de onde extraímos esse Tres, Belbo?"

"Não me lembro. Diotallevi?"

"Já se passaram tantos dias... Mas é importante saber?"

"De forma alguma", assegurou-nos Agliè. "É que nunca ouvi nenhuma referência a respeito. Não sabem mesmo dizer-me quem o citou?"

Lamentávamos muito, mas não nos lembrávamos.

Agliè tirou o relógio do bolso do colete. "Meu Deus, tenho outro compromisso. Vão me desculpar."

Deixou-nos a sós, e lá ficamos a discutir.

"Agora está tudo claro. Os ingleses lançam a proposta maçônica para coalizar todos os iniciados da Europa em torno do projeto baconiano."

"Mas o projeto só se realiza pela metade: a ideia que os baconianos elaboram é tão fascinante que produz resultados contrários às suas expectativas. O filão dito escocês tenciona fazer do novo conventículo a maneira de reconstituir a sucessão, e entra em contato com os templários alemães."

"Agliè acha a história incompreensível. É óbvio. Só nós agora podemos dizer o que aconteceu, o que queremos que tenha acontecido. Àquela altura os vários núcleos nacionais se indispuseram uns contra os outros, não excluirei a possibilidade de que Martines de Pasqually fosse um agente do grupo de Tomar, os ingleses renegam os escoceses, que além disso são franceses, os franceses estão evidentemente divididos em dois grupos, os filo ingleses e os filo alemães. A maçonaria é a cobertura exterior, o pretexto graças ao qual todos esses agentes dos diversos grupos — sabe Deus onde estão os paulicianos e os hierosolimitanos — se encontram e se confrontam procurando arrancar qualquer fiapo de segredo uns dos outros."

"A maçonaria como sendo o Rick's Bar de Casablanca", disse Belbo. "O que vira de cabeça para baixo a opinião comum. A maçonaria não é uma sociedade secreta."

"Claro que não, apenas um porto franco, como Macau. Uma fachada. O segredo estava em outro lugar."

"Pobres maçons."

"O progresso exige suas vítimas. Admitam no entanto que estamos encontrando uma racionalidade imanente na história."

"A racionalidade da história é efeito de uma boa reescritura da Torá", disse Diotallevi. "E nós assim estamos fazendo, e que sempre seja bendito o nome do Altíssimo."

"Está bem", disse Belbo. "Agora os baconianos têm Saint-Martin-des--Champs, a ala neotemplar franco-alemã está se dissolvendo numa miríade de seitas... Mas não decidimos ainda de que segredo se trata."

"Agora é que quero vê-los", disse Diotallevi.

"Ver-*nos*? Mas se todos estamos nesta, e se dela não sairmos honradamente, faremos uma péssima figura."

"Com quem?"

"Mas com a história, com o tribunal da Verdade."

"*Quid est veritas*?", perguntou Belbo.

"Nós", disse eu.

77

ESSA ERVA É CHAMADA ARRANCADIABO

*Essa erva é chamada Arrancadiabo pelos Filósofos. Já ficou
provado que só essas raízes podem arrancar o diabo do
corpo e afastar suas alucinações... Administrada a uma
jovem atormentada à noite pelo diabo, tal erva fez
com que ele fugisse.*

(Johannes de Rupescissa, *Trattato sulla Quintessenza*, II)

Nos dias que se seguiram ignorei o Plano. A gravidez de Lia estava chegando a termo e sempre que podia estava com ela. Lia acalmava as minhas ânsias porque, dizia, ainda não estava na hora. Tinha entrado para um curso de parto sem dor e eu procurava acompanhar os exercícios. Lia havia rejeitado a ajuda que a ciência punha à sua disposição para saber antecipadamente o sexo do nascituro. Queria a surpresa. Eu aceitara aquela bizarrice. Apalpava-lhe o ventre, não indagava o que viria dali, e havíamos decidido chamá-lo "A Coisa".

Perguntava apenas de que maneira poderia participar do parto. "'A Coisa' também é minha", dizia eu. "Não quero bancar esse pai que se vê nos filmes, nervoso de um lado para o outro nos corredores, fumando um cigarro atrás do outro."

"Pim, mais do que isso você não pode fazer. Chega um momento em que só eu posso participar. Além do mais, você não fuma e não vai querer adquirir o vício só para essa ocasião."

"E então que faço?"

"Participe antes e depois. Depois, se for homem, você o educará, o formará, criará o seu belo Édipo como convém, você se prestará sorridente ao parricídio ritual quando chegar o momento, e sem fazer barulho, depois um dia lhe mostrará seu terrível trabalho, os fichários, os rascunhos da maravilhosa história dos metais e lhe dirá 'meu filho um dia tudo isto será seu'."

"E se for mulher?"

"Dirá: 'minha filha um dia tudo isto será do malandro do seu marido'."

"E antes?"

"Durante as dores do parto, entre uma dor e outra há um intervalo que se precisa contar, pois à medida que esse intervalo diminui o momento do parto se aproxima. Contaremos juntos e você me dará o ritmo, como os remadores nas regatas. Será como se você também fizesse sair 'A Coisa' aos poucos de seu esconderijo escuro. Pobrezinho pobrezinha... Veja, agora está ali tão bem no escuro, sugando os seus líquidos como um polvo, tudo grátis, e de repente, pluft, espirra fora à luz do sol, piscará os olhos e dirá 'onde foi diabos que vim parar'?"

"Pobrezinho pobrezinha. E ainda não terá conhecido o Sr. Garamond. Vem, vamos experimentar a contagem."

Contávamos no escuro de mãos dadas. Fantasiávamos. "A Coisa" era uma coisa real que ao nascer daria sentido a todas as fábulas dos diabólicos. Pobres diabólicos, que passavam as noites a simular núpcias químicas perguntando-se se na verdade delas teria resultado um ouro de 18 quilates ou se a pedra filosofal seria a *lapis exillis*, um miserável Graal de crisol: e o meu Graal estava ali na barriga de Lia.

"Sim", dizia Lia, fazendo-me passar a mão sobre o seu ventre pançudo e teso, "é aqui que se macera a sua boa matéria-prima. Aquela gente que você viu no castelo, que é que pensava que ocorresse na barriga?"

"Oh, que dela transbordasse a melancolia, a terra sulfurosa, o chumbo negro, o óleo de Saturno, que fosse um Estige de modificações, assações, fumações, liquefações, empastações, impregnações, submersões, terra fétida, sepulcros pútridos..."

"Mas que eram, impotentes? Não sabiam que no vaso amadurece a nossa Coisa, uma coisa toda branca e bela e cor-de-rosa?"

"Claro que sabiam, mas para eles até mesmo sua barriga é uma metáfora, cheia de segredos..."

"Os segredos não existem, Pim. Sabemos bem como se forma 'A Coisa' com seus nervinhos, seus musculozinhos, seus olhinhos, seus baçozinhos, seus pancreazinhos..."

"Ó santo Deus, quantos baços? Será o Bebê de Rosemary?"

"É por assim dizer. Mas devemos estar preparados para aceitá-lo mesmo se for de duas cabeças."

"Como não? Vou ensiná-lo a fazer um dueto de corneta e clarim... Não, porque devia então ter quatro mãos, o que seria demais, embora pense só que grande concertista de piano íamos ter, para não falar no concerto para a mão esquerda. Brr... Mas, além disso, até os meus diabólicos sabem que no dia em que você estiver na clínica haverá também a obra em branco, nascerá o Rébis, o andrógino..."

"Puxa, só nos faltava isso. Ouve que é melhor: vamos chamá-lo Giulio, ou Giulia, como o nome de meu avô, está bem?"

"Não me desagrada, soa bem."

Teria sido melhor se eu ficasse nisso. Que tivesse escrito um livro branco, um *grimoire* decente, para todos os adeptos da Ísis Revelada, para explicar-lhes que o *secretum secretorum* não devia ser mais procurado, que a leitura da vida não encerrava nenhum sentido oculto, e que tudo estava ali, na barriga de todas as Lias do mundo, nos quartos das clínicas, nos brejos, à margem dos rios, e que as pedras que saem do exílio e o Santo Graal outra coisa não são que macaquinhos que gritam com o cordão umbilical a lhes balançar ainda e o médico a lhes dar palmadinhas na bunda. E que os Superiores Desconhecidos, para "A Coisa", éramos eu e Lia, mas que logo nos haveria de reconhecer, sem ter que andar por aí a perguntar àquele bobalhão do De Maistre.

Mas não, nós — os sardônicos — queríamos brincar de esconder com os diabólicos mostrando-lhes que, se tinha de haver uma conspiração cósmica, nós sabíamos inventar uma que não podia ser mais cósmica.

Bem-feito — disse para mim aquela noite —, agora estás aqui a esperar o que está para acontecer sob o pêndulo de Foucault.

78

DIREI QUE ESTE MONSTRUOSO CRUZAMENTO

> *Direi que este monstruoso cruzamento não provém certamente de um útero materno, mas com certeza de um Efialta, de um íncubo, ou de algum outro horrendo demônio, como se tivesse sido concebido de um fungo pútrido e venenoso, filho de Faunos e de Ninfas, mais parecido com um demônio do que com um homem.*
>
> (Athanasius Kircher, *Mundus Subterraneus*, Amsterdã, Jansson, 1665, II, pp. 279-280)

Aquele dia eu quis ficar em casa, pressentia algo, mas Lia me pedira para não bancar o príncipe consorte e que fosse trabalhar. "Ainda há tempo, Pim, não vai nascer agora. Eu também preciso sair. Vai."

Estava para chegar à porta de meu escritório quando se abriu a do Sr. Salon. Apareceu o velho, no seu avental amarelo de trabalho. Não pude deixar de cumprimentá-lo, e ele me convidou a entrar. Nunca tinha visto o seu laboratório, e entrei.

Se por trás daquela porta havia antes um apartamento, Salon deve ter mandado botar abaixo as divisórias, porque o que vi foi um antro, de dimensões vastas e imprecisas. Por alguma remota razão arquitetônica, aquela ala do edifício era coberta por mansarda, e a luz penetrava pela vidraça oblíqua. Não sei se os vidros estavam sujos ou se eram foscos, ou se Salon os havia recoberto para evitar o sol a pino, ou ainda se eram as pilhas de objetos que proclamavam por todo canto o temor de deixar espaços vazios, mas o certo é que no antro se espalhava uma luz de crepúsculo tardio, mesmo porque o grande vão estava dividido por prateleiras de velhas farmácias, as quais se abriam como arcadas que escandiam aberturas, passagens, perspectivas. A tonalidade dominante era o marrom, marrons eram também os objetos, as estantes, as mesas, o amálgama difuso da luz do dia e a de velhas lâmpadas que iluminavam alguns recantos como se fossem borrões. A primeira impressão era a de que eu havia entrado na oficina de um fabricante de alaúdes em que os artífices tinham desaparecido nos tempos de Stradivarius e a poeira se tivesse acumulado pouco a pouco sobre o ventre zebrado das tiorbas.

Depois, habituando os olhos aos poucos, compreendi que me encontrava, como devia ter suposto, num zoo petrificado. Ao alto, um ursinho se agarrava a um ramo artificial, com olhos lúcidos e vítreos, ao meu lado pairava uma coruja atônita e hierática, e em frente, sobre a mesa, estava uma doninha — ou uma fuinha, ou um furão, não sei. No centro da mesa, um animal pré-histórico que de início não reconheci como um felino analisado em raios X.

Podia ser um puma, um leopardo, um cão de grandes dimensões, distinguia-lhe o esqueleto no qual tinha sido enfiado em parte um chumaço de estopa sustentado por uma armadura de ferro.

"É o alão de uma rica senhora de coração de manteiga", ironizou Salon, "que quer se lembrar dele como nos tempos de sua vida conjugal. Está vendo? Tira-se a pele do animal, esfrega-se internamente com sabão arsenical, depois deixa-se macerar e embranquecer os ossos... Veja naquela estante que bela coleção de colunas vertebrais e caixas torácicas. Um belo ossário, não é? Depois, os ossos são ligados com fios metálicos e, uma vez reconstituído o esqueleto, monta-se sobre ele uma armadura, normalmente utilizo o feno, e às vezes papelão ou gesso. Por fim, monta-se a pele. Reparo os danos da morte e da corrupção. Veja só este mocho, não parece vivo?"

A partir de então todo mocho vivo me teria parecido morto, destinado por Salon àquela esclerótica eternidade. Olhei na cara esse embalsamador de faraós bestiais, suas sobrancelhas tufosas, seus zigomas pardacentos, e procurei perceber se se tratava de um ser vivo ou de uma obra-prima de sua própria arte.

Para melhor observá-lo, dei um passo atrás e senti algo me roçar a nuca. Voltei-me com um arrepio e vi que tinha posto em movimento um pêndulo.

Um grande pássaro esquartejado oscilava seguindo o movimento da lança que o trespassava. Esta lhe entrava pela cabeça, e no peito aberto via-se que lhe penetrava ali onde outrora tinha estado o coração e o papo, e que se atava em nó para ramificar-se em tridente emborcado. Uma parte, mais espessa, perfurava-lhe o lugar onde tinha havido as vísceras e apontava para a terra como uma espada, enquanto dois floretes penetravam as patas e irrompiam simetricamente dos artelhos. O pássaro balouçava levemente e as três pontas indicavam no solo o traço que ali deixariam se o tivessem aflorado.

"Belo exemplar de águia real", disse Salon. "Mas ainda preciso trabalhá-la mais um pouco. Estava exatamente escolhendo os olhos para ela." E me mostrava uma caixa cheia de córneas e pupilas de vidro, como se o algoz de Santa Luzia tivesse ajuntado o cimélio de sua carreira. "Nem sempre é fácil como no caso dos insetos, quando basta uma caixinha e um alfinete. Os invertebrados, por exemplo, são tratados com formol."

Senti um odor de câmara mortuária. "Deve ser um trabalho apaixonante", disse eu. E ao mesmo tempo pensava naquela coisa viva que palpitava no ventre de Lia. Assaltou-me um pensamento gélido: se "A Coisa" morresse, disse para mim, quero eu mesmo sepultá-la, para que nutra todos os vermes do chão e fecunde a terra. Só assim a sentirei ainda viva...

Estremeci, porque Salon estava falando, e tirava uma estranha criatura de uma de suas estantes. Tinha uns 30 centímetros de comprimento e era certamente um lagarto, um réptil de longas asas negras e membranosas, com crista de galo e fauces escancaradas eriçadas de minúsculos dentes em serra. "Bonito, não é mesmo? Uma das minhas composições. Usei uma salamandra, um morcego, as escamas de uma serpente... Um dragão das profundezas. Inspirei-me ali..." Apontou-me em cima de outra mesa um grosso volume in-fólio, encadernado em pergaminho antigo, com guardas de couro. "Custou-me os olhos da cara, não sou bibliófilo, mas este eu queria ter. É o *Mundus Subterraneus* de Athanasius Kircher, primeira edição, de 1665. Aqui está o dragão. Igual, não lhe parece? Vive nas saliências dos vulcões, dizia aquele bom jesuíta, que sabia tudo, do sabido, do ignoto e do inexistente..."

"O senhor pensa sempre nos subterrâneos", disse-lhe, recordando nossa conversa em Munique e as frases que havia captado através do ouvido de Dionísio. Abriu o volume em outra página: havia uma imagem do globo terrestre que aparecia como um órgão anatômico túmido e negro, atravessado por uma teia de aranha de veias luminescentes, serpentiformes e flamejantes. "Se Kircher tinha razão, há mais sendeiros no interior da terra do que na superfície. Se algo ocorre na natureza, vem do calor que fumega lá dentro..." Eu pensava na obra em negro, no ventre de Lia, na "Coisa" que buscava irromper de seu doce vulcão.

"... e se algo ocorre no mundo dos homens, é ali embaixo que se trama."

"Quem diz é o padre Kircher?"

"Não, ele se ocupa apenas da natureza... Mas é singular que a segunda parte deste livro seja sobre a alquimia e os alquimistas e que exatamente ali, veja só, neste ponto, haja um ataque aos rosa-cruzes. Por que ataca os rosa-cruzes num livro sobre o mundo subterrâneo? Era astuto esse nosso jesuíta, sabia que os últimos templários se haviam refugiado no reino subterrâneo de Agarttha..."

"E ainda estão por lá, ao que parece", arrisquei.

"Ainda estão", disse Salon. "Não em Agarttha, mas em outros intestinos. Talvez aqui embaixo de nós. Agora até Milão tem seu metrô. Quem foi que o quis? Quem dirigiu as escavações?"

"Diria que foram os engenheiros especializados."

"Aí está, o senhor gosta de tapar os olhos com as mãos. No entanto, na editora em que trabalha publicam-se livros de não se sabe quem. Quantos judeus existem entre os seus autores?"

"Não pedimos carteira genética de nossos editados", respondi-lhe seco.

"Não pense que sou antissemita. Alguns de meus melhores amigos são judeus. Refiro-me a um certo tipo de judeus..."

"Quais?"

"Eu sei..."

79

ABRIU SEU COFREZINHO

> *Abriu seu cofrezinho. Numa desordem indescritível ali estavam colarinhos, elásticos, utensílios de cozinha, insígnias de várias escolas técnicas, até mesmo um monograma da imperatriz Alexandra Feodorovna e a cruz da Legião de Honra. Além de tudo sua alucinação fazia-o identificar o sinete do Anticristo sob a forma de um triângulo ou de dois triângulos cruzados.*
>
> (Alexandre Chayla, "Serge A. Nilus et les Protocoles", *La Tribune Juive*, 14 de maio de 1921, p. 3)

"Veja", acrescentou, "eu nasci em Moscou. Foi exatamente na Rússia, quando eu era jovem, que apareceram os documentos secretos judeus em que se dizia claramente que para subjugar os governos era necessário trabalhar no subsolo. Ouça aqui." Tomou um caderninho onde havia copiado à mão algumas citações: "'Nessa época todas as cidades terão ferrovias metropolitanas e passagens subterrâneas: será de lá que faremos saltar aos ares todas as cidades do mundo.' Protocolos dos Sábios de Sião, documento número nove!"

Veio-me a ideia de que sua coleção de vértebras, a caixa de olhos, as peles que se estendiam sobre as armaduras, proviessem de algum campo de extermínio. Mas não, nada tinham a ver com um velho nostálgico, que trazia do passado velhas recordações do antissemitismo russo.

"Se não me engano, existe um conciliábulo de judeus, não todos, que trama alguma coisa. Mas por que nos subterrâneos?"

"Parece-me evidente! Quem trama, se trama, trama escondido, não à luz do Sol. Desde o tempo dos tempos que todos sabem disso. O domínio do mundo significa o domínio daquilo que está embaixo. Das correntes subterrâneas."

Lembrei-me de uma pergunta de Agliè em seu escritório, e da druidesa no Piemonte, que evocavam as correntes telúricas.

"Por que os celtas escavavam santuários no coração da Terra, com galerias que se comunicavam com um poço sagrado?", continuava Salon. "O poço penetrava em veios radioativos, é sabido. Como foi construída Glanstonbury? E não se trata talvez da ilha de Avalon, dali de onde se origina o mito do Graal? E quem inventa o Graal senão um judeu?"

De novo o Graal, santo Deus. Mas qual Graal, o Graal só existe um, que é a minha "Coisa", em contato com os veios radioativos do útero de Lia, e que talvez agora esteja navegando feliz em direção à boca do poço, talvez se preparando para sair e eu aqui metido entre estes mochos empalhados, cem dos quais mortos e um que finge estar ainda vivo.

"Todas as catedrais são construídas lá onde os celtas tinham seu menir. Por que plantavam pedras no terreno, com o esforço incrível que isso custava?"

"E por que os egípcios faziam um esforço incrível para erguer para o alto as suas pirâmides?"

"De fato. Antenas, termômetros, sondas, agulhas como aquelas dos médicos chineses, plantadas onde o corpo reage, nos pontos nodais. No centro da Terra há um núcleo de fusão, algo assim parecido com o Sol, até mesmo um verdadeiro Sol em torno do qual alguma coisa gira, em trajetórias diferentes. Órbitas de correntes telúricas. Os celtas sabiam onde estavam elas, e como dominá-las. E Dante, e Dante? Que pretende contar-nos com a história de sua descida às profundezas? Compreende, caro amigo?"

Não me agradava ser seu caro amigo, mas continuava a ouvi-lo. Giulio Giulia, o meu Rébis plantado como Lúcifer no centro do ventre de Lia, mas ele, ela, "a Coisa" estando de cabeça para baixo ou projetada para o alto, de qualquer modo estaria saindo. "A Coisa" é feita para sair das vísceras, para revelar-se em seu segredo límpido, e não para estar ali de cabeça baixa à procura de um segredo viscoso.

Salon continuava, agora perdido num monólogo que parecia repetir de cor: "Sabe o que são os *leys* ingleses? Sobrevoe a Inglaterra e verá que todos os lugares sagrados estão unidos por linhas retas, uma rede de linhas que se entrecruzam por todo o território, ainda visíveis porque inspiraram o traçado das estradas atuais..."

"Se eram lugares sagrados, eram ligados por estradas, e as estradas sempre se procura fazê-las o mais reto possível..."

"Será? Mas por que ao longo dessas linhas é que migram as aves? Por que assinalam os trajetos seguidos pelos discos voadores? É um segredo que se perdeu após a invasão romana, mas há quem o conheça ainda..."

"Os judeus", sugeri.

"Eles também procuram. O primeiro princípio alquímico é VITRIOL: *Visita Interiora Terrae, Rectificando Invenies Occultum Lapidem*."

Lapis exillis. A minha Pedra que estava lentamente saindo do exílio, do doce e desmemoriado hipnótico exílio do eficiente receptáculo de Lia, sem buscar outras profundidades, a minha Pedra bela e branca que quer a superfície... Tive vontade de correr a casa, esperar junto com Lia a aparição da "Coisa", hora por hora, o triunfo da superfície reconquistada. No antro de Salon havia o bafio dos subterrâneos, os subterrâneos são a origem que devemos abandonar, e não a meta a ser alcançada. E, no entanto, acompanhava Salon, e no entanto maquinava novas ideias maliciosas para o Plano. Enquanto aguardava a única Verdade deste mundo sublunar, estava me danando todo para arquitetar novas mentiras. Cego como os animais do subsolo.

Estremeci. Tinha que sair do túnel. "Preciso ir", disse. "Quem sabe você me indica alguns livros sobre o tema."

"Ora, tudo quanto escreveram sobre esses assuntos é falso, falso como a alma de Judas. O que eu sei aprendi com meu pai..."

"Geólogo?"

"Ah, não", riu Salon, "não, de forma alguma. Meu pai — não tenho de que me envergonhar, são águas passadas — trabalhava na Okrana. Diretamente sob as ordens do Chefe, o legendário Rackovsky."

Okrana, Okrana, algo assim como o KGB, não era a polícia secreta czarista? E Rackovsky, quem era? Quem tinha um nome parecido? Meu Deus, o misterioso visitante do coronel, o conde Rakosky... Não, bobagem, estava me deixando levar pelas coincidências. Eu não empalhava animais mortos, gerava animais vivos.

80

QUANDO SOBREVÉM O BRANCO

Quando sobrevém o Branco na matéria da Grande Obra, a Vida venceu a Morte, seu Rei ressuscitou, a Terra e a Água se tornaram Ar, passa a ser o regime da Lua, seu Filho nasceu... Então a Matéria adquiriu um tal grau de fixidez que o Fogo não conseguiria mais destruí-la... Quando o artista vê a brancura perfeita os Filósofos dizem que é necessário rasgar os livros, porque estes se tornaram inúteis.

(*Dom* J. Pernety, Dictionnaire mytho-hermétique,
Paris, Bauche, 1758, "Blancheur")

Inventei uma desculpa, na pressa. Creio ter dito "minha companheira vai ter filho amanhã", Salon me deu parabéns, com ar de não haver percebido quem era o pai. Corri para casa, para respirar ar puro.

Lia não estava. Na mesa da cozinha havia um papel: "Amor, rompeu a bolsa de água. Você não estava no escritório. Vou para a clínica de táxi. Vá me encontrar lá, estou me sentindo só."

Tive um momento de pânico, devia estar ali contando junto com Lia, ou estar no escritório, onde pudesse ser facilmente encontrado. Era culpa minha, "A Coisa" nasceria morta, Lia morreria com ela, Salon iria empalhar ambas.

Entrei na clínica como se tivesse labirintite, perguntei a pessoas que nada sabiam, enganei-me duas vezes de setor. Dizia a todos que bem deviam saber onde Lia estava tendo a criança, e todos me diziam para me acalmar porque ali todas as mulheres estavam tendo ou iam ter crianças.

Finalmente, não sei como, encontrei-me num quarto. Lia estava pálida, mas de uma palidez cor de pérola, sorridente. Alguém lhe havia levantado o tufo de cabelo, recolhendo-o sob uma touca branca. Pela primeira vez vi a fronte de Lia em todo o seu esplendor. Tinha ao lado uma "coisa".

"É Giulio", disse.

O meu Rébis. Eu também o tinha feito, e não com fragmentos de corpos mortos, e sem sabão arsenical. Era perfeito, tinha todos os dedos nos lugares certos.

Tratei de vê-lo todo. "Oh que peruzinho bonito, olha só que sacão o dele!" Depois pus-me a beijar Lia na fronte nua: "Mas o mérito é seu, minha querida, tudo depende do ventre."

"Claro que o mérito é meu, seu molenga. Eu contei sozinha."

"Você conta muito para mim", disse-lhe.

81

SERIAM CAPAZES DE FAZER SALTAR
AOS ARES A SUPERFÍCIE DO PLANETA

*O povo subterrâneo atingiu o máximo do saber... Se nossa
louca humanidade iniciasse uma guerra contra eles, seriam
capazes de fazer saltar aos ares a superfície do planeta.*

(Ferdinand Ossendowski, *Beasts, Men and Gods*, 1924, V)

Permaneci ao lado de Lia mesmo depois que ela saiu da clínica, pois mal chegou em casa, enquanto estava trocando as fraldas da criança, rompeu a chorar dizendo que jamais devia ter tido um filho. Alguém depois nos explicou que isso era uma reação normal: depois da excitação pela vitória do parto sobrevém uma sensação de impotência diante da imensidade da tarefa. Naqueles dias, em que vadiava em casa sentindo-me totalmente inútil, ou em todo caso inadaptado para a amamentação, passei longas horas a ler tudo aquilo que consegui encontrar sobre as correntes telúricas.

Ao voltar ao trabalho falei a respeito delas com Agliè. Ele fez um gesto excessivamente aborrecido: "Pobres metáforas para aludir ao segredo da serpente Kundalini. Também a geomancia chinesa procurava na terra os traços do dragão, mas a serpente telúrica queria significar apenas a serpente iniciática. A deusa repousa sob a forma de serpente enrodilhada e dorme o seu eterno letargo. Kundalini respira suavemente, palpita com um leve sibilo e une os corpos pesados aos corpos leves. Como um vértice, ou uma turbina hidráulica, como a metade da sílaba OM."

"Mas a que segredo alude a serpente?"

"Às correntes telúricas. Mas às verdadeiras."

"E o que são as verdadeiras correntes telúricas?"

"Uma grande metáfora cosmológica, e aludem à serpente."
Ao diabo, Agliè, disse comigo. Eu sei mais que isso.

Reli minhas anotações para Belbo e Diotallevi, e não tivemos mais dúvidas. Estávamos finalmente em condições de prover os templários com um segredo digno. Era a solução mais econômica, mais elegante, e conseguia encaixar todas as peças de nosso quebra-cabeça milenário.

Ora, os celtas sabiam das correntes telúricas: tiveram conhecimento delas por meio dos atlântidas, quando os sobreviventes do continente submerso emigraram em parte para o Egito e em parte para a Bretanha.

Os atlântidas, por sua vez, haviam aprendido tudo com aqueles nossos ancestrais que de Avalon, através do continente Mu, se haviam espalhado até o deserto central da Austrália, quando todos os continentes eram um único núcleo percorrível, a maravilhosa Pangeia. Bastaria saber ler ainda (como sabem os aborígines, mas que no entanto se calam) o misterioso alfabeto gravado no maciço de Ayers Rock, para se ter a Explicação. Ayers Rock é antípoda do grande monte (desconhecido) que é o Polo, o verdadeiro, o Polo iniciático, e não aquele ao qual pode chegar qualquer explorador burguês. Como de costume, e como é evidente para quem não tenha os olhos embaciados pelo falso saber da ciência ocidental, o Polo que se vê é aquele que não é, e o que é ninguém consegue ver, a não ser algum adepto, que mantém os lábios cerrados.

Os celtas, no entanto, acreditavam que bastaria descobrir o plano global das correntes. Eis por que erigiam megálitos: os menires eram aparelhos radioestésicos, como sondas, como tomadas elétricas fixadas nos pontos onde as correntes se difundiam em diversas direções. Os *leys* assinalavam o percurso de uma corrente já identificada. Os dolmens eram câmaras de condensação de energia onde os druidas buscavam com artifícios geomânticos extrapolar o projeto global. Os *cromlech* e Stonehenge eram observatórios micromacrocósmicos onde se tentava adivinhar, pela sequência das constelações, a ordem das correntes — pois, como preconiza a Tábula Esmeraldina, o que está por cima é isomorfo ao que está por baixo.

Mas o problema não era aquele, ou pelo menos não era só aquele. E isso havia compreendido a outra ala da emigração atlântida. Os conhecimentos ocultos dos egípcios haviam passado de Hermes Trismegisto a Moisés, que fez bem em não revelá-lo aos seus seguidores maltrapilhos com o papo ainda cheio de maná — aos quais havia transmitido os dez mandamentos, pois estes pelo menos estavam em condições de compreender. A verdade, que é aristocrática, Moisés gravou-a em linguagem cifrada no Pentateuco. E isso haviam percebido os cabalistas.

"Imagine só", dizia eu, "tudo já estava escrito como num livro aberto nas medidas do Templo de Salomão, e os custódios do segredo eram os rosa-cruzes que constituíam a Grande Fraternidade Branca, ou de fato os essênios, os quais, como é sabido, põem Jesus a par de seu segredo, motivo, de outra forma incompreensível, pelo qual Jesus acaba crucificado..."

"Certo, a paixão de Cristo é uma alegoria, um anúncio do processo dos templários."

"De fato. E José de Arimateia traz ou leva de volta o segredo de Jesus para o país dos celtas. Mas evidentemente o segredo está ainda incompleto, os druidas cristãos conhecem dele apenas um fragmento, donde o significado esotérico do Graal: há qualquer coisa, mas não sabemos o que é. Somente um núcleo de rabinos que permaneceu na Palestina suspeita do que poderia ser a coisa que o Templo já dizia por extenso. Estes confiam seu segredo aos sete iniciáticos muçulmanos, aos sufis, aos ismaelitas, aos motocallemins. E é desses que os templários o aprendem."

"Finalmente os templários. Estava preocupado."

Dávamos toques de polegar ao Plano, que, como uma argila macia, obedecia aos nossos desejos fabulatórios. Os templários haviam descoberto o segredo durante aquelas noites insones, abraçados aos companheiros de sela, no deserto onde soprava inexorável o simum. Haviam-no arrancado fio por fio àqueles que conheciam os poderes de concentração cósmica da Pedra Negra de Meca, herança espiritual dos magos babilônicos — porque estava claro a essa altura que a Torre de Babel não era outra coisa senão a tentativa, infelizmente por demais apressada e justamente falha pela soberba de seus projetistas, de construir-se um menir mais potente que todos, salvo que os arquitetos babilônicos haviam feito mal as contas porque, como o havia demonstrado o padre Kircher, se a torre tivesse chegado ao cume, seu peso excessivo teria feito rodar o eixo da Terra em noventa graus ou talvez mais, e o nosso pobre globo ficaria, em vez de com uma coroa itifálica apontada erétil para o alto, com um apêndice estéril, com uma mêntula amolecida, uma cauda simiesca, balouçando pendurada para baixo, uma Shekinah perdida nos abismos vertiginosos de um Malkut antártico, flácido hieróglifo para pinguins.

"Mas, afinal, qual o segredo descoberto pelos templários?"

"Calma, lá chegaremos. Foram precisos sete dias para fazer o mundo. Esperemos."

82

A TERRA É UM CORPO MAGNÉTICO

A Terra é um corpo magnético: de fato, como alguns cientistas descobriram, é ela toda um grande magneto, como Paracelso observou há cerca de trezentos anos.

(H.P. Blavatsky, *Isis Unveiled,* Nova York, Bouton, 1877, I, p. XXIII)

Tentamos, e chegamos a ele. A Terra é um grande ímã, cuja força e direção de suas correntes são determinadas também pela influência das esferas celestes, os ciclos sazonais, a precessão dos equinócios e os ciclos cósmicos. Por isso, o sistema das correntes é mutável. Mas deve mover-se como os cabelos, que, conquanto cresçam em toda a calota craniana, parecem originar-se em espiral de um ponto existente na nuca, exatamente onde são mais rebeldes ao penteado. Identificado esse ponto, ali colocada a estação mais potente, poder-se-iam dominar, dirigir, comandar todos os fluxos telúricos do planeta. Os templários haviam percebido que o segredo não consistia apenas em conhecer o mapa global, mas em saber onde estava seu ponto crítico, o Omphalós, o Umbilicus Telluris, o Centro do Mundo, a Origem do Comando.

Toda a fabulação alquímica, a descida ctônia da obra em negro, a descarga elétrica da obra em branco, não passavam de símbolos, transparentes para os iniciados, dessa auscultação centenária cujo resultado final deveria ser a obra em rubro, o conhecimento global, o domínio fulgurante do sistema planetário das correntes. O segredo, o verdadeiro segredo alquímico e templar estava na identificação da Fonte daquele ritmo interno, suave, tremendo e regular como o palpitar da serpente Kundalini, ainda ignorado em muitos de seus aspectos, mas certamente preciso como um relógio, da única, verdadeira Pedra jamais caída em exílio do céu, a Grande Mãe Terra.

Era aliás o que queria saber Filipe o Belo. Daí a maliciosa insistência dos inquisidores sobre o misterioso beijo *in posteriori parte spine dorsi*. Queriam o segredo de Kundalini. Sodomia, certamente.

"Tudo perfeito", dizia Diotallevi. "Mas quando soubermos dirigir as correntes telúricas, que fazemos com elas? Níquel?"

"Ora, vamos", disse eu, "não apreciam o sentido da descoberta? Finquem no Umbilicus Telluris a antena mais potente. Estar de posse daquela estação significa poder prever as chuvas e as secas, desencadear furacões, maremotos, terremotos, rachar ao meio os continentes, afundar as ilhas no abismo (certamente a Atlântida desapareceu em consequência de um experimento imprudente), fazer levitar as florestas e as montanhas... Dão-se conta disto? Diferente da bomba atômica, que causa mal igualmente a quem a joga. Você de sua torre de comando telefona, sei lá, ao presidente dos Estados Unidos e lhe diz: quero um fantastilhão de dólares até amanhã, ou a independência da América Latina, ou do Havaí, ou a destruição de suas reservas nucleares, senão a falha da Califórnia se abre definitivamente e Las Vegas se transforma num cassino flutuante..."

"Mas Las Vegas é em Nevada..."

"E que importa, controlando as correntes telúricas você pode separar Nevada, o Colorado, tudo. Depois telefona para o Soviete Supremo e lhes diz 'meus amigos, de hoje até segunda quero todo o caviar do Volga, e a Sibéria para fazer dela uma loja de sorvete, senão sorvo os Urais, faço transbordar o Cáspio, mando a Lituânia e a Estônia à deriva e faço-as mergulhar na Fossa das Filipinas'."

"É verdade", admitia Diotallevi. "Um poder imenso. Reescrever a Terra como a Torá. Deslocar o Japão para o golfo do Panamá."

"Pânico em Wall Street."

"Melhor que escudo espacial. Melhor que transmutar os metais em ouro. Dirige-se a descarga certa, põe-se em orgasmo as vísceras da Terra, em dez segundos se consegue fazer aquilo que levaria bilhões de anos, e o Ruhr inteiro se transforma para você numa jazida de diamantes. Eliphas Levi dizia que o conhecimento das marés fluídicas e das correntes universais representa o segredo da onipotência humana."

"Deve ser assim", disse Belbo, "é como transformar a Terra inteira numa câmara orgônica. É óbvio, Reich era certamente um templário."

"Todos eram, menos nós. Ainda bem que nos demos conta disso. Agora quem lhes marca o compasso somos nós."

De fato, o que teria detido os templários depois de descoberto o segredo? Deviam desfrutá-lo. Mas entre saber e saber fazer há uma grande distância. Entretanto, instruídos pelo diabólico São Bernardo, os templários haviam substituído os menires, pobres estacas célticas pelas catedrais góticas, bem mais sensíveis e potentes, com suas criptas subterrâneas habitadas por virgens negras, em contato direto com os veios radioativos, e haviam coberto a Europa com uma rede de estações receptotransmissoras que comunicavam umas às outras as potências e as direções dos fluidos, os humores e as tensões das correntes.

"Afirmo que descobriram as minas de prata do Novo Mundo, provocaram erupções, depois, controlando a corrente do Golfo, fizeram defluir o mineral sobre costas portuguesas. Tomar era o centro de separação, a Floresta do Oriente, o celeiro principal. Eis a origem da riqueza deles. Mas não passavam de migalhas. Logo perceberam que para desfrutar integralmente o seu segredo teriam que esperar um desenvolvimento técnico que requeria pelo menos o espaço de seiscentos anos."

Por isso os templários haviam organizado o Plano de modo que só os seus sucessores, quando estivessem em condições de usar devidamente aquilo que sabiam, descobrissem onde se localizava o Umbilicus Telluris. Mas de que modo haviam distribuído os fragmentos da revelação pelos 36 cavaleiros espalhados pelo mundo? Seriam outras tantas partes da mesma mensagem? Mas para que se precisa de uma mensagem tão complexa para dizer que o Umbilicus é, por exemplo, Baden-Baden, ou Cuneo, ou Chattanooga?

Um mapa? Mas um mapa tem um sinal sobre o ponto em que se acha o Umbilicus. E quem tiver em mãos o fragmento com o sinal fica sabendo logo de tudo e não precisa juntar os outros fragmentos. Não, a coisa devia ser mais complexa. Ficamos quebrando a cabeça com isso por mais alguns dias até que Belbo resolveu recorrer ao Abulafia. E a resposta foi:

Guillaume Postel morreu em 1581.
Bacon é visconde de Santo Albano.
O pêndulo de Foucault está no Conservatoire.

Havia chegado o momento de se encontrar uma função para o Pêndulo.

Eu estava em condições de propor alguns dias depois uma solução mais elegante. Um diabólico nos havia proposto um texto sobre o segredo hermético das catedrais. Segundo o nosso autor, um dia os construtores de Chartres haviam deixado um fio de prumo apenso do arco de uma abóbada, e daí haviam facilmente deduzido a rotação da Terra. Eis a razão de terem processado Galileu, observara Diotallevi, a Igreja farejara nele um templário — não, redarguira Belbo, os cardeais que tinham condenado Galileu eram adeptos dos templários infiltrados em Roma, que se tinham apressado em tapar a boca do maldito toscano, templário traidor que estava para soprar tudo o que sabia, por vaidade, com quatrocentos anos de antecipação à data de execução do Plano.

Em todo caso, essa descoberta explicava por que sob o Pêndulo aqueles mestres pedreiros haviam traçado um labirinto, imagem estilizada do sistema de correntes subterrâneas. Busquemos uma imagem do labirinto de Chartres: um relógio solar, uma rosa dos ventos, um sistema venoso, um rastro viscoso dos movimentos sonolentos da Serpente. Um mapa-múndi das correntes.

"Muito bem, suponhamos que os templários se tenham servido do Pêndulo para indicar o Umbilicus. Em vez do labirinto, que não deixa de ser sempre um esquema abstrato, põem no chão um mapa do mundo e dizem, digamos, que o ponto assinalado pela ponta do Pêndulo a uma determinada hora é aquele onde está localizado o Umbilicus. Mas onde?"

"O lugar está fora de questão: é Saint-Martin-des-Champs, o Refúgio."

"Sim", sutilizou Belbo, "mas suponhamos que à meia-noite o Pêndulo oscile ao longo de um eixo — vamos dizer ao acaso — Copenhague-Capetown. Onde estará o Umbigo, na Dinamarca ou na África do Sul?"

"Bem observado", disse eu. "Mas o nosso diabólico nos conta igualmente que em Chartres há uma fissura num dos vitrais do coro e que a determinada hora do dia um raio de Sol penetra por ela e vai incidir sempre sobre o mesmo ponto, sempre sobre a mesma pedra do pavimento. Não recordo que conclusão ele extrai desse fato, mas em todo caso trata-se de um grande segredo. Eis o mecanismo. No coro de Saint-Martin há uma janela com uma greta no ponto em que dois vidros coloridos ou foscos foram juntados um ao outro pela massa de chumbo. Foi calculada minuciosamente, e com toda a probabilidade há seiscentos anos que alguém se dá ao trabalho de mantê-la em forma. Ao nascer do Sol de determinado dia do ano..."

"... que não pode ser outro senão o dia 24 de junho, dia de São João, festa do solstício de verão..."

"... isso, naquele dia e naquela hora, o primeiro raio de Sol que penetra pela janela bate no Pêndulo e ali onde o Pêndulo está no momento em que for atingido pelo raio de Sol, naquele preciso ponto do mapa é que estará o Umbilicus!"

"Perfeito", disse Belbo. "Mas se o céu estiver encoberto?"

"Espera-se pelo ano seguinte."

"Desculpem-me", disse Belbo. "O último encontro é em Jerusalém. Não seria do ápice da cúpula da Mesquita de Omar que deveria estar pendente o Pêndulo?"

"Não", convenci-o. "Em certas partes do globo o Pêndulo executa o próprio círculo em 36 horas, no Polo Norte gastaria só as 24 horas e no equador o plano de oscilação não teria variação alguma. Logo, o lugar conta. Se os templários fizeram sua descoberta em Saint-Martin, o cálculo só vale para Paris, porque na Palestina o Pêndulo assinalaria uma curva diferente."

"E quem lhe disse que fizeram a descoberta em Saint-Martin?"

"O fato de haverem escolhido Saint-Martin para o Refúgio, de que desde o prior de Santo Albano, a Postel, à Convenção, o mantiveram sob controle, e de que depois das primeiras experiências de Foucault tenham feito pendurar o Pêndulo lá em cima. Há indícios mais que suficientes."

"Mas o último encontro é em Jerusalém."

"E daí? Em Jerusalém a mensagem será recomposta, e isso não é algo que tome apenas uns minutos. Depois preparam-se por todo um ano, e no dia 23 de junho do ano seguinte todos os seis grupos se encontram em Paris, para saber finalmente onde encontrar o Umbilicus e meter mãos à obra na conquista do mundo."

"Contudo", insistia Belbo, "há uma outra coisa que não entendi. Que a revelação final diga respeito ao Umbilicus, isso os 36 sabiam. O Pêndulo já era usado nas catedrais, e portanto não era segredo. Mas o que pretendia Bacon ou Postel ou o próprio Foucault, porque certamente se ele montou essa dança do Pêndulo é porque fazia parte da trinca também, que pretendia, pergunto, santo Deus, ao meter um mapa do mundo sob o pavimento e orientá-lo segundo os pontos cardeais? Estamos perdidos no caminho."

"Não estamos", disse eu. "A mensagem diz uma coisa que ninguém podia saber: que mapa usar!"

83

UM MAPA NÃO É O TERRITÓRIO

Um mapa não é o território.

(Alfred Korzybski, *Science and Sanity*, 1933; 4a. ed., The International Non-Aristotelian Library, 1958, II, 4, p. 58)

"Entendam a situação da cartografia no tempo dos templários", dizia-lhes. "Naquele século circulavam mapas árabes, que entre outras coisas situavam a África no alto e a Europa embaixo, mapas de navegadores, tudo somado, bastante precisos, e mapas de trezentos ou quatrocentos anos antes, que nas escolas ainda eram considerados bons. Notem que para revelar onde está o Umbilicus não se tem necessidade de um mapa preciso, no sentido que hoje emprestamos ao termo. Basta que seja um mapa que tenha a seguinte característica: uma vez orientado, mostra o Umbilicus no ponto em que o Pêndulo se ilumina na alvorada do dia 24 de junho. Mas fiquem atentos: admitamos, por pura hipótese, que o Umbilicus seja Jerusalém. Em nossos mapas modernos, a localização de Jerusalém depende mesmo hoje do tipo de projeção. Mas os templários dispunham sabe-se lá de que tipo de mapa. Pois bem, o que importava a eles? Não é o Pêndulo que está em função do mapa, mas o mapa que está em função do Pêndulo. Estão me acompanhando? Poderia ser o mapa mais insensato do mundo, desde que, uma vez posto embaixo do Pêndulo, um raio de Sol fatídico do raiar do dia 24 de junho identifique o ponto em que ali, naquele mapa, e não em outro qualquer, apareça Jerusalém."

"Mas isso não resolve o nosso problema", disse Diotallevi.

"Claro que não, e tampouco o dos Trinta e Seis Invisíveis. Porque, se não identificarmos o mapa certo, adeus. Procuremos pensar num mapa orientado de modo canônico com o leste em direção à abside e o oeste voltado para a nave, porque assim é que estão orientadas as igrejas. Agora levantemos uma hipótese qualquer, e digo ao acaso: que naquela madrugada fatal o Pêndulo deva encontrar-se em cima de uma zona levemente a leste, quase nos limites do quadrante sudeste. Se se tratasse de um relógio, diríamos que o Pêndulo deveria assinalar as cinco e vinte e cinco. Certo? Agora estão percebendo."

Fui apanhar uma história da cartografia.

"Eis aqui, número um, um mapa do século XII. Retoma a estrutura do mapa em T, no alto está a Ásia com o Paraíso Terrestre, à esquerda a Europa, à direita a África, e aqui além da África puseram até os Antípodas. Número dois, um mapa inspirado no *Somnium Scipionis* de Macróbio, mas que sobrevive em várias redações até o século XVI. A África é um pouco estreita, mas paciência. Agora prestem atenção, orientemos ambos os mapas da mesma maneira e vamos ver que no primeiro as cinco e vinte e cinco correspondem à Arábia, e no segundo, à Nova Zelândia, visto que naqueles pontos estão os Antípodas. Podemos saber tudo sobre o Pêndulo, mas se não soubermos que mapa usar estamos perdidos. A mensagem continha instruções, cifradíssimas, de onde encontrar o mapa certo, talvez desenhado especialmente para esse fim. A mensagem diria onde se deveria procurar o mapa, em que manuscrito, ou biblioteca, abadia ou castelo. E pode até ser que Dee ou Bacon ou outros ainda tivessem também reconstituído a mensagem, quem sabe, e esta dissesse que o mapa está em tal lugar, mas, no entanto, com tudo o que aconteceu na Europa, a abadia que o abrigava tinha sido incendiada, o mapa fora roubado, depois ocultado sabe-se lá onde. Quem sabe alguém possui o mapa, mas não sabe para que serve, ou sabe que serve para algo mas não sabe exatamente para quê, e anda pelo mundo a procurar quem o queira adquirir. Imaginem só, toda uma circular de ofertas, pistas falsas, mensagens que dizem outra coisa e são lidas como se falassem do mapa, ou mesmo que falem do mapa e sejam lidas como se aludissem, sei lá, à produção de ouro. E provavelmente alguns estão procurando reconstituir diretamente o mapa a partir de bases conjecturais."

"Que tipo de conjecturas?"

"Por exemplo, correspondências micromacrocósmicas. Aqui está outro mapa. Sabem de onde vem? Aparece no segundo tratado da *Utriusque Cosmi Historia*, de Robert Fludd. Fludd é o homem da rosa-cruz em Londres, não podemos esquecer. O que faz o nosso Roberto de Fluctibus, e como gostava de ser chamado? Já não apresenta um mapa e sim uma estranha projeção do globo inteiro do ponto de vista do Polo, do Polo místico naturalmente, e portanto do ponto de vista de um Pêndulo ideal apenso a uma chave de abóbada ideal. É um mapa concebido para ser colocado embaixo de um Pêndulo! São evidências irrefutáveis, como pode ser que ninguém tenha pensado..."

"É que os diabólicos são lentos, lentos", disse Belbo.

"É que nós somos os únicos herdeiros dos templários. Mas deixem-me prosseguir: reconheceram o esquema, é uma rótula móvel, como as que usava Tritêmio para as suas mensagens cifradas. Este não é um mapa. É um projeto de máquina para tentar variações, produzir mapas alternativos, até encontrar-se o que sirva na medida certa! Fludd é quem o diz, na legenda: este é o esboço de um *instrumentum*, no qual ainda é preciso trabalhar."

"Mas Fludd não era aquele que teimava em negar a rotação da Terra? Como poderia pensar no Pêndulo?"

"Devemos tomar muito cuidado com os iniciados. Um iniciado nega aquilo que sabe, nega sabê-lo, mente para encobrir um segredo."

"Isso", disse Belbo, "explicaria por que Dee já se empenhava tanto com os cartógrafos reais. Não para conhecer a 'verdadeira' forma do mundo, mas para reconstituir, entre todos os mapas perdidos, o único que lhe servia, e portanto o único certo."

"Nada mal, nada mal", disse Diotallevi. "Encontrar a verdade reconstruindo exatamente um texto falso."

84

SEGUINDO OS DESENHOS DE VERULÂMIO

> *A principal ocupação desta Assembleia, e a mais útil, deve ser — a meu aviso — a de se dedicar à história natural seguindo os desenhos de Verulâmio.*
>
> (Christian Huygens, Carta a Colbert, *Oeuvres Complètes*, La Haye, 1888-1950, VI, pp. 95-96)

As vicissitudes dos seis grupos não estariam limitadas à procura do mapa. Provavelmente os templários, nas duas primeiras partes da mensagem, que estavam em mãos dos portugueses e dos ingleses, aludiam a um Pêndulo, mas as ideias sobre os pêndulos eram então ainda bastante obscuras. Uma coisa é fazer oscilar um fio de prumo e outra é construir um mecanismo de precisão de tal forma a ser iluminado pelo Sol no exato instante de nascimento. Para isso os templários haviam calculado seis séculos. A ala baconiana põe-se ao trabalho nesse intuito e tenta atrair para seu lado todos os iniciados que busca desesperadamente contatar.

Coincidência não casual, o homem dos rosa-cruzes, Salomon de Caus, redige para Richelieu um tratado sobre os relógios solares. Depois de Galileu em diante, eclodiu uma pesquisa desatinada sobre pêndulos. O pretexto é como usá-los para determinar as longitudes, mas quando em 1681 Huygens descobre que um pêndulo, preciso em Paris, atrasa em Caiena, compreende de imediato que isso depende da variação da força centrífuga devida à rotação da Terra. E quando publica seu *Horologium*, no qual desenvolve as intuições galileanas sobre o pêndulo, quem o chama a Paris? Colbert, o mesmo que chama Salomon de Caus a Paris para se ocupar do subsolo!

Quando em 1661 a Academia del Cimento* antecipa as conclusões de Foucault, Leopoldo de Toscana a dissolve no curso de cinco anos, e logo após recebe de Roma, como oculto galardão, o chapéu de cardeal.

Mas não bastava. Mesmo nos séculos sucessivos a caça ao pêndulo continua. Em 1742 (um ano antes da primeira aparição documentada do conde de São Germano!) um certo De Mairan apresenta uma memória sobre os pêndulos à Académie Royale des Sciences; em 1756 (quando nasce na Alemanha a Estrita Observância Templar!) um tal de Bouguer escreve "*sur la direction qu'affectent tous les fils à plomb*".

Eu encontrava títulos fantasmagóricos, como aquele de Jean Baptiste Biot, de 1821: *Recueil d'observations géodesiques, astronomiques et physiques, exécutées par ordre du Bureau des Longitudes de France, en Espagne, en France, en Angleterre et en Ecosse, pour déterminer la variation de la pésanteur et des degrés terrestres sur le prolongement du méridien de Paris*. Na França, Espanha, Inglaterra e Escócia! E em correlação com o meridiano de Saint-Martin! E Sir Edward Sabine, que em 1823 publica *An Account of Experiments to Determine the Figure of the Earth by Means of the Pendulum Vibrating Seconds in Different Latitudes*? E aquele misterioso Conde Feodor Petrovich Litke, que em 1836 publica os resultados de suas pesquisas sobre o comportamento do pêndulo no curso de uma navegação em volta ao mundo? E por conta da Academia Imperial de Ciências de Petersburgo. Por que também os russos?

E se entrementes um grupo, certamente de descendência baconiana, tivesse resolvido descobrir o segredo das correntes sem mapa e sem pêndulo, interrogando de novo, desde o início, a respiração da serpente? Eis que vieram a propósito as intuições de Salon: é mais ou menos no tempo de Foucault que o mundo industrial, criação da ala baconiana, inicia as escavações das redes metropolitanas no coração das capitais europeias.

"É verdade", disse Belbo, "o século XIX é obcecado pelos subterrâneos, Jean Valjean, Fantomas e Javert, Rocambole, todo um vaivém pelos condutos e cloacas. Ó meu Deus, agora que penso nisso, toda a obra de Júlio Verne é

---

* Literalmente, Academia de Testes, entidade para experiências científicas, instituída em Florença, que durou de 1657 a 1667. (*N. do T.*)

uma revelação iniciática dos mistérios do subsolo! Viagem ao centro da Terra, vinte mil léguas submarinas, as cavernas da ilha misteriosa, o imenso reino subterrâneo das Índias Negras! Seria curioso reconstruir um mapa de suas viagens extraordinárias, certamente encontraríamos um esboço das volutas da Serpente, uma carta de *leys* reconstruída para cada continente. Verne explora de alto a baixo a rede das correntes telúricas."

Eu colaborava. "Como se chama o protagonista das Índias Negras? John Garral, quase um anagrama de Graal."

"Não sejamos extravagantes, vamos manter os pés na terra. Verne lança sinais bem mais explícitos. Robur le Conquérant, R. C. rosa-cruz. E Robur lido ao contrário dá Rubor, o vermelho da rosa."

85

PHILEAS FOGG. UM NOME QUE É UMA FIRMA

*Phileas Fogg. Um nome que é uma firma: Eas, em grego, tem
o significado de globalidade (é, portanto, equivalente a pan e
a poly) e Phileas é o mesmo que Polífilo. Quanto a Fogg, é a
neblina, em inglês... Sem dúvida, Verne pertence à Sociedade
"Le Brouillard". Ele teve até mesmo a gentileza de precisar
para nós as relações entre essa sociedade e a Rosa-cruz,
porque, afinal, que mais será esse viajante nobre chamado
Phileas Fogg senão um Rosa-cruz?... E, mais, não pertence
talvez ao Reform-Club, cujas iniciais R.C. designam a Rosa-
-cruz reformadora? E esse Reform-Club surge em Pall-Mall,
evocando assim mais uma vez o Sonho de Polífilo.*

(Michel Lamy, *Jules Verne, initié et initiateur*,
Paris, Payot, 1984, pp. 237-238)

A reconstituição tomou-nos dias e dias, interrompíamos nosso trabalho para revelarmos uns aos outros nossas últimas conexões, líamos tudo o que nos caía sob as mãos, enciclopédias, jornais, histórias em quadrinhos, catálogos editoriais, em leitura transversal e à procura de curtos-circuitos possíveis, pusemo-nos a vasculhar os sebos, fuçávamos as bancas de jornais, apossáva-mo-nos descaradamente os manuscritos dos nossos diabólicos, entrávamos triunfantes no escritório despejando sobre a mesa o resultado de nossos últimos achados. Enquanto reevoco aquelas semanas, todo o acontecimento me parece fulmíneo, frenético, como um filme de Larry Semon, aos arrancos e saltos, como portas que se abrem e se fecham em velocidade supersônica, tortas que voam na cara uns dos outros, fugas por escadas, para a frente e para trás, batidas de velhos automóveis, derrubada de prateleiras em lojas comerciais, entre rajadas de caixas de embalagem, garrafas, queijos macios, esguichos de sifão, explosões de sacos de farinha. Por outro lado, ao recordar os interstícios, os tempos mortos — o resto da vida que se desenvolvia em torno a nós —, posso reler tudo como uma história em câmara lenta, com o Plano que se formava a passo de ginástica rítmica, como a rotação lenta do discóbolo, as cautas oscilações dos arremessadores de peso, os tempos longos do golfe, as esperas insensatas do beisebol. Em todo caso, fosse qual fosse o ritmo, a sorte nos premiava, porque quando se quer encontrar conexões, encontra-se sempre, em todos os lugares e em tudo, o mundo explode numa rede, num vórtice de parentescos, e tudo faz remissão a tudo, tudo explica tudo...

Eu não dizia nada a Lia, para não incomodá-la, mas a verdade é que estava até mesmo descuidando de Giulio. Acordava à noite, e me dava conta de que Renato Cartésio dava as iniciais R.C., ele que com tamanha energia procurou e depois negou haver encontrado os rosa-cruzes. Por que tanta obsessão pelo Método? O método servia para procurar a solução do mistério que estava então fascinando todos os iniciados da Europa... E quem havia celebrado a magia do gótico? René de Chateaubriand. E quem havia escrito, nos tempos de Bacon, o *Steps to the Temple*? Richard Crashaw. E, além deles, Ranieri de' Calzabigi, René Char, Raymond Chandler? E Rick de Casablanca?

86

É A ELES QUE EIFFEL RECORRE

*Esta ciência, que não se perdeu, pelo menos quanto à sua
parte material, foi ensinada aos construtores religiosos
pelos monges de Cîteaux... Estes eram conhecidos, no século
passado, como Compagnons de la Tour de France. É a eles
que Eiffel recorre para construir sua torre.*

(L. Charpentier, *Les mystères de la cathédrale de Chartres*,
Paris, Laffont, 1966, pp. 55-56)

Agora tínhamos a inteira modernidade percorrida por toupeiras laboriosas que perfuravam o subsolo espiando o planeta em sua parte inferior. Mas devia haver alguma coisa mais, algum empreendimento que os baconianos haviam iniciado, e cujos resultados, cujas etapas estavam sob os olhos de todos, e ninguém se havia dado conta... Porque perfurando o solo se testavam as faldas profundas, mas os celtas e os templários não se haviam limitado a perfurar poços, haviam plantado suas estacas diretamente para o céu, para se comunicar de megálito a megálito, e colher os influxos das estrelas...

A ideia apresentou-se a Belbo numa noite de insônia. Havia chegado à janela e vira ao longe, por cima dos telhados de Milão, as luzes da torre metálica da radiotelevisão italiana, a grande antena da cidade. Uma prudente e moderada torre de Babel. E então compreendeu.

"A Torre Eiffel", veio nos dizer na manhã seguinte. "Como não havíamos pensado nisso antes? O megálito de metal, o menir dos últimos celtas, a agulha oca mais alta de todas as agulhas góticas. Por que Paris iria ter necessidade desse monumento inútil? É a sonda celeste, a antena que recolhe informações de todos os espigões herméticos fixados na crosta da Terra, desde as estátuas da ilha de Páscoa, de Machu Picchu, da estátua da Liberdade em Bedloe's Island, já reclamada por Lafayette, do obelisco de Luxor, da torre mais alta de Tomar, do Colosso de Rodes, que continua a transmitir das profundezas do porto onde não é mais encontrado, dos templos nas selvas bramânicas, dos torreões da Grande Muralha, dos cimos de Ayers Rock, das agulhas da catedral de Estrasburgo, com as quais se encantava o iniciado Goethe, das faces do Mount Rushmore, quantas coisas havia compreendido o iniciado Hitchkock, da antena do Empire State, digam-me lá a que império aludiriam essas criações de iniciados americanos senão ao império de Rodolfo de Praga! A Torre capta informações do subsolo e as confronta com as que lhe provêm do céu. E quem nos dá a primeira terrificante imagem cinematográfica da Torre? René Clair em *Paris qui dort*. René Clair, R.C."

Fizemos a releitura de toda a história da ciência: a própria estação espacial se tornava compreensível, com seus satélites alucinados que outra coisa não fazem senão fotografar a crosta da Terra para detectar as tensões invisíveis, os fluxos submarinos, as correntes de ar quente. E para falar entre si, falar à Torre, falar a Stonehenge...

87

É UMA COINCIDÊNCIA CURIOSA

É uma coincidência curiosa que a edição in-fólio de 1623, que leva o nome de Shakespeare, contenha exatamente 36 obras.

(W.F.C. Wigston, *Francis Bacon versus Phantom Captain Shakespeare: The Rosicrucian Mask*, Londres, Kegan Paul, 1891, p. 353)

Quando permutamos os resultados de nossas fantasias, pensávamos, e com razão, estar procedendo por meio de associações indébitas, curtos-circuitos extraordinários, nos quais nos envergonharíamos de fazer fé — se no-los tivessem imputado. É que nos confortava o entendimento, até então tácito, como impõe a etiqueta da ironia, de que estávamos parodiando a lógica alheia. Mas nas longas pausas em que cada um de nós acumulava provas para as reuniões coletivas, e com a consciência tranquila de acumular peças para uma paródia de mosaico, nosso cérebro ia se acostumando a associar, associar, associar uma coisa qualquer a quaisquer outras coisas, e para fazê-lo automaticamente devia adquirir hábitos. Creio que não haja diferença, a partir de um certo momento, entre habituar-se a fingir que se crê e habituar-se a crer.

É a mesma história dos espiões: infiltram-se nos serviços secretos do adversário, habituam-se a pensar como eles, se sobrevivem é porque conseguem isso, óbvio que depois de algum tempo passam para o outro lado, que se tornou o dele. Ou como a daqueles que vivem sós com um cão, falam com ele o dia inteiro, a princípio esforçam-se por compreender a sua lógica, depois querem que seja o cão a compreender a deles, primeiro acham que o cão é tímido, depois ciumento, depois irritadiço, por fim passam o tempo a fazer-lhe despeitos e cenas de ciúme, quando estão seguros de que o cão se tornou igual a eles, são eles que se tornam como o cão, e quando estão orgulhosos de havê-lo humanizado, na verdade foram eles que se encanzinaram.

Talvez porque estivesse em contato cotidiano com Lia, e com o meu filho, dos três era eu o menos afetado pelo jogo. Tinha a convicção de conduzi-lo, sentia-me como se ainda tocasse o agogô durante o rito; estava do lado de quem produz e não de quem padece as emoções. Quanto a Diotallevi, eu não sabia, agora sei, ele estava habituando seu corpo a pensar em diabólico. E Belbo estava se compenetrando até mesmo em nível de consciência. Eu me habituava, Diotallevi se corrompia, Belbo se convertia. Mas todos estávamos lentamente perdendo aquela luz intelectual que nos faz sempre distinguir o similar do idêntico, a metáfora da coisa em si, aquela qualidade misteriosa e fulgurante e belíssima pela qual sempre estamos em condições de achar que alguém é um animal, mas sem pensar de fato que lhe estejam crescendo pelos e caninos, ao passo que o doente pensa "animalescamente" e logo vê alguém que ladra ou grunhe, rasteja ou alça voo.

Podíamo-nos ter dado conta do que ocorria a Diotallevi, se não estivéssemos tão excitados. Direi que tudo começou no fim do verão. Ele voltou das férias mais magro, mas não era a esbeltez inquieta de quem passou semanas a caminhar pelas montanhas. Sua compleição delicada de albino revelava agora matizes amarelados. Se o tivéssemos notado, atribuiríamo-lo à ideia de que teria passado as férias inclinado sobre seus textos rabínicos. Mas a verdade é que pensávamos em outra coisa.

De fato, nos dias que se seguiram estávamos em condições de conciliar pouco a pouco também os fatos estranhos ao filão baconiano.

Por exemplo, a maçonologia corrente encara os Iluminados da Baviera, que preconizavam a destruição das nações e a desestabilização do Estado, não só como os inspiradores do anarquismo de Bakunin, mas ainda do próprio marxismo. Pueril. Os Iluminados eram provocadores que os baconianos haviam infiltrado entre os teutônicos, mas Marx e Engels tinham outra coisa em mente quando iniciaram o Manifesto de 1848 com a eloquente frase "um espectro se agita pela Europa". Por que afinal aquela metáfora tão gótica? O Manifesto comunista alude sarcasticamente à caça fantasiosa ao Plano que agita a história do continente há alguns séculos. E propõe uma alternativa tanto aos baconianos como aos neotemplários. Marx era judeu, talvez inicialmente tenha sido o porta-voz dos rabinos de Gerona, ou de Safed, e procurava inserir na busca todo o povo de Deus. Depois a iniciativa lhe ata as mãos, identifica a Shekinah, o povo em exílio no Reino com o proletariado, trai as expectativas de seus inspiradores, reverte as linhas de tendência do messianismo judaico. Templários de todo o mundo, uni-vos. O mapa aos operários. Esplêndido! Que melhor justificativa histórica para o comunismo?

"Sim", disse Belbo, "mas os baconianos também tiveram seus acidentes de percurso, não acham? Alguns deles partem pela tangente com um sonho científico e acabam num beco sem saída. Quero dizer, no fim da dinastia, os Einsteins, os Fermi, que buscavam o segredo no cerne do microcosmo, fazem a invenção errada. Em vez da energia telúrica, limpa, natural, sapiencial, descobrem a energia atômica, tecnológica, suja e poluída..."

"Espaço-tempo, o erro do Ocidente", disse Diotallevi.

"É a perda do Centro. A vacina e a penicilina como caricaturas do Elixir da longa vida", intervim.

"Como aquele outro templário, Freud", disse Belbo, "que, em vez de escavar nos labirintos do subsolo físico, escavou nos do subsolo psíquico, como se sobre esse já não tivessem dito tudo e melhor os alquimistas."

"Mas és tu", insinuava Diotallevi, "que publica os livros do Dr. Wagner. Para mim a psicanálise é coisa de neuróticos."

"Sim, e o pênis é apenas um símbolo fálico", concluí. "Vamos, senhores, não andemos de roda livre. E não percamos tempo. Ainda não sabemos onde colocar os paulicianos e os hierosolimitanos."

Mas antes de conseguir responder ao quesito seguinte, encontramos outro grupo que não fazia parte dos Trinta e Seis Invisíveis, mas que se inserira no jogo com bastante rapidez e já havia descoberto parcialmente os projetos, agindo como elemento de confusão. Os jesuítas.

88

O TEMPLARISMO É JESUITISMO

> *O barão von Hund, o Cavaleiro Ramsay... e muitos outros que fundaram os graus desses ritos, trabalhavam segundo as instruções do Geral dos Jesuítas...*
> *O Templarismo é Jesuitismo.*
>
> (Carta a Madame Blavatsky de Charles Sotheran, 32 \ A e P.R. 94 \ Memphis, K.R. + , K. Kadosch, M.M. 104, Eng. etc., Iniciado da Fraternidade Inglesa dos rosa-cruzes e outras sociedades secretas, 11/1/1877; de *Isis Unveiled*, 1877, p. 390)

Havíamo-los encontrado vezes sem conta, desde os tempos dos primeiros manifestos rosa-cruzes. Já em 1620 surge na Alemanha uma *Rosa Jesuitica*, em que se recorda que o simbolismo da rosa é católico e mariano, antes de ser rosacruciano, insinuando-se que as duas ordens são solidárias, e a rosa--cruz apenas uma das reformulações da mística jesuítica para uso dos povos da Alemanha reformada.

Recordava-me das palavras de Salon sobre o rancor com que o padre Kircher havia posto na berlinda os rosa-cruzes e enquanto isso falava da profundidade do globo terráqueo.

"O padre Kircher", disse eu, "é o personagem central desta história. Por que esse homem, que tantas vezes demonstrou possuir senso de observação e gosto pelas experiências, afogou depois essas poucas e boas ideias em milhares de páginas que transbordam de hipóteses inacreditáveis? Mantinha correspondência com os melhores cientistas ingleses, e a seguir cada um de seus livros retomava os típicos temas rosacrucianos, aparentemente para contestá-los, mas na verdade para fazê-los seus, para deles oferecer sua versão contrarreformista. Na primeira edição da *Fama*, aquele Sr. Haselmayer, que os jesuítas condenaram às galés por suas ideias reformistas, esforça-se por dizer que os bons e verdadeiros jesuítas são eles, os rosa-cruzes. Pois bem, Kircher escreve seus trinta e tantos volumes para sugerir que os bons e verdadeiros rosa-cruzes são eles, os jesuítas. Os jesuítas estão tentando apoderar-se do Plano. O próprio padre Kircher avoca-se o estudo do pêndulo, e o faz, ainda que à sua maneira, inventando um relógio planetário para saber a hora exata em todas as sedes da Companhia espalhadas pelo mundo."

"Mas como faziam os jesuítas para saber o que era o Plano, quando os templários preferiram deixar-se matar a confessá-lo?", perguntava Diotallevi. Não valia responder que os jesuítas sempre foram mais espertos que o diabo. Queríamos uma explicação mais sedutora.

Descobrimo-la bem rápido. Guillaume Postel, de novo. Folheando a história dos jesuítas de Cretineau-Joly (e quantas boas gargalhadas demos por causa desse nome infeliz), descobrimos que Postel, tomado por furores místicos, por uma sede de regeneração espiritual, encontrou em 1544, em Roma, Santo Inácio de Loiola. Santo Inácio o recebeu com entusiasmo, mas Postel não conseguiu renunciar às suas ideias fixas, aos seus cabalismos, ao seu ecumenismo, e essas coisas os jesuítas não podiam suportar, muito menos a ideia mais fixa de todas, sobre a qual Postel não admitia transigir, a de que o Rei do Mundo devia ser o Rei de França. Inácio era santo, mas espanhol.

Assim, a certa altura romperam, Postel abandonando os jesuítas, ou os jesuítas o pondo porta afora. Mas se Postel fora jesuíta, ainda que por um breve período, deveria ter confiado a Santo Inácio a quem jurara obediência *perinde ac cadaver* o segredo de sua missão. Caro Inácio, deveria ter-lhe dito, saiba que recebendo-me recebe comigo o segredo do Plano templar de que indignamente sou o representante francês, e ademais, como estamos todos à espera do terceiro encontro secular de 1584, tanto faz esperá-lo *ad majorem Dei gloriam*.

Assim, os jesuítas, por intermédio de Postel, e por força de um momento de fraqueza seu, vêm a saber do segredo dos templários. Um segredo de tal monta é partilhado. Santo Inácio passa à eterna beatitude, mas seus sucessores continuam vigilantes, e mantiveram Postel sob os olhos. Querem saber com quem ele se encontrará naquele fatídico 1584. Mas, azar, Postel morre antes disso, com a presença de um jesuíta desconhecido junto a seu leito de morte, como assegurava uma de nossas fontes. Os jesuítas não sabem quem seja o sucessor.

"Desculpe-me, Casaubon", disse Belbo, "mas há algo que não me entra. Se as coisas estavam assim, os jesuítas não podiam saber que em 1584 o encontro não se realiza."

"No entanto é preciso não esquecer", observou Diotallevi, "que, conforme me dizem os gentios, esses jesuítas eram homens de ferro que não se deixavam engrolar facilmente."

"Ah, quanto a isso", disse Belbo, "um jesuíta papa dois templários no almoço e outros dois no jantar. Foram até mesmo dissolvidos, e mais de uma vez, mas sempre interferiram nos governos de toda a Europa, e talvez o façam até hoje."

Era necessário sentimo-nos na pele de um jesuíta. Que faria um jesuíta se Postel lhe fugisse das garras? Eu, pessoalmente, tive uma ideia de imediato, mas era de tal forma diabólica que nem mesmo os nossos diabólicos, pensava eu, seriam capazes de digeri-la: os rosa-cruzes eram uma invenção dos jesuítas!

"Tendo morrido Postel", propus, "os jesuítas, astutos como são, previram matematicamente a confusão dos calendários e decidiram tomar uma iniciativa. Arquitetam a mistificação rosacruciana, calculando exatamente aquilo que acabaria acontecendo. Em meio a tantos exaltados que abocam a isca, talvez alguém dos núcleos autênticos, tomado de surpresa, dê um passo à frente. Nesse caso, imaginem a fúria de Bacon: Fludd, seu imbecil, não podia ficar calado? Mas visconde, My Lord, eles pareciam ser dos nossos... Cretino, não lhe havia ensinado a não se fiar nos papistas? Você é que devia ser queimado, e não aquele pobre de Nola!"*

"Mas então", disse Belbo, "por que quando os rosa-cruzes se transferem para a França os jesuítas, ou aqueles polemistas católicos que trabalhavam para eles, os atacam como heréticos e endemoniados?"

"Mas não vai querer pensar que os jesuítas trabalham linearmente, que jesuítas seriam esses?"

Discutimos bastante sobre minha ideia, mas finalmente resolvemos, de comum acordo, que era melhor a hipótese original: os rosa-cruzes eram a isca

---

* Giordano Bruno. (*N. do T.*)

lançada aos franceses pelos baconianos e pelos alemães. Contudo, os jesuítas, assim que apareceram os manifestos, compreenderam logo. E entraram imediatamente no jogo, para embaralhar as cartas. O escopo dos jesuítas era evidentemente impedir a reunião dos grupos inglês e alemão com o grupo francês, e qualquer golpe, por mais baixo que fosse, valia a pena.

Enquanto isso iam registrando notícias, acumulando informações e as metiam... onde? No Abulafia lá deles, disse Belbo de troça. Mas Diotallevi, que nesse ínterim se havia documentado por conta própria, disse que não se tratava de brincadeira. Certamente, os jesuítas estavam construindo o imenso, o potentíssimo calculador eletrônico que deveria trazer uma conclusão para a misturada paciente e centenária de todos os fiapos de verdades e mentiras que estavam recolhendo.

"Os jesuítas", dizia Diotallevi, "haviam compreendido aquilo que nem os pobres e velhos templários de Provins nem a ala baconiana tinham ainda intuído, ou seja, que a reconstituição do mapa poderia ser obtida por via combinatória, ou seja, por processos que antecipavam de muito os modernos cérebros eletrônicos! Os jesuítas são os primeiros a inventar o Abulafia! Padre Kircher relê todos os tratados sobre a arte combinatória, de Lúlio em diante. E vejam o que publica em sua *Ars Magna Sciendi*..."

"Parece mais um modelo de crochê", brincava Belbo.

"Pois fique sabendo que são todas as combinações possíveis entre n elementos. O cálculo fatorial, o da *Sefer Jesirah*. O cálculo das combinações e das permutações, a própria essência da Temurá!"

Era de fato isso. Uma coisa era conceber o vago projeto de Fludd, para identificar o mapa partindo de uma projeção polar, outra coisa saber quantas tentativas seriam necessárias, e poder experimentar todas elas, para chegar à solução ideal. E sobretudo uma coisa era criar o modelo abstrato das combinações possíveis, e outra, inventar uma máquina capaz de mantê-las em função. E o certo é que tenha sido Kircher ou seu discípulo Schott, acabam por projetar uns orgãozinhos mecânicos, mecanismos com cartões perfurados, computadores *ante litteram*. Baseados no cálculo binário. Cabala aplicada à mecânica moderna.

IBM: Iesus Babbage Mundi, Iesum Binarium Magnificamur AMDG: Ad Maiorem Dei Gloriam? Qual nada: Ars Magna, Digitale Gaudium! IHS: Iesus Hardware & Software!

170   ARTIS MAGNÆ SCIENDI,
EPILOGISMUS
Combinationis Linearis.

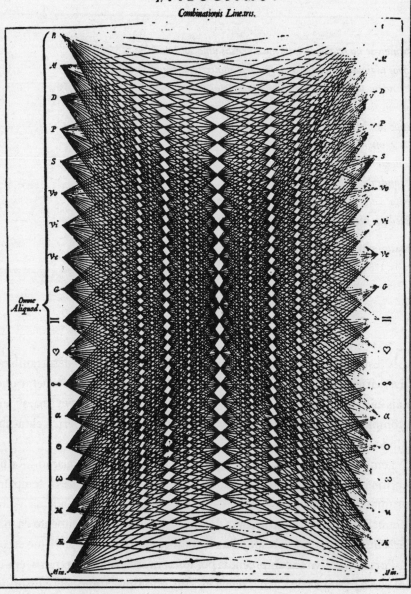

FORMOU-SE NO SEIO DAS TREVAS MAIS DENSAS

*Formou-se no seio das trevas mais densas uma sociedade de
novos indivíduos que se conhecem sem nunca se terem visto,
entendem-se sem que lhes sejam necessárias explicações,
servem-se sem cultivar amizade... Essa sociedade adota
o tipo de obediência cega do regime jesuítico, as provas
e o cerimonial exterior da maçonaria e as evocações
subterrâneas e a incrível audácia dos templários...
O conde de São Germano não terá feito mais que
imitar Guillaume Postel, que tinha a mania de se
acreditar mais velho do que em verdade era?*

(Marquis de Luchet, *Essai sur la secte des illuminés*,
Paris, 1789, V e XII)

Os jesuítas haviam compreendido que, quando se quer desestabilizar o adversário, a melhor técnica consiste em criar seitas secretas, esperar que os mais entusiastas a elas se precipitem, e aí capturá-los todos. Ou seja, se temes o complô, organiza um, que assim todos os que poderiam aderir a ele acabam caindo sob teu controle.

Lembrava-me de certa reserva que Agliè manifestara em relação a Ramsay, o primeiro a aventar uma conexão direta entre a maçonaria e os templários, insinuando haver vínculos com os meios católicos. Na verdade, já Voltaire denunciara Ramsay como homem dos jesuítas. Diante do nascimento da maçonaria inglesa, os jesuítas respondem da França com o neotemplarismo escocês.

Por esse motivo se compreendia por que, em resposta a essa trama, em 1789 um certo marquês de Luchet havia escrito, anônimo, um célebre *Essai sur la secte des illuminés,* em que criticou os iluminados de todas as raças, da Baviera ou de onde fossem, anarquistas anticlericais ou místicos neotemplários, e punha no mesmo saco (incrível como todas as peças de nosso quebra-cabeça estavam se encaixando, pouco a pouco e de maneira admirável!) até mesmo os paulicianos, para não falar de Postel e São Germano. E lamentava que essa forma de misticismo templar tivesse encontrado acolhida na maçonaria, a qual em si mesma era uma sociedade de pessoas honestas e excelentes.

Os baconianos haviam inventado a maçonaria como o Rick's Bar de Casablanca, o neotemplarismo jesuítico arruinava sua invenção, e Luchet era enviado como *killer* para expulsar todos os grupos que não fossem baconianos.

A essa altura, porém, tínhamos que levar em conta outro fato, o qual o pobre Agliè não conseguia compreender. Por que De Maistre, que era homem dos jesuítas, e isso uns bons sete anos antes que tivesse dado as caras o marquês de Luchet, havia ido a Wilhelmsbad semear a cizânia entre os neotemplários?

"O neotemplarismo ia muito bem lá pela metade do século XVIII", dizia Belbo, "mas já no fim do século ia terrivelmente mal, primeiro porque dele se haviam apoderado os revolucionários, para os quais de Deusa Razão a Ente Supremo tudo era motivo para cortar a cabeça do rei, vejam Cagliostro, e depois porque na Alemanha nele haviam metido a pata os príncipes germânicos, principalmente Frederico da Prússia, cujos fins não coincidiam exatamente com os dos jesuítas. Quando o neotemplarismo místico, seja lá quem o tenha inventado, produz a *Flauta Mágica,* é natural que os homens de Loiola resolvam desembaraçar-se dele. É como em finanças, você compra uma sociedade, torna a vendê-la, liquida-a, leva-a à falência, reavalia seu capital, dependendo do plano geral, sem nunca se preocupar em onde acabará o seu porteiro. Ou como um carro usado: quando não funciona mais, manda-se para o ferro-velho."

TODAS AS INFÂMIAS ATRIBUÍDAS AOS TEMPLÁRIOS

Não se encontrará no verdadeiro código maçônico outro Deus senão Manes. É o mesmo Deus dos maçons cabalistas, dos antigos rosa-cruzes; o Deus dos maçons martinistas... Por outro lado, todas as infâmias atribuídas aos templários são exatamente aquelas que se atribuíam aos Maniqueus.

(Abbé Barruel, Mémoires pour servir à l'histoire du jacobinisme, Hamburgo, 1798, 2, XIII)

A estratégia dos jesuítas pareceu-se-nos clara quando descobrimos padre Barruel. Este sacerdote, entre 1797 e 1798, como reação à Revolução Francesa, escreve as suas *Memórias para servir à história do jacobinismo*, um verdadeiro romance de folhetim que se inicia, por coincidência, com os templários. Estes, depois da condenação de Molay à fogueira, se transformam em sociedade secreta para destruir a monarquia e o papado e para criar uma república mundial. Apoderam-se no século XVIII da franco-maçonaria, que se torna instrumento de suas ideias. Em 1763 fundam uma academia composta por Voltaire, Turgot, Condorcet, Diderot e D'Alembert, que se reúne em casa do barão de Holbach e, conspira aqui conspira ali, em 1776 faz nascer os jacobinos. Os quais aliás não passavam de marionetes nas mãos dos verdadeiros cabeças, os Iluminados da Baviera — regicidas por vocação.

Ferro-velho, de fato. Depois de haver rachado a maçonaria em duas com a ajuda de Ramsay, os jesuítas a unificam novamente para combatê-la frontalmente.

O livro de Barruel causou certo efeito, tanto que nos Archives Nationales franceses constavam pelo menos dois relatórios da polícia solicitados por

Napoleão sobre as sedes clandestinas. Esses relatórios foram redigidos por um certo Charles de Berkheim, o qual — como fazem todos os serviços secretos, que vão buscar notícias reservadas precisamente onde já foram publicadas — não teve ideia melhor do que copiar descaradamente primeiro o livro de Luchet, e em seguida o de Barruel.

Diante daquelas descrições pavorosas dos Iluminados e da lúcida denúncia de um diretório de Superiores Desconhecidos capazes de dominar o mundo, Napoleão não hesita: decide-se tornar um deles. Faz nomear seu irmão José grão-mestre do Grande Oriente e ele próprio, segundo afirmam algumas fontes, entra em contato com a maçonaria e, segundo outras, se torna imediatamente altíssimo dignitário. Não fica claro, no entanto, de que rito se tratava. Talvez, por cautela, de todos.

De que sabia Napoleão nós não tínhamos ideia, mas não nos esquecíamos de que ele havia passado algum tempo no Egito, onde pôde talvez consultar-se com algum sábio à sombra das pirâmides (a este ponto, até uma criança compreendia que os famosos quarenta séculos que o contemplavam eram uma clara alusão à Tradição Hermética).

Mas ele na verdade devia saber de muita coisa, pois em 1806 convoca uma assembleia de judeus franceses. As razões oficiais eram banais, tentativa de reduzir a usura, de assegurar a fidelidade das minorias israelitas, de encontrar novos financiadores... Mas isso não explica por que houvesse decidido chamar àquela assembleia de Grão Sinédrio, evocando a ideia de um diretório de Superiores, mais ou menos Desconhecidos. Na verdade, o astuto corso havia identificado os representantes da ala hierosolimitana, e procurava recompor os vários grupos dispersos.

"Não foi por acaso que em 1808 as tropas do marechal Ney se encontram em Tomar. Estão vendo o nexo?"

"Só estamos aqui para isso mesmo."

"Napoleão, na iminência de bater os ingleses, tem em mãos quase todos os centros europeus, e por intermédio dos judeus até mesmo os hierosolimitanos. Que lhe falta ainda?"

"Os paulicianos."

"Exatamente. E nós ainda não resolvemos onde foram parar. Mas Napoleão nos dá a boa dica, pois vai buscá-los onde estão, na Rússia."

Bloqueados durante séculos na região eslava, era natural que os paulicianos se tivessem reorganizado sob os vários rótulos dos grupos místicos russos. Um dos conselheiros influentes de Alexandre I era o príncipe Galitzin, ligado a algumas seitas de inspiração martinista. E quem encontrávamos na Rússia, com bons 12 anos de antecedência a Napoleão, plenipotenciário dos Saboias, reatando vínculos com os cenáculos místicos de São Petersburgo? De Maistre.

Àquela altura ele já desconfiava de todas as organizações de iluminados, que para ele significava o mesmo que iluministas, responsáveis pelo banho de sangue da revolução. Naquela época, de fato, repetia quase literalmente Barruel, de uma seita satânica que queria conquistar o mundo, e provavelmente pensava em Napoleão. Se portanto o nosso grande reacionário se propunha seduzir os grupos martinistas era porque havia intuído lucidamente que eles, embora inspirando-se nas mesmas fontes dos neotemplarismos francês e alemão, eram no entanto a expressão de um único grupo não ainda corrompido pelo pensamento ocidental: os paulicianos.

Todavia, ao que parece, o plano de De Maistre não surtira efeito. Em 1816, os jesuítas são expulsos de Petersburgo e De Maistre retorna a Turim.

"Está bem", dizia Diotallevi, "voltamos a encontrar os paulicianos. Façamos Napoleão sair de cena, já que evidentemente não teve êxito em seu intento, porque senão lhe teria bastado estalar os dedos em Santa Helena para fazer tremer os seus adversários. Que ocorre agora então a toda aquela gente? Estou começando a perder a cabeça."

"Metade deles já a havia perdido", falou-nos Belbo.

COMO HAVEIS DESMASCARADO BEM AQUELAS SEITAS INFERNAIS

Oh como haveis desmascarado bem aquelas seitas infernais que preparam a via do Anticristo... Há no entanto uma dessas seitas que não haveis tocado senão superficialmente.

(Carta do capitão Simonini a Barruel, em
La civiltà cattolica, 21.10.1882)

A manobra de Napoleão com os judeus provocou uma correção de rota junto aos jesuítas. As *Mémoires* de Barruel não contemplavam nenhuma alusão aos judeus. Mas em 1806 Barruel recebe uma carta de certo capitão Simonini, que lhe recorda que também Manes e o Velho da Montanha eram judeus, que os maçons tinham sido fundados pelos judeus e que os judeus se haviam infiltrado em todas as sociedades secretas existentes.

A carta de Simonini, habilmente posta em circulação em Paris, criou dificuldades para Napoleão, que mal acabara de contatar o Grão Sinédrio. Esse contato preocupou inclusive os paulicianos, porque naqueles anos o Santo Sínodo da Igreja Ortodoxa Moscovita declarava: "Napoleão se propõe reunir hoje todos os judeus que a cólera de Deus dispersou pela face da Terra para fazê-los subverter a Igreja de Cristo e proclamá-lo o verdadeiro Messias."

O bom Barruel aceita a ideia de que a conspiração não seja apenas maçônica, mas judaico-maçônica. Entre outras, a ideia dessa conspiração satânica criou pretexto para atacar um novo inimigo, ou seja, a Alta Loja Carbonária, e consequentemente os padres anticlericais do Renascimento, de Mazzini a Garibaldi.

"Mas tudo isso ocorre no início do século XIX", dizia Diotallevi. "Já a grande ofensiva antissemita teve início no fim do século, com a publicação dos *Protocolos dos Sábios de Sião*. E os Protocolos aparecem na região russa. Logo, são uma iniciativa pauliciana."

"Natural", disse Belbo. "É claro que a esta altura o grupo hierosolimitano estava dividido em três grandes troncos. O primeiro, por intermédio dos cabalistas espanhóis e provençais, vai inspirar a ala neotemplar, o segundo foi absorvido pela ala baconiana, e se tornaram cientistas e banqueiros. É contra esses que se arremessam os jesuítas. Mas há ainda um terceiro tronco, e esse estabeleceu-se na Rússia. Os judeus russos são em boa parte pequenos comerciantes e emprestadores de dinheiro, e portanto malvistos pelos camponeses pobres; e em boa parte, como a cultura judaica é uma cultura do Livro e todos os judeus sabem ler e escrever, engrossaram as fileiras da *intelligentsia* liberal e revolucionária. Os paulicianos são místicos, reacionários, ligados a fio duplo com os feudatários, e se infiltraram na corte. Óbvio que entre eles e os hierosolimitanos não possa haver fusões. Assim, tinham interesse em desacreditar os judeus e, por intermédio dos judeus, isso aprenderam com os jesuítas, põem em dificuldade os adversários deles no exterior, sejam os neotemplaristas, sejam os baconianos."

92

COM TODO O PODER E O TERROR DE SATÃ

> *Não pode haver qualquer dúvida. Com todo o poder e*
> *o terror de Satã, o reino do Rei triunfante de Israel*
> *avizinha-se de nosso mundo não renegado; o Rei*
> *nascido do sangue de Sião, o Anticristo, avizinha-se*
> *do trono da potência universal.*
>
> (Serguei Nilus, *Epílogo aos Protocolos*)

A ideia era aceitável. Bastava considerar quem havia introduzido os Protocolos na Rússia.

Um dos mais influentes martinistas do fim do século, Papus, obtivera as boas graças de Nicolau II durante uma visita sua a Paris, e em seguida se desloca a Moscou levando consigo um tal Philippe, ou mais precisamente Philippe Nizier Anselme Vachod. Possuído pelo diabo aos 6 anos de idade, curandeiro aos 13, magnetista em Lyon, havia encantado tanto Nicolau II quanto a histérica de sua esposa. Philippe fora convidado à corte, designado médico da academia militar de São Petersburgo, general e conselheiro de Estado.

Seus adversários decidiram então contrapor-lhe uma figura igualmente carismática para minar-lhe o prestígio. E encontram Nilus.

Nilus era um monge peregrino, que em hábito talar peregrinava (que haveria de fazer senão isso?) pelos bosques ostentando uma grande barba de profeta, duas mulheres, uma filhinha e uma assistente, ou amante que fosse, e todas as que caíam na sua lábia. Meio guru, daqueles que depois fogem com a féria, meio eremita, daqueles que gritam que o fim está próximo. E, com efeito, sua ideia fixa eram as tramas do Anticristo.

O plano dos seguidores de Nilus era fazê-lo ordenar-se pope de modo que, desposando depois (uma esposa a mais uma esposa a menos) Helena

Alexandrovna Ozerova, dama de honra da czarina, se tornasse confessor dos soberanos.

"Tendo a ser conciliador", dizia Belbo, "mas começo a suspeitar que a matança de Tsarkoie Tselo talvez tenha sido uma operação de desratização."

Em resumo, a certo ponto os *partigiani* de Philippe acusaram Nilus de levar vida lasciva, e Deus sabe se não tinham razão também eles. Nilus teve que deixar a corte, mas a essa altura alguém lhe veio em auxílio, passando-lhe o texto dos Protocolos. Já que todos faziam uma tremenda confusão entre martinistas (que se inspiravam em Saint Martin) e martinesistas (seguidores daquele Martines de Pasqually que era tão pouco do agrado de Agliè), e como Pasqually, segundo voz corrente, era judeu, desacreditando-se os judeus desacreditavam-se os martinistas e desacreditando os martinistas liquidava-se com Philippe.

Com efeito, uma primeira versão incompleta dos Protocolos já havia aparecido em 1903 no *Znamia*, um jornal de Petersburgo dirigido por um antissemita militante, Kruschevan. Em 1905, com o beneplácito da censura governativa, essa primeira versão, completa, reapareceu sem autoria em um livro, *A fonte de nossos males*, presumivelmente editado por um certo Boutmi, que com Kruschevan havia participado da fundação da União do Povo Russo, conhecida depois por Centúria Negra, que recrutava criminosos comuns para levar a efeito pogroms e atentados de extrema direita. Boutmi teria continuado a publicar, já agora com seu próprio nome, outras edições da obra, com o título *Os inimigos da raça humana — Protocolos provenientes dos arquivos secretos da chancelaria central de Sião*.

Mas tratava-se de livros baratos. A versão completa dos Protocolos, aquela que seria traduzida no mundo inteiro, sai em 1905 na terceira edição do livro de Nilus, *O Grande no Pequeno: o Anticristo é uma possibilidade política iminente,* Tsarkoie Tselo, sob a égide de uma seção local da Cruz Vermelha. A aparência era a de uma profunda reflexão mística, e o livro acabou nas mãos do czar. O bispo de Moscou prescreve sua leitura a todas as igrejas moscovitas.

"Mas qual é", perguntei, "a conexão dos Protocolos com o nosso Plano? Aqui se fala sempre desses Protocolos, não é melhor lê-los?"

"Nada de mais simples", nos disse Diotallevi, "há sempre um editor que os republica, houve tempo que o faziam até mostrando indignação, por dever documentário, e aos poucos recomeçaram a fazê-lo com satisfação."

"Como são Gentis."

93

AO PASSO QUE NÓS NOS MANTEMOS
POR TRÁS DOS BASTIDORES

A única sociedade que conhecemos capaz de nos fazer concorrência nessas artes seria a dos jesuítas. Mas conseguimos desacreditar os jesuítas aos olhos da plebe estúpida porque essa é uma sociedade manifesta, ao passo que nós nos mantemos por trás dos bastidores, guardando o segredo.

(*Protocolos*, V)

Os Protocolos são uma série de 24 declarações programáticas atribuídas aos Sábios de Sião. Os propósitos desses Sábios mostram-se bastante contraditórios, pois ora querem abolir a liberdade de imprensa, ora estimular o libertinismo. Criticam o liberalismo, mas parecem enunciar o programa que as esquerdas radicais atribuem às multinacionais capitalistas, inclusive o uso do esporte e da educação visual como elementos de imbecilização do povo. Analisam várias técnicas para assenhorar-se do poder mundial, elogiam a força do dinheiro. Decidem incitar revoluções em todos os países explorando o descontentamento das massas e confundindo-as por meio da divulgação de ideias liberais, mas o que querem é estimular as desigualdades. Calculam como instaurar em todos os países regimes presidencialistas controlados por fantoches dos Sábios. Resolvem fazer estourar guerras, aumentando a produção de armamentos e (já o dissera mesmo Salon) a construção de metropolitanos (subterrâneos!) para ter um modo de minar as grandes cidades.

Dizem que os fins justificam os meios e se propõem encorajar o antissemitismo tanto para controlar os judeus pobres como para enternecer o coração dos gentios diante da infelicidade deles (processo custoso, dizia Diotallevi, mas eficaz). Afirmam com candor: "temos uma ambição sem limites, uma avidez devoradora, um desejo impiedoso de vingança e um ódio intenso" (exibindo um estranho masoquismo porque reproduzem com gosto o clichê do judeu maldito que já estava circulando na imprensa antissemita e que adorna a capa de todas as edições de seu livro), e decidem abolir o estudo dos clássicos e da história antiga.

"Em suma", observava Belbo, "os Sábios de Sião eram um bando de escrotos."

"Nada de brincadeiras", dizia Diotallevi. "Este livro foi levado muito a sério. Mais que tudo, uma coisa me surpreende. É que, procurando aparentar um plano judeu com séculos de antiguidade, todas as suas referências incidem sobre pequenos itens polêmicos franceses do fim do século. Parece que a menção à educação visual com o propósito de imbecilizar as massas aludia ao programa educacional de Léon Bourgeois, que fez nomear nove maçons para o seu governo. Em outra passagem aconselha a eleição de pessoas comprometidas com o escândalo do Panamá e nessas condições estava Emile Loubet, que em 1899 se torna presidente da república. A referência ao metrô é devida ao fato de que naquela época os jornais de direita protestavam contra o fato de a Compagnie du Métropolitain ter um número demasiado de acionistas judeus. Por esse motivo é que se admite tenha sido o texto elaborado na França no último decênio do século XIX, por ocasião do caso Dreyfus, para enfraquecer a frente liberal.

"Pois a mim o que mais impressiona", disse Belbo, "é a sensação do *déjà vu*. A síntese da história é que esses Sábios relatam um plano para a conquista do mundo, e esse é um discurso que já havíamos ouvido. Procurem excluir algumas referências a fatos e problemas do século passado, substituam os subterrâneos do metrô pelos subterrâneos de Provins, e todas as vezes em que estiver escrito judeus leiam templários e sempre que virem escrito Sábios do Sião escrevam os Trinta e Seis Invisíveis divididos em seis grupos... Meus amigos, esta é a Ordonation de Provins!"

94

EN AVOIT-IL LE MOINDRE SOUPÇON?

*Voltaire lui-même est mort jésuite: en
avoit-il le moindre soupçon?*

(F.N. de Bonneville, *Les Jésuites chassés de la Maçonnerie
et leur poignard brisé par les Maçons*,
Orient de Londres, 1788, 2, p. 74)

Tínhamos tudo sob os olhos há tempos, e não nos havíamos dado conta. No curso de seis séculos seis grupos se batem para realizar o Plano de Provins, e cada um deles toma o texto ideal daquele Plano, muda-lhe simplesmente o sujeito, e o atribui ao adversário.

Depois que os rosa-cruzes aparecem na França, os jesuítas utilizam o Plano com efeito negativo: desacreditam os rosa-cruzes, desacreditam os baconianos e a nascente maçonaria inglesa.

Quando os jesuítas inventam o neotemplarismo, o marquês de Luchet atribui o plano aos neotemplários. Os jesuítas, que já estavam então combatendo os neotemplários, por intermédio de Barruel copiam Luchet, mas atribuem o plano a todos os franco-maçons em geral.

Contraofensiva baconiana. Depois de consultar todos os textos da polêmica liberal e laicista, descobrimos que, de Michelet e Quinet a Garibaldi e Gioberti, atribuía-se a Ordonation aos jesuítas (e talvez a ideia tivesse vindo do templário Pascal e de seus amigos). O tema se torna popular com *O judeu errante*, de Eugène Sue, e seu malvado personagem monsieur Rodin, quintessência da conspiração jesuítica no mundo. Mas pesquisando em Sue acabamos encontrando algo mais: um texto que parecia decalcado, mas com a antecipação de meio século, dos Protocolos, palavra por palavra. Tratava-se do último capítulo de *Os mistérios do povo*. Nesse livro o diabólico plano jesuíta era explicado até o último detalhe delituoso num documento enviado pelo geral da Companhia, padre Roothaan (personagem histórico), ao Sr. Rodin (este personagem de *O judeu errante*). Rodolfo de Gerolstein (por sua vez herói dos *Mistérios de Paris*) dele toma possessão e o revela aos democráticos: "Veja, caro Lebrenn, como essa trama infernal é bem urdida, que dores pavorosas, que dominação horrenda, que terrível despotismo se reserva à Europa e ao mundo, se por desgraça vier a concluir-se..."

Parecia o prefácio de Nilus aos Protocolos. E Sue atribuía aos jesuítas a máxima (que reencontraremos depois nos Protocolos, atribuída aos judeus) "o fim justifica os meios".

95

QUE SÃO OS JUDEUS CABALISTAS

*Não nos venham pedir que apresentemos outras provas
mais para ficar demonstrado que esse grau dos rosa-cruzes
foi habilmente introduzido pelos chefes da maçonaria... A
identidade de sua doutrina, de seu ódio e de suas práticas
sacrílegas com as da Cabala, dos Gnósticos e dos
Maniqueus, nos indica a identidade dos autores,
que são os Judeus Cabalistas.*

(Mons. Líon Meurin, S. J., *La Franc-Maçonnerie,
Synagogue de Satan,* Paris, Retaux, 1893, p. 182)

Quando saem os *Mistérios do Povo,* os jesuítas veem que a Ordonation lhes é atribuída, lançam mão da única tática ofensiva que ainda não tinha sido explorada por ninguém e, recuperando a carta de Simonini, atribuem a Ordonation aos judeus.

Em 1869, Gougenot de Mousseaux, célebre por dois livros sobre a magia no século XIX, publica *Les Juifs, le judaïsme et la judïsation des peuples chrétiens,* em que diz que os judeus usam a Cabala e são adoradores de Satã, visto que uma filiação secreta liga diretamente Caim aos gnósticos, aos templários e aos maçons. De Mousseaux recebe uma bênção especial do papa Pio IX.

Mas o Plano romanceado por Sue acaba reciclado também por não jesuítas. Era uma bela história, quase novelesca, passada muito tempo depois. Após o surgimento dos Protocolos, que havia levado muito a sério, em 1921 o *Times* descobriu que um proprietário rural russo monarquista refugiado na Turquia comprara de um ex-oficial da polícia secreta russa refugiado em Constantinopla um grupo de livros antigos, entre os quais um sem capa, em cuja lombada se lia apenas "Joli", com um prefácio datado de 1864 e que parecia a fonte literal dos Protocolos. O *Times* fez pesquisas junto ao British Museum e descobrira o livro original de Maurice Joly, *Dialogue aux enfers entre Montesquieu et Machiavel*, editado em Bruxelas (mas com a indicação Genève, 1864). Maurice Joly nada tinha a ver com Cretineau-Joly, mas a analogia assim mesmo ficara revelada, alguma coisa tinha forçosamente que significar.

O livro de Joly era um panfleto liberal contra Napoleão III em que Maquiavel, que representava o cinismo do ditador, discutia com Montesquieu. Joly havia sido preso por essa iniciativa revolucionária, passara 15 meses na prisão e em 1878 se matara. O programa dos judeus dos Protocolos tinha sido tomado quase literalmente do que Joly atribuía a Maquiavel (o fim justifica os meios), e por intermédio de Maquiavel a Napoleão. O *Times* todavia não se dera conta (mas nós sim) de que Joly havia copiado a mancheias o documento de Sue, anterior de pelo menos sete anos.

Uma autora antissemita, apaixonada pela teoria do complô e dos Superiores Desconhecidos, Nesta Webster, diante desse fato que reduzia os Protocolos a um plágio banal, teve uma intuição luminosíssima, como somente o verdadeiro iniciado, ou o caçador de iniciados, sabe ter. Joly era iniciado, conhecia o plano dos Superiores Desconhecidos, e odiando Napoleão III o havia atribuído a ele, mas isso não significava que o plano não existisse independentemente de Napoleão. Como o Plano relatado nos Protocolos se amoldava exatamente àquilo que os judeus de hábito fazem, logo era o plano dos judeus. A nós não restava senão corrigir a Sra. Webster segundo essa mesma lógica: como o plano se amoldava perfeitamente àquilo que deviam pensar os templários, era um plano dos templários.

Além do mais, a nossa lógica era a dos fatos. Achamos muito interessante a história do cemitério de Praga. Dizia respeito a um tal Hermann Goedsche, pequeno funcionário postal prussiano, que já havia publicado documentos falsos para desacreditar o democrata Waldeck, acusado de querer assassinar o rei da Prússia. Desmascarado, passou a ser redator do órgão dos grandes proprietários conservadores, *Die Preussische Kreuzezeitung*. Depois, com o nome de sir John Retcliffe, começou a escrever romances de sensação, entre os quais *Biarritz*, em 1868. Nele descrevia uma cena ocultística que se passava num cemitério de Praga, muito parecida com a reunião dos Iluminados que Dumas havia descrito no início de *José Bálsamo*, em que Cagliostro, chefe dos Superiores Desconhecidos, entre os quais Swedenborg, urde o complô do colar da rainha. No cemitério de Praga reúnem-se os representantes das 12 tribos de Israel que expõem seu plano de conquistar o mundo.

Em 1876 um panfleto russo reporta a cena de *Biarritz*, mas como se tivesse ocorrido realmente. E assim o faz, em 1881, na França o *Le Contemporain*. Nele se diz que a notícia provém de fonte segura, o diplomata inglês sir John Readcliff. Em 1896, um tal Bournand publica o livro *Les Juifs, nos contemporains*, e reporta a cena do cemitério de Praga, dizendo que o discurso devastador fora feito pelo rabino John Readcliff. Uma tradição posterior dirá ainda que o verdadeiro Readcliff tinha sido levado ao cemitério fatal por Ferdinand Lassalle, perigoso revolucionário.

E esses planos são mais ou menos os mesmos descritos em 1880, poucos anos antes, pela *Revue des Etudes Juives* (antissemita), que publicara duas cartas atribuídas a judeus do século XV. Os judeus de Arles pediram ajuda aos judeus de Constantinopla por estarem sendo perseguidos, e estes respondem: "Bem amados irmãos em Moisés, se o rei de França vos obriga a fazer-vos cristãos, fazei-vos, por não poderdes proceder de outra maneira, mas conservai a lei de Moisés em vosso coração. Se vos espoliam de vossos bens, fazei com que vossos filhos se tornem comerciantes, de modo a pouco a pouco poderem espoliar os bens dos cristãos. Se atentam contra as vossas vidas, fazei com que vossos filhos se tornem médicos e farmacêuticos, para que estes lhes tirem a vida. Se destroem as vossas sinagogas, fazei com que vossos filhos se tornem cônegos e clérigos para que venham a destruir-lhes as igrejas. Se vos submetem a outros vexames, fazei com que vossos filhos se tornem advogados e notários e se imiscuam nos negócios de todos os estados, de modo que, submetendo os cristãos ao vosso jugo, dominareis o mundo e podereis vingar-vos deles."

Tratava-se sempre do plano dos jesuítas e, por alto, da Ordonation templar. Poucas variações, permutações mínimas: os Protocolos estavam-se fazendo sozinhos. Um projeto abstrato de complô migrava de um complô para o outro.

E quando estávamos engendrando o modo de identificar o elo perdido, que unia toda aquela história a Nilus, encontramos Rackovsky, o chefe da terrível Okrana, a polícia secreta do czar.

96

UMA COBERTURA É SEMPRE NECESSÁRIA

*Uma cobertura é sempre necessária. No escondimento
reside grande parte de nossa força. Por isso devemos sempre
esconder-nos sob o nome de uma outra sociedade.*

(*Die neuesten Arbeiten des Spartacus und Philo in dem*
Illuminaten-Orden, 1794, p. 143)

Precisamente naqueles dias, ao lermos uma página qualquer dos nossos diabólicos, demos com a referência de que o conde de São Germano, entre seus múltiplos disfarces, havia assumido também o de Rackoczi, ou pelo menos assim o havia identificado o embaixador de Frederico II em Dresden. E o landgrave de Hesse, junto ao qual São Germano, aparentemente, havia morrido, dissera que este era de origem transilvana e se chamava Ragozki. Acresce que Comênio havia dedicado sua *Pansofia* (obra certamente cheirando a rosacrucianismo) a um landgrave (quantos landgraves nesta nossa história) que se chamava Ragovsky. No último retoque no quebra-cabeça, ao consultar um alfarrabista da praça Castello, encontrei uma obra alemã sobre a maçonaria, anônima, na qual uma ignota mão havia acrescentado no falso rosto uma nota segundo a qual o texto era devido a um tal Karl Aug. Ragotgky. Considerando que o misterioso indivíduo que talvez houvesse assassinado o coronel Ardenti se chamava Rakosky, eis que encontrávamos assim um modo de inserir, nas pistas do Plano, o nosso conde de São Germano.

"Não estamos dando poderes demais a esse aventureiro?", perguntava preocupado Diotallevi.

"Não, não", respondia Belbo, "ele merece. É como o molho de soja nos pratos chineses. Se não tem, não é chinês. Veja Agliè, que entende destas coisas: por acaso toma por modelo Cagliostro ou Willermoz? São Germano é a quintessência do Homo Hermeticus."

Pierre Ivanovitch Rackovsky. Jovial, insinuante, felino, inteligente e astuto, falsário genial. Pequeno funcionário, que depois em contato com grupos revolucionários é preso, em 1897, pela polícia secreta e acusado de ter dado asilo a amigos terroristas que haviam atentado contra o general Drentel. Passa para o lado da polícia e se inscreve (vejam bem) nas Centúrias Negras. Em 1890 descobre em Paris uma organização que fabricava bombas para atentados na Rússia, e consegue fazer com que sejam capturados em seu país 63 terroristas. Dez anos depois será descoberto que as bombas eram feitas pelos seus próprios subordinados.

Em 1887 divulga a carta de um certo Ivanov, revolucionário arrependido, que assegura ser a maioria dos terroristas composta de judeus e em 1890 uma *"confession par un vieillard ancien révolutionnaire"* em que os revolucionários exilados em Londres são acusados de serem agentes britânicos. Em 1892 um falso texto de Plekhanov em que se acusa a direção do partido Narodnaia Volia de ter feito publicar aquela confissão.

Em 1902 procura constituir uma liga franco-russa antissemita. Para consegui-lo, usa uma técnica semelhante à dos rosa-cruzes. Afirma que a liga existe, facilitando assim sua criação. Mas usa também outra técnica: mistura astutamente o verdadeiro com o falso, e ostensivamente nega o verdadeiro, de modo que ninguém duvida mais do falso. Faz circular em Paris um misterioso apelo aos franceses para que apoiem uma Liga Patriótica Russa com sede em Karkov. No apelo acusa a si mesmo como sendo a pessoa que quer fazer fracassar a liga e faz votos de que ele, Rackovsky, venha a mudar de ideia. Autoacusa-se de servir-se de personalidades desacreditadas como Nilus, o que era verdade.

Por que se podem atribuir os Protocolos a Rackovsky?

O protetor de Rackovsky era o ministro Serguei Witte, um progressista que queria transformar a Rússia num país moderno. Porque o progressista Witte se servia de Rackovsky era algo que só Deus sabia, mas nós estávamos então preparados para tudo. Witte tinha um adversário político, um tal de Erie de Cyon, que já o havia atacado publicamente com temas polêmicos que recordam certos trechos dos Protocolos. Mas nos escritos de Cyon não havia menção aos judeus, porque ele próprio era de origem judaica. Em 1897, por ordem de Witte, Rackovsky manda revistar a residência de Cyon em Territat, e encontra um panfleto de Cyon inspirado no livro de Joly (ou no de Sue), em que se atribuía a Witte as ideias de Maquiavel-Napoleão III. Rackovsky, com sua habilidade para a falsificação, substitui os judeus por Witte e põe o texto em circulação. O nome Cyon parece feito de propósito para lembrar Sion (Sião), e assim demonstrar que um autorizado expoente judeu denuncia uma conspiração judaica. Eis como teriam nascido os Protocolos. A essa altura o texto cai inclusive nas mãos de Juliana ou Justine Glinka, que em Paris frequenta os salões de Madame Blavatsky, e nas horas vagas espreita e denuncia os revolucionários russos no exílio. Justine Glinka é seguramente um agente dos paulicianos, os quais estão ligados aos camponeses e portanto querem convencer o czar de que os programas de Witte são os mesmos do complô internacional judeu. Justine envia o documento ao general Orgeievsky, e este por intermédio do comandante da guarda imperial fá-lo chegar às mãos do czar. Witte se encontra em apuros.

Assim, Rackovsky, arrastado por seu rancor antissemita, contribui para a desgraça de seu protetor. E, provavelmente, ainda para a sua própria. De fato a partir daquele momento perdemos sua pista. São Germano possivelmente havia assumido novos disfarces e novas reencarnações. Mas nossa história adquirira um perfil plausível, racional e límpido, porque fora favorecida por uma série de fatos, verdadeiros, dizia Belbo, como verdadeiro é Deus.

Tudo isso me trazia de volta à mente a história de De Angelis sobre a sinarquia. O melhor da história toda, certo, de nossa história, mas talvez até mesmo da História, como insinuava Belbo, com olhar febril, enquanto me mostrava as suas fichas — é que grupos em luta mortal estavam se exterminando mutuamente usando cada um as mesmas armas do outro. "O primeiro dever de um bravo infiltrado", comentava eu, "é denunciar como infiltrados aqueles junto aos quais se infiltra."

Belbo disse: "Lembro-me de uma história de ***. Eu via sempre, à tardinha, numa ruela estreita, um tal de Remo, ou um nome parecido, no seu pequeno carro preto. Tinha bigodes pretos, bastos cabelos pretos, camisa preta, e dentes também pretos, horrivelmente cariados. E beijava uma garota. E eu tinha nojo daqueles dentes negros que beijavam aquela coisa bela e loira, não me lembro sequer do rosto dela, mas para mim era virgem e prostituta, era o eterno feminino. E eu me martirizava com aquilo." Belbo adotava instintivamente um tom áulico para patentear seu intento irônico, cônscio de se ter deixado transportar por langores inocentes da memória. "Eu me perguntava sem cessar por que aquele Remo, que pertencia às Brigadas Negras, podia se mostrar assim à vontade, mesmo nos períodos em que *** não estava ocupada pelos fascistas. E dizia para mim mesmo que corria o rumor de que ele era um infiltrado dos *partigiani*. Fosse ou não fosse, o certo é que uma tarde vejo-o dentro do mesmo pequeno carro preto, com os mesmos dentes negros, a beijar a mesma garota loira, mas com um lenço vermelho no pescoço e uma camisa cáqui. Tinha-se bandeado para as Brigadas Garibaldinas. Todos lhe faziam festas, e ele adotara o nome de guerra de X-9, como o personagem de Alex Raymond, que eu lia no almanaque de aventuras. Bravo X-9, lhe diziam... E eu o odiava ainda mais, porque possuía a garota com o consentimento do povo. Mas alguns diziam que era um infiltrado fascista entre os *partigiani*, talvez porque desejassem a garota, mas assim era, e X-9 era suspeito..."

"E depois?"

"Desculpe, Casaubon, mas por que lhe interessam tanto as minhas histórias?"

"Porque você narra, e as narrativas são fatos do imaginário coletivo."

"*Good point*. Então, uma manhã, X-9 estava transitando fora de seus domínios, talvez tivesse marcado um encontro com a garota num campo qualquer, para levar às vias de fato aquela miserável bolinação e mostrar-lhe que sua verga era menos cariada que seus dentes, desculpem-me, mas não consigo apreciá-lo nem mesmo hoje, em suma, eis que os fascistas lhe preparam uma armadilha, trazem-no de volta à cidade e, às cinco da manhã, no dia seguinte, o fuzilam."

Pausa. Belbo olhava para as mãos, que estavam postas, como se estivesse orando. Depois abriu-as e disse: "Era a prova de não ser um infiltrado."

"Moral da história?"

"Quem lhe disse que as histórias devem ter sempre um significado moral? Mas, pensando bem, talvez quisesse dizer que às vezes para provarmos uma coisa qualquer precisamos morrer."

97

EGO SUM QUI SUM

Ego sum qui sum.
(Êxodo 3, 14)

Ego sum qui sum. An axiom of hermetic philosophy.
(Madame Blavatsky, *Isis Unveiled*, p. l)

— *Quem és?* — *perguntaram a um só tempo trezentas vozes enquanto vinte espadas cintilavam nas mãos dos fantasmas mais próximos...*
— *Ego sum qui sum, disse.*
(Alexandre Dumas, *Joseph Balsamo,* II)

Voltei a encontrar-me com Belbo na manhã seguinte. "Escrevemos ontem uma bela página de folhetim", disse-lhe. "Mas, se quisermos traçar um Plano exequível, talvez devêssemos nos manter mais próximos da realidade."

"Que realidade?", perguntou-me. "Talvez seja só nos folhetins que nos dão a verdadeira medida da realidade. Temos sido enganados."

"Por quem?"

"Por aqueles que nos fizeram crer que de um lado está a grande arte, aquela que representa personagens típicos em circunstâncias típicas, e de outro o romance de aventuras, que narra a respeito de personagens atípicos em circunstâncias atípicas. Sempre achei que um verdadeiro dândi jamais faria amor com uma Scarlett O'Hara e tampouco com a Dama das Camélias. Eu usava os folhetins para viajar um pouco para fora da vida. Sentia-me seguro, pois eles me propunham o inatingível. Mas era o contrário."

"O contrário?"

"Sim. Proust é que tinha razão: a vida é mais bem representada pela música ruim do que por uma Missa Solene. A arte brinca conosco e nos anima, nos faz ver o mundo como os artistas queriam que fosse. O folhetim finge brincar, mas o mundo que nos faz ver ali é o mundo que de fato é, ou pelo menos como será. As mulheres são mais parecidas com Milady do que com Madame Bovary, Fu Manchu é mais real do que Nathan o Sábio, e a História é mais parecida com a contada por Sue do que aquela projetada por Hegel. Shakespeare, Melville, Balzac e Dostoievski fizeram folhetim. O que aconteceu de fato foi o que eles contaram antes dos romances em fascículos."

"É por ser mais fácil imitar o folhetim do que a arte. Tornar-se a Gioconda é uma obra, tornar-se Milady segue a nossa inclinação natural pela facilidade."

Diotallevi, que até então se mantinha em silêncio, observou afinal: "Vejam o nosso Agliè. Acha mais fácil imitar São Germano que Voltaire."

"Sim", dissera Belbo, "no fundo, até as mulheres acham mais interessante São Germano que Voltaire."

Encontrei depois este *file*, em que Belbo resumira nossas conclusões em termos romanescos. Digo em termos romanescos porque me dou conta de que se divertia em reconstituir os fatos sem incluir neles, de seu, senão uns pequenos trechos de lembranças. Não consegui identificar todas as citações, os plágios e os empréstimos, mas reconheci muitos trechos dessa entusiasmada reprodução. Mais uma vez, para fugir à inquietação da História, Belbo havia escrito e revisitado a vida por interposta escritura.

filename: O retorno de São Germano

Já lá se vão cinco séculos que a mão vindicativa do Onipotente arrancou-me das profundezas da Ásia para vagar por estas terras. Trago comigo o pavor, a desolação, a morte. Mas, ora, sou o notário do Plano, ainda que os outros não o saibam. Já vi coisas piores do que estas, e o maquinar da noite de São Bartolomeu custou-me mais tédio do que escrever agora. Oh, por que então se contraem meus lábios neste satânico sorrir? Sou aquele que é, se o maldito Cagliostro não me tivesse usurpado até mesmo este último direito.

Mas o triunfo está próximo. Soapes, quando eu era Kelley, tudo me ensinou, na Torre de Londres. O segredo consiste em se tornar um outro.

Com astutos enredos, fiz com que Joseph Balsamo fosse encarcerado na fortaleza de San Leo, e me apoderei de seus segredos. Como São Germano, desapareci, e agora todos acham que sou o conde de Cagliostro.

Há pouco soou a meia-noite em todos os relógios da cidade. Que insuspeitada quietude. Este silêncio não me convence. A noite é esplêndida, embora friíssima, e alta a Lua no céu ilumina com seu álgido clarão as velhas ruelas impenetráveis de Paris. Poderiam ser dez horas: o campanário da abadia dos Black Friars lentamente soou as oito ainda há pouco. O vento sacode com lúgubre estrídulo as bandeirolas de ferro sobre a desolada planície dos telhados. Uma espessa colcha de nuvens recobre o céu.

Capitão, remontemos? Não, ao contrário, aprofundemos. Danação, dentro em breve o *Patna* afundará de proa, salta Jim do Pango, salta. Não darei talvez, para fugir a esta angústia, um diamante do tamanho de uma noz? Ir à bolina, baixa a mezena, iça o papafigo, ou que mais queira, hostes da desgraça, soprai!

Ranjo horrivelmente as arcadas dentárias enquanto uma palidez de morte me inflama o rosto céreo de chamas esverdeadas.

Como cheguei aqui, eu a própria imagem da vingança? Os espíritos do inferno sorriem com desprezo ante as lágrimas do ser cuja voz ameaçadora os fizeram tremer tantas vezes no próprio seio de seu abismo de fogo.

Ora, uma face.

Quantos degraus tive de descer para penetrar neste casebre? Sete? Trinta e seis? Não há pedra que não tenha roçado, passo que não tenha dado, que não ocultasse um hieróglifo. Quando os tiver manifestado, o Mistério será finalmente revelado aos meus fiéis. Depois bastará decifrá-lo, e a solução será a Chave, por trás da qual se esconde a Mensagem, que ao iniciado, e só a ele, dirá claramente qual seja a natureza do Enigma.

Do enigma à sua decifração, o passo é breve, e dela sairá lampejante o hierograma, no qual se acrisolará a prece da interrogação. Depois, a mais ninguém poderá ser desconhecido o Arcano, véu, manta, tapete egípcio que cobre o Pentáculo. E dali para a luz declarando o sentido oculto do Pentáculo, a Pergunta Cabalística à qual só poucos poderão responder, para dizer com voz de trovão qual seja o Signo Insondável. Inclinados diante dele, Trinta e Seis Invisíveis deverão dar a resposta, a enunciação da Runa cujo sentido está aberto apenas aos filhos de Hermes, e a esses seja dado o Sigilo Zombeteiro, Máscara atrás da qual se perfila o rosto que estes procuram colocar a nu, o Rebus Místico, o Anagrama Sublime...

— Sator Arepo! — grito com voz de fazer tremer um espectro. E abandonando a rota que mantém por obra sagaz de suas mãos homicidas, Sator Arepo aparece expedito ao meu comando. Reconheço-o, e já suspeitava quem fosse. É Luciano, o despachante mutilado, que os Superiores Desconhecidos destinaram para executor do meu intento infame e sanguinário.

— Sator Arepo — pergunto zombeteiro —, sabes qual a resposta final que se oculta no Sublime Anagrama?

— Não, conde — responde o incauto —, mas espero-o saber de vossa boca.

Um riso infernal sai de meus lábios pálidos e ressoa sob as abóbadas antigas.

— Engano! Só o verdadeiro iniciado sabe que não sabe!

— Sim, mestre — responde obtuso o despachante mutilado —, como quiserdes. Estou pronto.

Estamos num sórdido casebre em Clignancourt. Esta noite devo punir-te, a ti antes de tudo, tu que me iniciaste na nobre arte do delito. A ti, que finges amar-me, e o que é pior: o crês, e aos inimigos sem nome com os quais passarás o próximo *week-end*. Luciano, testemunha importuna das minhas humilhações, me emprestará seu braço — o único — e depois morrerá.

Um casebre com um alçapão no assoalho, na encosta de uma espécie de barranco, de reservatório, de intestino subterrâneo, usado desde tempos imemoriais para depósito de mercadorias contrabandeadas, inquietantemente úmido porque confina com os condutos dos esgotos de Paris, labirinto do delito, e as velhas paredes transudam indizíveis miasmas, de modo que basta, com a ajuda de Luciano, fidelíssimo no mal, perfurar um buraco na parede para que a água entre aos borbotões, alague o sótão, faça ruir as paredes já periclitantes, nivelando o barranco com o resto dos condutos, por onde agora deslizam matérias putrefatas, a superfície enegrecida que se entrevê do alto do alçapão é agora vestíbulo da perdição noturna: ao longe, bem longe, o Sena, e depois o mar...

Do alçapão desce uma escadinha de corda suspensa do bordo superior, e sob esta, ao nível da água, está agarrado Luciano, com um punhal: uma das mãos segura a estaca do último degrau, a outra sustém o punhal, a terceira pronta a agarrar a vítima. Agora espera, e em silêncio — digo-lhe — verás.

Convenci-te a eliminar todos os homens com cicatriz — vem comigo, seja minha para sempre, eliminemos as presenças importunas, sei bem que não o amas, me disseste, ficaremos só tu e eu, e as correntes subterrâneas.

Agora entraste, altiva como uma virgem, rouca e encarquilhada como uma megera — ó visão do inferno que abala os meus ombros centenários e me cerra o peito na mordaça do desejo, ó esplêndida mulata, instrumento da minha perdição. Com as mãos aduncas lacero a camisa de fina cambraia que me adorna o peito, e com as unhas o estrio de sulcos sanguinosos, enquanto um calor atroz me arde os lábios frios como as mãos da serpente. Um surdo rugido sai das mais negras cavernas de minh'alma e irrompe de minhas arcadas ferinas — eu centauro vomitado do tártaro — e quase não se ouve voar uma salamandra, porque o uivo contenho, e me avizinho de ti com um sorriso atroz.

— Minha amada, minha Sophia, digo-te com a graça felina com que sabe falar apenas o chefe secreto da Okrana. Vem, eu te esperava, aninha-te comigo nas trevas, e espera — e tu ris rouca, víscida, pregustando uma herança qualquer ou um lucro, um manuscrito dos Protocolos para vendê-lo ao czar... Como sabes ocultar por trás da face angelical a sua natureza demoníaca, pudicamente enfaixada em teus andróginos *blue-jeans*, a *T-shirt* quase transparente que no entanto oculta o lírio infame estampado em suas carnes brancas pelo carrasco de Lille!

Chega o primeiro ingênuo, atraído por mim à armadilha. Distingo-lhe as feições a custo, sob o capote que o envolve, mas me mostra o sinal dos templários de Provins. É Soapes, o sicário do grupo de Tomar.

— Conde — diz-me ele —, é chegado o momento. Por anos sem conta temos errado dispersos pelo mundo. Vós tendes o último fragmento da mensagem, eu tenho o que aparece no início do Grande Jogo. Mas esta é outra história. Reunamos nossas forças, e os outros...

Completo sua frase:

— Os outros, para o inferno. Vai, irmão, no centro do aposento existe uma mesa, na mesa, o que vens buscando há séculos. Não temas a obscuridade, que ela em vez de ameaçar-nos nos protege.

O ingênuo move seus passos, quase às apalpadelas. Um baque, surdo. Precipita-se no alçapão, e à flor da água Luciano o agarra e vibra-lhe sua lâmina, um corte rápido na garganta, o borbulhar do sangue se confunde com o efervescer do líquido ctônio.

Batidas à porta.

— És tu, Disraeli?

— Sim — responde o desconhecido, no qual os meus leitores terão reconhecido o grão-mestre do grupo inglês, já agora alçado ao auge do poder, mas ainda não pago. Ei-lo que fala: — *My Lord, it is useless to deny, because it is impossible to conceal, that a great part of Europe is covered with a network of these secret societies, just as the superficies of the earth is now being covered with railroads...*

— Já o disseste aos Comuns em 14 de julho de 1856, nada me escapa. Ao cerne da questão.

O judeu baconiano impreca entre os dentes. Prossegue:

— São já em demasia. Os Trinta e Seis Invisíveis agora são 360. Multiplicado por dois, 720. Subtraindo-se os 120 anos ao término dos quais as portas se abrirão, temos aí seiscentos, como a carga de Balaklava.

Homem diabólico, a ciência secreta dos números não tem segredos para ele.

— E daí?

— Nós temos ouro, tu tens o mapa. Unamo-nos, e seremos invencíveis.

Com um gesto hierático, indico-lhe a mesa imaginária que ele, cego de cobiça, pensa vislumbrar na escuridão. Avança, e cai.

Ouço o sinistro luzir da lâmina de Luciano, e apesar das trevas vejo o estertor que cintila nas tácitas pupilas do inglês. Justiça é feita.

Espero o terceiro, o mensageiro dos rosa-cruzes franceses, Montfaucon de Villars, pronto a trair, já estou prevenido, os segredos de sua seita.

— Sou o conde de Gabalis — apresenta-se, mendaz e fátuo.

Poucas palavras me bastam sussurrar para induzi-lo a despachar-se para o seu destino. Cai, e Luciano, ávido de sangue, executa sua tarefa.

Tu sorris comigo na sombra, e me dizes que és minha, e teu será o meu segredo. Iludes-te iludes-te, sinistra caricatura da Shekinah. Sim, sou teu Simão, espera, que o melhor ainda ignoras. E quando o souberes tê-lo-ás deixado de saber.

Quem chega? Um a um entram os outros.

Padre Bresciani havia me informado que, representando os iluminados alemães, viria uma certa Babette de Interlaken, bisneta de Weishaupt, a grande virgem do comunismo helvético, crescida em meio à canalha, à rapina e ao sangue, perita em penetrar os segredos impenetráveis, em abrir despachos sem violar os selos, em propinar venenos, o que lhe ordene a sua seita.

Entra, então, a jovem agatodêmone do delito, envolta num casaco de pele de urso branco, os longos cabelos loiros que lhe escorrem por sobre o atrevido decote, olhar altivo, ar sarcástico. E com a mesma conversa, encaminho-a para a perdição.

Ah, ironia da linguagem — este dom que a natureza nos deu para calar os segredos dos nossos propósitos! A Iluminada cai vítima da Treva. Ouço-a vomitar horríveis imprecações, a impenitente, enquanto Luciano gira-lhe o punhal três vezes no coração. *Déjà vu, déjà vu...*

É a vez de Nilus, que por um instante acreditou possuir a czarina e o mapa. Imundo monge luxurioso, querias o Anticristo? Encontrá-lo-ás à tua frente, mas não lhe faça caso. E cego o encaminho, entre mil místicas lisonjas, à emboscada infame que o espera. Luciano esquarteja-lhe o peito com uma ferida em forma de cruz, e ele se aprofunda no sono eterno.

Devo superar a ancestral desconfiança do último, o Sábio de Sião, que pretende ser Ashverus, o Judeu Errante, imortal como eu. Não confia, enquanto sorri untuoso com a barba ainda ensopada do sangue das tenras criaturas cristãs de quem costuma fazer pasto no cemitério de Praga. Sabe que sou Rackovsky, devo superá-lo em astúcia. Faço-lhe perceber que na mesa estão, além do mapa, diamantes brutos, ainda por lapidar. Conheço o fascínio que os diamantes brutos exercem sobre essa raça deicida. Vai em direção ao seu destino arrastado pela cupidez e é a seu Deus, cruel e vingador, que impreca enquanto morre, trespassado como Hiram, e difícil lhe é entrementes imprecar, pois não consegue de seu Deus pronunciar o nome.

Ilusão, que acreditava haver levado a cabo a Grande Obra.

Como se açoitada por um turbilhão, ainda uma vez abre-se a porta do casebre e nela surge uma figura de rosto lívido, as mãos cruzadas devotamente sobre o peito, o olhar fugaz, que não consegue ocultar sua natureza, uma vez que cinge as negras vestes de sua negra Companhia. Um filho de Loiola!

— Cretineau! — grito, induzido em erro.

Ele ergue a mão num gesto hipócrita de bênção.

— Não sou aquele que sou — diz-me com um sorriso que já nada tem de humano.

É verdade, esta sempre foi a sua técnica: às vezes negam-se a si mesmos a sua própria existência, às vezes proclamam a força de sua ordem para intimidar os ignaros.

— Nós somos sempre um outro daquele que pensais, filhos de Belial (diz agora o sedutor de soberanos). Mas tu, Ó São Germano...

— Como sabe que o seja de fato? — pergunto perturbado.

Sorri ameaçador:

— Tu me conheceste em outros tempos, quando me tentaste afastar da cabeceira de Postel, quando sob o nome de Abade de Herblay fiz com que fosses terminar uma de tuas encarnações nas entranhas da Bastilha (oh, como ainda sinto no rosto a máscara de ferro a que a Companhia, com a ajuda de Colbert, me havia condenado!), me conheceste quando eu espionava os teus conciliábulos com d'Holbach e Condorcet...

— Rodin! — exclamo, como atingido por um raio.

— Sim, Rodin, o geral secreto dos jesuítas! Rodin, a quem não enganarás fazendo-me cair no alçapão, como fizeste com os outros incautos. Sabe, São Germano, que não há delito, artifício nefasto, esparrela criminal, que não tivéssemos inventado antes de vós, para maior glória deste nosso Deus que justifica os meios! Quantas cabeças coroadas fizemos cair na noite que não tem manhã, em emboscadas muito mais sutis, para obter o domínio do mundo. E agora queres impedir que, a um passo da meta, metamos nossas mãos hábeis num segredo que há cinco séculos move a história do mundo?

Rodin, falando dessa forma, se torna assustador. Todos aqueles instintos de ambição sanguinária, sacrílega, execrável que se haviam manifestado nos papas do Renascimento, transparecem agora sobre a fronte daquele filho de Inácio. Bem vejo: uma sede de domínio insaciável agita-lhe o sangue impuro, um suor ardente o inunda, uma espécie de vapor nauseabundo se difunde em seu redor.

Como ferir este último inimigo? Sobrevém-me a intuição inesperada, que só sabe nutrir aquele para quem as intenções humanas, há séculos, já não possuem segredos invioláveis.

— Olha-me — digo —, também eu sou um Tigre.

De um só golpe arrasto-te para o meio do quarto, arranco-te a *T-shirt*, lacero o cinto da esmeralda couraça que oculta as graças de teu ventre cor de âmbar. Agora tu, à pálida luz da Lua que penetra pela porta entrefechada, te ergues, mais bela que a serpente que seduziu Adão, soberba e lasciva, virgem e prostituta, vestida apenas com o teu carnal poder, porque a mulher desnuda é a mulher armada.

O *klaft* egípcio desce sobre os teus bastos cabelos, azuis à força de tão pretos, o seio palpitante sob a leve musselina. Em torno da pequenina fronte arqueada e pertinaz se envolve o uraeus de ouro de olhos de esmeraldas, dardejando sobre tua cabeça sua tríplice língua de rubi. Oh a tua túnica de véu negro de reflexos argênteos, presa por uma echarpe bordada de funestos arco-íris, em pérolas negras. Teu púbis intumescido raspado a fio para que tenhas, aos olhos de teus amantes, a nudez de uma estátua! As pontas de teus mamilos já levemente excitadas pela fricção das plumas de tua escrava malabar, tingidos pelo mesmo carmim que te ensanguenta os lábios, convidativos como uma ferida!

Rodin agora arqueja. As longas abstinências, a vida gasta num sonho de poder, não fez mais que prepará-lo cada vez mais para o seu desejo incontido. Diante desta rainha bela e impudica, de olhos negros como os olhos do demônio, de ombros torneados, cabelos olorosos, de pele branca e tenra, Rodin é tomado da expectativa de carícias insuspeitas, de volúpias inefáveis, freme em sua própria carne, como freme um deus silvano ao admirar uma ninfa desnuda que se espelha nas águas que já perderam Narciso. Adivinho na contraluz o ríctus incontido, está como petrificado pela Medusa, esculpido no desejo de uma virilidade reprimida e agora no crepúsculo, chamas obcecantes de lascívia lhe retorcem as carnes, é como um arco reteso para a meta, estendido até o ponto em que cede e se parte.

Repentinamente caiu ao solo, rastejante diante daquela aparição, a mão como um artelho estendido a invocar um sorvo de elixir.

— Oh, estertor, oh como és bela, oh esses pequenos dentes de lobinha que cintilam quando cerras os lábios róseos e túmidos... Oh os teus grandes olhos de esmeralda que ora faíscam e ora se enlanguescem. Oh demônio de volúpia.

Oh quanto sofre, o miserável, quando moves agora tuas ancas arrochadas pelo tecido azul índigo e projetas o púbis para levares o flíper à última demência.

— Oh visão — disse Rodin —, sê minha, por um instante apenas, culmina com um átimo de prazer uma vida passada a serviço de uma divindade ciosa, consola com um relâmpago de luxúria a eternidade de chamas a que a tua visão agora me impele e arrasta. Peço-te que aflores o meu rosto com teus lábios, tu Antineia, tu Maria Madalena, tu que desejei na face das santas conturbadas pelo êxtase, que cobicei no curso de minhas adorações hipócritas dos vultos virginais, ó Senhora, tu que és bela como o Sol, branca como a Lua, eis que renego a Deus, aos Santos e ao próprio Pontífice Romano, direi mais, renego a Loiola, e o juramento criminoso que me vincula à Companhia, impetro um beijo apenas, e que por ele eu morra.

Deu ainda um passo, rastejando sobre os joelhos encolhidos, a túnica soerguida à cintura, a mão ainda mais tesa em direção àquela inatingível felicidade. De improviso, precipitou-se para trás, e os olhos pareciam saltar-lhe das órbitas. Atrozes convulsões imprimiam às linhas de seu corpo desumanos sobressaltos, semelhantes aos que a pilha de Volta produz na face dos cadáveres. Uma espuma azulada lhe empurpura a boca, da qual sai uma voz sibilante e estrangulada, como a de um hidrófobo, pois quando chega à sua fase paroxística, como diz muito bem Charcot, esta espantosa enfermidade que é a satiríase, punição da luxúria, imprime à vítima os mesmos estigmas da raiva canina.

É o fim. Rodin prorrompe num riso insensato. Logo tomba ao solo exânime, imagem viva do rigor cadavérico.

Num só instante a mente se lhe transtorna e ele morre em danação.

Limitei-me a arrastar o corpo até a boca do alçapão, agindo com cautela, para não manchar meus borzeguins de verniz na túnica sebenta de meu último inimigo.

Não havia necessidade do punhal homicida de Luciano, mas o sicário não consegue controlar seus gestos, diante da funesta coação de repeti-los. Ri, e apunhala um cadáver já privado de vida.

Agora te conduzo à boca do alçapão, acaricio-te o pescoço e a nuca, enquanto te inclinas para apreciar a cena, e digo-te:

— Estás satisfeita com teu Rocambole, ó meu amor inacessível?

E enquanto anuis lasciva e escarneces salivando no vão, estendo imperceptivelmente os dedos, que fazes meu amor, nada Sophia, te mato, agora sou Joseph Balsamo e já não preciso de ti.

A druida dos Arcontes expira, precipitada na água. Luciano ratifica com um golpe de lâmina o veredicto de minha mão impiedosa e digo-lhe:

— Agora podes voltar para cima, meu servo fiel, minha alma condenada, e enquanto sobe e me oferece o dorso enfio-lhe nas escápulas um fino estilete de lâmina triangular, que quase não deixa cicatriz. Ele se precipita no vão, fecho a vigia, e pronto, abandono o casebre, enquanto oito corpos navegam em direção do Chatelet, por condutos só conhecidos por mim.

Volto para a minha habitação do Faubourg Saint-Honoré, olho-me no espelho. Eis aqui, digo para mim, o Rei do Mundo. De minha agulha oca domino o universo. Há certos momentos em que minha potência me faz perder a cabeça. Sou um mestre da energia. Ébrio de autoridade.

Ai de mim, que a vingança da vida não tardou a chegar. Meses mais tarde, na cripta mais profunda do castelo de Tomar, já agora senhor do segredo das correntes subterrâneas e mestre dos lugares sagrados daqueles que formam os Trinta e Seis Invisíveis, último dos últimos templários e Superior Desconhecido de todos os Superiores Desconhecidos, devo esposar Cecilia, a andrógina dos olhos de gelo, da qual agora já nada me separa. Reencontrei-a após séculos, depois de me ter sido roubada pelo homem do saxofone. Agora ela caminha equilibrando-se no alto do encosto do banco do jardim, azul e loira, e não sei ainda o que tem sob a tule vaporosa que a adorna.

A capela está escavada na rocha, o altar encimado por uma tela inquietante em que figuram os suplícios dos condenados nas profundezas do inferno. Alguns monges encapuzados fazem-me tenebrosamente ala, e mesmo assim não me perturbo, fascinado que estou pela fantasia ibérica...

Mas, horror, a tela se ergue, e acima dela, obra admirável de algum Arcimboldo das cavernas, aparece outra capela, em tudo semelhante àquela onde estou, e ali, diante de outro altar, ajoelhada está Cecilia, e junto dela — um suor gelado me aljofra a fronte, eriçam-se-me os cabelos na cabeça — quem vejo a ostentar escarnecendo a sua cicatriz? O Outro, o verdadeiro Joseph Balsamo, que alguém teria libertado de sua masmorra de San Leo!

E eu? É nessa altura que o mais velho dos anciãos desvenda o seu capuz, e nele reconheço o horrível sorriso de Luciano, não se sabe como indene ao meu punhal, aos esgotos, à vasa sanguinolenta que o devia arrastar então cadáver para o fundo silencioso dos oceanos, ora bandeado para os meus inimigos por justa sede de vingança.

Os monges libertam-se de suas túnicas e aparecem envoltos em armaduras até agora disfarçadas, uma cruz flamejante sobre o manto cândido como a neve. São os templários de Provins!

Agarram-me, obrigam-me a voltar a cabeça, e atrás de mim agora surge um carrasco com dois ajudantes disformes, sou posto numa espécie de garrote, e com o ferrete em brasa marcam-me como presa eterna do carcereiro, imprimindo-se para sempre o sorriso infame de Bafomé em minhas costas — agora compreendo, para que eu possa substituir Balsamo em San Leo, ou, antes, retomar o lugar que me era destinado até a eternidade.

Mas me reconhecerão, digo para mim, e já que todos creem agora que eu seja ele, e ele o condenado, alguém virá talvez em meu auxílio — os meus cúmplices pelo menos –, não se pode substituir um prisioneiro sem que ninguém o perceba, não estamos mais nos tempos do Máscara de Ferro... Ilusão! Num átimo percebo, enquanto o carrasco empurra-me a cabeça contra uma bacia de cobre da qual sobem vapores esverdeados... O vitríolo!

Colocam-me uma venda sobre os olhos, o rosto é impelido em contato com o líquido voraz, uma dor lancinante, insuportável, a pele de minha face, do nariz, da boca, do queixo, se encarquilha, se escama, basta um instante, e quando sou reerguido pelos cabelos meu rosto já está irreconhecível, uma tabes, uma varíola, um indizível nada, um hino à repugnância, voltarei para a masmorra como a ela voltam muitos fugitivos que tiveram a coragem de se desfigurar para não serem recapturados.

Ah, grito derrotado e, segundo o narrador, uma palavra sai de meus lábios corroídos, um suspiro, um grito de esperança: Redenção!

Mas redenção de quê, velho Rocambole, não sabias bem que não devias tentar ser um protagonista! Foste punido, e por tuas próprias artes. Humilhaste os escritores da ilusão, e agora — estás vendo — escreves, com o álibi da máquina. Iludes-te de seres espectador, porque te lês na tela como se as palavras fossem de outro, mas caíste na armadilha, eis que buscas deixar pegadas na areia. Ousaste modificar o texto do romance do mundo, e o romance do mundo te enreda em sua trama, e te enleia em seu enredo, que não foste tu a decidir.

Melhor tivesses permanecido em tuas ilhas, Jim do Pango, e ela assim te acreditasse morto.

SUA GNOSE RACISTA, SEUS RITOS

*O partido nacional-socialista não tolerava as sociedades
secretas porque ele próprio era uma sociedade secreta, com
seu grão-mestre, sua gnose racista, seus ritos e iniciações.*

(René Alleau, *Les sources occultes du nazisme*,
Paris, Grasset, 1969, p. 214)

Creio que foi nesse período que Agliè escapou ao nosso controle. Era a expressão usada por Belbo, em tom excessivamente indiferente. Atribuí-o ainda uma vez a possíveis ciúmes. Silenciosamente furioso pelo poder que Agliè exercia sobre Lorenza, escarnecia em voz alta sobre o poder que Agliè estava adquirindo junto ao Sr. Garamond.

Talvez fosse ainda culpa nossa. Agliè começara a seduzir Garamond quase um ano antes, a partir da temporada da festa alquímica no Piemonte. Garamond lhe havia confiado o arquivo dos AEPs a fim de que pudesse ali localizar novas vítimas a serem estimuladas a engordar o catálogo da Ísis Revelada, e agora o consultava para quaisquer decisões, certamente lhe dando um pró-labore mensal. Gudrun, que efetuava explorações periódicas ao fundo do corredor, além da porta de vidro que dava acesso ao reino acolchoado da Manuzio, murmurava às vezes em tom preocupado que o Sr. Agliè se havia praticamente instalado na sala da Sra. Grazia, ditava-lhe cartas, acompanhava novos visitantes ao gabinete do Sr. Garamond, em suma, e aqui a inveja subtraía a Gudrun ainda mais vogais, fazia-a de empregada. Na verdade, poderíamos perguntar por que Agliè passava horas e horas no fichário de endereços da Manuzio. Já tivera tempo suficiente para identificar todos os AEPs que pudessem ser aliciados como novos autores da Ísis Revelada. Contudo, continuava a escrever, a contatar, a convocar. Mas no fundo estávamos alimentando a sua autonomia.

A situação não desagradava a Belbo. Quanto mais Agliè na via Marchese Gualdi tanto menos Agliè na via Sincero Renato, e portanto menos possibilidade de que certas irrupções repentinas de Lorenza Pellegrini, com as quais ele cada vez mais pateticamente se excitava, sem qualquer tentativa agora de disfarçar a sua reação, fossem perturbadas pela entrada imprevista de "Simão".

Também não desagradava a mim, agora já sem interesse pela Ísis Revelada e cada vez mais voltado para minha história da magia. Pensava ter aprendido com os diabólicos tudo quanto podia aprender, e deixava que Agliè gerisse os contatos (e os contratos) com os novos autores.

Não desagradava igualmente a Diotallevi, já que o mundo parecia importar-lhe cada vez menos. Voltando agora a pensar nele, via-o emagrecer de modo preocupante, às vezes o surpreendia à mesa de trabalho, inclinado sobre um original, o olhar no vazio, a caneta quase a cair-lhe da mão. Não estava adormecido, estava exausto.

Mas havia outra razão para que preferíssemos que Agliè aparecesse cada vez mais raramente, nos restituísse os manuscritos que havia reprovado e desaparecesse ao longo do corredor. Na realidade, não queríamos que ouvisse as nossas conversas. Se nos fosse perguntado por quê, diríamos que por vergonha, ou por delicadeza, dado que estávamos parafraseando metafísicas nas quais ele de certo modo acreditava. Na realidade, fazíamos isso por desconfiança, deixávamo-nos tomar pouco a pouco pela natural reserva dos que sabem possuir um segredo, e estávamos insensivelmente repelindo Agliè para o vulgo dos profanos, nós que lentamente, e sempre menos sorridentes, vínhamos conhecendo aquilo que havíamos inventado. Por outro lado, como disse Diotallevi num instante de bom humor, agora que tínhamos um São Germano verdadeiro não sabíamos o que fazer com o falso.

Agliè não parecia melindrar-se com o nosso distanciamento. Cumprimentava-nos com muita distinção e lá se ia. Com uma distinção que raiava à altivez.

Certa segunda-feira de manhã eu cheguei tarde ao escritório e encontrei Belbo, que logo me convocou impaciente à sua sala, para onde fora chamado também Diotallevi. "Grandes novidades", disse. Estava para começar a falar quando chegou Lorenza. Belbo estava indeciso entre a alegria daquela visita e a impaciência de dizer-nos das suas descobertas. Logo em seguida ouvimos bater à porta e apareceu Agliè: "Não os queria importunar, desculpem, não se incomodem. Não tenho poderes para desfazer tão importante consistório. Vim só avisar a nossa cara Lorenza que estou lá do outro lado com o Sr. Garamond. E espero ter o poder ao menos de convocá-la para um xerez ao meio-dia, em minha sala."

Na sua sala. Dessa vez Belbo perdeu o controle. Pelo menos, da forma como podia perdê-lo. Esperou que Agliè saísse e disse entre os dentes: "Destapa o rabo."

Lorenza, que estava ainda fazendo gestos cúmplices de alegria, perguntou-lhe que queria dizer.

"É uma expressão turinense. Significa queira tirar a tampa, ou ainda, se preferir, tenha vossa excelência a bondade de tirar a tampa. Na presença de uma pessoa arrogante e empertigada, que se supõe entalada pela própria imodéstia, e que essa imoderada autoconsideração tenha o corpo dilatado em virtude de uma tampa que, enfiada no esfíncter, impede que toda aquela dignidade aerostática se dissolva, eis senão que, convidando-se a personagem a retirar tal rolha, condenamo-la a perseguir o próprio e irreversível afrouxamento, não raro acompanhado de um sibilo agudíssimo e redução do sobrevivente invólucro externo a pobre coisa, definhada imagem e fantasma exangue daquela prisca majestade."

"Não o achava tão vulgar."

"Agora já sabe."

Lorenza havia saído, fingindo irritação. Eu sabia que Belbo estava sofrendo ainda mais: uma raiva verdadeira o teria pacificado, mas um mau humor mostrado em cena o induzia a pensar que, em Lorenza, fossem igualmente teatrais as aparências de paixão, sempre.

E foi por isso, creio, que com determinação nos disse repentinamente. "Vamos em frente." E queria dizer procedamos com o Plano, vamos trabalhar a sério.

"Estou indisposto", dissera Diotallevi. "Não me sinto muito bem. Tenho algo aqui", e tocava o estômago, "creio que seja gastrite."

"Imagina só", lhe dissera Belbo, "eu que bebo não tenho gastrite... Como arranjaste uma gastrite, com água mineral?"

"Pode ser", dizia sorrindo Diotallevi, arrastado. "Ontem eu me excedi. Estou acostumado com a Fiuggi e bebi San Pellegrino."*

"Então precisas tomar cuidado, estes excessos podem acabar contigo. Mas vamos em frente, porque há dois dias morro de vontade de lhes contar que finalmente sei a razão pela qual há séculos os Trinta e Seis Invisíveis não conseguem determinar a forma do mapa. John Dee se havia enganado, a geografia precisa ser refeita. Vivemos no interior de uma terra oca, envoltos pela superfície terrestre. E Hitler sabia disso."

---

* Marcas de águas minerais italianas, respectivamente sem gás e com gás. (*N. do T.*)

99

O GUENONISMO MAIS AS DIVISÕES BLINDADAS

*O nazismo foi o momento em que o espírito de magia se
apoderou das alavancas do progresso material. Lênin
dizia que o comunismo é o socialismo mais a
eletricidade. Em certo sentido, o hitlerismo era
o guenonismo mais as divisões blindadas.*

(Pauwels e Bergier, *Le matin des magiciens*,
Paris, Gallimard, 1960, 2, VII)

Belbo tinha conseguido encaixar até Hitler no plano. "Tudo escrito preto no branco. Está provado que os fundadores do nazismo estavam ligados ao neotemplarismo teutônico."

"Não nos parece."

"Não estou inventando nada, Casaubon, desta vez não estou inventando!"

"Calma, quando é que inventamos fatos? Sempre partimos de dados objetivos, ou pelo menos de notícias do domínio público."

"Também desta vez. Em 1912 nasce uma Germanenorden que propugna por uma ariosofia, ou uma filosofia da superioridade ariana. Em 1918 um certo barão Sebottendorff funda uma filiação, a Thule Gesellschaft, sociedade secreta, enegésima variação da Estrita Observância Templar, mas com fortes colorações racistas, pangermanísticas e neoarianas. Em 1933 esse Sebottendorff escreverá ter sido ele quem semeou o que Hitler iria cultivar depois. E foi, nos redutos da Thule Gesellschaft é que aparece a cruz gamada. E quem adere imediatamente à Thule? Rudolph Hesse, a alma-condenada de Hitler! E após Rosenberg! E o próprio Hitler! Além de tudo, vocês leram nos jornais que Hesse, em seu cárcere de Spandau, ainda hoje se ocupa de ciências esotéricas.

Von Sebottendorff escreve em 1924 um libelo contra a alquimia, e observa que as primeiras experiências de fissão nuclear atômica demonstram a verdade da Grande Obra. E escreve um romance sobre os rosa-cruzes! Além disso dirigirá uma revista astrológica, a *Astrologische Rundschau*, e Trevor-Roper escreveu que os grandes chefes nazistas, com Hitler à frente, não davam um passo sem antes traçar um horóscopo. Em 1943, parece que foi consultado um grupo de médiuns para descobrirem onde Mussolini era mantido prisioneiro. Em suma, todo o grupo dirigente nazista está ligado ao neo-ocultismo teutônico."

Belbo parecia haver esquecido o incidente com Lorenza, e eu o ajudava, dando pisadas no acelerador da reconstituição: "No fundo podemos considerar sob esse enfoque também o poder de Hitler como arrebatador das massas. Fisicamente era um pigmeu, tinha a voz estrídula, como é que conseguia eletrizar o povo? Devia possuir propriedades mediúnicas. Provavelmente, instruído por algum druida do partido, sabia pôr-se em contato com as correntes subterrâneas. Ele próprio era uma antena, um menir biológico. Transmitia energia das correntes aos fiéis do estádio de Nuremberg. Por uns tempos conseguiu fazê-lo, depois as baterias se descarregaram."

100

EU DECLARO QUE A TERRA É OCA

Ao mundo inteiro: declaro que a Terra é oca e habitável interiormente, que contém diversas esferas sólidas, concêntricas, colocadas uma dentro da outra, e é aberta em ambos os polos por uma extensão de 12 ou 16 graus.

(J. Cleves Symmes, capitão de infantaria, 10 de abril de 1818; cit. *in* Sprague de Camp e Ley, *Lands Beyond*, Nova York, Rinehart, 1952, X)

"Meus parabéns, Casaubon, em sua inocência acabou tendo a intuição exata. A verdadeira, a única obsessão de Hitler eram as correntes subterrâneas. Hitler era adepto da teoria da Terra oca, a *Hohlweltlehre*."

"Meninos, eu vou me retirar, estou com gastrite", dizia Diotallevi.

"Espera, que agora vem o melhor. A Terra é oca: não vivemos do lado de fora, sobre a crosta externa, coisa nenhuma, mas lá dentro, na superfície côncava interna. O que pensamos ser o céu é uma massa de gás com zonas de luz brilhante, gás que preenche o interior do globo. Todas as medidas astronômicas têm que ser revistas. O céu não é infinito, mas circunscrito. O Sol, se de fato existe, não é maior do que na verdade aparece. Um corpúsculo de 30 centímetros de diâmetro no centro da Terra. Os gregos já o haviam suspeitado."

"Esta agora é invenção tua", disse cansado Diotallevi.

"Invenção minha coisa nenhuma! A ideia já havia sido aventada nos primeiros anos do século XIX, na América, por um tal de Symmes. Depois retoma-a no final do século um outro americano, um certo Tedd, que se apoia sobre experiências alquímicas e na leitura de Isaías. E depois da Primeira Guerra

Mundial a teoria é aperfeiçoada por um alemão, como se chama, que fundou o movimento da Hohlweltlehre que, conforme a própria palavra diz, é a teoria da Terra oca. Hitler e os seus acham que a teoria da Terra oca corresponde exatamente aos seus princípios, e por isso mesmo, segundo dizem alguns, erraram uns bons tiros com a V1 exatamente porque calcularam a trajetória partindo da hipótese de uma superfície côncava, e não convexa. Hitler já está agora convencido de que o Rei do Mundo é ele, e de que o Estado-maior nazista são os Superiores Desconhecidos. E onde habita o Rei do Mundo? Dentro, embaixo, não fora. É partindo desta hipótese que Hitler decide reverter toda a ordem das pesquisas, a concepção do mapa final, o modo de interpretar o Pêndulo! É necessário repactuar com os seis grupos e refazer todos os cálculos desde o princípio. Considerem a lógica das conquistas hitlerianas... Primeira reivindicação, Dantzig, por ter sob seu domínio os lugares sagrados do grupo teutônico. Depois conquista Paris, põe o Pêndulo e a Torre Eiffel sob seu controle, contata os grupos sinárquicos e os insere no governo de Vichy. A seguir, assegura a neutralidade, e a cumplicidade do grupo português. Quarto objetivo, é óbvio, a Inglaterra, mas sabemos que não é fácil. No meio-tempo, procura com as campanhas da África atingir a Palestina, mas também naquele caso não obtém êxito. Então visa a submissão dos territórios paulicianos, invadindo os Balcãs e a Rússia. Quando presume ter em mãos quatro sextos do Plano, manda Hess em missão secreta à Inglaterra propor uma aliança. Como os baconianos não abocanham a isca, tem uma intuição: aqueles que possuem a parte mais importante do segredo só podem ser os inimigos de sempre, os judeus. E não é necessário ir procurá-los em Jerusalém, onde só permaneceram poucos. O fragmento da mensagem do grupo hierosolimitano não se encontra de fato na Palestina, mas nas mãos de algum grupo da diáspora. E fica assim explicado o Holocausto."

"Em que sentido?"

"Mas basta pensar um pouco. Imagina que queres cometer um genocídio..."

"Por favor", disse Diotallevi, "agora estamos mesmo exagerando, estou passando mal do estômago, vou-me embora."

"Espera, por Deus, quando os templários destripavam os sarracenos tu te divertias, porque aquilo se havia passado há tanto tempo, e agora vens aí com esse moralismo de pequeno intelectual. O que estamos procurando aqui é refazer a História, e nada há que devamos temer."

Deixamo-lo continuar, subjugado por sua energia.

"O que mais espanta no genocídio dos judeus é sua duração, primeiro são mantidos em campos de concentração passando fome, depois são espoliados de tudo e ficam nus, depois as duchas, depois a conservação meticulosa de montanhas de cadáveres, a classificação e o arquivamento das roupas, o recenseamento dos bens pessoais... Não era um procedimento racional, se se tratasse apenas de extermínio. Passava a ser racional se se tratasse de procurar, procurar uma mensagem que uma entre aqueles milhões de pessoas, o representante hierosolimitano dos Trinta e Seis Invisíveis, conservava, nas pregas da roupa, na boca, tatuado na pele... Só o Plano explica a inexplicável burocracia do genocídio! Hitler procura na pessoa física dos judeus a sugestão, a ideia que lhe permita determinar, graças ao Pêndulo, o ponto exato em que as correntes subterrâneas se interceptam sob a abóbada côncava que a Terra oca provê a si mesma, pois nesse ponto, prestem atenção à perfeição da concepção, se realiza, por assim dizer, a intuição hermética milenária: o que está por baixo é igual ao que está por cima! O Polo Místico coincide com o Cerne da Terra, o desígnio secreto dos astros outra coisa não é senão o desígnio secreto dos subterrâneos de Agarttha, não há diferença entre o céu e o inferno, e o Graal, o *lapis exillis*, é o *lapis ex coelis* no sentido em que é a Pedra Filosofal que nasce como envolvimento, termo, limite, útero ctônio dos céus! E quando Hitler identificasse aquele ponto, no centro oco da Terra, que é o centro perfeito do céu, será o senhor do mundo de que é Rei por direito de raça. E eis por que até seu último instante, no abismo de seu *bunker*, ele pensa poder determinar ainda o Polo Místico."

"Chega", dissera Diotallevi. "Agora estou mal de verdade. Isso me fez mal."

"Ele está se sentindo mal mesmo, e não por questões ideológicas", disse eu.

Só então Belbo pareceu compreender. Ergueu-se solícito e foi amparar o amigo que se apoiava à mesa, parecendo a ponto de desmaiar.

"Desculpa-me, meu caro, mas estava me deixando arrastar. É verdade que não te sentes mal porque eu disse aquelas coisas? Há vinte anos que pilheriamos juntos, não é mesmo? Mas estás mal a sério, talvez seja mesmo gastrite. Olha que neste caso basta uma pastilha antiácida. E uma bolsa de água quente. Vamos lá, eu te acompanho a casa, será melhor que chame um médico, é bom saber de que se trata."

Diotallevi disse que podia ir sozinho para casa, de táxi, que ainda não estava moribundo. Iria deitar-se. Logo chamaria um médico, prometeu-nos. E que não fora a história de Belbo que o havia afetado, já estava se sentindo assim desde a véspera. Belbo pareceu aliviado e acompanhou-o ao táxi.

Voltou preocupado: "Pensando bem, já há algumas semanas que ele anda com uma cara horrível. De olheiras... Mas, santo Deus, eu devia ter morrido de cirrose há dez anos e ainda estou firme, e ele que vive como um asceta é que vai ter gastrite, ou talvez pior, isso me parece mais úlcera. Ao diabo o Plano. Estamos levando todos uma vida de doidos."

"Pois acho que com uma pastilha de antiácido a coisa passa", disse eu.

"Também acho. Mas se aplica um saco de água quente ainda é melhor. Esperemos que tenha juízo."

101

QUI OPERATUR IN CABALA

Qui operatur in Cabala... si errabit in opere aut non purificatus accesserit, deuorabitur ab Azazale.

(Pico della Mirandola, *Conclusiones Magicae*)

A crise de Diotallevi ocorreu em fins de novembro. Esperávamo-lo no escritório no dia seguinte e ele nos telefonou dizendo que precisava recuperar-se. O médico dissera que os sintomas não eram preocupantes, mas seria melhor fazer alguns exames.

Belbo e eu estávamos associando sua doença ao Plano, que talvez tivéssemos levado longe demais. Com meias palavras dizíamos a nós mesmos que era irracional, mas nos sentíamos culpados. Esta era a segunda vez que eu me sentia cúmplice de Belbo: a primeira foi quando calamos juntos (com De Angelis); dessa vez, juntos, havíamos falado demais. Era irracional sentirmo-nos culpados — estávamos então convictos disso? — mas não podíamos evitar o incômodo. E por isso evitamos por mais de um mês falar no Plano.

Duas semanas mais tarde Diotallevi reapareceu e nos disse com tom tranquilo que pedira uma licença para tratamento de saúde a Garamond. Haviam-lhe aconselhado um tratamento, sobre o qual não quis estender-se muito, que o obrigava a apresentar-se na clínica a cada dois ou três dias, o que o teria debilitado ainda mais. Não sei quanto poderia debilitar-se ainda: tinha agora o rosto da mesma cor dos cabelos. "E acabemos com aquelas histórias", disse ele, "fazem mal à saúde, como veem. É a vingança dos rosa-cruzes."

"Não te preocupes", dissera-lhe Belbo sorrindo, "que plantamos um pontapé no rabo deles, e logo te deixam em paz. Basta um gesto." E estalava os dedos.

O tratamento durou até o início do ano-novo. Eu me havia mergulhado na história da magia — a verdadeira, a séria, dizia para mim mesmo, e não a que havíamos inventado. Garamond vinha à nossa sala pelo menos uma vez por dia para saber notícias de Diotallevi. "E façam o favor de me informar de qualquer exigência, de qualquer problema que surja, de qualquer circunstância em que eu, ou o Estado, possamos fazer algo pelo nosso valoroso amigo. Para mim é como um filho, direi mais, um irmão. Em todo caso estamos num país civilizado, graças a Deus, por mais que se diga desfrutamos de excelente serviço social."

Agliè se mostrara solícito, havia perguntado o nome da clínica e telefonara ao diretor, seu caríssimo amigo (além do mais, dissera, irmão de um dos nossos AEPs com o qual estava agora em negociações cordialíssimas). Diotallevi seria tratado com especiais cuidados.

Lorenza estava abalada. Passava pela Garamond quase todos os dias para saber notícias. Isso devia fazer Belbo feliz, mas ele tirara do fato uma conclusão sombria. Embora presente, Lorenza lhe fugia ainda mais pois não vinha por sua causa.

Pouco antes do Natal surpreendi um fragmento de conversação. Lorenza dizia-lhe: "Posso lhe garantir, uma neve magnífica e têm uns chalezinhos maravilhosos. Você pode fazer esqui de fundo. Está bem?" Deduzi daí que passariam o fim do ano juntos. Mas depois do Dia de Reis, Lorenza apareceu um dia no corredor e Belbo lhe disse: "Feliz ano-novo", esquivando-se à sua tentativa de um abraço.

102

UM MURO MUITO GRANDE E ALTO

Partindo daqui chegamos a uma região chamada Milestre...
na qual se dizia habitar o chamado Velho da Montanha... E
havia de fato no alto de elevados montes, que circundavam
um vale, um muro muito grande e alto, que abarcava ao
redor de uma extensão de x milhas, a cujo interior se
entrava por duas portas ocultas, furadas no monte.

(Odorico da Pordenone, *De rebus incognitis*,
Impressus Esauri, 1513, c. 21, p. 15)

Um dia, em fins de janeiro, eu passava pela via Marchese Gualdi, onde havia estacionado o carro, quando vi Salon, que saía da Manuzio. "Um bate-papo com o amigo Agliè...", foi o que me disse. Amigo? Pelo que eu recordava da festa do Piemonte, Agliè não gostava dele. Era Salon quem estava metendo o nariz na Manuzio ou era Agliè quem o estava usando possivelmente para algum contato?

Não me deu tempo para refletir sobre o caso, porque me ofereceu um aperitivo, e acabamos entrando no Pílades. Nunca o tinha visto naquelas bandas, mas cumprimentou o velho Pílades como se o conhecesse desde muito. Mal nos sentamos, perguntou-me como ia a minha história da magia. Sabia até disso. Resolvi provocá-lo a propósito da Terra oca e daquele Sebottendorff citado por Belbo.

Ele riu. "Ah, é verdade que malucos dessa espécie é o que não falta em sua editora! A propósito dessa história da Terra oca, nada sei. Mas quanto a Von Sebottendorff, olha, aquele era um tipo estranho... Arriscou meter na cabeça de Hitler e companhia ideias suicidas para o povo alemão."

"Que ideias?"

"Fantasias orientais. Esse homem tinha prevenções contra os judeus e caía de amores pelos árabes e os turcos. Sabe que no gabinete de despachos de Himmler, além da *Mein Kampf* havia sempre o Corão? Sebottendorff quando jovem se havia apaixonado por não sei que seita iniciática turca, e pôs-se a estudar a gnose islâmica. Ele dizia 'Führer', mas pensava no Velho da Montanha. E quando todos juntos fundaram a SS, pensavam numa organização semelhante àquela dos Assassinos... Pergunte-se por que na Primeira Guerra Mundial a Alemanha e a Turquia eram aliadas..."

"Mas como o senhor sabe dessas coisas?"

"Creio que já lhe disse que meu pobre pai trabalhou na Okrana russa. Pois bem, lembro que naqueles tempos a polícia czarista andava preocupada com os Assassinos, creio que foi Rackovsky quem teve a primeira intuição... Depois abandonaram a pista, porque se entravam os Assassinos não entravam mais os judeus, e o perigo então eram os judeus. Como sempre. Os judeus regressaram à Palestina e obrigaram aqueles a saírem das cavernas. Mas essa história de que estamos falando é muito confusa, melhor acabá-la por aqui."

Parecia arrependido de ter dito tanto, e se despediu às pressas. Havia acontecido alguma coisa mais. Depois de tudo o que sucedeu, estou certo de não haver sonhado, mas naquele dia pensei que tivesse tido alguma alucinação, porque, acompanhando Salon enquanto saía do bar, pareceu-me vê-lo encontrar-se, na esquina, com um indivíduo de feições orientais.

Em todo caso, Salon me disse o suficiente para despertar o orgasmo da minha imaginação. Velho da Montanha e Assassinos não me eram de modo algum desconhecidos: havia me referido a eles em minha tese, uma vez que os templários eram acusados de ter conluios até mesmo com eles. Como poderia esquecer?

Foi assim que recomecei a fazer a mente trabalhar, e sobretudo os dedos, manuseando velhos fichários, e foi quando tive uma ideia tão brilhante que não consegui me conter.

Apareci de repente uma manhã na sala de Belbo: "Estamos redondamente enganados. Fizemos uma tremenda trapalhada."

"Calma, Casaubon, o que foi? Oh, meu Deus, o Plano." Teve um momento de hesitação. "Sabe que não tenho boas notícias de Diotallevi? Ele não diz nada, mas telefonei à clínica e não quiseram me afirmar nada de concreto porque não sou parente — ele não tem parentes, quem está cuidando dele agora? Mas não me agradou aquela reticência. É algo de benigno, dizem, mas a terapia não foi suficiente, melhor será que se recupere de modo definitivo por mais um mês, e talvez valha a pena tentar-se uma pequena intervenção cirúrgica... Em suma, aquela gente não me disse a verdade e a história cada vez me desagrada mais."

Não soube o que responder, comecei a folhear uma coisa qualquer para fazer esquecer minha entrada triunfal. Mas foi Belbo quem não resistiu. Era como um jogador a quem mostrassem de repente um maço de cartas. "Que diabo", disse. "A vida no entanto continua. Vamos, fale."

"Está tudo errado. Enganamo-nos em tudo, ou em quase tudo. Vejamos: Hitler faz o que faz com os judeus, mas nada arranca do buraco. Ocultistas de meio mundo, durante séculos e séculos, se esmeram em aprender o hebraico, vasculham por toda a parte, e o máximo que conseguem extrair é o horóscopo. Por quê?"

"Ora... Porque o fragmento dos hierosolimitanos continua ainda oculto em algum lugar. Por outro lado, nunca veio a furo o fragmento dos paulicianos, pelo que saibamos..."

"Esta é uma resposta típica de Agliè, não nossa. Tenho uma saída melhor. Os judeus não entram nessa história."

"Como assim?"

"Os judeus nada têm que ver com o Plano. Não podem entrar nele. Procuremos imaginar a situação dos templários, primeiro em Jerusalém, e depois nas capitanias da Europa. Os cavaleiros franceses encontram-se com os alemães, com os portugueses, com os espanhóis, com os italianos, com os ingleses, todos eles têm relações com a região bizantina, e sobretudo se medem com o adversário, o turco. Um adversário com quem se bate mas com quem também se negocia, já o vimos. Aquelas eram as forças em campo, e as relações se faziam entre cavalheiros de igual categoria. Quem eram os judeus naquele tempo na Palestina? Uma minoria racial religiosa, tolerada, respeitada pelos árabes que os viam com benévola condescendência, mas pessimamente tratados pelos cristãos, pois não podemos nos esquecer que no curso das várias cruzadas, de passagem, estes saqueavam os guetos, uma troca de massacres. E nós pensando que os templários, com todo o fedor que tinham sob o nariz, ficassem lá a trocar informações místicas com os judeus... Qual nada. Nas capitanias da Europa, os judeus eram vistos como usurários, gente sem princípios, dos quais se devia aproveitar mas sem lhes dar confiança. Estamos falando aqui de um relacionamento entre cavaleiros, estamos construindo o plano de uma cavalaria espiritual, e não podemos admitir que os templários de Provins possam introduzir no assunto cidadãos de segunda categoria, podemos? De maneira alguma."

"Mas toda a magia do Renascimento se põe a estudar a Cabala..."

"Claro, estamos já próximos do terceiro encontro, está todo mundo indócil, à procura de atalhos, o hebraico surge como língua sagrada e misteriosa, os cabalistas se empenham por conta própria e com outras finalidades, e os 36 espalhados pelo mundo metem na cabeça que uma língua incompreensível possa encerrar sabe-se lá que segredos. Será Pico della Mirandola a dizer que *nulla nomina, ut significativa et in quantum nomina sunt, in magico opere virtutem habere non possunt, nisi sint hebraica.* Pois bem: Pico della Mirandola era um cretino."

"Apoiado!"

"E, além do mais, como italiano estava excluído do Plano. Que haveria de saber? Pior para os vários Agrippa, Reuchlin e companhia que se atiram sobre aquela falsa pista. Estou reconstruindo a história de uma pista falsa, está claro? Nós nos deixamos influenciar por Diotallevi, que estava cabalando. Diotallevi cabalava e nós inserimos os judeus no Plano. Mas se Diotallevi fosse especialista em cultura chinesa, teríamos metido os chineses no Plano?"

"Talvez sim."

"Talvez não. Mas não é o caso de rasgarmos as roupas, simplesmente fomos induzidos em erro por todos. O erro foi de todos, de Postel em diante, provavelmente. Estavam convencidos, duzentos anos depois de Provins, que o sexto grupo era o hierosolimitano. E não era."

"Desculpe, Casaubon, fomos nós que corrigimos a interpretação de Ardenti, e dissemos que o encontro sobre a pedra não se referia a Stonehenge e sim à pedra da Mesquita de Omar."

"E nos enganamos. Há muitas outras pedras. Devíamos pensar num lugar fundado sobre a pedra, na montanha, uma rocha, uma cordilheira, um despenhadeiro... O sexto encontro se dará na fortaleza de Alamut."

103

TEU NOME SECRETO SERÁ DE 36 LETRAS

E apareceu Kairos, que tinha na mão um cetro que significava a realeza, e o entregou ao primeiro deus criado, o qual o tomou e disse: "Teu nome secreto será de 36 letras."

(Hasan-i Sabbah, *Sargoz_ašt-i Sayyid-na*)

Tinha apresentado minha peça de resistência, agora devia dar explicações. Havia-as munido nos dias que se seguiram, longas, minuciosas, documentadas, e agora na mesa do Pílades mostrava a Belbo provas e mais provas, que ele examinava com olhar cada vez mais perturbado, acendendo os cigarros nas guimbas, estendendo a cada cinco minutos os braços para fora, o cálice vazio com um resíduo de gelo no fundo, e Pílades se precipitava a reforçar as doses, sem esperar nossos pedidos.

As primeiras fontes eram exatamente aquelas em que apareciam as primeiras narrativas sobre os templários, de Gerardo de Estrasburgo a Joinville. Os templários haviam entrado em contato, às vezes em conflito, mas amiúde em misteriosa aliança, com os Assassinos do Velho da Montanha.

A história era naturalmente mais complexa. Começava depois da morte de Maomé, com a cisão entre os seguidores da lei ordinária, os sunitas, e os que davam apoio a Ali, genro do Profeta, marido de Fátima, que se vira usurpado da sucessão. Eram os entusiastas de Ali, que se reconheciam na *shi'a*, o grupo dos adeptos, que tinham dado vida à ala herética do Islã, os xiitas. Uma doutrina iniciática, que via a continuidade da revelação não na remeditação tradicional das palavras do Profeta, mas na própria pessoa do Imã, senhor, chefe, epifania do divino, realidade teofânica, Rei do Mundo.

Ora, que ocorria a essa ala herética do islamismo, que ia sendo aos poucos infiltrada por todas as doutrinas esotéricas da bacia mediterrânica, desde os maniqueus aos gnósticos, dos neoplatônicos à mística irânica, de todas aquelas sugestões que haviam desde anos seguido o curso de seu desenvolvimento ocidental? A história era longa, não conseguíamos desenredá-la, mesmo porque os vários autores e protagonistas árabes tinham nomes imensos, os textos mais sérios os transcrevíamos com sinais diacríticos, e noite adentro não conseguíamos mais distinguir entre Abu 'Abdi'l-la Muhammad b. 'Ali ibn Razzam at-Ta'i al-Kufi, Abu Muhammad 'Ubaydu'l-lah, Abu Mu'ini'd-Din Nasir ibn Hosrow Marwazi Qobadyani (creio que um árabe teria a mesma dificuldade em distinguir entre Aristóteles, Aristóxeno, Aristarco, Aristides, Anaximandro, Anaxímenes, Anaxágoras, Anacreonte e Anacársis).

Mas uma coisa era certa. O xiismo cinde-se em dois troncos, um deles dito duodecímano, que permanece à espera de um Imã desaparecido e venturo, e outro que é aquele dos ismaelitas, nascido no reino dos Fatímidas do Cairo, e que depois de várias peripécias se afirma como ismailismo reformado na Pérsia, por obra de um personagem fascinante, místico e feroz, Hasan Sabbah. E é aí que Sabbah estabelece o próprio centro, a própria sede inconquistável a sudoeste do Cáspio, na fortaleza de Alamut, o Ninho do Gavião.

Lá, Sabbah se rodeava de seus acólitos, os *fida'iyyun* ou *fedain*, fiéis até a morte de que ele se utilizava para levar a cabo seus assassínios políticos, instrumentos da *jihad hafi*, a guerra santa secreta. Os *fedain*, ou como ele os chamasse, ficariam mais tarde tristemente famosos com o nome de Assassinos — que hoje não é um bom nome, mas que então para eles era esplêndido, emblema de uma raça de monges guerreiros que muito se assemelhavam aos templários, prontos a morrer pela fé. Cavalaria espiritual.

A fortaleza ou o castelo de Alamut: a Pedra. Construída no alto de uma crista aérea de 400 metros de extensão e com largura às vezes de apenas alguns passos, no máximo trinta, vista de longe, a quem chegasse pela estrada de Azerbaijão, parecia uma muralha natural, branca ofuscada pelo Sol, azulada ao entardecer purpúreo, pálida na madrugada e sanguínea no alvorecer, em certos dias enevoada entre as nuvens ou faiscante de relâmpagos. Ao longo de seus bordos superiores distinguia-se a custo um adorno impreciso e artificial de torres tetragonais, que de cima pareciam uma série de lâminas de rocha que se precipitassem para o alto por centenas de metros, ameaçando cair em cima de alguém, sendo a vertente mais acessível um escorregadio polvilhado de saibro, que até hoje os arqueólogos não conseguem subir; naquele tempo lá se chegava por alguma escadaria secreta denteada na rocha em caracol, como a descascar uma maçã fóssil, bastando um único arqueiro para defendê-la. Inconquistável, vertiginosa no Além. Alamut, a fortaleza dos Assassinos. Ali só se chega cavalgando as águias.

Ali Sabbah reinava, e depois dele os que seriam conhecidos como o Velho da Montanha, primeiro entre todos o seu sulfúreo sucessor Sinan.

Sabbah havia inventado uma técnica de domínio, sobre os seus e sobre os adversários. Aos inimigos dizia que se não estivessem dispostos a satisfazer seus desejos, os mataria. E dos Assassinos não se podia fugir. Nizamu'l-Mulk, primeiro-ministro do sultão, no tempo em que os cruzados ainda se esforçavam para conquistar Jerusalém, ao ser transportado de liteira ao lugar de suas mulheres, foi mortalmente apunhalado por um sicário que se aproximara dele vestido de dervixe. O atabeque de Hims, quando saía de seu castelo para comparecer à oração da sexta-feira, circundado por um pelotão de soldados armados até os dentes, acaba sendo apunhalado pelos sicários do Velho.

Sinan decide mandar matar o marquês cristão Conrado de Montefeltro, e instrui dois de seus sicários, que se insinuam entre os infiéis imitando-lhes os hábitos e a língua, após duros treinamentos. Disfarçados de monges, enquanto o bispo de Tiro oferecia um banquete ao incauto marquês, saltam-lhe em cima e o ferem. Um Assassino é morto pelos guarda-costas, outro refugia-se numa igreja, espera que para ali seja transportado o ferido, ataca-o, liquida--o, morre beato.

Isso porque, diziam os historiógrafos árabes da linha sunita, e depois os cronistas cristãos, de Odorico de Pordenone a Marco Polo, o Velho da Montanha havia descoberto uma maneira atroz de tornar seus cavaleiros fidelíssimos até o sacrifício extremo, máquinas de guerra invencíveis. Levava--os muito jovens, ainda sonhadores, para o alto da rocha, enfraqueciam-nos com delícias, vinho, mulheres, flores, banquetes delirantes, aturdia-os de haxixe — daí o nome da seita. E quando já não podiam mais renunciar às beatitudes perversas daquela ficção de Paraíso, arrancavam-nos do sono e os colocavam diante da alternativa: vai e mata, se o conseguires, este Paraíso que agora deixas será teu de novo para sempre; se fracassas, voltarás novamente para o tormento do teu dia a dia.

E eles, atordoados pela droga, acessíveis aos seus desejos, sacrificavam-se para sacrificar, matadores condenados à morte, vítimas destinadas a fazerem vítimas.

Como os temiam, como os mitificavam os cruzados nas noites sem lua enquanto o simum sibilava no deserto! Como os templários os admiravam, tolos subjugados por aquela límpida vontade de martírio, que se submetiam a lhes pagar pedágio, pedindo-lhes em troca tributos formais, num jogo de concessões mútuas, cumplicidade, irmandade de armas, estripando-se em campo aberto, acariciando-se em segredo, sussurrando-se mutuamente suas visões místicas, fórmulas mágicas, refinamentos alquímicos...

Com os Assassinos, os templários aprenderam os ritos ocultos. Só a não aguerrida insipiência dos bailios e dos inquisidores do rei Filipe os havia impedido de compreender que a cuspida na cruz, o beijo no ânus, o gato preto e a adoração de Bafomé outra coisa não eram que a repetição de outros ritos, que os Templários executavam sob o influxo do primeiro segredo que haviam aprendido no Oriente, o uso do haxixe.

E então era óbvio que o Plano nascesse, devesse nascer ali: pelos homens de Alamut os templários souberam das correntes subterrâneas, e com os homens de Alamut reuniram-se em Provins e instituíram a trama oculta dos Trinta e Seis Invisíveis, e por isso Christian Rosencreutz teria viajado a Fez e a outros lugares do Oriente, por isso ao Oriente teria se deslocado Postel, por isso do Oriente, e do Egito, sede dos ismaelitas fatímidas, os magos do Renascimento teriam importado a divindade epônima do Plano, Hermes, Hermes-Teuth ou Toth, e com figuras egípcias havia assombrado os seus ritos o intrigante Cagliostro. E os jesuítas, os jesuítas, menos tolos do que houvéssemos suposto, com o bom Kircher se haviam imediatamente debruçado sobre os hieróglifos, e o copta, e as outras línguas orientais, não passando o hebraico senão de uma cobertura, uma concessão à moda da época.

104

ESTES TEXTOS NÃO SE DESTINAM AO COMUM DOS MORTAIS

*Estes textos não se destinam ao comum dos mortais... A
percepção gnóstica é um caminho reservado a uma
elite... Porque, segundo as palavras da Bíblia: não
deiteis pérolas a porcos.*

(Kamal Jumblatt, Entrevista a Le Jour, 31/3/1967)

*Arcana publicata vilescunt: et gratiam prophanata amittunt.
Ergo: ne margaritas obijce porcis, seu asinus substerne rosas.*

*(Johann Valentin Andreae, Die Chymische Hochzeit
des Christian Rosencreutz,* Strassburg,
Zetzner, 1616, frontispício)

E, por outro lado, onde encontrar alguém que soubesse esperar sobre a pedra durante seis séculos e que sobre a pedra tivesse esperado? É verdade, Alamut por fim caiu sob a pressão mongólica, mas a seita dos ismaelitas sobreviveu em todo o Oriente, mesclando-se de um lado com o sufismo não xiita, e dando origem por outro à terrível seita dos drusos, e sobrevivendo ainda entre os khoia indianos, seguidores do Aga Khan, a pouca distância do local de Agarttha.

Mas eu descobri algo mais. Sob a dinastia dos Fatímidas, os conceitos herméticos dos antigos egípcios, por intermédio da academia de Heliópolis, tinham sido redescobertos no Cairo, onde havia sido fundada uma Casa das Ciências. A Casa das Ciências! Onde teria se inspirado Bacon para a sua Casa de Salomão, qual teria sido o modelo do Conservatoire?

"É isso, é isso, não há a menor dúvida", dizia Belbo inebriado. Depois: "Mas, e os cabalistas?"

"É apenas uma história paralela. Os rabinos de Jerusalém intuem que alguma coisa aconteceu entre os templários e os Assassinos, e os rabinos da Espanha, circulando sob a aparência de emprestar dinheiro a juros pelas capitanias europeias, farejam qualquer coisa. Estão excluídos do segredo, e num ato de orgulho nacional decidem agir por conta própria. Como, nós, o Povo Eleito, somos mantidos à parte do segredo dos segredos? E zac, inicia-se a tradição cabalística, a tentativa heroica da diáspora, dos marginalizados, para consegui-lo a despeito dos senhores, dos dominadores que pretendem saber tudo."

"Mas, agindo assim, dão aos cristãos a impressão de saber tudo mesmo."

"E a determinada altura alguém comete a gafe colossal. Confunde Ismael com Israel."

"Então Barruel, os Protocolos e o Holocausto são apenas fruto de uma troca de consoantes."

"Seis milhões de judeus mortos por um erro de Pico della Mirandola."

"Ou talvez haja outra razão. O povo eleito se havia arrogado o encargo da interpretação do Livro. Difundiu uma obsessão. E os outros, nada encontrando no Livro, se vingaram. A gente tem medo de quem nos põe cara a cara com a Lei. Mas os Assassinos, por que não se manifestaram antes?"

"Mas Belbo! Lembre-se de como aquela região se avilta a partir da batalha de Lepanto. Sebottendorff compreende, no entanto, que alguma coisa devia ser buscada entre os dervixes turcos, mas Alamut já não existe, estes se ocultaram sabe-se lá onde. Esperam. E então chega o momento, protegidos pelo irredentismo islâmico põem a cabeça de fora. Metendo Hitler no Plano, tínhamos encontrado uma boa razão para a Segunda Guerra Mundial. Pondo agora os Assassinos, estamos explicando tudo o que ocorre há anos entre o Mediterrâneo e o golfo Pérsico. E aqui encontramos um lugar para incluir o Tres, Templi Resurgentes Equites Synarchici. Uma sociedade que se propõe restabelecer finalmente os contatos com as cavalarias espirituais de credos diversos."

"Ou que estimula os conflitos para confundir tudo e pescar em águas turvas. É claro. Chegamos ao fim de nosso trabalho de remendar a História.

Quem sabe no momento supremo o Pêndulo irá revelar que o Umbilicus Mundi é Alamut?"

"Agora não exageremos. Deixarei este último ponto em suspenso."
"Como o Pêndulo."
"Como queira. Não se pode dizer tudo aquilo que nos passa pela cabeça."
"Isto mesmo. O rigor antes de tudo."

Aquela noite eu estava orgulhoso de haver arquitetado uma bela história. Era um esteta, que usa a carne e o sangue do mundo para criar Beleza. Belbo era agora um adepto. Como todos, não por iluminação, mas *faute de mieux*.

105

DELIRAT LINGUA, LABAT MENS

> *Claudicat ingenium, delirat lingua, labat mens.*
>
> (Lucrécio, *De rerum natura*, III, 453)

Deve ter sido naqueles dias que Belbo procurou analisar o que lhe estava ocorrendo. Mas sem que a severidade com que se sabia analisar pudesse desviá-lo do mal a que se estava habituando.

filename: E se houvesse?

Inventar um Plano: o Plano te justifica a tal ponto que não és nem mesmo responsável pelo próprio Plano. Basta atirar a pedra e esconder a mão. Não haveria falha se de fato houvesse um Plano.
    Mas nunca houve Cecilia porque os Arcontes fizeram Annibale Cantalamessa e Pio Bo incapazes para o mais simpático dos instrumentos de sopro. Fugiste em frente ao Canaletto porque os Decanos queriam reservar-te para outro holocausto. E o homem da cicatriz tem um talismã mais poderoso que o teu.
    Um Plano, um culpado. O sonho da espécie. *An Deus sit*. Se há, é culpa sua.
    A coisa de que perdi o endereço não é o Fim, é o Princípio. Não o objeto a possuir mas o objeto que me possui. Mal comum meia alegria, que outra coisa diz o Mito? Octossílabo duplo.
    Quem escreveu aquele pensamento, o mais tranquilizador que até agora foi pensado? Ninguém poderá tirar-me da cabeça que este mundo é fruto de um deus tenebroso do qual prolongo a sombra. A fé conduz ao Otimismo Absoluto.

É verdade, forniquei (ou não forniquei): mas foi Deus que não soube resolver o problema do Mal. Vamos dissolver o feto no crisol, com mel e pimenta. Deus o quer.

Se há mesmo necessidade de crer, que seja uma religião que não te faça sentir culpado. Uma religião incoerente, fumigante, subterrânea, que não acaba nunca. Como um romance, e não como uma teologia.

Cinco caminhos para um só ponto de chegada. Que desperdício. Um labirinto, em vez disso, leve a toda parte e a parte alguma. Para morrer com estilo, viver de forma barroca.

Só um mau Demiurgo nos faz sentir bons.

Mas se não houvesse o Plano cósmico? Que logro, viver no exílio quando ninguém te mandou para lá. E exilado de um lugar que não existe. E se houvesse o Plano, mas te passasse despercebido para sempre?

Quando a religião cede, a arte acode. Inventas o Plano, metáfora daquele incognoscível. Até uma conspiração humana pode preencher o vazio. Não publicaram o meu *Coração e paixão* porque não pertenço à camarilha templar.

Viver como se houvesse um Plano: a pedra dos filósofos.

If you cannot beat them, join them. Se existe o Plano, basta adequar-se a ele...

Lorenza põe-me à prova. Humildade. Se tivesse a humildade para invocar os Anjos, mesmo sem crer neles, e de traçar o círculo perfeito, encontraria a paz. Talvez.

Crê que haja um segredo que te sentirás iniciado. Não custa nada.

Criar uma esperança imensa que jamais possa ser erradicada porque não existe a raiz. Antepassados que não existem jamais irão dizer que os traíste. Uma religião que se pode observar traindo-a ao infinito.

Como Andreae: criar por brincadeira a maior revelação da história e, enquanto os outros nela se perdem, jurar pelo resto de tua vida que não foste tu.

Criar uma verdade de contornos incertos: excomunga alguém que mal tenha procurado defini-la. Defender apenas quem for mais impreciso do que você. *Jamais d'ennemis à droite*.

Para que escrever romances? Reescreva a História. A História que depois se transforma.

Por que não o situa na Dinamarca, Sr. Guilherme Agitalança? Jim do Pango Johann Valentin Andreae Lucasmateus corre pelo arquipélago de Sonda entre Patmo e Avalon, da Montanha Branca a Mindanau, da Atlântida a Tessalonica... No concílio de Niceia, Orígenes corta os próprios testículos e os mostra a sangrar aos padres da Cidade do Sol, a Hiram que range os dentes *filioque filioque* enquanto Constantino planta as unhas rapaces nas órbitas vazias de Robert Fludd, morte morte aos judeus do gueto de Antioquia, *Dieu et mon droit*, agito-lhe o Beauceant, em cima dos ofitos e dos borboritos que gorgolejam venenosos. Soar de clarins, e eis que chegam os Chevaliers Bienfaisants de la Cité Sainte com a cabeça do Mouro hirta sobre a lança, o Rébis, o Rébis! Furacão magnético, despenca a Tour. Escarnece Rackovsky sobre o cadáver estorricado de Jacques de Molay.

Não te possuí, mas posso fazer explodir a história.

Se o problema é essa ausência de ser, se o ser é isso que se diz de muitas maneiras, quanto mais falamos, mais o ser existe.
    O sonho da ciência é que de ser temos muito pouco, concentrado e dizível, $E = mc^2$. Engano. Para salvar-se até o início da eternidade é necessário querer que se seja um ser ao acaso. Como uma serpente enrodilhada num marinheiro bêbedo. Inextricável.

Inventar, inventar desordenadamente, sem se preocupar com o nexo, de modo a não conseguir fazer mais o resumo. Um simples jogo de estafeta para símbolos, um revelando o outro, sem parar. Decompor o mundo numa sarabanda de anagramas em cadeia. E depois crer no Inexprimível. Não é esta a verdadeira leitura da Torá? A verdade é o anagrama de um anagrama. Anagrams = ars magna.

Isso deve ter acontecido naqueles dias. Belbo havia resolvido levar a sério o universo dos diabólicos não por excesso, mas por insuficiência de fé.
    Humilhado por sua incapacidade de criar (e tinha usado durante toda a vida os desejos frustrados e as páginas jamais escritas, umas como metáforas das outras e vice-versa, tudo como símbolo de sua presumida, impalpável covardia), agora estava se dando conta de que, construindo o Plano, na realidade havia criado. Estava se enamorando de seu Golem e dele extraía motivo de consolo. A vida — a sua e a da humanidade — como arte, e à falta de arte, a

arte como mentira. *Le monde est fait pour aboutir à un livre (faux)*. Mas agora procurava acreditar naquele livro falso porque, já o dissera por escrito, se tivesse havido um complô, ele não teria sido mais covarde, vencido e pusilânime.

Daí o que aconteceu depois, sua utilização do Plano — que sabia irreal — para derrotar um rival — que acreditava real. E depois, quando percebeu que o Plano o estava envolvendo como se de fato existisse, ou como se ele, Belbo, fosse feito da mesma massa de que era feito o seu Plano, faz uma viagem a Paris como indo ao encontro de uma revelação, uma desforra.

Vítima do remorso cotidiano, por anos e anos, de haver apenas frequentado seus próprios fantasmas, estava encontrando alívio em divisar fantasmas que se estavam tornando objetivos, percebidos até mesmo por outro, ainda que fosse este o Inimigo. Correu a jogar-se na boca do lobo? Decerto, porque aquele lobo tomava forma, era mais real do que o Jim do Pango, talvez mais real do que Cecilia, do que a própria Lorenza Pellegrini.

Belbo, enfermo de tantos encontros não realizados, sentia que agora marcava um encontro real. E de tal maneira que já não podia mais faltar a ele por covardia, porque tinha sido posto contra a parede. O medo obrigava-o a ser corajoso. Inventando, havia criado o princípio de realidade.

106

A LISTA Nº 5

> *A lista nº 5, seis camisetas, seis cuecas e seis lenços, sempre intrigou os estudiosos, fundamentalmente pela total ausência de meias.*
>
> (Woody Allen, Getting Even, Nova York, Random House, 1966, "The Metterling List", p. 8)

Naqueles dias, há pouco mais de um mês, Lia decretou que umas férias me haveriam de fazer bem. Você está com a fisionomia cansada, dizia. Talvez o Plano me tivesse exaurido. Além disso, o *bambino*, como diziam os avós, estava precisando de ar puro. Uns amigos nos emprestaram uma casinha na montanha.

Não viajamos logo. Precisava ainda tratar de alguns assuntos em Milão, e Lia achava não haver nada mais repousante que umas férias na cidade, quando se sabe que depois se vai retirar.

Naqueles dias falei com Lia sobre o Plano pela primeira vez. A princípio estava ocupada demais com a criança: sabia vagamente que eu, Belbo e Diotallevi estávamos resolvendo uma espécie de charada que me tomava dias e noites inteiras, mas não lhe dissera nada mais que isso, desde quando me fez aquele sermão sobre a psicose das semelhanças. Talvez sentisse vergonha.

Naqueles dias contei-lhe todo o Plano, completo em seus mínimos detalhes. Ela sabia da doença de Diotallevi, e eu me sentia com rabo de palha, como se tivesse feito alguma coisa que não devia, e procurasse contar-lhe só para bancar o forte.

E Lia me disse:

"Pim, essa história não me agrada."

"Não acha atraente?"

"As sereias também eram atraentes. Diga-me uma coisa: que sabe do seu inconsciente?"

"Nada, não sei nem mesmo se existe."

"Pois bem. Agora imagine se um patusco vienense, para divertir os amigos, se pusesse a inventar toda aquela história do Ego, de Édipo, e imaginasse sonhos que de fato nunca teve, e pequenos Hans que nunca tinha visto... E depois que aconteceu? Que havia milhões de pessoas prontas a se tornarem neuróticas a sério. E outros milhares prontos a explorá-las."

"Lia, você é paranoica."

"Eu, não. Você!"

"Admito que sejamos paranoicos, mas pelo menos isto você tem que conceder-me: partimos do texto de Ingolf. Ora, estamos diante de uma mensagem dos templários, aí nos vem o desejo de decifrá-la a fundo. Talvez exageramos, para gozar os decifradores de mensagens, mas o certo é que havia a mensagem."

"Contudo, o que vocês sabem é apenas o que lhes disse esse Ardenti, que pelo visto é doido de pedra. Além do mais, eu gostaria muito de ver essa mensagem."

Nada de mais fácil, eu a tinha em minha pasta.

Lia tomou a folha, olhou frente e verso, enrugou o nariz, ergueu o tufo de cabelo dos olhos para ver melhor a primeira parte, a cifrada. E disse: "Isto é tudo?"

"Não é o suficiente?"

"É suficiente e há algo mais. Dê-me dois dias para refletir." Quando Lia me pede dois dias para refletir é para demonstrar-me que sou estúpido. Acuso-a sempre disso, e ela me responde: "Se percebo que você é estúpido é porque gosto de você de fato. Gosto de você mesmo sendo estúpido. Isso não o tranquiliza?"

Por dois dias não tocamos no assunto, e além do mais ela ficou quase o tempo todo fora de casa. À noite via-a encolhida no seu cantinho onde tomava notas, arrancando folha após folha do bloco.

Ao chegarmos à montanha, nosso filho brincou o dia inteiro no gramado, Lia preparou o jantar, e disse-me que comesse porque eu estava magro feito um palito. Depois do jantar pediu-me que lhe preparasse um uísque com muito gelo e pouca soda, acendeu um cigarro como só faz nos momentos importantes, fez-me sentar a seu lado e deu sua opinião.

"Preste atenção, Pim, porque vou lhe demonstrar que as explicações mais simples são sempre as mais verdadeiras. Aquele coronel lhe disse que Ingolf havia encontrado uma mensagem em Provins, e eu não ponho em dúvida. Terá descido ao subterrâneo e terá de fato encontrado um estojo com este texto aqui", e batia o dedo sobre os versos em francês. "Ninguém nos disse que encontrou um estojo abarrotado de diamantes. A única coisa que o coronel contou a vocês foi que, segundo as anotações de Ingolf, ele tinha vendido um estojo: e por que não, era uma coisa antiga, deve ter ganho até um bom dinheiro com ele, mas ninguém nos afirma que depois tenha vivido disso. É possível que tenha recebido uma pequena herança do pai, quem sabe?"

"E por que o estojo tem que ser de pouco valor?"

"Porque esta mensagem é um rol de roupa. Quer ver, vamos relê-la."

> *a la... Saint Jean*
> *36 p charrete de fein*
> *6 ... entiers avec saiel*
> *p ... les blancs mantiax*
> *r ... s ... chevaliers de Pruins pour la... J. nc*
> *6 foiz 6 en 6 places*
> *chascune foiz 20 a .... 120 a ....*
> *iceste est l'ordonation*
> *al donjon li premiers*
> *it li secunz joste iceus qui... pans*
> *it al refuge*
> *it a Nostre Dame de l'altre part de l'iau*
> *it a l'ostel des popelicans*
> *it a la pierre*
> *3 foiz 6 avant la feste... la Grant Pute.*

"E então?"

"Mas santa paciência, você não teve nunca a ideia de consultar um guia turístico, um sumário histórico sobre a cidade de Provins? Descobririam logo que la Grange-aux-Dîmes, onde foi encontrada a mensagem, era o local onde se reuniam os comerciantes, porque Provins era o centro das feiras da Champagne. E que essa Grange se situa na rue St. Jean. Em Provins comerciava-se de tudo, mas em particular o bom negócio eram as peças de fazenda, os *draps* ou *dras* como se escrevia então, e cada peça era autenticada com uma marca de garantia, uma espécie de selo, de timbre. O segundo produto mais importante de Provins eram as rosas, as rosas cor-de-rosa que os cruzados haviam trazido da Síria. Eram de tal maneira famosas que quando Edmundo de Lancaster desposa Branca de Artois e recebe também o título de conde de Champagne, coloca a rosa rósea de Provins em seu brasão, e eis a razão da guerra das duas rosas, visto que os Yorks tinham como insígnia uma rosa branca."

"E quem foi que lhe disse isto?"

"Um livrinho de duzentas páginas editado pelo Departamento de turismo de Provins, que encontrei no centro de cultura francesa. Mas a história não acaba aí. Em Provins há uma fortaleza denominada o Donjon, há uma Porte-aux-Pains, há uma Eglise du Refuge, havia várias igrejas, como é óbvio, consagradas a Nossa Senhora disto, Nossa Senhora daquilo, havia ou ainda há uma rue de la Pierre Ronde, onde havia uma *pierre de cens*, sobre a qual os súditos do conde iam depositar as moedas da dízima. E também uma rue des Blancs Manteaux e um caminho chamado da Grande Putte Muce, pelas razões que deixo a você adivinhar, ou bem porque era uma rua que levava aos bordéis."

"E os popelicans?"

"Os cátaros estiveram em Provins, os quais foram devidamente queimados, sendo que o grande inquisidor era um cátaro arrependido, a quem chamavam Robert le Bougre. Portanto, nada de estranho que houvesse uma rua ou uma zona que fosse então indicada como o lugar dos cátaros, mesmo depois que os cátaros não existiam mais."

"E o ano de 1344...?

"Mas quem foi que lhe disse que este documento é de 1344? O coronel leu *36 anos após a carreta de feno*, mas lembre-se de que naqueles tempos um *p* escrito de certa maneira com uma espécie de apóstrofo queria dizer *post*, mas um *p* sem apóstrofo queria dizer *pro*. O autor deste texto é um pobre comerciante que tomou algumas notas sobre os negócios realizados na Grange, ou seja, na rue St. Jean, e não na noite de São João, aqui registrando o preço de 36 soldos, ou denários, ou outra moeda que fosse por uma ou por todas as carretas de feno."

"E os 120 anos?"

"E quem falou de anos? Ingolf encontrou algo que transcreveu como *120 a...* Mas quem disse que era um *a*? Fui verificar numa tabela de abreviaturas em uso naqueles tempos e encontrei que para *denier* ou *dinarium* usavam-se estranhos signos, um que parecia um delta e outro um teta, uma espécie de círculo cortado à esquerda. Mal escrito e às pressas, e por um pobre negociante, eis que um exaltado como o coronel interpretou-o como um *a*, porque já havia lido em algum lugar a história dos 120 anos, que como você bem sabe poderia ser lida em quase todas as histórias dos rosa-cruzes, ele queria encontrar algo que se assemelhasse a *post 120 annos patebo*! E então que faz? Encontra *it* e o lê como *iterum*. Mas *iterum* abrevia-se *itm*, ao passo que *it* quer dizer *item*, ou seja idem, por isso mesmo é usado nas listas repetitivas. Nosso negociante está calculando quanto lhe vão render certas ordenações, ou encomendas, que recebeu, e faz a lista das entregas. Deve entregar dez maços de rosas de Provins, que é o que significam aqueles *r... s... chevaliers de Pruins*. E ali onde o coronel lia *vainjance* (porque tinha em mente o cavaleiro Kadosch) deve-se ler *jonchée*. As rosas eram usadas para fazer coroas de flores ou tapetes florais, por ocasião das várias festas. Assim, vejamos como podemos ler a mensagem de Provins:

> *na rua Saint Jean.*
> *36 soldos por carreta de feno.*
> *seis panos novos com sinetes*
> *na rua dos Blancs Manteaux.*
> *Rosas dos cruzados para fazer uma jonchée (juncada):*
> *seis maços de seis nos seis lugares que se seguem,*
> *cada um a 20 denários, que fazem ao todo 120 denários.*
> *Eis em que ordem:*
> *os primeiros no Donjon (fortaleza)*
> *idem os segundos àqueles da Porte-aux-Pains*
> *idem à Igreja do Refúgio*
> *idem à Igreja de Notre-Dame, do outro lado do rio*
> *idem ao velho edifício dos cátaros*
> *idem na rua da Pierre Ronde.*
> *E três maços dos seis antes da festa, na rua das putas*

porque até elas, pobrezinhas, talvez quisessem celebrar a festa fazendo uma bela coroa de rosas."

"Jesus", disse eu, "mas não é que você tem razão."

"Claro que tenho. É um rol de roupa, garanto-lhe."

"Um momento. É possível que esta mensagem seja de fato um rol de roupa, mas a primeira é cifrada e fala dos Trinta e Seis Invisíveis."

"De fato. O texto em francês eu matei em uma hora, mas o outro me fez penar dois dias. Tive que estudar Tritêmio, na Ambrosiana e na Trivulziana,* e você sabe como são os bibliotecários, antes de deixarem a gente pôr a mão num livro antigo, olham para você como se quisessem comê-lo. Mas a história é simplíssima. Antes de mais nada, e isso você devia ter descoberto sozinho, você tem certeza de que '*les 36 inuisibles separez en six bandes*' seja o mesmo francês do nosso negociante? E o certo é que até vocês se haviam dado conta de que se tratava da expressão usada num panfleto do século XVIII, quando os rosa-cruzes apareceram em Paris. Mas acabaram raciocinando como os seus diabólicos: se a mensagem está cifrada segundo o método de Tritêmio, isso significa que Tritêmio copiou dos templários, e como cita uma frase que circulava nos meios rosacrucianos, quer dizer que o plano atribuído aos rosa-cruzes era o mesmo plano dos templários. Mas tente inverter o raciocínio, como faria qualquer pessoa sensata: como a mensagem está escrita à maneira de Tritêmio, foi escrita depois de Tritêmio, e como cita expressões que circulavam no século XVII rosacruciano, foi escrita depois do século XVII. Qual será a esta altura a hipótese mais econômica? Ingolf encontra a mensagem de Provins, e, por ser como o coronel um alucinado pelos mistérios herméticos, lê 36 e 120 e pensa logo nos rosa-cruzes. E como é alucinado por criptografia, diverte-se a resumir a mensagem de Provins em linguagem cifrada. Faz um exercício, e escreve segundo o criptossistema de Tritêmio a sua bela frase rosacruciana."

"Explicação engenhosa. Mas vale tanto quanto a conjectura do coronel."

"Até aqui, concordo. Mas conjectura por conjectura tanto faz mais uma, e todas juntas se sustentam umas às outras. Você agora já está mais seguro de haver adivinhado, não? Que parti de uma suspeita. As palavras usadas por In-

---

* Nome de duas bibliotecas de Milão. (*N. do T.*)

golf não são as sugeridas por Tritêmio. São do mesmo estilo assírio-babilônico cabalístico, mas não são as mesmas. Além do mais, se Ingolf queria palavras que começassem com as letras que lhe interessavam, em Tritêmio encontraria quantas quisesse. Por que não escolheu aquelas?"

"Por quê?"

"Talvez porque necessitasse de letras precisas também na segunda, na terceira, na quarta posição. Talvez o nosso Ingolf quisesse uma mensagem em cifra múltipla. Queria ser melhor do que Tritêmio. Tritêmio sugere quarenta criptossistemas maiores: num deles só valem as iniciais, em outro, a primeira e a terceira letras, em outro ainda, uma inicial sim e outra não, e assim por diante, de modo que com um pouco de boa vontade é possível inventar cem outros sistemas. Quanto aos dez criptossistemas menores, o coronel só considerou a primeira rótula, que é a mais fácil. Mas as seguintes funcionam segundo o princípio da segunda, cuja cópia aqui está. Imagine que o círculo interno seja móvel e que você o possa fazer rodar de modo que o A inicial coincida com qualquer outra letra do círculo exterior. Você terá assim um sistema em que o A corresponde a X e assim por diante, outro em que o A coincide com o U e assim por diante... Com 22 letras em cada círculo, podem-se obter não dez, mas 21 criptossistemas, só se anulando o vigésimo segundo, em que o A coincide com o A..."

"Não vá me dizer que para cada uma das letras de cada palavra você experimentou todos os 21 sistemas..."

"Tive muita presença de espírito e, mais ainda, sorte. Como as palavras mais curtas são as de seis letras, é óbvio que só as primeiras seis são importantes, e o resto está aí para enfeite. Por que seis letras? Imaginei que Ingolf tivesse cifrado a primeira, depois houvesse saltado uma, tivesse cifrado a terceira, depois saltado duas e cifrado a sexta. Se para a inicial tivesse usado a rótula número um, para a terceira letra experimentei a rótula número dois, e fez sentido. Então experimentei a rótula número três para a sexta letra, e fez sentido de novo. Não excluo a hipótese de que Ingolf tenha usado também outras letras, mas três evidências me bastam, e se você quiser continua por sua conta."

"Não me deixe em suspenso. Que foi que você obteve?"

"Olhe de novo a mensagem, sublinhei as letras que contam."

Kuabris Defrabax Rexulon Ukkazaal Ukzaab Urpaefel Taculbain Habrak Hacoruin Maquafel Tebrain Hmcatuin Rokasor Himesor Argaabil Kaquaan Docrabax Reisaz Reisabrax Decaiquan Oiquaquil Zaitabor Qaxaop Dugraq Xaelobran Disaeda Magisuan Raitak Huidal Uscolda Arabaom Zipreus Mecrim Cosmae Duquifas Rocarbis

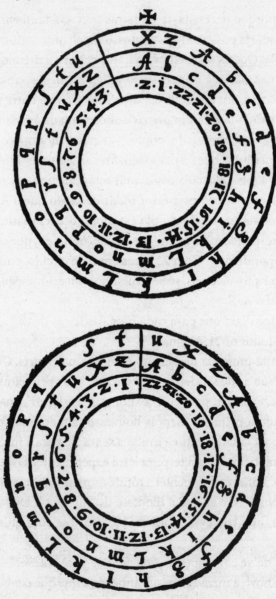

"Ora, a primeira mensagem sabemos qual é, aquela sobre os Trinta e Seis Invisíveis. Agora veja o que resulta, substituindo-se conforme a segunda rótula as letras de três em três: *chambre des demoiselles, l'aiguille creuse.*"

"Mas eu conheço isto é..."

"*En aval d'Etretat — La Chambre des Demoiselles — Sous le Fort du Fréfossé — Aiguille Creuse.* É a mensagem decifrada por Arsène Lupin quando descobre o segredo da Agulha Oca! Lembra-se: em Etretat ergue-se junto à praia a Agulha Oca, um castelo natural, habitável em seu interior, arma secreta de Júlio César quando invadia a Gália, e depois dos reis de França. A fonte do imenso poder de Lupin. E você sabia que os lupinólogos são tão alucinados por essa história, a ponto de fazerem peregrinações a Etretat, à procura de outras passagens secretas, anagramando cada palavra de Leblanc... Ingolf era também um lupinólogo tal como era um rosacrucianólogo, e por isso haja lá cifra."

"Mas os meus diabólicos sempre poderiam dizer que os templários conheciam o segredo da agulha, e que portanto a mensagem teria sido escrita em Provins no século XIV..."

"Certo, sei disso. Mas aí é que vem a terceira mensagem. Terceira rótula aplicada a cada seis letras. Veja só: *merde i'en ai marre de cette steganographie.* E isto é francês moderno, os templários não falavam assim. Assim falava Ingolf, que depois de quebrar a cabeça cifrando as suas maluquices, divertiu-se mais uma vez mandando ao diabo, em linguagem cifrada, aquilo que estava fazendo. Mas como não era destituído de argúcia, peço-lhe que observe que as três mensagens têm cada uma 36 letras. Meu caro Pim, Ingolf fazia a mesma brincadeira que vocês estão fazendo, e o imbecil daquele coronel o levou a sério."

"Então por que foi que Ingolf desapareceu?"

"Quem garante que ele foi assassinado? Ingolf andava cheio de ficar em Auxerre, conversando só com o farmacêutico e a filha solteirona que choramingava o dia inteiro. Quem sabe vai a Paris, dá sorte vendendo um de seus livros raros, encontra uma viuvinha jeitosa e resolve mudar de vida. Como aqueles maridos que saem para comprar cigarro e a mulher nunca mais volta a vê-los."

"E o coronel?"

"Você não me disse que nem mesmo aquele policial estava seguro de que o houvessem matado? Deve ter-se metido em alguma encrenca, suas vítimas o localizaram, e ele se mandou. A esta altura estará quem sabe vendendo a Torre Eiffel a algum turista americano e se chama Dupont."

Eu não podia ceder em todas as frentes. "Está bem, partimos de um rol de roupa, mas na maior parte do tempo fomos bastante engenhosos. Nós sabíamos muito bem que estávamos inventando. Era como se fizéssemos poesia."

"O plano de vocês não tem nada de poético. É grotesco. Não ocorre às pessoas incendiar de novo Troia só porque leram Homero. Com ele, o incêndio de Troia tornou-se algo que nunca foi, jamais será, e no entanto será sempre. Faz muito sentido, porque é tudo claro, tudo límpido. Os manifestos rosacrucianos de vocês não eram nem claros nem límpidos, eram um borborigmo e prometiam um segredo. Por isso é que tanto procuraram torná-los verdadeiros, e cada um de vocês neles encontrou o que queria. Em Homero não há nenhum segredo. O plano de vocês está cheio de segredos, porque está cheio de contradições. Por isso poderiam encontrar milhares de inseguros dispostos a se reconhecerem neles. Ponham tudo fora. Homero não estava fingindo. Vocês fingiram o tempo todo. O mal de se fingir é que todos nos acreditam. As pessoas não acreditaram em Semmelweis, que dizia aos médicos para lavarem as mãos antes de tocarem nas parturientes. Dizia coisas simples demais. Mas as pessoas acreditam naqueles que vendem loção para crescer o cabelo. Sentem por instinto que aquilo reúne verdades que não se coadunam, que não é lógico e nem é feito de boa-fé. Mas como lhe disseram que Deus é complexo, e insondável, eles acabam achando que a incoerência é a coisa mais próxima da natureza de Deus. O inverossímil é a coisa mais parecida com o milagre. Vocês inventaram uma loção para crescer o cabelo. Não me agrada, é um jogo sujo."

Essa história não chegou a arruinar os nossos dias na montanha. Dei boas caminhadas, li alguns livros bons e sérios, nunca estive tanto tempo ao lado de meu filho. Mas entre mim e Lia havia ficado alguma coisa por dizer. Por um lado, Lia me pusera de costas contra a parede e lhe desagradava ter-me humilhado, e por outro lado não estava convencida de haver-me convencido.

Na verdade, eu sentia saudades do Plano, não queria jogá-lo fora, convivera demasiado com ele.

Não faz muito tempo, levantei-me cedo, para tomar o único trem para Milão. E em Milão iria receber o telefonema de Belbo de Paris, e daria início à aventura que ainda não acabei de viver.

Lia tinha razão. Devíamos ter falado sobre isso antes. Mas não teria acreditado nela da mesma forma. Eu vivera a criação do Plano como o momento de Tiferet, o coração do corpo sefirótico, o acordo da regra com a liberdade. Diotallevi me dissera que Moisés Cordoveu nos advertira: "Quem se envaidece por causa de sua Torá em relação ao ignorante, vale dizer sobre a totalidade do povo de Iahveh, está fazendo com que Tiferet se envaideça em relação a Malkut." Mas só agora compreendo em sua fulgurante simplicidade o que seja Malkut, o Reino desta Terra. Em tempo ainda de compreender, mas já tarde demais para sobreviver à verdade.

Lia, não sei se voltarei a vê-la. Se assim for, a última imagem que tive de você foi a daquela manhã, sonolenta embaixo das cobertas. Beijei os seus cabelos e hesitei em sair.

Parte 7

NEZAH

107

NÃO VÊS AQUELE NEGRO CÃO?

> *Não vês aquele negro cão que circunda pelos restolhos e a seara?... Parece-me vê-lo estender em torno aos nossos pés sutis círculos mágicos... O círculo se fecha e se aproxima.*
>
> (*Fausto*, I, Às portas da cidade)

O que havia acontecido em minha ausência, principalmente nos últimos dias que antecederam meu retorno, podia-o deduzir por meio apenas dos *files* de Belbo. Mas somente um deles era claro, sequenciado de informações ordenadas, o último, provavelmente aquele que ele havia escrito antes de embarcar para Paris, de modo que eu ou algum outro — à memória futura — o pudéssemos ler. Os demais textos, que certamente havia escrito como de hábito para si mesmo, não eram de fácil interpretação. Somente eu, que havia agora entrado no universo privado de suas confidências ao Abulafia, podia decifrá-los, ou pelo menos deles extrair conjecturas.

Era início de junho. Belbo andava agitado. Os médicos haviam aceitado a ideia de que ele e Gudrun fossem os únicos parentes de Diotallevi, e finalmente haviam falado. Diante das perguntas dos tipógrafos e revisores, Gudrun agora respondia esboçando um dissílabo com os lábios protendidos, sem deixar escapar um único som. Assim se denomina a doença tabu.

Gudrun ia visitar Diotallevi todos os dias, e creio que o perturbasse por causa de seus olhos fulgentes de piedade. Ele sabia, mas se envergonhava de que os outros também soubessem. Falava com dificuldade. Belbo escreveu: "O rosto é todo zigomas." Os cabelos lhe estavam caindo, mas a terapia era assim mesmo. Belbo escreveu: "As mãos são só dedos."

Creio que no curso de um de seus penosos colóquios, Diotallevi tivesse antecipado a Belbo aquilo que depois lhe diria no último momento. Belbo já estava se conscientizando de que essa identificação com o Plano era um mal, ou talvez mesmo o Mal. Mas, talvez para objetivar o Plano e restituí-lo à sua dimensão puramente fictícia, ele o houvesse escrito, palavra por palavra, como se fossem as memórias do coronel. Narrava-o como um iniciado que comunicasse seu último segredo. Creio que para ele isso fosse a cura: restituía à literatura, por pior que fosse, aquilo que não era vida.

Mas no dia 10 de junho deve ter acontecido alguma coisa que o perturbou. As anotações são confusas, procuro interpretar.

Lorenza então o convidou para ir com ela de carro à Riviera, onde se encontraria com uma amiga que lhe devia entregar um documento, uma escritura, uma bobagem qualquer que podia perfeitamente ser enviada pelo correio. Belbo topou, satisfeitíssimo com a ideia de passar um domingo com ela junto ao mar.

Foram a um lugar, não consigo precisar exatamente aonde, mas talvez perto de Portofino. A descrição de Belbo era feita com emoção: não transpareciam paisagens, mas excessos, tensões, desalentos. Lorenza cumprira sua missão enquanto Belbo esperava num bar, depois lhe disse que podiam ir comer peixe num restaurante com vista para o mar.

A partir daí a história se fragmentava, consigo deduzi-la através de trechos de diálogo que Belbo alinhara sem aspas, como se transcrevesse na hora para não deixar perder uma série de epifanias. Tinham ido de carro até onde era possível, depois seguiram por aquelas veredas da ligúria junto à costa, floridas e impérvias, e chegaram ao restaurante. Mas, logo que se sentaram, viram sobre a mesa ao lado um cartão que indicava reserva para o Dr. Agliè.

Mas olha que acaso, deve ter dito Belbo. Que horrível coincidência, teria dito Lorenza, não queria que Agliè soubesse que ela estava ali e com ele. Por que não queria, que havia de mal, por que Agliè teria o direito de ficar com ciúmes? Mas que direito, é uma questão de bom gosto, pois me havia convidado para sairmos hoje e eu disse que estava ocupada, não vai querer que eu banque a mentirosa. Você não está bancando a mentirosa, pois de fato está ocupada comigo, e isso não é nada de que se tenha de envergonhar. Envergonhar-me não, mas permita que tenha os meus princípios de delicadeza.

Resolveram ir embora, e já estavam iniciando a volta pelas veredas, quando de repente Lorenza parou, vendo chegar pessoas que Belbo não conhecia, amigos de Agliè, dissera ela, e não queria que eles a vissem. Situação humilhante, ela debruçada sobre o parapeito de uma pontezinha suspensa sobre uma encosta de oliveiras, com o rosto coberto por um jornal, como se morresse de vontade de saber o que estava acontecendo no mundo, ele a dez passos de distância, fumando como se passasse ali por acaso.

Os convidados de Agliè já haviam passado, mas agora, dizia Lorenza, se fossem continuar subindo a vereda acabariam por encontrar Agliè, que decerto estava para chegar. Belbo dizia ao diabo, ao diabo, e se for? E Lorenza a lhe dizer que ele não tinha um mínimo de sensibilidade. Solução, chegar ao local de estacionamento evitando a vereda e costeando os barrancos. Fuga arquejante, por uma série de taludes escavados, tendo Belbo perdido um dos saltos do sapato. Lorenza dizia não vê como é muito mais bonito por aqui, mas se continuar fumando sem parar vai acabar sem fôlego.

Conseguiram chegar ao carro e Belbo disse que o melhor agora era voltarem para Milão. Não, disse Lorenza, talvez Agliè se tenha atrasado, vamos cruzar por ele na estrada, ele conhece o seu carro, o dia está bonito, vamos pelo interior, deve ser ótimo, depois retornamos à autoestrada do Sol e vamos jantar no Além-Pó padovano.

Mas por que no Além-Pó padovano, e que quer dizer com ir pelo interior, só há uma solução, veja aqui no mapa, teríamos que subir todo o tempo os Apeninos, parar em Bobbio, e dali seguir para Piacenza, você está é doida, pior que Aníbal com os elefantes. Você não tem o gosto da aventura, teria dito ela, e depois imagina só quantos restaurantezinhos podemos encontrar naqueles altos. Antes de chegar a Uscio existe o Manuelina, que tem 12 estrelas no guia Michelin, todos os peixes que se possam imaginar.

O Manuelina estava lotado, com uma fila de clientes que não se desgrudavam das mesas em que estava chegando o café. Lorenza disse não importa, continuando a subir alguns quilômetros encontraremos cem outros lugares ainda melhores do que este. Afinal, conseguiram um restaurante às duas e meia, num vilarejo infame que no dizer de Belbo até os mapas militares se envergonhariam de registrar, onde acabaram comendo massa escaldada com molho de lata. Belbo lhe perguntava o que havia por trás daquilo tudo, porque não era por acaso que a fizera levar exatamente onde Agliè devia vir, queria era provocar alguém mas ele não conseguia saber qual dos dois, e ela a lhe perguntar se era paranoico.

Depois de Uscio tinha tentado um atalho, e ao atravessar um vilarejozinho que mais parecia estar numa tarde de domingo na Sicília no tempo dos Bourbons, um grande cão negro se interpôs no caminho, como se jamais tivesse visto um automóvel. Pareceu que Belbo o havia atingido com os para-choques dianteiros, mas que não havia acontecido nada, em vez disso mal pararam o carro viram que o pobre animal tinha a barriga vermelha de sangue, com alguma coisa estranha e rósea (pudendas, vísceras?) a vazarem de dentro, deitando baba. Algumas pessoas do lugar já haviam acorrido, criou-se uma assembleia popular. Belbo perguntou quem era o dono do cão, que pagaria os danos, mas o cão não tinha dono. Representava talvez os 10 por cento da população daquele lugar abandonado por Deus, mas ninguém sabia de quem era, embora todos o conhecessem de vista. Alguém disse que era preciso procurar o delegado para dar-lhe um tiro de misericórdia, e pronto.

Estavam procurando o delegado, quando chegou uma senhora que se dizia zoófila. Tenho seis gatos, disse ela. Que tem isso a ver, perguntara Belbo, este é um cão, que está morrendo e eu estou com pressa. Cão ou gato, é preciso que se tenha um pouco de caridade, respondeu a senhora. Nada do delegado, é preciso procurar alguém da sociedade de proteção aos animais, ou talvez o hospital da cidade mais próxima, talvez o animal possa ser salvo.

O Sol batia a pino sobre Belbo, Lorenza, sobre o carro, o cão e os circunstantes, e não se punha nunca, Belbo tinha a impressão de ter saído só de cuecas, mas não conseguia despertar, a senhora não largava a presa, o delegado não era encontrado, o cão continuava a sangrar e arquejava com débeis vagidos. Está nos estertores, disse Belbo acadêmico, e a senhora dizia, claro que está nos estertores, sofre o pobrezinho, e o senhor não podia ter tido mais cuidado? O vilarejo estava gradualmente sofrendo uma explosão demográfica, Belbo Lorenza e o cão tinham-se transformado no espetáculo daquele triste domingo. Uma adolescente com um sorvete na mão aproximou-se e perguntou se eles não eram aqueles artistas da tevê que estavam organizando o concurso de Miss Apeninos Lígures, Belbo lhe disse para dar o fora senão faria com ela o mesmo que fizera ao cão, e a garota começou a chorar. Finalmente chegou o médico do serviço público dizendo que a mocinha era filha dele e que Belbo não sabia com quem estava tratando. Numa rápida troca de desculpas e apresentações viera a furo que o médico havia publicado o *Diário de um Médico de Província*, pela editora Manuzio de Milão. Belbo deixou-se cair na armadilha e disse que era *magna pars* da Manuzio, e agora o doutor queria que ele e Lorenza ficassem para o jantar, Lorenza se impacientava e lhe dava cotoveladas nas costelas, daqui a pouco acabaremos nos jornais, os amantes diabólicos, você não podia ficar calado?

O Sol continuava a pino enquanto os campanários soavam as completas (estamos na Ultima Thule, comentava Belbo entre os dentes, sol durante seis meses, de meia-noite a meia-noite, e os meus cigarros acabaram), o cão se limitava a sofrer e ninguém já lhe dava importância, Lorenza dizia que estava com um ataque de asma, Belbo agora já tinha certeza de que o cosmo fora um erro do Demiurgo. Finalmente teve a ideia de partir com o carro para procurarem socorro no centro médico mais próximo. A senhora zoófila estava de acordo, que seguissem e fossem logo, podiam confiar num senhor que editava poesia, ela também era apaixonada pelos poetas românticos.

Belbo pôs-se a caminho e já havia ultrapassado o centro mais próximo, Lorenza maldizia todos os animais com que o Senhor havia emporcalhado a Terra do primeiro ao quinto dia inclusive, Belbo estava de acordo mas criticava compulsivamente inclusive a obra do sexto dia, e até mesmo o repouso do sétimo, pois achava que fora o domingo mais maldito que jamais lhe havia acontecido.

Estavam iniciando a descida para o vale apenino, mas, embora pelo mapa parecesse fácil, levaram muitas horas nisso, passaram por Bobbio, e ao anoitecer chegaram a Piacenza. Belbo exausto, queria ao menos jantar com Lorenza, e tomou um quarto de casal no único hotel onde ainda havia vaga, próximo à estação. Quando subiram ao quarto, Lorenza disse que não dormiria num lugar daqueles por nada deste mundo. Belbo disse que iria tentar alguma coisa melhor, que lhe desse tempo apenas de ir ao bar e tomar um martíni. Só tinham um conhaque nacional, voltou ao quarto e não encontrou mais Lorenza. Voltou à portaria para perguntar por ela e encontrou uma mensagem: "Querido, descobri um ótimo trem para Milão. Embarco. Semana que vem nos vemos."

Belbo correu à estação e a plataforma já estava vazia. Como num filme de caubói.

Belbo acabou dormindo em Piacenza. Quis ler um policial, mas até a banca da estação estava fechada. No hotel só achou uma revista do Touring Club.

Para sua infelicidade, a revista trazia uma reportagem sobre os passos apeninos que eles tinham acabado de atravessar. Lembrava-se deles — esmaecidos como se o acontecimento lhe tivesse ocorrido há muito tempo — como sendo apenas uma terra árida, assolada, poeirenta, coberta de detritos minerais. Nas páginas acetinadas da revista, no entanto, eram um território de sonho, de se voltar a visitar até mesmo a pé, a fim de poder desfrutá-lo passo a passo. A Samoa de Jim do Pango.

Como pode um homem correr ao encontro de sua ruína só porque atropelou um cão? Mas foi o que ocorreu. Belbo decidira aquela noite em Piacenza que, voltando novamente a viver o Plano, não iria sofrer novas derrotas, pois no Plano era ele a decidir quem, como e quando.

E deve ter sido naquela noite que resolveu vingar-se de Agliè, embora não soubesse bem por que e de quê. Planejou incluir Agliè no Plano, sem que este o soubesse. Por outro lado, era típico de Belbo procurar revanches de que ele fosse a única testemunha. Não por pudor, mas por desconfiança do testemunho alheio. Fazendo Agliè introduzir-se no Plano, ele seria anulado, dissolvendo-se na fumaça como o pavio de vela. Irreal como os templários de Provins, os rosa-cruzes, e o próprio Belbo.

Não devia ser difícil, pensava Belbo: havíamos reduzido à nossa medida Napoleão e Bacon, por que não Agliè? Mandaremos também ele à procura do Mapa. Libertei-me de Ardenti e de sua lembrança colocando-o numa ficção melhor que a dele. O mesmo sucederá com Agliè.

Creio que tenha acreditado nisso a sério, tal o poder do desejo frustrado. Seu *file* terminava, e nem podia ser de outra forma, com a obrigatória citação de todos aqueles que foram derrotados pela vida: *Bin ich ein Gott?*

108

HÁ DIVERSOS PODERES EM AÇÃO?

> *Qual é a influência oculta que age por meio da imprensa, por trás de todos os movimentos subversivos que nos circundam? Há diversos Poderes em ação? Ou há um só Poder, um grupo que dirige todos os outros, o círculo dos Verdadeiros Iniciados?*
>
> (Nesta Webster, *Secret Societies and Subversive Movements*, Londres, Boswell, 1924, p 348)

Talvez ele tivesse esquecido seu propósito. Talvez lhe bastasse tê-lo escrito. Talvez fosse suficiente que voltasse logo a ver Lorenza. Seria novamente tomado pelo desejo e o desejo o teria obrigado a compactuar com a vida. Mas, em vez disso, já na segunda-feira de tarde apareceu-lhe no escritório Agliè, cheirando a água-de-colônia esotérica, sorridente, a entregar-lhe alguns originais a serem condenados, dizendo que os havia lido durante um excelente fim de semana na Riviera italiana. Belbo foi tomado novamente pelos seus rancores. E decidiu gozá-lo fazendo-o cair numa armadilha.

Assim, com ares de mistério, fizera-o achar que havia mais de dez anos andava oprimido por um segredo iniciático. Um manuscrito lhe fora confiado por um certo coronel Ardenti, que se dizia possuidor do Plano dos Templários... O coronel fora sequestrado ou assassinado por alguém que se havia apoderado de seus papéis, e tinha deixado a editora levando consigo um texto resumo, propositadamente errado, fantasioso, totalmente pueril, que servia apenas para fazer compreender que ele havia posto os olhos sobre a mensagem de Provins e sobre as verdadeiras anotações finais de Ingolf, aquelas que seus assassinos estavam agora procurando. Contudo, a pastinha fina, contendo apenas umas dez páginas, nas quais estava o verdadeiro texto, o que fora de fato encontrado entre os papéis de Ingolf, havia permanecido em mãos de Belbo.

Mas que coisa curiosa, teria dito Agliè, conte-me. E Belbo lhe contou. Contou todo o Plano, tal como o havíamos concebido, e como se fosse a revelação daquele manuscrito remoto. Disse-lhe inclusive, em tom cada vez mais circunspecto e confidencial, que também um policial, um tal De Angelis, havia chegado à beira da verdade, mas se deparara com o seu silêncio hermético — era o caso de dizê-lo — dele, Belbo, o guardador do maior segredo da humanidade. Um segredo que depois, no fim do fim, se reduzia ao segredo do Mapa.

E àquele ponto havia feito uma pausa, cheia de subentendidos como todas as grandes pausas. Sua reticência sobre a verdade final garantia a verdade das premissas. Nada, para quem de fato acredita numa tradição secreta (calculava), é mais fragoroso que o silêncio.

"Mas que interessante, que interessante", continuava a dizer Agliè, tirando a tabaqueira do colete, com ares de pensar em outra coisa. "E... e o mapa?"

E Belbo pensava: velho voyeur, estás ficando excitado, estou vendo, com todos os teus ares de São Germano, não passas de um reles trapaceiro que vive do jogo das três cartas, mas depois acabas comprando o Coliseu do primeiro vigarista um pouco mais esperto do que tu. Agora te mando à procura do mapa, e assim desaparecerás nas entranhas da Terra, arrastado pelas correntes, até bater a cabeça contra o polo sul de alguma estaca céltica.

E com ares circunspectos: "Naturalmente no manuscrito está também o mapa, ou sua descrição precisa, com referências ao original. É surpreendente, o senhor não imagina como pode ser tão simples a solução do problema. O mapa estava ao alcance de todos, todos o podiam ver, milhares de pessoas passaram defronte dele todos os dias, durante séculos. E, além disso, o sistema de orientação é tão elementar que basta memorizar o esquema, e o mapa se pode reproduzir sem qualquer dificuldade, em qualquer lugar. Tão simples e tão imprevisível... Veja só — digo apenas para lhe dar uma ideia — é como se o mapa estivesse inscrito na pirâmide de Quéops, escancarado diante dos olhos de todos, e todos durante séculos e séculos leram, releram e decifraram a pirâmide para encontrar nela outras alusões, outros cálculos, sem intuir a incrível, a esplêndida simplicidade. Uma obra-prima de inocência. E de perfídia. Os templários de Provins eram uns magos."

"O senhor estimula de fato a minha curiosidade. E não me pode mostrar o mapa?"

"Confesso-lhe que destruí tudo, as dez páginas e o mapa. Estava amedrontado, o senhor compreende, não?"

"Não vai me dizer que destruiu um documento de tamanha importância..."

"Destruí-o, mas já lhe disse que a revelação era de absoluta simplicidade. O mapa está aqui", e tocava a testa, e começava a rir, porque se lembrou da anedota do alemão que diz "está todo ki no minha rabo". "Há mais de dez anos que trago aqui comigo aquele segredo, há mais de dez anos que trago o mapa aqui", e tocava de novo a testa, "como uma obsessão, e estou apavorado com o poder que obteria para mim se me decidisse a assumir a herança dos Trinta e Seis Invisíveis. Agora entende por que convenci o Sr. Garamond a editar a Ísis Revelada e a História da Magia. Espero encontrar o contato certo." E depois, cada vez mais levado pelo papel que havia assumido, e para pôr Agliè definitivamente à prova, recitou-lhe quase literalmente as palavras ardentes que Arsène Lupin pronuncia em frente a Beautrelet no final de *A Agulha Oca*: "Em certos instantes a minha força me faz girar a cabeça. Estou ébrio de poder e de autoridade."

"Mas, meu caro amigo", teria dito Agliè, "e se por acaso tivesse dado crédito excessivo às fantasias de um exaltado? Está seguro de que esse texto era autêntico? Por que não confia na minha experiência nesses assuntos? Se soubesse quantas revelações desse gênero já tive em minha vida, de que tive o mérito de pelo menos demonstrar a inconsistência. Basta-me um olhar sobre o mapa para avaliar-lhe a autenticidade. Envaideço-me de possuir alguma competência, ainda que modesta, mas precisa, no campo da cartografia tradicional."

"Dr. Agliè", disse Belbo, "o senhor seria o primeiro a recordar-me de que um segredo iniciático revelado não serve para mais nada. Calei-me por anos, posso calar-me ainda."

E calei-me. Também Agliè, por menos idiota que fosse, vivia a sério o seu papel. Havia passado a vida a deleitar-se com segredos impenetráveis, e estava acreditando firmemente que os lábios de Belbo estariam selados para sempre.

Naquele momento entrou Gudrun dizendo que o encontro de Bolonha tinha sido marcado para sexta-feira ao meio-dia. "O senhor pode tomar o TEE da manhã", disse ela.

"Ótimo trem o TEE", disse Agliè. "Mas é sempre necessário reservar passagens, principalmente nesta época." Belbo disse que mesmo indo à estação no último momento encontrava lugar, mesmo no vagão-restaurante, onde serviam o café da manhã. "Faço votos", disse-lhe Agliè. "Bolonha, bela cidade. Mas tão quente em junho..."

"Ficarei lá só umas duas ou três horas. Tenho que discutir um texto de epigrafia, temos alguns problemas com as reproduções." Depois disparou: "Não são ainda as minhas férias. Estas serão em fins de junho, pode ser que me decida... O senhor compreende. E confio em sua discrição. Falei-lhe como se fala a um amigo."

"Sei calar ainda melhor que o senhor. Agradeço-lhe em todo caso sua confiança, sinceramente." E foi-se embora.

Belbo saiu satisfeito daquele encontro. Plena vitória de sua narratividade austral sobre as misérias e as vergonhas do mundo sublunar.

No dia seguinte recebeu um telefonema de Agliè: "Peço-lhe desculpas, caro amigo. Encontro-me diante de um pequeno problema. O senhor sabe que pratico um modesto comércio de livros antigos. Chegou-me ontem de Paris uma dezena de volumes encadernados, do século XVIII, de certo valor, que devo fazer chegar sem falta até amanhã às mãos de meu correspondente em Florença. Deveria levá-los pessoalmente, mas estou retido aqui por outro compromisso importante. Assim pensei numa solução. O senhor está indo a Bolonha. Eu o esperaria amanhã na estação, dez minutos antes da partida do trem, entrego-lhe uma pequena maleta, o senhor a coloca no porta-bagagem acima de sua poltrona e a deixa ali ficar em Bolonha, bastando apenas descer por último para garantir de que ninguém a terá levado. Em Florença meu correspondente subirá ao trem durante a parada, e a retirará. Para o senhor será um pequeno incômodo, bem sei, mas se me puder fazer este favor ser-lhe-ei eternamente grato."

"Com muito gosto", respondeu Belbo, "mas como fará seu amigo em Florença para saber onde deixei a maleta?"

"Sou mais previdente que o senhor e reservei lugar, a poltrona 45, vagão 8. Reservado até Roma, de modo que nem em Bolonha nem em Florença poderá ser ocupado por outra pessoa. Veja que, em troca do trabalho que lhe causo, ofereço-lhe a segurança de viajar sentado, sem ter que ir acampar-se no vagão-restaurante. Da mesma forma, não ousei mandar tirar-lhe a passagem pois não quis que achasse indelicada minha maneira de pagar a sua gentileza."

Sem dúvida um cavalheiro, pensou Belbo. Vai me mandar uma caixa de vinhos de qualidade. Para beber à sua saúde. Ontem queria fazê-lo desaparecer nas profundezas da Terra. Hoje já lhe estou prestando um favor. Paciência, não posso dizer não.

Na quarta-feira de manhã Belbo seguiu para a estação a tempo; já havia adquirido a passagem para Bolonha e encontrara Agliè junto ao vagão 8, com a maleta na mão. Era bastante pesada, mas não incômoda.

Belbo conseguiu colocar a maleta sobre o porta-bagagem da poltrona 45, e se instalou com seu maço de jornais. As notícias do dia eram os funerais de Berlinguer. Logo em seguida um senhor de barba veio ocupar o lugar ao seu lado. Belbo achou que já o vira em algum lugar (pensando depois que talvez fosse na festa do Piemonte, mas não estava certo). À partida do trem o compartimento estava lotado.

Belbo lia os jornais, mas o passageiro de barba tentava puxar conversa com todos. Começou a fazer comentários sobre o calor, sobre a insuficiência do ar-condicionado, sobre o fato de que em junho não se sabe nunca se se deve vestir roupas de verão ou de meia-estação. Concluiu que a melhor solução era usar um blazer leve, exatamente como o que Belbo trajava, e lhe perguntou se era inglês. Belbo respondeu que era inglês, Burberry, e continuou a ler. "São os melhores", continuou a falar o homem, "mas esse seu é especialmente bonito porque não tem aqueles botões dourados que são demasiado vistosos. E, se me permite, combina muito bem com sua gravata bordô." Belbo agradeceu e voltou aos jornais. O senhor continuou a falar com os demais sobre a dificuldade de combinar as gravatas com os paletós, e Belbo continuou lendo. Bem sei, pensava, todos estão me achando um mal-educado, mas não entro nos trens para fazer relacionamento humano. Já os tenho em demasia na cidade.

Então o senhor lhe disse: "O senhor lê um bocado de jornais, e de todas as tendências. Deve ser algum juiz ou político." Belbo respondeu que não, que trabalhava numa editora de livros de metafísica árabe, esperando com aquilo aterrorizar o adversário. O outro ficou evidentemente aterrorizado.

Em seguida, chegou o condutor. Perguntou por que Belbo tinha reserva de lugar até Roma se ia saltar em Bolonha. Belbo disse que havia mudado de ideia no último momento. "Que bom", disse o senhor da barba, "poder tomar as próprias decisões assim de um momento para o outro, sem estar preocupado com o bolso. Eu o invejo." Belbo sorriu e se voltou para o outro lado. Sim, senhor, dizia para si mesmo, agora todos me acham um perdulário, ou alguém que tenha assaltado um banco.

Em Bolonha Belbo levantou-se e se preparou para descer. "Olha que o senhor está esquecendo a sua maleta", disse-lhe o passageiro vizinho. "Não, alguém em Florença virá retirá-la", disse Belbo, "e até mesmo lhe peço que dê nela uma olhada até lá."

"Fique tranquilo", adiantou-se logo o senhor de barba. "Confie em mim."

Belbo regressou a Milão pela noite, trazendo para casa duas latinhas de patê e alguns biscoitos *cream crackers*, e ligou a televisão. Ainda os funerais de Berlinguer, naturalmente. De modo que a notícia surgiu quase de passagem, no fechamento do noticiário.

Na manhã anterior, no TEE que fazia o trecho Bolonha-Florença, no vagão 8, um passageiro de barba demonstrara suspeitas quanto a um viajante que descera em Bolonha deixando uma maleta no porta-bagagem de sua poltrona. Na verdade, dissera que alguém a viria retirar em Florença, mas não é assim precisamente que agem os terroristas? E, além disso, por que teria feito reserva de lugar até Roma, se iria descer em Bolonha?

Uma crescente inquietação tomou conta dos ocupantes do compartimento. A certa altura, o passageiro de barba disse que não resistiu à tensão. Era melhor cometer um erro que morrer, e havia avisado o chefe do trem. Este fizera parar o comboio e mandar chamar a Polfer. Não se sabe exatamente o que havia acontecido, o trem parado na montanha, os passageiros agrupados inquietos ao longo da linha, os técnicos da polícia chegando... Estes abriram a maleta e encontraram dentro um dispositivo de relojoaria marcado para a hora de chegada do trem em Florença. Explosivos suficientes para fazer saltar aos ares uma dezena de pessoas.

A polícia não havia conseguido localizar depois o senhor de barba. Talvez tivesse feito baldeação e descido em Florença porque não queria aparecer nos jornais. O noticiário fazia um apelo para que ele se apresentasse às autoridades.

Os outros passageiros recordavam de maneira extraordinariamente lúcida o homem que havia deixado a maleta. Era um indivíduo que despertava suspeitas à primeira vista. Usava um blazer inglês azul sem botões dourados, uma gravata bordô, era do tipo taciturno, parecia querer passar despercebido a todo custo. Mas havia deixado escapar que trabalhava em jornal, ou numa editora, em algo que tinha a ver (e aqui as opiniões das testemunhas variavam) com física ou metano ou metempsicose. Mas seguramente tinha a ver com os árabes.

Polícia civil e militar de alerta. Já haviam colhido alguns indícios, por meio da triagem dos interrogados. Dois cidadãos líbios foram detidos em Bolonha. O desenhista da polícia havia esboçado um retrato falado, que agora aparecia na tela. O desenho não se parecia com Belbo, mas Belbo se parecia com o desenho.

Não podia ter dúvidas. O homem da maleta era ele. Mas a maleta continha os livros de Agliè. Telefonou para ele, mas ninguém respondeu.

Já era tarde, não ousou sair, tentou dormir pela ação de um sonífero. Ao acordar de manhã tentou novamente encontrar Agliè. Silêncio. Saiu para comprar os jornais. Por sorte a primeira página ainda estava ocupada pelos funerais de Berlinguer, e a notícia do trem com o retrato falado aparecia nas páginas internas. Voltara para casa com a gola do casaco levantada, quando percebeu que ainda estava de blazer. Por sorte não trazia a gravata bordô.

Enquanto procurava reconstituir mais uma vez os fatos, o telefone tocou. Uma voz desconhecida, estrangeira, com sotaque levemente balcânico. Um telefonema melífluo, como de alguém que nada tivesse a ver com o assunto e só falasse para ajudar. Pobre Sr. Belbo, havia se metido numa história bastante desagradável. Nunca se deve aceitar bancar de correio para os outros, sem antes verificar o conteúdo dos embrulhos. Certamente estaria em apuros se alguém denunciasse à polícia que era ele, o Sr. Belbo, o passageiro da poltrona 45.

Claro que se poderia evitar aquele passo extremo, bastava que o Sr. Belbo se prontificasse a colaborar. Por exemplo, dizendo onde estava o mapa dos templários. E como Milão estava se tornando uma cidade muito quente, pois todos sabiam que o terrorista do TEE havia partido de Milão, era mais prudente que se transferisse todo o caso para território neutro, digamos Paris. Por que não marcar um encontro na livraria Sloane, 3 rue de la Manticore, dentro de uma semana? Talvez fosse melhor que Belbo partisse imediatamente, antes que alguém o identificasse. Livraria Sloane, 3 rue de la Manticore. Ao meio--dia de quarta-feira, dia 20 de junho, iria encontrar alguém que já conhecia de vista, o senhor de barba com quem havia conversado tão amavelmente no vagão. Este o convidaria a encontrar outros amigos, e depois, pouco a pouco, em boa companhia, a tempo para as férias de verão, finalmente contaria tudo o que sabia, e assim a história toda acabaria sem traumas. Rue de la Manticore, número 3, fácil de guardar.

SÃO GERMANO... MUITO SUTIL E ESPIRITUOSO

São Germano... Muito sutil e espirituoso... Dizia possuir todas as espécies de segredo... Servia-se frequentemente, para as suas aparições, daquele famoso espelho mágico que fez parte de sua fama... Como evocava, por efeitos catóptricos, as sombras esperadas, e quase sempre reconhecidas, seu contato com o outro mundo era coisa provada.

(Le Coulteux de Canteleu, *Les sectes et les sociétés secrètes*, Paris, Didier, 1863, pp. 170-171)

Belbo sentiu-se perdido. Estava tudo claro. Agliè supunha que sua história fosse verdadeira, queria o mapa, havia arquitetado aquela tramoia, e agora o tinha entre os dedos. Belbo iria a Paris revelar o que não sabia (mas que o não soubesse só ele o sabia, eu havia partido sem deixar endereço, Diotallevi estava à morte), ou então todos os policiais da Itália lhe iriam saltar em cima.

Seria possível que Agliè se entregasse a um jogo assim tão sórdido? Que ganharia com aquilo? Precisava agarrar aquele velho louco pela gola, e só o arrastando à polícia poderia sair daquela enrascada.

Tomou um táxi e foi até o sobrado, próximo da piazza Piola. Janelas fechadas, e à entrada um cartaz de uma agência imobiliária: aluga-se. Mas que loucura, Agliè morava ali não fazia uma semana, ele telefonara para lá. Tocou a campainha do prédio ao lado. "Aquele senhor? Acabou de mudar-se ontem. Não sei para onde foi, conhecia-o apenas de vista, era uma pessoa muito reservada, estava sempre viajando, creio."

Só restava informar-se na agência. Mas ali ninguém havia ouvido falar de Agliè. O palacete havia sido alugado a ele por uma firma francesa. Os pagamentos eram feitos regularmente por via bancária. O contrato fora rescindido no espaço de 24 horas, e haviam renunciado ao depósito de caução. Todo o relacionamento entre proprietário e inquilino era feito por correspondência, por intermédio de um Sr. Ragotgky. E não sabiam de mais nada.

Não era possível. Rakosky ou Ragotgky que fosse, o misterioso visitante do coronel. Procurado pelo astuto De Angelis e pela Interpol, ei-lo que andava por aí livremente a alugar imóveis. Em nossa história, o Rakosky de Ardenti era uma reencarnação do Rackovsky da Okrana, e estes do indefectível São Germano. Mas que tinham a ver com Agliè?

Belbo tinha ido ao escritório, subindo como um ladrão, e se trancado em sua sala. Havia procurado avaliar a situação.

Era de se perder o juízo, e Belbo estava certo de já o haver perdido. E ninguém em quem pudesse confiar. E enquanto estava enxugando o suor da face, quase maquinalmente folheava as páginas datilografadas em cima de sua mesa, que haviam chegado no dia anterior, sem nem mesmo saber o que fazia, e de repente ao abrir uma delas deu com o nome de Agliè ali escrito.

Havia olhado o título da obra. Era um folheto de um diabólico qualquer, *A verdade sobre o conde de São Germano*. Voltou a reler a página. Nela se dizia, citando a biografia de Chacornac, que Claude-Louis de Saint-Germain se havia passado sucessivamente por Monsieur de Surmont, conde Soltikof, mister Welldone, marquês de Belmar, príncipe Rackoczi ou Ragozki, e assim por diante, mas que os nomes de família eram conde de Saint-Martin e marquês de Agliè, proveniente de uma propriedade piemontesa de seus antepassados.

Ótimo, Belbo agora podia ficar tranquilo. Não apenas ele estava sendo procurado sem escapatória por terrorismo, não só o Plano era verdadeiro, não só Agliè havia desaparecido no espaço de dois dias, mas ainda por cima não se tratava de um simples mitômano, e sim do verdadeiro e imortal conde de são Germano, que ele nada fazia para ocultar. A única coisa verdadeira naquele redemoinho de falsidades era seu nome. Mas talvez não, até seu nome também deveria ser falso, Agliè não era Agliè, mas não importava quem fosse na verdade, porque de fato estava se comportando, e já havia anos, como o personagem de uma história que nós inventamos somente muito mais tarde.

Em todo caso, Belbo não tinha alternativa. Agliè tendo desaparecido, não poderia mostrar à polícia quem lhe havia entregue a maleta. E mesmo se a polícia tivesse acreditado nele, viria a furo que a maleta fora recebida de alguém procurado pela polícia por homicídio, a quem ele, Belbo, vinha usando como consultor havia pelo menos dois anos. Belo álibi.

Mas para poder conceber toda essa história — que por si só já era passavelmente romanesca — e para induzir a polícia a aceitá-la como boa, era necessário pressupor uma outra, que se situava para além da própria ficção. Ou seja, que o Plano, inventado por nós, correspondesse ponto por ponto, inclusive a trabalhosa procura final do mapa, a um plano verdadeiro, no qual entrassem Agliè, Rakosky, Rackovsky, Ragotgky, o senhor de barba, o Tres, todos, e até mesmo os templários de Provins. E que o coronel estivesse certo. Mas que estivesse certo enganando-se, porque no final das contas nosso Plano era diferente do seu, e se o seu era verdadeiro, o nosso não poderia ser, ou o contrário, e portanto se nós tínhamos razão, por que dez anos antes Rakosky teria que roubar do coronel um memorial falso?

Só de ler naquela manhã o que Belbo havia confiado ao Abulafia me veio a tentação de bater a cabeça contra a parede. Para convencer-me de que a parede, pelo menos a parede, era de verdade. Imaginei como devia ter-se sentido ele, Belbo, aquele dia, e nos dias seguintes. Mas a coisa não acabava aí.

À procura de alguém que pudesse interrogar, telefonara para Lorenza. E não a encontrou. Estava pronto a apostar que não a veria mais. De qualquer modo, Lorenza era uma criatura inventada por Agliè, Agliè era uma criatura inventada por Belbo e Belbo não sabia mais quem o havia inventado. Abriu de novo o jornal. A única coisa certa era que ele era o homem do retrato falado. Para convencê-lo, recebeu exatamente naquele momento, no escritório, novo telefonema. O mesmo sotaque balcânico, as mesmas recomendações. Encontro em Paris.

"Mas quem são vocês?", gritou Belbo.

"Somos o Tres", respondeu a voz. "E sobre o Tres você não sabe mais que nós."

Então se decidiu. Tomou o telefone e ligou para De Angelis. Na delegacia teve dificuldades em localizá-lo, parecia que o comissário não trabalhava mais ali. Depois haviam cedido à sua insistência e o transferiram para outro ramal.

"Ah quem está falando, Dr. Belbo?", disse De Angelis em tom que a Belbo pareceu um tanto sarcástico. "O senhor me encontrou por acaso. Estou fazendo as malas."

"As malas?" Belbo receou uma alusão velada.

"Fui transferido para a Sardenha. Parece ser um posto tranquilo."

"Dr. De Angelis, preciso falar-lhe com urgência. É sobre aquela história..."

"Qual história?"

"A do coronel. E também daquela outra... Uma vez o senhor perguntou a Casaubon se ele já tinha ouvido falar do Tres. Pois eu ouvi. Tenho coisas importantes a lhe contar."

"Não me conte. Esse assunto já não me diz respeito. E, depois, não lhe parece que já seja um pouco tarde?"

"Admito-o, é que deixei de lhe dizer algo, há uns anos passados. Mas agora queria revelar-lhe."

"Não, Dr. Belbo, não me revele nada. Mas fique sabendo que alguém deve estar ouvindo a nossa conversa telefônica e quero dizer que não desejo ouvir do senhor revelação alguma e que eu também não sei de nada. Tenho duas filhas. Pequenas. E já me fizeram saber que algo poderá acontecer-lhes. E para provar que não estavam brincando, ontem de manhã minha mulher, ao ligar o carro, fez explodir o motor. Foi uma explosão de proporções reduzidas, pouco mais que um morteiro, mas o bastante para me alertar que se quiserem fazê-lo de fato, que o farão. Fui ao meu chefe e lhe disse que sempre cumpri meu dever, até mais que o necessário, mas que não sou um herói. Poderia até dar minha vida, mas não a de minha mulher e das meninas. Pedi-lhe para ser transferido. E depois fui dizer a todos que sou um covarde, que estou tirando o corpo fora. E agora digo o mesmo ao senhor e a quem nos esteja ouvindo. Arruinei com minha carreira, perdi a confiança em mim mesmo; para dizer a verdade, sinto-me um homem desonrado, mas assim salvo minha família. A Sardenha é belíssima, me dizem, não vou precisar mais gastar dinheiro para mandar as crianças à praia no verão. Passe bem."

"Espere, a coisa é grave, estou em apuros..."

"O senhor está em apuros? Pois fico contente por isso. Quando lhe pedi ajuda, o senhor não me deu. E nem o seu amigo Casaubon. Mas agora que se encontra em apuros vem pedir a minha ajuda. Pois eu também estou. O senhor chegou atrasado. A polícia está a serviço do cidadão, como dizem nos filmes, é isto que o senhor está pensando? Pois então, dirija-se à polícia, fale com meu sucessor."

Belbo desligou o telefone. Tudo perfeito: haviam até mesmo impedido que recorresse ao único policial que lhe poderia dar crédito.

Depois pensou que Garamond, com todos os seus conhecimentos, chefes de polícia, comissários, delegados, altos funcionários, teria podido dar-lhe a mão. Correu para ele.

Garamond ouviu com afabilidade sua história, interrompendo-o com exclamações corteses como "mas não me diga", "mas olha o que me está dizendo", "parece até coisa de romance, direi mais, uma invenção". Depois cruzou os dedos, fixando Belbo com infinita simpatia, e disse: "Meu filho, permita-me que o chame assim porque eu podia ser seu pai — oh, Deus, seu pai talvez não, porque sou ainda um homem jovem, diria mais, um homem juvenil, mas um irmão mais velho, se me consente. Estou lhe falando de coração, e nos conhecemos há tantos anos. Minha impressão é que está superexcitado, no limite de suas forças, com os nervos em pandarecos, direi mais, com estresse. Não creia que eu não aprecie o seu esforço, sei que se dá de corpo e alma à nossa editora, e um dia até levarei isso em consideração mesmo em termos, como direi, materiais, pois isso não é nada que irá estragá-lo. Mas, em seu lugar, tiraria umas férias. Está me dizendo que se encontra numa situação embaraçosa. Francamente, não quero dramatizar o caso, mesmo sabendo, se me permite, que seria desagradável para a Garamond que um funcionário seu, o melhor deles, estivesse envolvido numa história pouco clara. Está dizendo que alguém quer que vá a Paris. Não desejo entrar em detalhes, acredito e pronto. E então? Pois vá lá e ponha tudo às claras, não é melhor? Falou-me que se encontra, como direi, conflitos com um cavalheiro como o Dr. Agliè. Não quero saber o que aconteceu exatamente entre os dois, nem vou ficar ruminando demasiado sobre o caso de homonímia de que me falou. Quanta gente neste mundo se chama Germano, não é verdade? Se Agliè lhe diz, lealmente, vá a Paris que tudo se esclarecerá, pois bem, por que não ir a Paris, isso não vai ser o fim do mundo. A sinceridade é fundamental nas relações humanas. Vá a Paris e se tiver algo a dizer não seja reticente. O que se tem no coração deve-se ter na boca. Que são todos esses segredos? O Dr. Agliè, se bem entendi, está ressentido porque não lhe revelou onde está um mapa, um papel, uma mensagem, ou seja lá o que for, que tem e que não lhe serve para nada, enquanto talvez para o bom Agliè isso seja importante para os seus estudos. Estamos a serviço da cultura, ou me engano? Pois então dê-lhe esse mapa, esse atlas, essa carta topográfica que não quero saber nem mesmo o que seja. Se ele lhe atribui tanto valor, deve ter lá suas razões, certamente respeitáveis, pois um cavalheiro é sempre um cavalheiro. Vá a Paris, um belo aperto de mão e tudo estará resolvido. Está bem? E não se aflija mais que o necessário. Sabe que estamos sempre aqui." Depois acionou o interfone: "Sra. Grazia... Ora, não está, nunca está quando precisamos dela. Você tem seus transtornos, caro Belbo, mas se soubesse dos meus. Agora vá, se encontrar no corredor a Sra. Grazia, mande-a aqui. E descanse, está ouvindo."

Belbo saiu. Na secretaria a Sra. Grazia não estava, e viu acesa a luz vermelha da linha privativa de Garamond, que evidentemente estava telefonando a alguém. Não resistiu à tentação (creio que pela primeira vez em sua vida cometia uma indelicadeza). Levantou o fone e interceptou a conversa. Garamond estava dizendo a alguém: "Não se preocupe. Creio que o consegui convencer. Ele irá a Paris... Nada mais que minha obrigação. Não é à toa que pertencemos à mesma cavalaria espiritual."

Então também Garamond fazia parte do segredo. De qual segredo? Daquele que só ele, Belbo, podia agora revelar. E que não existia.

Já era noite. Foi até o Pílades, trocou quatro palavras com um desconhecido, excedeu-se no álcool. E na manhã seguinte procurou o único amigo que lhe havia restado. Foi visitar Diotallevi. Ia procurar auxílio junto a um homem que estava morrendo.

E desse último colóquio deixou no Abulafia uma narrativa febril da qual não consigo distinguir o que pertence a Belbo e o que se deve a Diotallevi, porque em ambos os casos era como o murmúrio de quem diz a verdade sabendo que já não é o momento de se enganar com a ilusão.

110

... SE ENGANARAM NOS MOVIMENTOS E CAMINHARAM PARA TRÁS

E foi assim que aconteceu com o rabino Ismahel ben Elisha e seus discípulos, que estudando o livro Jesirah se enganaram nos movimentos e caminharam para trás, e se aprofundaram na terra até o umbigo, por causa da força das letras.

(Pseudo Saadya, *Comentário ao Sefer Ietzirah*)

Nunca o vira assim tão albino, mesmo quase não tendo mais cabelos, nem sobrancelhas nem cílios. Parecia uma bola de bilhar.

"Desculpa-me", havia lhe dito, "mas posso falar de uns casos meus?"

"Fale, por favor. Pois eu já não tenho mais casos. Só necessidades. E com *n* maiúsculo."

"Sabes que descobriram uma nova terapia. Essas coisas devoram aqueles que têm 20 anos, mas com as pessoas de 50 andam mais devagar e nos dão tempo de encontrar a solução."

"Pode falar por ti. Eu ainda não tenho 50 anos. Tenho ainda um físico jovem. E o privilégio de morrer mais depressa do que tu. Mas estás vendo que falo com dificuldade. Conte aí a tua história, que assim eu descanso."

Por obediência, por respeito, Belbo acabou lhe contando toda a sua história.

E então Diotallevi, respirando como A Coisa dos filmes de ficção científica, falou por sua vez. E tinha agora a transparência da Coisa, aquela ausência de limites entre o exterior e o interior, entre a pele e a carne, entre a leve pelugem loura que lhe transparecia ainda do pijama aberto no ventre e a mucilaginosa decomposição das vísceras que só os raios X, ou uma doença em estágio avançado, conseguem tornar evidentes.

"Jacopo, estou aqui em um leito, não posso ver o que acontece lá fora. Pelo que sei, tudo que me contaste se desenrola apenas dentro de ti, ou acontece lá fora. Num caso ou no outro, que tu ou o mundo se tenham tornado loucos, a coisa é a mesma. Em ambos os casos alguém embaralhou e misturou e acavalou as palavras do Livro mais do que devia."

"Que queres dizer?"

"Nós pecamos contra a Palavra, aquela que criou o mundo e o mantém de pé. Tu agora foste punido, como eu fui punido. Não há diferença entre ti e mim."

Veio uma enfermeira, deu-lhe alguma coisa para umedecer os lábios, disse a Belbo que era necessário não cansá-lo, mas Diotallevi se rebelou: "Deixe-me continuar. Preciso dizer a Verdade ao meu amigo. Você sabe lá o que é a Verdade?"

"Oh eu, mas que pergunta é esta, doutor..."

"Pois então deixe-nos em paz. Devo dizer ao meu amigo uma coisa importante. Ouve lá, Jacopo. Como no corpo do homem há membros e articulações e órgãos, também os há na Torá, entendes? E assim como na Torá há membros e articulações e órgãos, o mesmo ocorre no corpo dos homens, entendeste?"

"Entendi."

"O rabino Meir, quando aprendia com o rabino Akiba, misturava vitríolo no tinteiro, e o mestre não dizia nada. Mas quando o rabino Meir perguntou ao rabino Akiba se estava procedendo bem, este lhe respondeu: meu filho, sê cauto no teu trabalho, porque é um trabalho divino, e basta saltares uma letra ou escreveres uma letra a mais para destruíres todo o mundo... Nós buscamos reescrever a Torá, mas não nos preocupamos com as letras a mais ou a menos..."

"Estávamos brincando..."

"Não se brinca com a Torá."

"Mas nós brincávamos com a história, com o que os outros escreveram..."

"Haverá uma escrita que possa destruir o mundo e que não seja o Livro? Dá-me um pouco de água, não, no copo não, molha aquele lenço. Obrigado. Agora escuta. Misturar as letras do Livro significa misturar o mundo. Não se escapa. De qualquer livro, mesmo da cartilha. Aqueles tipos lá, como o teu Dr. Wagner, não dizem que quem brinca com as palavras, faz anagramas e transtorna o léxico tem coisas más na alma e odeia seu pai?"

"Não é bem assim. Esses são psicanalistas, fazem assim para ganhar dinheiro, não são como os teus rabinos."

"Rabinos, rabinos todos. Falam todos da mesma coisa. Achas que os rabinos que falam da Torá estão falando de um pergaminho? Falam de nós, que procuramos refazer nosso corpo por meio da linguagem. Agora escuta. Para manipular as letras do Livro é preciso que se tenha muita piedade, e nós não tivemos. Todo livro é entrançado com o nome de Deus, e nós criamos anagramas para todos os livros da história, sem rezar. Fica calado, escuta. Aquele que se ocupa da Torá mantém o mundo em movimento e mantém em movimento o próprio corpo enquanto lê, ou reescreve, porque não há parte do corpo que não tenha seu equivalente no mundo... Molha o lenço, obrigado. Se alteras o Livro, altera o mundo, se alteras o mundo, alteras o corpo. Isso não tínhamos compreendido. A Torá deixa sair uma palavra de seu escrínio, aparece por um momento e de repente se oculta. E se revela por um momento só ao seu amante. É como uma mulher belíssima que se esconde em seu palácio num pequeno aposento insuspeitado. Tem um único amante, do qual ninguém conhece a existência. E se alguém que não seja ele quiser violá-la, e pôr-lhe as sujas mãos em cima, ela se rebela. Ela conhece o seu amante, abre uma pequena fresta, e se mostra por um átimo. E rapidamente volta a se esconder. A palavra da Torá revela-se apenas àquele que a ama. E nós procuramos falar de livros sem amor e por brincadeira..."

Belbo molhou-lhe ainda uma vez os lábios com o lenço. "E então?"

"E então quisemos fazer aquilo que não nos era permitido e que não estávamos preparados para fazer. Manipulando as palavras do Livro, quisemos construir o Golem."

"Não entendo..."

"Não podes mais entender. Estás prisioneiro da tua criatura. Mas a tua história se desenvolve ainda no mundo exterior. Não sei como, mas dele podes sair. Para mim é diferente, estou experimentando em meu corpo aquilo que fizemos por brincadeira no Plano."

"Não digas besteiras, é um processo das células..."

"E que são as células? Durante meses como rabinos devotos pronunciávamos com os nossos lábios diversas combinações das letras do Livro. GCC, CGC, GCG, CGG. Aquilo que nossos lábios diziam nossas células aprendiam. Que foi que fizeram as minhas células? Inventaram um Plano diferente, e agora continuam por conta própria. As minhas células estão inventando uma história que não é a de todos. Elas agora aprenderam que se pode blasfemar anagramando o Livro e todos os livros do mundo. E assim aprenderam a fazer com meu corpo. Invertem, transpõem, alternam, permutam, criam células jamais vistas e sem sentido, ou com sentido contrário ao sentido correto. Deve haver um sentido correto, e sentidos falsos, senão morremos. Mas elas jogam sem fé, às cegas. Jacopo, até enquanto pude ler, nestes últimos meses, li muitos dicionários. Estudava a história das palavras para poder compreender o que acontecia no meu corpo. Nós rabinos fazemos assim. Já refletiste alguma vez que o termo retórico metátese é semelhante ao termo oncológico metástase? Que é metátese? Em vez de "desvairo", dizes "desvario". Em vez de "amoras", dizes "aromas". É a Temurah. O dicionário diz que metathesis quer dizer deslocamento, transposição. E metastasis quer dizer mutação e deslocamento. Que estúpidos os dicionários. A raiz é a mesma, ou é o verbo metathitemi ou o verbo methistemi. Mas metathitemi quer dizer meto no meio, desloco, transfiro, ponho em vez de, ab-rogo uma lei, mudo um sentido. E methisthemi? Mas é a mesma coisa, desloco, transmudo, permuto, transponho, mudo a opinião comum, perco o juízo. Nós, e quem quer que busque um sentido secreto além da letra, estamos perdendo o juízo. E foi isso o que fizeram as minhas células, obedientes. Por isso eu morro, Jacopo, e tu o sabes."

"Estás dizendo isso porque estás mal..."

"Agora digo isso porque finalmente compreendi tudo do meu corpo. Eu o estudo dia a dia, sei aquilo que ocorre com ele, só que não posso intervir, as células não me obedecem mais. Morro porque convenci as minhas células de que a regra não existe, e de que se pode fazer de qualquer texto o que bem se quiser. Passei a vida a convencer-me disso, eu, com o meu cérebro. E meu cérebro deve ter-lhes transmitido a mensagem, a elas. Por que devo pretender que elas sejam mais prudentes que meu cérebro? Morro porque fomos fantasiosos além de todos os limites."

"Escuta, o que acontece contigo nada tem a ver com o nosso Plano..."

"Não? E por que te acontece aquilo que está acontecendo? O mundo está se comportando como as minhas células."

Deixou-se cair exausto. O médico entrou e murmurou muito baixo que não se podia submeter àquele estresse quem estava morrendo.

Belbo saiu, e aquela foi a última vez que viu Diotallevi.

Pois bem, escreveu, sou procurado pela polícia pelas mesmas razões por que Diotallevi tem câncer. Pobre amigo, ele morre, mas eu, eu que não tenho câncer, que faço? Vou a Paris buscar a regra da neoplasia.

Não se rendeu logo. Permaneceu trancado em casa durante quatro dias, pôs em ordem seus *files*, frase após frase, para encontrar uma explicação. Depois redigiu seu relato, como um testamento, contando para si mesmo, a Abulafia, a mim ou a quem o pudesse ler. E por fim partiu na terça-feira.

Creio que Belbo tenha ido a Paris para dizer a eles que não havia segredo algum, que o verdadeiro segredo era deixar andar as células segundo sua sabedoria instintiva, porque ao procurar segredos sob a superfície reduzia-se o mundo a um câncer imundo. E que o mais imundo e estúpido de todos era ele, que não sabia nada e havia inventado tudo — e muito lhe devia custar, porém desde algum tempo aceitara a ideia de que era um covarde, e De Angelis lhe mostrara que de heróis só há uns poucos.

Em Paris deve ter havido o primeiro contato e Belbo se deu conta de que Eles não acreditavam em suas palavras. Eram simples demais. Agora estavam à espera de uma revelação, sob pena de morte. Belbo não tinha revelações a fazer e, última de suas covardias, tinha medo de morrer. E então tratou de fazer desaparecer as suas pistas, e me ligou. Mas eles o tinham prendido.

111

C'EST UNE LEÇON PAR LA SUITE

C'est une leçon par la suite. Quand votre ennemi
se reproduira, car il n'est pas à son dernier masque,
congédiez-le brusquement, et surtout n'allez pas le
chercher dans les grottes.

(Jacques Cazotte, *Le diable amoureux*, 1772,
página suprimida nas edições seguintes)

Perguntava então a mim mesmo, no apartamento de Belbo, depois de ler as suas confissões, que devo fazer? Não tem sentido ir à procura de Garamond, De Angelis lá se foi, Diotallevi dissera tudo o que tinha a dizer. Lia estava longe num lugar sem telefone. São seis horas da manhã de sábado, 23 de junho, e se algo tiver que acontecer acontecerá esta noite, no Conservatoire.

Tenho que tomar uma decisão imediata. Por quê, me perguntava aquela noite no periscópio, não preferi fingir que não sabia nada? Tinha diante de mim os textos de um louco, que falava de seus colóquios com outros loucos e de seu último colóquio com um moribundo superexcitado, ou superdeprimido. Não tinha como saber se Belbo me havia telefonado mesmo de Paris, talvez tenha falado a poucos quilômetros de Milão, talvez da cabine telefônica da esquina. Por que empenhar-me numa história talvez imaginária, que não me dizia respeito?

Mas isso eu me perguntava no periscópio, enquanto sentia os pés me entorpecerem, e a luz diminuir, e eu vivenciava o medo desnatural e naturalíssimo que todo ser humano deve sentir de noite sozinho, estando num museu deserto. Aquela manhã, ao contrário, não tive medo. Só curiosidade. E talvez senso de dever, de amizade.

E resolvi que devia ir também a Paris, não sabia bem fazer o quê, mas não podia deixar Belbo sozinho. Talvez ele esperasse isso de mim, apenas isso, para penetrar na calada da noite na caverna dos tugues e, quando Suyodhana estivesse para imergir-lhe o punhal do sacrifício no coração, eu irromperia sob a abóbada do templo com os meus sipaios de fuzil carregado a metralha, e o traria dali são e salvo.

Por sorte tinha um pouco de dinheiro comigo. Em Paris tomei um táxi e pedi que me levasse à rue de la Manticore. O motorista passou o tempo todo xingando, porque não encontrava a rua nem mesmo naqueles guias especiais que eles têm, e de fato era um beco tão estreito quanto um corredor de trem, para os lados da velha Bievre, por trás da igreja de Saint Julien le Pauvre. O táxi não pôde nem entrar por ele, e me deixou à esquina.

Entrei pela ruela meio desconfiado sem ver nenhuma porta que desse para ela, até que a certa, altura o caminho se alargava um pouco, e lá estava a livraria. Não sei por que tinha o número 3, já que não havia nenhuma outra casa de número um ou dois, ou outro qualquer. Tratava-se de uma lojazinha mínima com apenas uma abertura, e metade da porta era usada como vitrina. Nas laterais umas poucas dezenas de livros, o suficiente para indicar o gênero. Embaixo, uma série de pêndulos radioestésicos, varetas de incenso, pequenos amuletos orientais ou sul-americanos. Muitos maços de cartas de tarô, em estilos e confecções diversos.

O interior não era mais confortável, um amontoado de livros nas paredes e no chão, com uma mesinha ao fundo, e um livreiro que parecia ali de propósito para permitir a um escritor escrever que ele era mais velho que seus livros. Manuseava um grande registro escrito à mão, ignorando os clientes. Mas naquele momento só havia dois visitantes, que levantavam nuvens de poeira tirando velhos volumes, quase todos desprovidos de capa, de prateleiras ameaçadoras, e se punham a ler, sem parecer que iriam comprar.

O único espaço não atulhado das prateleiras estava tomado por um cartaz. Cores berrantes, uma série de retratos arredondados de moldura dupla, como nos cartazes do mágico Houdini. "*Le Petit Cirque de l'Incroyable. Madame Olcott et ses liens avec l'Invisible.*" Uma cara oleosa e masculina, duas tranças de cabelo negro recolhidas em coque sobre a nuca, me parecia já ter visto aquele rosto. "*Les Derviches Hurleurs et leur danse sacrée. Les Freaks Mignons, ou*

Les Petits-fils de Fortunio Liceti." Uma reunião de mostrengos pateticamente imundos. "*Alex et Denys, les Géants d'Avalon. Theo, Leo et Geo Fox, Les Enlumineurs de l'Ectoplasme...*"

A livraria Sloane de fato fornecia tudo, do berço à tumba, até mesmo o sadio divertimento noturno de se levar as crianças antes de esmagá-las no almofariz. Eu ouvi um telefone tocar, e vi o livreiro pôr de lado uma pilha de papéis, a fim de poder encontrar o aparelho. "*Oui monsieur*", disse, "*c'est bien ça.*" Ouviu por alguns minutos em silêncio, primeiro anuindo, depois assumindo um ar perplexo, mas, eu diria, para uso dos circunstantes, como se todos pudessem ouvir aquilo que ele ouvia e não quisesse assumir a responsabilidade disso. Depois adotou aquela expressão escandalizada do comerciante parisiense quando lhes pedimos algo que não têm no estabelecimento, ou dos porteiros de hotel quando vêm nos dizer que não há quartos vagos. "*Ah non, monsieur Ah, ça... Non, non, monsieur, c'est pas notre boulot. Ici, vous savez, on vend des livres, on peut bien vous conseiller sur des catalogues, mais ça... Il s'agit de problèmes très personnels, et nous... Oh, alors, il-y-a — sais pas, moi — des curés, des... oui, si vous voulez, des exorcistes. D'accord, je le sais, on connaît des confrères qui se prêtent... Mais pas nous. Non, vraiment la description ne me suffit pas, et quand même... Désolé monsieur. Comment? Oui... si vous voulez. C'est un endroit bien connu, mais ne demandez pas mon avis. C'est bien ça, vous savez, dans ces cas, la confiance c'est tout. A votre service, monsieur.*"

Os outros dois clientes haviam saído, eu me sentia incomodado. Por fim, resoluto, atraí a atenção do velho tossindo, e lhe disse que procurava um conhecido, um amigo que costumava passar por ali, monsieur Agliè. Olhou para mim como se eu fosse o homem do telefonema. Talvez, disse-lhe, não o conhecesse como Agliè, mas como Rakosky, ou Soltikoff, ou... Olhou de novo para mim, comprimindo os olhos, sem nenhuma expressão, e observou que eu tinha amigos curiosos com muitos nomes. Disse-lhe que não se importasse, que havia perguntado por perguntar. Espere, disse-me, meu sócio está chegando e talvez ele conheça a pessoa que o senhor procura. Enquanto isso, sente-se, ao fundo há uma cadeira. Vou dar um telefonema e observo. Levantou o fone e discou um número, e em seguida pôs-se a falar em voz baixa.

Casaubon, disse comigo, és mais estúpido que Belbo. Então o que esperas? Que Eles agora cheguem e digam: oh que bela combinação, veio também o amigo de Jacopo Belbo, venha, venha também o senhor...

Ergui-me de um salto, despedi-me e saí. Percorri em um minuto a rue de la Manticore, andei por outras ruelas, encontrei-me ao longo do Sena. Imbecil, continuei falando comigo, que pretendias? Chegar lá, encontrar Agliè, agarrá-lo pela gola do paletó, ele se desculparia, tinha sido tudo um equívoco, aqui está seu amigo, não lhe tocamos num fio de cabelo. E agora sabem que também estás aqui.

Já passava do meio-dia, à noite algo iria se passar no Conservatoire. Que devia fazer? Havia entrado pela rue Saint Jacques e a cada instante me voltava para trás. A um certo ponto pareceu-me que um árabe me seguia. Mas por que pensei que era um árabe? A característica dos árabes é que não parecem árabes, pelo menos em Paris, em Estocolmo seria diferente.

Passei por um hotel, entrei e pedi um quarto. Enquanto subia com a chave, por uma escada de madeira que dava num primeiro andar com balaustrada, de onde se podia avistar o balcão da portaria, vi que ali entrara o pretenso árabe. Depois notei no corredor outras pessoas que bem podiam ser árabes. Natural, naquela parte da cidade só havia hotéis para árabes. Que é que eu pretendia?

Entrei no quarto. Era decente, tinha até telefone, pena que não soubesse nem mesmo a quem telefonar.

E ali adormeci, inquieto, até as três. Depois lavei o rosto e me dirigi para o Conservatoire. Agora não me restava outra coisa a fazer a não ser entrar no museu, lá ficar até depois de fecharem e esperar a meia-noite.

Assim fiz. E a poucas horas da meia-noite encontrava-me no periscópio, a esperar qualquer coisa.

Nezah é para alguns intérpretes a sefirah da Resistência, da Suportação, da Paciência constante. Esperava-se de fato uma Prova. Mas para outros intérpretes é a Vitória. A vitória de quem? Talvez naquela história de derrotados, de diabólicos enganados por Belbo, de Belbo enganado pelos diabólicos, de Diotallevi enganado por suas células, no momento eu era o único vitorioso. Estava à espreita no periscópio, sabia dos outros e os outros não sabiam de mim. A primeira parte do meu projeto tinha saído segundo os planos.

E a segunda? Sairia segundo meus planos, ou segundo o Plano, que não mais me pertencia?

Parte 8

HOD

112

PARA AS NOSSAS CERIMÔNIAS

> *Para as nossas Cerimônias e Ritos, temos duas longas e belas Galerias, no Templo dos rosa-cruzes. Numa delas colocamos modelos e exemplos de todas as invenções mais raras e excelentes, na outra as Estátuas dos principais Inventores.*
>
> (John Heydon, *The English Physitians Guide: Or A Holy Guide*, Londres, Ferris, 1662, The Preface)

Estava no periscópio havia muito tempo. Já seriam dez horas, ou dez e meia. Se alguma coisa devesse ocorrer, ocorreria na nave da abadia, diante do Pêndulo. Logo devia apressar-me em descer, para encontrar um refúgio, e um ponto de observação. Se chegasse demasiado tarde, depois que já tivessem entrado (por onde?), Eles me descobririam.

Descer. Movimentar-me... Não desejava fazer outra coisa havia algumas horas, mas agora que podia, agora que era prudente fazê-lo, sentia-me como paralisado. Teria que atravessar as salas de noite, usando a lanterna com moderação. Pouca luz noturna filtrava pelas grandes janelas, se tivesse imaginado um museu tornado espectral pelo clarão da Lua, estaria muito enganado. As vitrinas recebiam das janelas reflexos imprecisos. Se não me deslocasse com cautela, poderia ir de encontro a uma coisa qualquer com um fragor de cristais, ou de tralhas de ferro. Acendia a lanterna de quando em quando. Sentia-me como se estivesse no Crazy Horse, vez por outra uma luz imprevista me revelava uma nudez, mas não de carne, e sim de porcas, de tarraxas, de arrebites.

E se de repente iluminasse uma presença viva, a figura de alguém, um enviado dos Senhores, que estivesse acompanhando como num espelho o meu percurso? Quem haveria de gritar primeiro? Agucei o ouvido. Com que fim? Não fazia ruído, arrastava-me. Logo, ele também.

Durante a tarde estudara atentamente a sequência das salas, estava convencido de que mesmo no escuro poderia encontrar a escadaria. Mas estava agora vagando quase às apalpadelas, e perdera o senso de direção.

Talvez estivesse passando por alguma sala pela segunda vez, talvez jamais tivesse sequer saído da mesma, talvez aquilo, aquele errar entre máquinas sem sentido, fosse o rito.

Na verdade não queria descer, na verdade queria retardar o encontro.

Tinha saído do periscópio depois de um longo, impiedoso exame de consciência, no correr de muitas horas havia revisto nosso erro dos últimos anos e procurara atinar com o porquê, sem qualquer razão racional, de estar eu naquele lugar à procura de Belbo, que fora parar ali por motivos ainda menos racionais. Porém, mal pusera os pés fora, tudo havia mudado. Enquanto avançava ia pensando com a cabeça de outro. Transformara-me em Belbo. E como Belbo agora no término de sua viagem para a iluminação, sabia que cada objeto terreno, até o mais ínfimo, é lido como o hieróglifo de outra coisa, e que não há Outro que seja o correspondente real do Plano. Oh, era astuto, bastava-me um relâmpago, um olhar num lampejo de luz, para compreender. Não me deixava enganar.

... Motor de Froment: uma estrutura vertical de base romboidal, que encerrava, como uma figura anatômica que exibisse as próprias costelas artificiais, uma série de bobinas, sei lá, pilhas, rotores, ou que raios se chamem nos livros escolares, acionadas por uma correia de transmissão que se encaixava num pinhão através de uma roda dentada... Para que teria servido? Resposta, para medir as correntes telúricas, é óbvio.

Acumuladores. O que acumulam? Não podia deixar de imaginar os Trinta e Seis Invisíveis como outros tantos obstinados secretários (os custódios do segredo) que batessem à noite em seu címbalo escrivão para dele arrancar um som, uma centelha, um chamado, empenhados num diálogo de costa a costa, entre abismo e superfície, de Machu Picchu a Avalon, zip zip zip, pronto pronto pronto, Pamersiel Pamersiel, eu captei o frêmito, a corrente Mu 36, aquela que os brâmanes adoravam como a suave respiração de Deus, agora insiro o pino, circuito micromacrocósmico em ação, tremem sob a crosta do globo todas as raízes de mandrágora, ouve-se o canto da Simpatia Universal, câmbio e desligo.

Meu Deus, os exércitos se ensanguentavam nas planícies da Europa, os papas lançavam anátemas, os imperadores se encontravam hemofílicos e incestuosos no pavilhão de caça dos Hortos Palatinos, para fornecer uma cobertura, uma fachada suntuosa para o trabalho deles, que na Casa de Salomão auscultavam os débeis chamados do Umbilicus Mundi.

Eles estavam aqui, acionando esses eletrocapiladores pseudotérmicos exatetragramáticos — assim teria dito Garamond, não é mesmo? — e no entanto, o que sei, alguém teria inventado uma vacina, ou pequena lâmpada, para justificar a maravilhosa aventura dos metais, mas a finalidade era bem outra, ei-los todos aqui congregados à meia-noite para fazer girar esta máquina estática de Ducretet, uma roda transparente que parece uma bandoleira, e atrás duas bolinhas vibráteis sustentadas por duas varinhas em arco, talvez agora se toquem, dela extraindo centelhas, Frankenstein esperava que assim pudesse dar vida ao seu golem e, em vez disso, o sinal que esperava era um outro: conjectura, trabalha, cava cava velha toupeira...

...Uma máquina de costurar (que mais seria, daquelas que aparecem nas propagandas com a gravura, juntamente com a pílula para desenvolver os seios, e com a enorme águia que volta das montanhas trazendo nas garras o amargo regenerador, Robur le Conquérant, R-C), mas se acionada faz girar uma roda, a roda um anel, o anel... que faz o anel, quem ausculta o anel? A etiqueta dizia "as correntes induzidas do campo terrestre". Com impudicícia, podem-na ler até as crianças em suas visitas vespertinas, tanto a humanidade acreditava que estivesse andando em outra direção, podia se tentar tudo, a experiência suprema, dizendo que servia à mecânica. Os Senhores do Mundo nos enganaram por séculos. Estávamos envoltos, enfaixados, seduzidos pelo complô, e escrevíamos poemas em louvor à locomotiva.

Eu ia e vinha. Teria podido imaginar-me pequeniníssimo, microscópico, e eis que seria um viajante atônito pelas ruas de uma cidade mecânica, cheia de torres de arranha-céus metálicos. Cilindros, baterias, garrafas de Leiden uma sobre a outra, pequeno carrossel da altura de 20 centímetros, *tourniquet électrique à attraction et repulsion*. Talismã para estimular as correntes de simpatia. *Colonnade étincelante formée de neuf tubes, électroaimant*, uma guilhotina, ao centro — e parecia um prelo de tipografia — pendiam ganchos suspensos por correntes de estrebaria. Uma prensa na qual se pode enfiar a mão, uma cabeça para esmagar. Sino de vidro movido por uma bomba pneumática a dois cilindros, uma espécie de alambique e por baixo uma taça e à direita uma esfera de cobre. São Germano ali cozinhava as suas tinturas para o landgrave de Hesse.

Um porta-pipos com uma quantidade de pequenas clepsidras de formato alongado como as mulheres de Modigliani, com um material impreciso dentro, sobre duas filas de dez cada uma, em cada uma a intumescência superior se expandia a uma altura diferente, como balõezinhos prontos para alçar voo, seguros à terra por um peso de bola. Aparelho para a produção do Rébis, sob os olhos de todos.

Seção de vidraria. Havia voltado em meus passos. Garrafinhas verdes, um anfitrião sádico estava me oferecendo venenos em quintessência. Máquinas de ferro para fazer as garrafas abriam-se e fechavam-se com duas manoplas, e se alguém em vez da garrafa metesse dentro o pulso? Zac, como devia acontecer com aquelas grandes tenazes, os tesourões, aqueles bisturis de bico recurvado que podiam ser enfiados no esfíncter, nos ouvidos, no útero, para tirar um feto ainda fresco a ser acrisolado com mel e pimenta para satisfazer a sede de Astarte... A sala que atravessava agora tinha vitrinas amplas, nelas entrevia botões para pôr em movimento pontas helicoidais que avançariam inexoráveis em direção aos olhos das vítimas, o Poço e o Pêndulo, estávamos quase na caricatura, nas máquinas inúteis de Goldberg, nos troncos de tortura onde Perna de Pau levava o Camundongo Mickey, *l'engrenage extérieur à trois pignons*, triunfo da mecânica renascentista, Branca, Ramelli, Zonca, conhecia essas engrenagens, eu as havia paginado para a maravilhosa aventura dos metais, mas aqui foram postas depois, no século passado, já estavam prontas para conter os rebeldes depois da conquista do mundo, os templários haviam aprendido com os Assassinos como fazer calar Noffo Dei, no dia em que o houvessem capturado, a suástica de von Sebottendorff entortaria em direção do solo membros apaixonados dos inimigos dos Senhores do Mundo, tudo pronto, esperavam um aceno, tudo sob os olhos de todos, o Plano era público, mas ninguém pudera adivinhá-lo, fauces crepitantes haviam cantado seu hino de conquista, grande orgia de bocas reduzidas a puro dente que se encavilhavam uma contra a outra, num espasmo feito de tique-taque como se todos os dentes tivessem caído por terra no mesmo momento.

E por fim havia chegado em frente ao *émetteur à étincelles soufflées* projetado para a Torre Eiffel, para a emissão dos sinais horários entre a França, Tunísia e Rússia (templários de Provins, Paulicianos e Assassinos de Fez — Fez não é na Tunísia e os Assassinos estavam na Pérsia, mas e daí, não se pode sutilizar um pouco quando se vive nas espirais do Templo Sutil), já havia visto aquela máquina imensa, mais alta do que eu, com as paredes perfuradas por uma série de escotilhas, de tomadas de ar, quem iria convencer-me de que fosse um aparelho de rádio? Mas sim, eu o conhecia, tinha passado ao lado dele ainda naquela tarde. O Beaubourg!

Sob os nossos olhos. E, de fato, para que deveria servir aquele imenso caixotão no centro de Lutécia (Lutécia, a escotilha do mar de lama subterrâneo), ali, onde em certa época estava o Ventre de Paris, com aquelas trombas preênseis de correntes aéreas, aquela insânia de tubos, de condutos, aquela orelha de Dionísio escancarada sobre o vazio exterior para emitir sons, mensagens, sinais até o centro do globo e restituir-lhe vomitando informações do inferno? Primeiro o Conservatoire, como laboratório, depois a Torre como sonda, e por fim o Beaubourg, como máquina receptotransmissora global. Claro que não tinham erguido aquela imensa ventosa só para entreter quatro estudantes cabeludos e morrinhentos que caminhavam ouvindo o último disco em auriculares japoneses. Sob os nossos olhos. O Beaubourg como porta para o reino subterrâneo de Agarttha, o monumento dos Equites Synarchici Resurgentes. E os outros, dois, três, quatro bilhões de Outros, o ignoravam, ou se esforçavam por ignorá-lo. Estúpidos e Hílicos. E os Pneumáticos, diretos ao seu escopo, por seis séculos.

A certo momento dei com a escadaria. Desci, cada vez mais cauteloso. A meia-noite estava próxima. Tinha que me esconder no meu observatório antes que Eles chegassem.

Creio que eram onze horas, talvez menos. Tinha atravessado a sala de Lavoisier, sem acender a lanterna, lembrado das alucinações da tarde, tinha percorrido o corredor das miniaturas ferroviárias.

Na nave já havia alguém. Via luzes móveis e fracas. Ouvia tropéis, rumor de objetos removidos ou arrastados.

Apaguei a lanterna. Teria ainda tempo de chegar à guarita? Esgueirava-me ao longo da vitrina dos trens, e logo me aproximei da estátua de Gramme, no transepto. Sobre um embasamento de madeira, em forma cúbica (a pedra cúbica de Esod!), erguia-se como para guardar a entrada do coro. Recordava-me mais ou menos que a minha estátua da Liberdade estava situada imediatamente às suas costas.

A face anterior do embasamento era emborcada para a frente, formando como que uma passarela que permitia a saída de um conduto. E dali saiu de fato um indivíduo com um lampião — talvez de gás, com vidros coloridos, que lhe formava na face labaredas avermelhadas. Encolhi-me num ângulo e ele não me viu. Alguém que estava no coro veio reunir-se a ele. "*Vite*", disse-lhe, "depressa, vão chegar dentro de uma hora."

Aquela era então a vanguarda, que estava preparando alguma coisa para o rito. Se não eram muitos, poderia ainda iludi-los e alcançar a Liberdade. Antes que Eles chegassem, vindos quem sabe donde, e em que número, surgindo pelo mesmo caminho. Permaneci abaixado durante muito tempo, acompanhando os reflexos das lanternas na igreja, o alternar-se periódico das luzes, os momentos de maior e menor intensidade. Calculava o momento em que eles se afastariam da Liberdade e quanto esta poderia ainda permanecer na sombra. A um certo momento, resolvi arriscar, esgueirei-me pelo lado esquerdo de Gramme — comprimindo-me ao máximo contra a parede e contraindo os músculos abdominais. Por sorte era magro como um palito. Lia... Escondi-me, deslizando para a guarita.

Para tornar-me menos perceptível, deixei-me escorregar pelo chão, obrigado a encolher-me numa posição quase fetal. Aceleravam-se as batidas do coração, e dos dentes.

Precisava me esticar. Respirei ritmicamente com o nariz, aumentando aos poucos a intensidade das aspirações. Creio que, sob tortura, seja assim que se consegue perder os sentidos para escapar à dor.

De fato, senti precipitar-me lentamente no abraço do Mundo Subterrâneo.

113

A NOSSA CAUSA É UM SEGREDO

> *A nossa causa é um segredo dentro de um segredo, o segredo de alguma coisa que permanece velada, um segredo que só um outro segredo pode explicar, é um segredo sobre um segredo que se contenta com um segredo.*
>
> (Ja' far-al-Sâdiq, sexto Imã)

Voltei lentamente à consciência. Ouvia sons, era perturbado por uma luz agora mais forte. Sentia os pés entorpecidos. Tentei levantar-me lentamente sem fazer ruído e me pareceu que estava pisando sobre uma porção de ouriços--do-mar. A Sereiazinha. Fiz alguns movimentos silenciosos, flexionando as extremidades, e a sensação diminuiu. Só então, esticando a cabeça cautelosamente, à esquerda e à direita, e estando seguro de que a maior parte da guarita permanecia na sombra, consegui dominar a situação.

A nave estava toda iluminada. À luz de lanternas, que agora eram dezenas e dezenas, trazidas pelos convocados que estavam chegando às minhas costas. Saindo certamente do conduto, passavam em fila pela minha esquerda e iam chegar ao coro e se dispunham na nave. Meu Deus, pensei, A Noite do Monte Calvo em versão Walt Disney.

Não falavam a plena voz, sussurravam, mas todos juntos produziam um murmúrio acentuado, como nos coros de ópera.

À minha esquerda, as lanternas estavam postas no chão em semicírculo, perfazendo com uma circunferência achatada a curva oriental do coro, e indo tocar o ponto extremo daquele pseudosemicírculo; na parte sul, a estátua de Pascal. Ali havia sido colocado um braseiro ardente, sobre o qual alguém jogava ervas, essências. A fumaça chegava até a guarita e me secava a garganta, provocando-me uma sensação de superexcitado aturdimento.

Entre o oscilar das lanternas, percebi que no centro do coro alguma coisa se agitava, uma sombra sutil e mobilíssima.

O Pêndulo! O Pêndulo já não oscilava no lugar de costume no meio do cruzeiro. Estava agora apenso, mais alto, da chave da abóbada, no centro do coro. Uma esfera maior, um fio mais resistente, que me parecia uma corda, ou um cabo de metal retorcido.

O Pêndulo estava agora imenso, do tamanho que deve ter sido mostrado no Panthéon. Era como ver-se a Lua pelo telescópio.

Quiseram restituir-lhe suas dimensões originais como os templários o deviam ter experimentado pela primeira vez, meio milênio antes de Foucault. Para permitir-lhe oscilar livremente haviam eliminado algumas infraestruturas, criando no anfiteatro do coro aquela rude antístrofe simétrica assinalada pelas lanternas.

Perguntei-me como o Pêndulo conseguia manter a constância de suas oscilações, agora que sob o pavimento do coro não podia estar mais o regulador magnético. Depois compreendi. À borda do coro, junto aos motores diesel, estava um indivíduo que, pronto a deslocar-se como um gato para acompanhar as variações do plano de oscilação, imprimia à esfera, vez por outra, quando esta avançava em sua direção, um leve impulso, com um movimento preciso da mão, com um leve toque dos dedos.

Estava de fraque, como Mandrake. Depois, observando seus outros companheiros, percebi que se tratava de um prestidigitador, um ilusionista do Petit Cirque de Madame Olcott, um profissional capaz de dosar a pressão das pontas dos dedos, do pulso seguro, hábil em trabalhar com desvios infinitesimais. Talvez fosse capaz de perceber, com a sola finíssima de seus sapatos luzidios, as vibrações das correntes, e de mover as mãos segundo a lógica da esfera, e da terra à qual a esfera respondia.

Seus comparsas. Agora também os via. Moviam-se entre os automóveis da nave, deslizavam ao lado das *draisiennes* e dos motociclos, quase rolavam na sombra, um portando uma cadeira de espaldar alto e uma mesa coberta de pano vermelho no vasto ambulacro do fundo, outro colocando outras lanternas. Pequenos, noturnos, gaguejantes, como crianças raquíticas; pude distinguir os traços mongoloides e a cabeça calva de um deles que estava passando ao meu lado. Les Freaks Mignons de Madame Olcott, os imundos mostrengos que vira no cartaz da Sloane.

O circo ali estava *au grand complet*, staff, polícia, coreógrafos do rito. Vi Alex e Denys, les Géants d'Avalon, envoltos numa armadura de couro brochado, verdadeiramente gigantescos, de cabelos louros, apoiados contra a grande mole da Obéissante, com os braços cruzados à espera.

Não tive tempo de me fazer outras perguntas. Alguém havia entrado com solenidade, impondo silêncio com a mão erguida. Reconheci Bramanti só porque estava com a túnica escarlate, a capa branca e a mitra com as quais o vira vestido aquela noite no Piemonte. Bramanti aproximou-se do braseiro, atirou-lhe alguma coisa dentro que provocou uma chamarada, seguida de fumaça densa e branca, espalhando lentamente um perfume pela sala inteira. Como no Rio, pensei, como na festa alquímica. E não tenho um agogô. Levei o lenço ao nariz e à boca, como um filtro. Mas já Bramanti me parecia duplo, e o Pêndulo oscilava diante de mim em múltiplas direções, como um carrossel.

Bramanti começou a salmodiar: *"Alef bet gimel dalet he waw zair het tet jod kaf lamed mem nun samek ajin pe sade qof resh shin tau!"*

A turba respondia, orante: *"Parmesiel, Padiel, Camuel, Aseliel, Barmiel, Gediel, Asyriel, Maseriel, Dorchtiel, Usiel, Cabariel, Raysiel, Symiel, Armadiel..."*

Bramanti fez um sinal, e alguém emergiu da multidão, pondo-se de joelhos aos seus pés. Só por um instante vi-lhe o rosto. Era Riccardo, o homem da cicatriz, o pintor.

Bramanti estava interrogando-o e este respondia, recitando de memória as fórmulas do ritual.

"Quem és?"

"Sou um adepto, ainda não admitido nos mistérios mais altos do Tres. Preparei-me em silêncio, na meditação analógica do mistério de Bafomé, na consciência de que a Grande Obra gira em torno de seis selos intactos, e de que só no fim conheceremos o segredo do sétimo."

"Como você foi recebido?"

"Passando pela perpendicular ao Pêndulo."

"Quem o recebeu?"

"Um Místico Legado."

"Reconhecê-lo-ias?"

"Não, porque estava mascarado. Conheço apenas o Cavaleiro de grau superior ao meu e este o Naômetra de grau superior ao dele e cada qual conhece apenas um. E assim o quero."

"*Quid facit Sator Arepo?*"

"*Tenet Opera Rotas.*"

"*Quid facit Satan Adama?*"

"*Tabat Amata Natas. Mandaba Data Amata, Nata Sata.*"

"Trouxe a mulher?"

"Sim, ela está aqui. Entreguei-a a quem me foi ordenado. Ela está pronta."

"Vai, e permanece à espera."

O diálogo se havia desenvolvido num francês aproximativo, de ambas as partes. Depois Bramanti disse: "Irmãos, estamos aqui reunidos em nome da Ordem Única, a Ordem Ignota, à qual até ontem não sabíeis pertencer e pertencíeis desde sempre! Juremos. Anátema sobre os profanadores do segredo. Anátema sobre os sicofantas do Oculto, anátema sobre quem tenha feito espetáculo dos Ritos e Mistérios!"

"Anátema!"

"Anátema sobre o Invisível Colégio, sobre os filhos bastardos de Hiram e da viúva, sobre os mestres operadores e especuladores da mentira do Oriente ou do Ocidente, Antiga, Aceita ou Retificada, sobre Misraim e Mênfis, sobre Filateti e as Nove Irmãs, sobre a Estrita Observância e sobre a Ordo Templi Orientis, sobre os Iluminados da Baviera e de Avignon, sobre os Cavaleiros Kadosch, sobre os Eleitos Cohen, sobre a Perfeita Amizade, sobre os Cavaleiros da Águia Negra e da Cidade Santa, sobre os Rosacrucianos da Inglaterra, sobre os Cabalistas da Rosa + Cruz do Ouro, sobre a Golden Dawn, sobre a Rosa Cruz Católica do Templo e do Graal, sobre a Stella Matutina, sobre o Astrum Argentinum e sobre Thelema, sobre Vril e sua Thule, sobre todos os antigos e místicos usurpadores do nome da Grande Fraternidade Branca, sobre os Vigilantes do Templo, sobre todos os Colégios e Priorados de Sião ou das Gálias!"

"Anátema!"

"Quem quer que por ingenuidade, vontade própria, proselitismo, cálculo ou má-fé tenha sido iniciado em loja, colégio, priorado, capítulo, ordem que ilicitamente se refira à obediência aos Superiores Desconhecidos e aos Senhores do Mundo, que venha hoje a abjurar e implorar exclusiva reintegração no espírito e no corpo da única e verdadeira observância, o Tres, Templi Resurgentes Equites Synarchici, a ordem mística triúnica e trinosófica secretíssima dos Cavaleiros Sinárquicos da Renascença Templar!"

"*Sub umbra alarum tuarum!*"

"Que agora entrem os dignitários dos 36 graus últimos e secretíssimos!"

E enquanto Bramanti chamava os eleitos um a um, estes iam entrando com suas vestes litúrgicas, todos trazendo sobre o peito a insígnia do Tosão de Ouro.

"Cavaleiro do Bafomé, Cavaleiro dos Seis Selos Intactos, Cavaleiro do Sétimo Selo, Cavaleiro do Tetragrámmaton, Cavaleiro Justiceiro de Florian e Dei, Cavaleiro do Atanor... Venerável Naômetra da Torre de Babel, Venerável Naômetra da Grande Pirâmide, Venerável Naômetra das Catedrais, Venerável Naômetra do Templo de Salomão, Venerável Naômetra do Horto Palatino, Venerável Naômetra do Templo de Heliópolis..."

Bramanti recitava as dignidades e os designados entravam em grupos, de modo que eu não conseguia atribuir a cada um o respectivo título, mas certamente entre os primeiros 12 vi De Gubernatis, o velho da livraria Sloane, o professor Camestres e outros que havia encontrado aquela noite no Piemonte. E creio que, como Cavaleiro do Tetragrámmaton, vi o Sr. Garamond, composto e hierático, compenetrado de seu novo papel, que com mãos trêmulas apalpava o Tosão que tinha sobre o peito. Entrementes Bramanti continuava: "Místico Legado de Carnaque, Místico Legado da Baviera, Místico Legado dos Barbelognósticos, Místico Legado de Camelot, Místico Legado de Montsegur, Místico Legado do Imã Oculto... Supremo Patriarca de Tomar, Supremo Patriarca de Kilwinning, Supremo Patriarca de Saint-Martin-des-Champs, Supremo Patriarca de Marienbad, Supremo Patriarca da Okrana Invisível, Supremo Patriarca in partibus da Fortaleza de Alamut..."

E certamente o Patriarca da Okrana era Salon, sempre pardo de rosto mas sem o balandrau e agora resplandecente em sua túnica amarela bordada de vermelho. Seguia-o Pierre, o psicopompo da Eglise Luciferienne, que no entanto trazia sobre o peito, em lugar do Tosão de Ouro, um punhal numa bainha dourada. Enquanto isso, Bramanti continuava: "Sublime Hierógamo das Núpcias Químicas, Sublime Psicopompo Rodostaurótico, Sublime

Referendário dos Arcanos Arcaníssimos, Sublime Esteganógrafo da Monas Hieroglífica, Sublime Connector Austral Utriusque Cosmi, Sublime Guardião do Túmulo de Rosencreutz... Imponderável Arconte das Correntes, Imponderável Arconte da Terra Oca, Imponderável Arconte do Polo Místico, Imponderável Arconte dos Labirintos, Imponderável Arconte do Pêndulo dos Pêndulos..." Bramanti fez uma pausa, e me pareceu pronunciar a última fórmula a contragosto: "E o Imponderável entre os Imponderáveis Arcontes, o Servo dos Servos, Humílimo Secretário do Édipo Egípcio, Mensageiro Ínfimo dos Senhores do Mundo e Porteiro de Agarttha, Último Turiferário do Pêndulo, Claude-Louis, conde de Saint-Germain, príncipe Rakoczi, Príncipe de Saint-Martin e marquês de Agliè, senhor de Surmont, marquês de Welldone, marquês de Monferrato, de Aymar e Belmar, conde Soltikof, cavaleiro Schoening, conde de Tzarogy!"

Enquanto os demais se dispunham no ambulacro, fazendo frente ao Pêndulo e aos fiéis da nave, entrava Agliè, de jaquetão azul de riscas de giz, pálido e de rosto contraído, como se acompanhasse uma alma ao sendeiro do Hades, também esta pálida e desvanecida por uma droga, vestida apenas com uma túnica branca e semitransparente, Lorenza Pellegrini, os cabelos caídos sobre os ombros. Vi-a de perfil enquanto passava, pura e lânguida como uma adúltera pré-rafaelita. Diáfana demais para não estimular ainda uma vez o meu desejo.

Agliè levou Lorenza para junto do braseiro, próximo da estátua de Pascal, fez-lhe uma carícia no rosto ausente e um sinal aos Géants d'Avalon, que se puseram a seu lado, segurando-a. Depois foi sentar-se à mesa, de frente para os fiéis, e podia vê-lo perfeitamente, enquanto tirava do colete a sua tabaqueira e a acariciava em silêncio antes de falar.

"Irmãos, cavaleiros. Vocês estão aqui porque nestes últimos dias os Místicos Legados vos informaram, e portanto ora sabeis todos as razões pelas quais estamos reunidos. Devíamo-nos reunir na noite de 23 de junho de 1945, quando talvez alguns de vós ainda nem tivessem nascido — pelo menos na forma atual, bem entendido. Estamos aqui porque depois de errar dolorosamente durante seiscentos anos encontramos finalmente alguém que sabe. Como veio a sabê-lo — e o saiba mais que nós — é um inquietante mistério. Mas espero que esteja aqui presente — e não poderias faltar, não é verdade, amigo que já te mostrou tão curioso uma outra vez — espero, dizia, que esteja presente entre nós quem o poderá confessar. Ardenti!"

O coronel Ardenti — era ele, sem dúvida, corvino como sempre, embora um tanto envelhecido — avançou do meio da assistência e se postou diante daquilo que se estava tornando o seu tribunal, mantendo-se à distância do Pêndulo, que assinalava um espaço intransponível.

"Há quanto tempo não nos vemos, irmão", disse sorrindo Agliè. "Sabia que, divulgando a notícia, não poderias resistir. Então? Sabes o que disse o prisioneiro, e ele afirma tê-lo sabido de ti. Logo tu sabias e calavas."

"Conde", disse Ardenti, "o prisioneiro mente. Humilho-me ao dizê-lo, mas a honra antes de tudo. A história que a ele confiei não é aquela sobre a qual os Místicos Legados me falaram. A interpretação da mensagem — sim, é verdade, eu conseguira apoderar-me de uma mensagem, não vos ocultei isso há anos em Milão — é diferente... Eu não estaria em condições de lê-la como o prisioneiro a leu, por isso daquela vez eu procurava ajuda. E devo dizer que não encontrei encorajamento, mas só desconfiança, desafios e ameaças..." Talvez quisesse dizer algo mais, porém, fitando Agliè, fixava igualmente o Pêndulo, que estava agindo sobre ele como um encantamento. Hipnotizado, caiu de joelhos e disse apenas: "Perdão, porque não sei."

"Estás perdoado, por saberes que não sabes", disse Agliè. "Vai. Logo, irmãos, o prisioneiro sabe mais coisas do que qualquer de nós sabia. Sabe até mesmo quem somos, e nós o soubemos dele. Precisamos proceder com rapidez, em breve será madrugada. Enquanto vós permaneceis aqui em meditação, eu agora me retiro novamente com ele para arrancar-lhe a revelação."

"Ah não, senhor conde!" Pierre havia avançado um passo adiante no hemiciclo com as pupilas dilatadas. "Durante dois dias o senhor falou com ele sem nos prevenir, e ele não viu nada, não falou nada, não ouviu nada, como os três macaquinhos. Que deseja perguntar-lhe mais agora, esta noite? Não, bem aqui em nossa frente, diante de todos!"

"Fique calmo, caro Pierre. Fiz com que fosse conduzida aqui esta noite esta que considero a mais perfeita encarnação da Sophia, ligame místico entre o mundo dos erros e o Ogdóade Superior. Não me perguntes como nem por quê, mas com essa mediadora o homem falará. Diz a eles quem és tu, Sophia."

E Lorenza, sempre sonambúlica, quase escandindo as palavras com dificuldade:

"Eu sou... a prostituta e a santa."

"Ah muito boa, essa", riu-se Pierre. "Temos aqui *la crème de l'initiation* e recorremos às putas. Não, queremos o homem aqui e já, diante do Pêndulo!"

"Não sejamos pueris", disse Agliè. "Concedam-me apenas uma hora. Por que acham que ele falaria aqui, diante do Pêndulo?"

"Ele irá falar ao desfazer-se. *Le sacrifice humain!*", gritou Pierre para os da nave. E os da nave, em altas vozes: "*Le sacrifice humain!*"

Ergueu-se Salon: "Conde, puerilidade à parte, o irmão tem razão. Não somos policiais..."

"O senhor não deveria dizê-lo", motejou Agliè.

"Não somos policiais e não consideramos digno proceder com os métodos de confissão costumeiros. Mas não creio igualmente que os sacrifícios possam valer às forças do subsolo. Se estas nos quisessem dar um sinal, já o teriam feito. Além do prisioneiro, alguém mais sabia, só que está desaparecido. Pois bem, esta noite temos a possibilidade de pôr em confronto com o prisioneiro aqueles que sabiam e..." fez um sorriso, fixando Agliè com olhos entrecerrados sob as sobrancelhas hirsutas, "de pô-lo inclusive em confronto conosco, ou com alguns de nós..."

"Que está pretendendo dizer, Salon?", perguntou Agliè, com voz certamente insegura.

"Se o senhor conde me permite, eu gostaria de explicá-lo", disse Madame Olcott. Era ela, reconhecia-a, a mesma do cartaz. Lívida numa veste esverdeada, os cabelos luzidios de óleo, recolhidos sobre a nuca, uma voz rouca de homem. Pareceu-me, na livraria Sloane, que já conhecia aquele rosto, e agora me lembrava: era a druidesa que chegou muito perto de nós na clareira, aquela noite. "Alex, Denys, tragam aqui o prisioneiro."

Falou de maneira imperiosa, o murmúrio na nave parecia ser-lhe favorável, os dois gigantes haviam obedecido, confiando Lorenza a dois Freaks Mignons. Agliè tinha as mãos contraídas sobre os braços da cátedra e não havia ousado opor-se.

Madame Olcott fizera um sinal aos seus mostrengos, e entre a estátua de Pascal e a Obéissante foram colocadas três poltronas, sobre as quais ela estava agora fazendo acomodar três indivíduos. Todos três eram de cor escura, pequenos de estatura, nervosos, com grandes olhos brancos. "Os gêmeos Fox, o senhor os conhece bem, conde. Theo, Leo, Geo, sentem-se, e preparem-se."

Naquele momento reapareceram os gigantes de Avalon trazendo pelo braço o próprio Jacopo Belbo, que mal chegava aos ombros dos dois. Meu pobre amigo estava lívido, com a barba por fazer havia muitos dias, as mãos atadas atrás das costas e a camisa aberta sobre o peito. Entrando naquela liça enfumaçada, piscou várias vezes os olhos. Não pareceu surpreender-se pela assembleia de hierofantes que se via em frente, naqueles últimos dias devia ter-se habituado a esperar de tudo.

Não esperava, no entanto, ver o Pêndulo, não naquela posição. Mas os gigantes o arrastavam para diante da cátedra de Agliè. Do Pêndulo agora só ouvia o levíssimo rascar que fazia aflorando-lhe as costas.

Um só instante se voltou, e viu Lorenza. Emocionou-se, fez menção de chamá-la, tentou desvencilhar-se, no entanto Lorenza, que o olhava fixamente, ausente de expressão, parecia não reconhecê-lo.

Belbo estava certamente para perguntar a Agliè que havia feito a ela, mas não teve tempo. Do fundo da nave, na direção da caixa e das armações de livros, ouviu-se um rufar de tambores, e algumas notas estridentes de flautas. De um golpe as portinholas de quatro automóveis se abriram e de dentro deles saíram quatro seres que eu já havia visto, também estes, no cartaz do Petit Cirque.

Um chapéu de feltro sem abas, como um fez, grandes capotes negros fechados até o pescoço, Les Derviches Hurleurs saíram dos automóveis como ressuscitados que tivessem surgido do sepulcro e se agacharam às bordas do círculo mágico. Ao fundo, as flautas modulavam agora uma música suave, enquanto esses, com igual suavidade, batiam as mãos no chão e inclinavam a cabeça.

Da carlinga do aeroplano de Breguet, como o muezim do minarete, inclinou-se um quinto dervixe, que começou a salmodiar numa língua desconhecida, gemendo, lamentando-se, em tons estrídulos, enquanto os tambores voltavam a rufar, crescendo de intensidade.

Madame Olcott estava agora inclinada por trás dos irmãos Fox e lhes sussurrava frases de encorajamento. Os três se haviam abandonado sobre as poltronas, as mãos estendidas sobre os braços destas, com os olhos fechados, começando a transpirar e agitando todos os músculos da face.

Madame Olcott voltou a dirigir-se à assembleia dos dignitários. "Agora os meus bravos irmãozinhos trarão para o meio de nós três pessoas que sabem."

Fez uma pausa, e depois anunciou: "Edward Kelley, Heinrich Khunrath e...", outra pausa, "o conde de São Germano."

Pela primeira vez vi Agliè perder o controle. Levantou-se da cátedra, e cometeu um erro. Depois se lançou em direção à mulher — evitando quase por acaso a trajetória do Pêndulo — gritando: "Víbora, embusteira, sabes muito bem que isto não pode ser..." — Depois para a nave: "Impostura, impostura! Segurem-na!"

Mas ninguém se moveu, antes mesmo Pierre correu a tomar lugar junto à cátedra e disse: "Continuemos, madame."

Agliè se acalmou. Recuperou o sangue-frio, pôs-se de parte, confundindo-se com os demais presentes. "Continuem", desafiou, "vamos ver, então."

Madame Olcott ergueu o braço como para dar o sinal de partida. A música adquiriu tons cada vez mais agudos, fragmentou-se numa cacofonia de dissonâncias, os tambores rolavam arrítmicos, os dançarinos, que já haviam começado a mover o busto para a frente e para trás, à direita e à esquerda, se haviam erguido, tirado os mantos e estendido os braços rígidos, como se estivessem para levantar voo. Depois de um átimo de imobilidade, começaram a redemoinhar em torno de si mesmos, usando o pé esquerdo como eixo, o rosto erguido para o alto, concentrados e perdidos, enquanto suas cabeleiras encrespadas acompanhavam as piruetas alargando-se em forma de sino e parecendo flores arrastadas por um furacão.

Enquanto isso, os médiuns haviam-se como que encolhido, o rosto tenso e desfigurado, pareciam querer defecar sem conseguir, respiravam rouquenhos. A luz do braseiro se havia atenuado, e os acólitos de Madame Olcott tinham apagado todas as lanternas que estavam no chão. A igreja estava só iluminada pelo brilho das lanternas da nave.

E gradualmente verificou-se o prodígio. Dos lábios de Theo Fox começava a sair como que uma espuma esbranquiçada que aos poucos se solidificava, e uma espuma análoga, com pequeno retardo, agora saía da boca de seus dois irmãos.

"Força, irmãozinhos", sussurrava insinuante Madame Olcott, "força, façam força, assim, assim..."

Os dançarinos cantavam, fragmentária e histericamente, fazendo oscilar e depois girar a cabeça, lançando gritos que a princípio eram convulsos, depois eram estertores.

Os médiuns pareciam exaltar uma substância de início gasosa, depois mais consistente, era como uma lava, um albume que se desprendia lentamente, saía e descia, escorria-lhes pelas costas, o peito, as pernas, com movimentos sinuosos que recordavam os dos répteis. Não compreendia mais se aquilo lhes saía dos poros da pele, da boca, dos ouvidos, dos olhos. A multidão se comprimia para a frente, lançando-se mais e mais em direção dos médiuns, dos dançarinos. Eu havia perdido todo o medo: seguro de poder confundir-me com todas aquelas pessoas, havia saído da guarita, expondo-me ainda mais aos vapores que se expandiam sob a abóbada.

Em torno aos médiuns adejava uma luminescência de contornos lactiginosos e imprecisos. A substância estava para desincorporar-se deles e assumia formas ameboides. Da massa que provinha de um dos irmãos se havia destacado uma espécie de ponta, que se encurvava e voltava a subir sobre seu corpo, como se fosse um animal que quisesse golpear com o bico. No topo da ponta estavam-se formando duas excrescências retrácteis, como os chifres de uma lesma...

Os dançarinos tinham os olhos fechados, a boca cheia de espuma, e sem cessar o movimento de rotação em torno a si mesmos, haviam iniciado em círculo, tanto quanto o espaço podia permitir-lhes, um movimento de revolução em torno ao Pêndulo, conseguindo miraculosamente movimentar-se sem cruzar com sua trajetória. Redemoinhando sem parar, deixando flutuar os longos cabelos negros, as cabeças que pareciam voar fora do pescoço. Gritavam, como naquela noite no Rio, houu houu houuuuu...

As formas brancas se definiam, uma delas havia assumido uma vaga aparência humana, outra era ainda um falo, uma ampola, um alambique, e a terceira estava assumindo claramente o aspecto de um pássaro, de uma coruja de grandes olhos e orelhas eretas, o bico adunco de velha professora de ciências naturais.

Madame Olcott interrogava a primeira forma: "És tu, Kelley?" E da forma saía uma voz. Não era certamente Theo Fox a falar, era uma voz distante, que silabava com esforço: *"Now... I do reveale, a... a mighty Secret if you marke it well..."*

"Fala, fala", insistia Olcott. E a voz: *"This very place is call'd by many names... Earth... Earth is the lowest element of All... When thrice yee have turned this Wheele about.. thus my greate Secret I have revealed..."*

Theo Fox fez um gesto com a mão, como a pedir dispensa. "Relaxa um pouco apenas, mas mantenha a forma...", disse-lhe Madame Olcott. Depois voltou-se para a forma da coruja: "Eu te reconheço Khunrath, que nos queres dizer?"

A coruja pareceu dizer: "*Hallelu... Iàah... Hallelu... Iaàh...Was...*"

"*Was?*"

"*Was helfen Fackeln Licht... oder Briln... so die Leut... nicht sehen... wollen...*"

"Nós queremos", dizia Madame Olcott, "diz o que sabes..."

"*Symbolon kósmou... tâ ántra... kaì tân enkosmiôn... dunámeôn eríthento... oi theológoi...*"

Também Leo Fox estava no extremo de suas forças, a voz da coruja se havia enfraquecido ao chegar ao fim. Leo havia reclinado a cabeça, e mantinha a forma com dificuldade. Implacável, Madame Olcott o incitava a resistir e se voltava para a última forma, que agora estava igualmente adquirindo feições antropomórficas. "Saint-Germain, Saint-Germain, és tu? Que sabes?"

E a forma se pôs a solfejar uma melodia. Madame Olcott ordenou com um gesto aos músicos que atenuassem sua chorumela, enquanto os dançarinos já não ululavam, porém seguiam a piruetar cada vez mais prostrados.

A forma cantava: "*Gentle love this hour befriends me...*"

"És tu, te reconheço", dizia convidativa Madame Olcott. "Fala, diz alguma coisa, onde..."

E a forma: "*Il était nuit... La tête couverte du voile de lin... j'arrive... je trouve un autel de fer, j'y place le rameau mystérieux... Oh, je crus descendre dans un abîme... des galeries composées de quartiers de pierre noire... mon voyage souterrain...*"

"É falso, é falso", gritava Agliè, "irmãos, todos vós conheceis este texto, é da *Très Sainte Trinosophie*, que eu próprio escrevi, qualquer um pode lê-la por sessenta francos!" Correra em direção a Geo Fox e estava agarrando-o pelo braço.

"Para, impostor", gritou Madame Olcott, "que assim o matas!"

"E que fosse!", gritou Agliè derrubando o médium da poltrona.

Geo Fox tentou sustentar-se agarrando-se à sua própria secreção que, arrastada na queda, dissolveu-se em baba pelo solo. Geo se prostrou na gosma viscosa que continuava a vomitar, até se enrijecer sem vida.

"Detém-te, ó louco", gritava Madame Olcott, agarrando Agliè. E em seguida aos outros dois irmãos: "Resisti, meus pequenos, eles devem falar ainda. Khunrath. Khunrath, diz-lhes que és tu mesmo!"

Leo Fox, para sobreviver, estava tentando reabsorver a coruja. Madame Olcott se havia colocado por trás dele e lhe comprimia as têmporas para inclináklo à sua protérvia. A coruja percebeu que estava prestes a desaparecer e se revoltou contra seu próprio parturiente: "Phy, Phy Diabolo", sibilava, procurando bicar-lhe os olhos. Leo Fox emitiu um gorgolejo como se lhe houvessem cortado a carótida e caiu de joelhos. A coruja desapareceu numa vasa repelente (phiii, phiii, fazia), e nela caiu a sufocar-se o médium, ali permanecendo acocorado e imóvel. Olcott, enfurecida, se havia voltado para Theo, que estava resistindo bravamente: "Fala, Kelley, estás ouvindo?"

Kelley não falava mais. Tendia a desencarnar-se do médium, que agora urrava como se lhe arrancassem as vísceras e procurava readquirir aquilo que havia produzido, batendo as mãos no vazio. "Kelley, de orelhas cortadas, não trapaceies mais uma vez", gritava Olcott. Mas Kelley, não conseguindo separar-se do médium, tentava sufocá-lo. Havia-se tornado uma espécie de goma de mascar da qual o último dos irmãos Fox procurava desvencilhar-se em vão. Depois até mesmo Theo caiu de joelhos, tossindo, confundia-se com a coisa parasita que o devorava, rodou por terra saracoteando como se estivesse envolto em chamas. Aquilo que fora Kelley o recobriu primeiro como um sudário, depois morreu liquefazendo-se e o deixou despejado no chão, a metade de si mesmo, a múmia de uma criança embalsamada por Salon. Naquele exato momento os quatro dançarinos pararam em uníssono, agitaram os braços no ar, por poucos segundos se afogaram como se estivessem afundando a pique, logo se prostraram ganindo como cães e cobrindo a cabeça com as mãos.

Nesse ínterim Agliè voltou ao ambulacro, enxugando o suor da fronte, com um lenço que lhe ornava o bolsinho do paletó. Inspirou duas vezes, e levou à boca uma pastilha branca. Depois impôs silêncio.

"Irmãos, cavaleiros. Acabais de ver a que misérias esta mulher nos pretendeu submeter. Serenemo-nos e voltemos ao meu projeto. Dai-me uma hora para conduzir o prisioneiro."

Madame Olcott estava posta à parte, inclinada sobre seus médiuns, numa dor quase humana. Pierre, porém, que havia observado toda a cena sentado na cátedra, readquiriu o controle da situação. "Não", disse, "só há um meio. *Le sacrifice humain!* Tragam a mim o prisioneiro!"

Magnetizados por sua energia, os gigantes de Avalon agarraram Belbo, que acompanhara a cena atônito, e o suspenderam diante de Pierre. Este, com a agilidade de um ilusionista, levantou-se, pôs a cátedra sobre a mesa e arrastou o conjunto para o centro do coro, agarrou de passagem o fio do Pêndulo e, imobilizando a esfera, empurrou-a no sentido contrário. Foi um átimo: como seguindo um plano — e talvez durante a confusão tivesse havido algum acordo — os gigantes subiram ao pódio, içaram Belbo sobre a cátedra e um deles enrolou-lhe em volta do pescoço, duas vezes, o fio do Pêndulo, enquanto o segundo mantinha suspensa a esfera, apoiando-se sobre a borda da mesa.

Bramanti precipitou-se diante da forca, emproado de majestade em sua túnica escarlate, e salmodiou: *"Exorcizo igitur te per Pentagrammaton, et in nomine Tetragrammaton, per Alfa et Omega, qui sunt in spiritu Azoth. Saddai, Adonai, Jotchavah, Eieazereie! Michael, Gabriel, Raphael, Anael. Fluat Udor per spiritum Eloim! Maneat Terra per Adam Iot-Cavah! Per Samael Zebaoth et in nomine Eloim Gibor, veni Adramelech! Vade retro Lilith!"*

Belbo permaneceu rijo sobre a cátedra, com a corda ao pescoço. Os gigantes não tinham mais necessidade de sustê-lo. Se fizesse um simples movimento em falso cairia daquela posição instável, e o laço lhe cortaria a garganta.

"Imbecis", gritou Agliè, "como o reporemos em seu eixo?" Pensava na salvação do Pêndulo.

Bramanti sorriu: "Não se preocupe, conde. Não estamos aqui para misturar suas tinturas. Este é o Pêndulo, tal como foi concebido por Eles. Ele saberá aonde ir. Em todo caso, para convencer uma Força a agir, nada melhor que um sacrifício humano."

Até aquele momento Belbo havia tremido. Vi-o distender-se, não digo tranquilizar-se, mas observar a plateia com curiosidade. Creio que naquele instante, diante do confronto entre os dois adversários, vendo diante de si os corpos desarticulados dos médiuns, a seu lado os dervixes que ainda estremeciam gemendo, os paramentos dos dignitários descompostos, tinha readquirido seu dom mais autêntico, o senso do ridículo.

Tenho certeza de que naquele momento ele decidiu que não devia deixar-se mais amedrontar. Talvez sua posição elevada lhe tinha dado um sentido de superioridade, enquanto observava da boca de cena aquela assembleia de insensatos perdidos numa vingança de Grand Guignol, e ao fundo, quase no átrio, os mostrengos agora já desinteressados da contenda, a se darem de cotovelo e a soltarem risadinhas, como Annibale Cantalamessa e Pio Bo.

Voltou apenas o olhar ansioso em direção a Lorenza, segura novamente nos braços pelos gigantes, agitada por rápidos tremores. Lorenza estava readquirindo consciência. Chorava.

Não sei se Belbo decidira não lhe dar o espetáculo de seu medo, ou se sua decisão era o único modo com que podia fazer seu desprezo e sua autoridade pesarem sobre aquela gentalha. Porém, mantinha-se rígido, a cabeça erguida, a camisa aberta ao peito, as mãos atadas para trás, valentemente, como se nunca tivesse conhecido o medo.

Aplacado pela pacatez de Belbo, conformado em todo caso com a interrupção das oscilações do Pêndulo, sempre ansioso por conhecer o segredo, agora no instante final da procura de toda uma vida, ou de muitas, resolvido a retomar o poder sobre os seus sequazes, Agliè havia se voltado novamente para Jacopo: "Vamos lá, Belbo, decida-se. Está vendo que se encontra numa situação, para dizer o menos, embaraçosa. Pare com essa comédia."

Belbo não respondeu. Olhava para além, como se por discrição quisesse evitar ouvir um diálogo que tivesse surpreendido por acaso.

Agliè insistia, conciliante, como se falasse a uma criança: "Compreendo o seu ressentimento e, se me permite, a sua reserva. Compreendo que lhe repugne confiar um segredo tão íntimo, e tão cioso, a uma plebe que acaba de lhe oferecer um espetáculo tão pouco edificante. Pois bem, poderá confiar apenas a mim o seu segredo, ao meu ouvido. Vou fazê-lo descer e sei que me dirá uma palavra, uma só palavra."

E Belbo: "Acha?"

Então Agliè mudou de tom. Pela primeira vez em sua vida o via imperioso, sacerdotal, excessivo. Falava como se estivesse endossando uma daquelas vestes egípcias de seus amigos. Percebi que seu tom era falso, parecia estar parodiando aqueles a quem não havia nunca regateado sua indulgente comiseração. Mas ao mesmo tempo falava bastante compenetrado daquele seu papel inédito. Por um desígnio seu qualquer — pois não podia ser por instinto — estava introduzindo Belbo numa cena de melodrama. E então recitou, e recitou bem, pois Belbo não advertiu nenhum enredo, e ouviu seu interlocutor como se outra coisa não esperasse dele.

"Agora você vai falar", disse Agliè, "e falará, e não poderá permanecer fora deste jogo. Calando, estará perdido. Falando, participará da vitória. Porque, em verdade lhe digo, esta noite você, eu e todos nós estaremos em Hod, a sefirah do esplendor, da majestade e da glória, Hod, que governa a magia cerimonial e ritual, Hod, o momento em que se descerra a eternidade. Este momento eu o sonhei por séculos. Falará e se unirá aos únicos que, depois de sua revelação, poderão declarar-se os Senhores do Mundo. Humilhai-vos, e sereis exaltados. Falará porque assim o ordeno, falará porque o digo, e minhas palavras *efficiunt quod figurant!*"

E Belbo disse, já agora invencível: "Ora, vá destapar o rabo..."

Agliè, ainda que esperasse uma negativa, empalideceu com o insulto. "Que foi que disse?", perguntou Pierre histérico. "Não fala", resumiu Agliè. Abriu os braços, com um gesto entre a rendição e a condescendência, dizendo a Bramanti: "É vosso."
E Pierre, desfigurado: "*Assaz, assaz, le sacrifice humain, le sacrifice humain!*"
"Sim, que morra, encontraremos de qualquer forma a resposta", gritava entretanto convulsa Madame Olcott, que retornava à cena e se lançava em direção a Belbo.
Quase ao mesmo tempo Lorenza também se mexia. Desvencilhava-se da pressão dos gigantes e se colocara diante de Belbo, aos pés da forca, com os braços estendidos como levantados para deter uma invasão, gritando entre lágrimas: "Mas estão todos loucos, isso é coisa que se faça?" Agliè, que já se estava retirando, permaneceu um instante interdito e depois avançou para contê-la.
Depois, tudo ocorreu num segundo. A trança de cabelos de Madame Olcott se desfez, ela, cheia de rancor e em chamas como uma medusa, partiu de unhas em riste em direção a Agliè, arranhou-lhe o rosto e, atirando-o para um lado com a violência do ímpeto que havia acumulado naquele ataque, fê-lo recuar, tropeçar numa das pernas do braseiro, girar sobre si mesmo como um dervixe e bater com a cabeça contra uma das máquinas, caindo por terra com o rosto coberto de sangue. Pierre, no mesmo instante, se arremessou contra Lorenza, e ao se atirar arrancou da bainha o punhal que lhe pendia do peito, eu agora o via de esguelha e não compreendi de imediato o que estava ocorrendo, mas vi Lorenza tombar aos pés de Belbo com o rosto de cera, e Pierre arrancar a lâmina gritando: "*Enfin, le sacrifice humain!*" E então, voltando-se para a nave, em altas vozes: "*I'a Cthulhu! I'a S'hat'n!*"

Junta, a massa que enchia a nave se havia deslocado, e alguns caíam no atropelo, outros ameaçavam fazer tombar a máquina de Cugnot. Ouvi — creio pelo menos, mas não posso ter imaginado uma particularidade assim tão grotesca — a voz de Garamond que disse: "Por favor, senhores, um mínimo de compostura..." Bramanti, extático, ajoelhou-se diante do corpo de Lorenza, declamando: "Asar, Asar! Quem me agarra o pescoço? Quem me ajoelha ao chão? Quem me apunhala o peito? Sou indigno de transpor os limiares da casa de Maat!"

Talvez ninguém quisesse, talvez o sacrifício de Lorenza bastasse, mas os acólitos estavam agora empurrando-se para o círculo mágico, tornado acessível pela parada do Pêndulo, e alguém — que eu teria jurado ser Ardenti — foi arremessado pela turba contra a mesa, que desapareceu literalmente debaixo dos pés de Belbo, resvalando para fora, enquanto, em virtude do mesmo impulso, o Pêndulo iniciava uma oscilação rápida e violenta arrebatando sua vítima consigo. A corda se esticou com o peso da esfera e se envolveu, agora estreitamente como um laço, em torno do pescoço de meu pobre amigo, que arrojado a meia altura, pendurado ao longo do fio do Pêndulo, voara de um golpe em direção à extremidade oriental do coro, e estava agora voltando para trás, já sem vida (espero), em minha direção.

A turba atropelando-se havia de novo recuado para as extremidades, para deixar espaço ao prodígio. O encarregado de manter as oscilações, inebriado pelo renascimento do Pêndulo, secundava-lhe o ímpeto agindo diretamente contra o corpo do enforcado. O eixo de oscilação formava uma diagonal entre meus olhos e uma das janelas, certamente aquela com a rachadura, da qual deveria penetrar dentro de poucas horas o primeiro raio de Sol. Por isso não via Jacopo oscilar de frente para mim, mas creio que assim tinha acontecido, que seja esta a figura que traçava no espaço...

O pescoço de Belbo parecia uma segunda esfera inserida ao longo do trecho do fio que ia da base à chave da abóbada e, por assim dizer, enquanto a esfera se mantinha à direita, a cabeça de Belbo, a outra esfera, inclinava-se à esquerda, e depois o inverso. Por longo espaço as duas esferas moveram-se em direções opostas, de modo que descreviam no espaço não mais uma reta, porém uma estrutura triangular. Mas enquanto a cabeça de Belbo seguia a tração do fio reteso, seu corpo — talvez, antes num último espasmo, agora com a espástica agilidade de uma marionete de madeira — traçava outras direções no vazio, independente da cabeça, do fio e da esfera sotoposta, os braços aqui, as pernas ali, e tive a sensação de que, se alguém tivesse fotografado a cena com a câmara de Muybridge, registrando no filme cada momento de uma sucessão espacial, registrando os dois pontos extremos em que vinha encontrar-se a cabeça a cada período, os dois pontos de parada da esfera, os pontos do cruzamento ideal dos fios, independentes, de ambos, e os pontos intermediários assinalados pela extremidade do plano de oscilação do tronco e das pernas, Belbo enforcado no Pêndulo, certamente teria desenhado no espaço a árvore das sefirot, resumindo no seu momento extremo o próprio acontecer de todos os universos, fixando no seu vagar as dez etapas do respiradouro exangue e da dejeção do divino no mundo.

Depois, enquanto o oscilador continuava a estimular aquele fúnebre balanço, por uma atroz composição de forças, uma migração de energias, o corpo de Belbo se havia tornado imóvel, e o fio com a esfera se moviam pendularmente apenas de seu corpo para baixo, e o resto, que ligava Belbo à abóbada, permanecia agora a prumo. Assim, Belbo, escapando ao erro do mundo e aos seus impulsos, havia-se tornado ele próprio, agora, um ponto de suspensão, o Perno Fixo, o Lugar no qual se sustém a abóbada do mundo, e sob seus pés apenas oscilavam o fio e a esfera, de um polo ao outro, sem paz, com a terra a fugir sob eles, mostrando sempre um continente novo — esfera que não sabia indicar, e jamais saberia, onde estava o Umbigo do Mundo. Enquanto a matilha dos diabólicos, por um instante atônita diante do portento, recomeçava a vociferar, achei que a história havia de fato terminado. Se Hod é a sefirah da Glória, Belbo havia tido a sua. Um só gesto impávido o havia reconciliado com o Absoluto.

O PÊNDULO IDEAL

O pêndulo ideal consiste em um fio finíssimo, incapaz de resistência a flexão e torção, de comprimento L, ao qual se prende uma massa pelo baricentro. No caso da esfera o baricentro é o centro, no caso do corpo humano é um ponto a 65 centímetros de sua altura, medido a partir dos pés. Se o enforcado tem uma altura de 1,70 metro, o baricentro fica a 1,10 metro de seus pés e o comprimento L corresponde a esse comprimento. Ou seja, se do alto da cabeça ao pescoço tem-se 30 centímetros, o baricentro será de 1,70 – 1,10 = 60 centímetros da cabeça e a 60 – 30 = 30 centímetros do pescoço do enforcado. O período de pequenas oscilações do pêndulo, determinado por Huygens, é dado pela fórmula:

$$T \text{ (segundos)} = \frac{2\pi}{\sqrt{g}} \sqrt{L} \qquad (1)$$

em que L é expresso em metros, π = 3,1415927... e g = 9,8 m/s². Daí resulta que (1) dá:

$$T \text{ (segundos)} = \frac{2 \times 3,1415927}{\sqrt{9,8}} \sqrt{L} = 2,00709\sqrt{L}$$

ou seja, aproximadamente:

$$T \text{ (segundos)} = 2\sqrt{L} \qquad (2)$$

Nota: T é independente do peso do enforcado (igualdade dos homens diante de Deus)...

Um pêndulo duplo com duas massas seguras pelo mesmo fio... Movendo-se A, A oscila e pouco depois se imobiliza e oscila B. Se os pêndulos acoplados possuem massas ou comprimentos diferentes, a energia passa de um para o outro mas os tempos dessas oscilações da energia não são iguais... Esse vaguear da energia ocorre inclusive se em vez de se deixar A oscilar livremente depois de havê-lo posto em movimento, se continua a fazê-lo mover-se periodicamente com uma força. Ou seja, se o vento sopra em rajadas sobre o enforcado (em antissintonia), com pouco o enforcado não mais se move e o Pêndulo de Foucault oscila como se estivesse empernado ao enforcado.

(De uma carta pessoal de Mario Salvadori, Columbia University, 1984)

Nada mais me prendia àquele lugar. Aproveitei a confusão para alcançar a estátua de Gramme.

O pedestal ainda estava aberto. Entrei, desci, e ao término da escadinha encontrei-me num pequeno patamar, iluminado pela lamparina, sobre o qual surgia uma escada em caracol, de pedra. E ao fim dessa entrei por um corredor de abóbadas bastante altas, fracamente iluminado. De início não me dei conta de onde me encontrava, e de onde provinha o contínuo rumor de água corrente que escutava. Depois habituei os olhos: era um conduto de fossas, uma espécie de balaustrada cujo corrimão me havia impedido de cair na água, mas não me impedia de perceber o cheiro repugnante, entre químico e orgânico. Pelo menos alguma coisa, de toda a nossa história, era verdadeiro: os esgotos de Paris. Os de Colbert, de Fantomas, de De Caus?

Seguia o conduto principal evitando os desvios mais escuros, e esperando que algum sinal me avisasse onde pôr fim à minha corrida subterrânea. Em todo caso corria para longe do Conservatoire, e em comparação com aquele reino da noite os esgotos de Paris eram um refrigério, a liberdade, o ar puro, a luz.

Nos olhos tinha uma única imagem, o hieróglifo traçado no coro pelo corpo morto de Belbo. Não conseguia atinar que desenho fosse, a que desenho correspondesse. Agora sei que há uma lei física, mas a maneira pela qual o sei torna ainda mais emblemático o fenômeno. Aqui, na casa de campo de Jacopo, entre tantas anotações suas, encontrei uma carta, que em resposta a uma indagação sua descrevia-lhe como funcionava um pêndulo, e como se comportaria se ao longo do fio fosse apenso um outro peso. Portanto Belbo, quem sabe desde quando, ao pensar no Pêndulo, imaginava-o como um Sinai e um Calvário. Não havia morrido vítima de um Plano de recente preparo, havia preparado na fantasia sua morte havia tempos, sem saber que, acreditando que o poder de criação lhe fora negado, a sua perquirição estava projetando a realidade. Ou talvez não, queria morrer de tal modo que provasse a si mesmo e aos outros que, mesmo à falta de gênio, a imaginação é sempre criativa.

De qualquer modo, perdendo havia vencido. Ou perde tudo, quem se dedica a essa maneira única de vencer? Perde tudo quem não consegue compreender que a vitória tenha sido outra. Mas no sábado à noite eu ainda não o havia descoberto.

Andava pelo conduto, tal como Postel, talvez perdido na mesma treva, e de repente senti o sinal. Uma lâmpada mais forte, fixada ao muro, me mostrava outra escada, de aspecto precário, que ia dar a um alçapão de madeira. Fiz uma tentativa, e me encontrei num sótão atulhado de garrafas vazias, que imbricava para um corredor com duas latrinas, tendo nas portas as figurinhas do homem e da mulher. Estava no mundo dos vivos.

Detive-me ofegante. Só naquele momento voltei a pensar em Lorenza. Então chorei. Mas ela estava escorrendo das minhas veias, como se nunca tivesse existido. Não conseguia nem mesmo recordar-lhe as feições. Daquele mundo de mortos, era a mais morta.

No fim do corredor encontrei nova escada, uma porta. Entrei num ambiente enfumaçado e malcheiroso, uma taverna, um bistrô, um bar oriental, garçons escuros, clientes suados, espetinhos gordurosos e canecos de cerveja. Saí da porta como alguém que já estivesse ali, e tivesse ido lá dentro urinar. Ninguém me notou, ou talvez o homem da caixa que, vendo-me emergir dos fundos, fez-me um sinal imperceptível com os olhos entrecerrados, um *okay*, como a dizer "estou sabendo, vai em frente, não vi nada".

115

SE OS OLHOS PUDESSEM VER OS DEMÔNIOS

Se os olhos pudessem ver os demônios que povoam
o universo, a existência seria impossível.

(Talmud, Berakhoth, 6)

Saí do bar e me encontrei entre as luzes da Porte St-Martin. Oriental era a taverna da qual havia saído, orientais as outras lojas em torno, ainda iluminadas. Odor de cuscuz e falafel, e gente. Jovens em tropel, famintos, muitos de blusão de pele, comitivas. Não podia entrar num bar para beber qualquer coisa. Perguntei a um rapaz o que estava havendo. A manifestação, no dia seguinte seria a grande manifestação contra a lei Savary. Chegavam de ônibus.

Um turco — um druso, um ismaelita disfarçado me convidou em mau francês a entrar num lugar qualquer. Jamais, fugir de Alamut. Não sei quem está a serviço de quem. Desconfiar.

Atravesso o cruzamento. Agora ouço o rumor dos meus passos. A vantagem das grandes cidades, basta andar alguns metros para se recuperar a solidão.

Mas de repente, depois de uns poucos blocos, à esquerda, o Conservatoire, pálido na noite. Do exterior, perfeito. Um monumento que dorme o sono dos justos. Prossigo a sul, em direção ao Sena. Eu tinha uma meta, mas não me era clara. Queria perguntar a alguém o que havia acontecido.

Belbo morto? O céu está sereno. Cruzo por um grupo de estudantes. Silenciosos, tomados pelo *genius loci*. À esquerda o perfil da igreja de Saint--Nicolas-des-Champs.

Prossigo pela rue St-Martin, atravesso a rue aux Ours, grande, parece um bulevar, receio perder a direção, que de resto não conheço. Olho a meu redor e à minha direita, num ângulo, vejo duas vitrinas das Editions Rosicruciennes.

As luzes estão apagadas, mas à claridade dos postes, um pouco ao clarão da lanterna, consigo decifrar o conteúdo. Livros e objetos. *Histoire des juifs, comte de St-Germain, alchimie, monde caché, les maisons secrètes de la Rose-Croix*, a mensagem dos construtores das catedrais, cátaros, Nova Atlântida, medicina egípcia, o templo de Carnaque, Bagavad Gita, reencarnação, cruzes e candelabros rosacrucianos, bustos de Ísis e Osíris, incensos em caixas e bastões, tarô. Um punhal, uma espátula de abrir cartas de estanho, com punho redondo trazendo o emblema dos rosa-cruzes. Que fazem, querem brincar comigo?

Agora passo em frente ao Beaubourg. De dia é uma festa campesina, agora a praça está quase deserta, um ou outro grupo silencioso e adormecido, escassas luzes das *brasseries* de frente. É verdade. Grandes respiradouros que absorvem energia da terra. Talvez as multidões que o lotam de dia sirvam para fornecer as vibrações, a máquina hermética se nutre de carne fresca.

Igreja de Saint-Merri. Em frente, uma Librairie la Vouivre, em sua quase totalidade ocultista. Não devo deixar-me tomar pela histeria. Sigo pela rue des Lombards, talvez para evitar uma fileira de rapazes escandinavos que saem às risadas de uma taverna ainda aberta. Silêncio, não sabem que Lorenza também morreu?

Mas estará mesmo morta? E se o morto fosse eu? Rue des Lombards: dela se ramifica perpendicular a rue Flamel, e ao fundo desta se descortina, branca, a Tour Saint-Jacques. No cruzamento, uma livraria Arcane 22, tarôs e pêndulos. Nicolas Flamel, alquimista, uma livraria alquímica, e a Tour Saint-Jacques: com aqueles grandes leões brancos na base, esta inútil torre gótica tardia às margens do Sena, cujo nome já serviu até para uma revista esotérica, a torre onde Pascal havia realizado experiências sobre o peso do ar e parece que ainda hoje, a 52 metros de altura, existe uma estação de pesquisas climatológicas. Talvez tivessem começado ali, antes de se erigir a Torre Eiffel. Há zonas privilegiadas. E ninguém dá por isso.

Volto em direção a Saint-Merri. Outras risadas de jovens. Não quero ver gente, deu a volta na igreja, pela rue du Cloître Saint-Merri — uma porta do transepto, velha, de madeira bruta. À esquerda abre-se uma praça, confim extremo do Beaubourg, iluminada profusamente. No espaço as máquinas de Tinguely e outros artefatos multicores que flutuam sobre a água de uma piscina ou laguinho artificial, num suspeito deslocamento de rodas dentadas, e ao fundo encontro novamente os andaimes de tubos de ferro e as grandes bocas famintas do Beaubourg — como um *Titanic* abandonado contra uma parede comida pela hera, náufrago numa das crateras da Lua. Onde as grandes catedrais não prevaleceram, as grandes escotilhas oceânicas cochicham em contato com as Virgens Negras. Só o descobre quem sabe circum-navegar Saint-Merri. E portanto preciso continuar, tenho uma pista, estou pondo a nu uma das tramas d'Eles, no próprio centro da Cidade Luz, a trama dos Obscuros.

Tomo pela rue des Juges Consules, e me vejo novamente diante da fachada de Saint-Merri. Não sei por quê, mas algo me leva a acender a lanterna e a assestar a luz contra o portal. Gótico floreado, arcos em colchete.

E de repente, procurando aquilo que não esperava encontrar, na arquivolta do portal o vejo.

Bafomé. Exatamente onde os semiarcos se conjugam, enquanto no ápice do primeiro está uma pomba do espírito santo com um esplendor em raios de pedra, no segundo, cercado por anjos suplicantes, ele, o Bafomé, com suas asas tremendas. Na fachada de uma igreja. Sem pudor.

Por que ali? Porque estamos muito próximos do Templo. Onde está o Templo, ou o que terá restado dele? Recuo, subo em direção nordeste, e me vejo na esquina da rue de Montmorency. No número 51, a casa de Nicolas Flamel. Entre Bafomé e o Templo. O sagaz espagírico sabia bem com quem devia acertar as contas. Lixeiras repletas de imundícies, diante de uma casa de época imprecisa, Taverne Nicolas Flamel. A casa é velha, foi restaurada com finalidades turísticas, por diabólicos de ínfima categoria, Hílicos. Junto há um bar americano com um cartaz publicitário da Apple: "*secouez-vous les puces*" (as pulgas são os bugs, os vírus dos erros de programas de computador). Soft-Hermes. Dir Temurá.

Agora estou na rue du Temple, percorro-a e chego à esquina com a rue de Bretagne onde fica o *square du Temple*, um jardim lívido como um cemitério, a necrópole dos cavaleiros sacrificados.

Rue de Bretagne até o cruzamento com a rue Vieille du Temple. Rue Vieille du Temple depois do cruzamento com a rue Barbette onde há lojas estranhas de lâmpadas elétricas bizarras, em forma de ganso, de folha de hera. Muito ostensivamente modernas. Não nos enganemos.

Rue des Francs-Bourgeois: estou no Marais, conheço bem, em breve aparecerão os velhos açougues kosher, que têm a ver os judeus com os templários, depois que decidimos que o lugar deles no Plano competia aos Assassinos de Alamut? Por que estão aqui? Procuro uma resposta? Não, talvez queira apenas afastar-me do Conservatoire. Ou antes me dirijo confusamente para um lugar, sei que não pode ser aqui, mas procuro apenas lembrar-me de onde é, como Belbo, que buscava em sonho um endereço esquecido.

Encontro um grupo obsceno. Riem mal, caminham de maneira desordenada obrigando-me a descer da calçada. Por um momento temo que sejam enviados do Velho da Montanha, e que estejam à minha procura. Não é verdade, desaparecem na noite, mas falam uma língua estrangeira, que sibila xiita, talmúdica, copta como uma serpente do deserto.

Vêm ao meu encontro figuras andróginas envoltas em capas compridas. Capas rosa-cruzes. Ultrapassam-me, entram pela rue de Sévigné. Agora já é noite alta. Fugi do Conservatoire para encontrar a cidade de todos, e percebo que a cidade de todos é concebida como uma catacumba de percursos preferenciais para os iniciados.

Um bêbedo. Talvez finja. Desconfiar, desconfiar sempre. Passo por um bar ainda aberto, os garçons com aventais compridos até os joelhos já estão juntando mesas e cadeiras. Consigo ainda entrar e me servem uma cerveja. Bebo-a de um gole e peço outra. "Que sede, hein?", diz um deles. Mas sem cordialidade, com suspeita. Claro, tenho sede, desde as cinco da tarde não bebo, mas pode-se ter sede mesmo sem ter passado a noite sob um pêndulo. Imbecis. Pago e vou-me embora, antes que possam imprimir meus traços na memória.

E estou na esquina da place des Vosges. Percorro as arcadas. Qual era mesmo aquele velho filme em que ressoavam os passos solitários de Mathias, o apunhalador demente, de noite, na place des Vosges? Detenho-me. Ouço passos atrás de mim? Claro que não, eles também se detiveram. Bastariam algumas redomas, e estes pórticos se transformariam em salas do Conservatoire.

Tetos baixos do século XVI, arcos plenos, galerias de estampas e antiquários, móveis. Place des Vosges, tão baixa com os portões velhos e canelados e tortos e carcomidos, onde vive gente que não sai dali há centenas de anos. Homens de capas amarelas. Uma praça habitada só por taxidermistas. Saem somente à noite. Conhecem a vigia, o sumidouro, pelo qual se penetra no Mundus Subterraneus. Sob os olhos de todos.

L'Union de Recouvrement des Cotisations de Sécurité Sociale et D'allocations Familiales de la Patellerie número 75, ou 1. Porta nova, talvez ali estejam os ricos, mas logo depois há uma porta velha descascada como uma casa da via Sincero Renato, depois no número 3 uma porta reformada recentemente. Alternância de Hílicos e Pneumáticos. Os Senhores e seus escravos. Aqui onde estão estas vigas encravadas deve ter existido um arco. É evidente, aqui houve uma livraria ocultista e já não há. Um bloco inteiro esvaziado. Esvaziado numa noite. Como Agliè. Agora sabem que alguém sabe, começam a entrar na clandestinidade.

Estou na esquina da rue de Birague. Vejo a teoria dos pórticos infinitos sem vivalma, preferiria que estivesse escuro, mas há a luz amarelada das lâmpadas. Poderia gritar que ninguém me escutaria. Silenciosos, por trás daquelas janelas fechadas das quais não filtra um fio de luz, os taxidermistas escarneceriam com suas balandranas amarelas.

Contudo, não, entre os pórticos e o jardim central há automóveis estacionados e algumas raras sombras que passam. Mas isso não torna o convívio mais afável. Um grande pastor alemão atravessa a rua à minha frente. Um cão preto e solitário à noite. Onde está Fausto? Talvez mande o fiel Wagner levar o cão para passear?

Wagner. Eis a ideia que estava me revolteando pela cabeça sem aflorar à tona. O Dr. Wagner, é ele que quero. Poderá dizer-me se deliro, a que fantasmas emprestei substância. Poderá dizer-me que nada é verdade, que Belbo está vivo e o Tres não existe. Que alívio se eu estivesse doente.

Abandono a praça quase correndo. Sou seguido por um carro. Não, talvez esteja só querendo estacionar. Tropeço em sacos plásticos de lixo. O carro estaciona. Não era a mim que queria. Estou na rue St-Antoine. Procuro um táxi. Como por evocação, ele aparece.

Grito-lhe: *"Sept, avenue Elisée Reclus."*

116

JE VOUDRAIS ÊTRE LA TOUR

Je voudrais être la tour, pendre à la Tour Eiffel.

(Blaise Cendrars)

Não sabia onde era, não ousava perguntar ao motorista, pois quem toma um táxi àquela hora pretende ir para casa, senão deve ser no mínimo um assassino, e além do mais ele já começou reclamando que o centro ainda estava cheio daqueles malditos estudantes, ônibus estacionados por todos os lados, uma bagunça, se dependesse dele fuzilava todos, e por isso tinha que dar uma grande volta. Completava praticamente todo o périplo de Paris quando me deixou no número sete de uma rua solitária.

Ali não morava nenhum Dr. Wagner. Seria então no 17? Ou 27? Fiz duas ou três tentativas, depois caí em mim. Mesmo se tivesse identificado o portão, iria por acaso tirar o Dr. Wagner da cama àquela hora da noite para lhe contar a minha história? Havia chegado ali pelas mesmas razões que fora da Porte St-Martin à place des Vosges. Fugia. E agora fugia do lugar para o qual havia fugido ao fugir do Conservatoire. Não estava precisando de um psicanalista, mas de uma camisa de força. Ou de sonoterapia. Ou de Lia. Para me tomar a cabeça e apertá-la forte contra o seio e a axila dizendo-me para ficar bonzinho.

Procurei o Dr. Wagner ou a avenue Elisée Reclus? Porque agora me recordo de que tinha encontrado aquele nome no curso de minhas leituras para o Plano, era alguém do século passado que havia escrito não me recordo que livro sobre a terra, o subsolo, os vulcões, alguém que sob o pretexto de fazer geografia acadêmica estava metendo o nariz no Mundus Subterraneus. Um daqueles. Eu fugia deles, e os encontrava sempre à minha volta. Aos poucos, no correr de alguns séculos, teriam ocupado esta Paris inteira. E o resto do mundo.

Devia voltar ao hotel. Conseguiria encontrar um outro táxi? Pelo que pude depreender, devia estar em pleno subúrbio. Encaminhei-me em direção ao lugar de onde provinha uma luz mais clara e difusa e se entrevia o céu aberto. O Sena?

E chegando à esquina a vi.

À minha esquerda. Devia suspeitar que estava ali, emboscada nas vizinhanças, naquela cidade o nome das ruas traçava uma mensagem inequívoca, estava-se sempre de sobreaviso, pior para mim que não havia pensado nisso.

Lá estava, a imunda aranha mineral, o símbolo, o instrumento do poder deles: deveria fugir dela, mas em vez disso me sentia atraído para a teia, movendo a cabeça de baixo para o alto e vice-versa, porquanto agora já não podia abarcá-la com um só olhar, estava praticamente dentro, apunhalado pelas suas mil quinas, bombardeado pelas empenas que desciam de toda parte, bastava mover-se para me esmagar facilmente com uma de suas patas de autômato.

A Torre. Do único lugar da cidade em que não era vista de longe, de perfil, a debruçar-se amigável sobre o oceano de telhados, frívola como num quadro de Dufy. Estava acima de mim, planava no alto. Eu lhe adivinhava a ponta, mas caminhei primeiro ao redor e depois dentro do embasamento, limitado entre um pé e outro, discernia as curvaturas, o ventre, as partes pudendas, imaginava-lhe o vertiginoso intestino, unificado com o esôfago daquele seu pescoço de girafa politécnica. Perfurada, tinha o poder de obscurecer a luz que havia fora, e, à medida que me movia, ela me ofertava, de perspectivas distintas, diversos fórnices cavernosos que enquadravam movimentos de *zooms* sobre a treva.

Agora à sua direita, ainda baixa no horizonte, para os lados do nordeste, havia saído uma foice de Lua. Às vezes a torre a emoldurava como se fosse uma ilusão de óptica, uma fluorescência projetada numa de suas telas retorcidas, mas bastava mover-me, as telas mudavam de formato, a Lua já não estava lá, tinha ido emaranhar-se entre algumas costelas metálicas, o animal a havia triturado, digerido, feito com que desaparecesse em outra dimensão.

Tesseract. Cubo tetradimensional. Agora via através de uma arcada uma luz móvel, ou mesmo duas, vermelho e branco, que lampejavam, certamente um avião demandando Roissy, ou Orly, sei lá. Mas de repente — deslocara-me eu, o avião, ou a Torre — as luzes desapareceram por trás de uma nervura, esperava vê-las reaparecer na quadratura seguinte, e não as via mais. A Torre tinha cem janelas, todas móveis, e cada qual dava para um segmento diverso do espaço-tempo. Suas costelas não traçavam dobras euclidianas, rasgavam o tecido do cosmo, emborcavam catástrofes, desfolhavam páginas de mundos paralelos.

Quem tinha dito que aquela agulha de Notre Dame de la Brocante servia para "*suspendre Paris au plafond de l'univers*"? Ao contrário, servia para suspender o universo na própria agulha — é natural, não é o Ersatz do Pêndulo? Como a haviam chamado? Supositório solitário, obelisco vazio, glória do arame, apoteose do pilar, altar aéreo de um culto idolátrico, abelha no coração da rosa dos ventos, triste como uma ruína, colosso abjeto cor de noite, símbolo disforme da força inútil, prodígio absurdo, insensata pirâmide, guitarra, tinteiro, telescópio, prolixa como um discurso de ministro, deus antigo e besta moderna... Era isto e muito mais, e se eu possuísse o sexto sentido dos Senhores do Mundo, agora que estava prisioneiro de seu feixe de cordas vocais incrustadas de pólipos de arrebites, haveria de ouvi-la sussurrar a rouca música das esferas, ela que estava naquele momento sugando ondas do coração da Terra oca para retransmiti-las a todos os menires do mundo. Rizoma de articulações cravadas, artroses cervicais, próteses de uma prótese — que horror, ali onde me encontro, para me despedaçar no abismo teria que me precipitar para o alto. Estava certamente saindo de uma viagem através do centro da Terra, estava na vertigem antigravitacional dos antípodas.

Não era fantasia minha, eis que agora me surgia a prova incumbente do Plano, mas em breve se daria conta de que eu era o espião, o inimigo, o grão de poeira na engrenagem da qual ela era a imagem e o motor, dilataria insensivelmente um losango daquele seu rendilhado plúmbeo e me teria engolido, e eu desapareceria numa prega de seu nada, transferido para o Além.

Se permanecesse ainda um pouco sob o seu rendilhado, seus grandes artelhos se teriam fechado, ter-se-iam curvado como presas, me teriam sugado, e depois o animal retomaria sua posição soturna de criminoso e sinistro apontador de lápis.

Outro avião: esse não vinha de parte alguma, ela o havia gerado entre uma e outra de suas vértebras de mastodonte descarnado. Eu a contemplava, sem fim, como o projeto para o qual ela havia nascido. Se conseguisse ficar ali sem ser devorado, teria podido acompanhar seus afastamentos, suas lentas revoluções, seu descompor-se e recompor-se infinitesimal sob a brisa fria das correntes, talvez os Senhores do Mundo a soubessem interpretar como um traçado geomântico, e nas suas imperceptíveis metamorfoses teriam lido sinais decisivos, mandados inconfessáveis. A Torre girava por cima de minha cabeça, chave de parafuso do Polo Místico. Ou talvez não, estava imóvel como um perno magnetizado, e fazia revoltear a abóbada celeste. A vertigem era a mesma.

Como se defende bem a Torre, pensei, de longe pisca afetuosa, mas se te aproximas, se procuras penetrar o seu mistério, ela te mata, gela teus ossos, simplesmente ostentando o terror insensato de que é feita. Agora sei que Belbo morreu e que o Plano é real, porque real é a Torre. Se não consigo fugir, fugir mais uma vez, não poderei dizê-lo a ninguém. É preciso dar o alarme.

Rumor. Alto, estamos de volta à realidade. Um táxi que avançava a grande velocidade. Consegui com um salto fugir do cinturão mágico, fiz-lhe ostensivos sinais, quase arriscando ser atropelado, porque o motorista só freou no último segundo, como se parasse de má vontade — no percurso me haveria de dizer que a ele também, quando passa por ali de noite, a Torre causa medo, e acelera. "Por quê?", perguntei-lhe. "*Parce que... parce que ça fait peur, c'est tout.*"

Cheguei rápido ao hotel. Tive que tocar a campainha durante algum tempo para despertar o porteiro sonolento. Pensei: preciso dormir agora. O resto fica para amanhã. Tomei uns comprimidos, o bastante para envenenar-me. Depois não me recordo mais.

TEM A LOUCURA UM GRANDE PAVILHÃO

*Tem a loucura um grande pavilhão,
recolhe gente de qualquer rincão,
desde que tenha bens e posição.*

(Sebastian Brant, *Das Narrenschijj*, 46)

Despertei às duas da tarde, estonteado e catatônico. Lembrava exatamente de tudo, mas não tinha a menor garantia de que fosse real tudo quanto recordava. A princípio pensei em correr imediatamente lá embaixo para comprar os jornais, depois achei que em todo caso, mesmo se uma companhia de *spahi* tivesse penetrado no Conservatoire logo depois do evento, a notícia não teria tido tempo de aparecer nos jornais da manhã.

Depois Paris naquele dia oferecia mais em que pensar. O porteiro foi logo me contando, assim que desci à procura de um café. A cidade estava em alvoroço, muitas estações de metrô estavam fechadas, em alguns lugares a polícia disparava, os estudantes eram em grande número e estavam exagerando.

Encontrei numa lista telefônica o número do Dr. Wagner. Cheguei mesmo a telefonar, mas era óbvio que no domingo não estivesse no consultório. Queria de qualquer maneira dar uma espreitada no Conservatoire. Lembrei-me que abria também aos domingos à tarde.

O Quartier Latin estava agitado. Passavam grupos exaltados com bandeiras. Na Ile de la Cité vi uma barreira da polícia. Ao fundo ouviam-se disparos. Deve ter sido assim em 1968. À altura da Sainte Chapelle tinha havido uma agitação, sentia-se o cheiro do lacrimogênio. Ouvi uma rajada de tiros, não sei se eram os policiais ou os estudantes, as pessoas junto a mim corriam, refugiamo-nos todos atrás de umas grades, com um cordão de policiais defronte, enquanto na rua havia confusão. Que vergonha, eu agora com os burgueses idosos, a esperar que a revolução se acalmasse.

Depois encontrei o caminho livre, passando por ruas secundárias em frente ao velho mercado, e cheguei à rue St-Martin. O Conservatoire estava aberto, com seu pátio branco, a placa na fachada: "O Conservatoire des Arts et Métiers instituído por decreto da convenção de 19 vendemiário do ano III... no antigo priorado de Saint-Martin-des-Champs fundado no século XI." Tudo normal, com uma pequena multidão dominical, insensível à quermesse estudantil.

Entrei — grátis aos domingos — e tudo estava como no dia anterior antes das cinco. Os guardiães, os visitantes, o Pêndulo em seu lugar de costume... Buscava os traços do quanto havia ali acontecido, mas, se de fato aconteceu, alguém havia feito uma limpeza conscienciosa. Se de fato aconteceu.

Não me lembro de como passei o resto da tarde. Não me lembro sequer do que vi enquanto vadiei pelas ruas, obrigado de quando em vez a desviar o rumo para evitar a manifestação. Telefonei para Milão, só para experimentar. Por esconjuro disquei o número de Belbo. Depois o de Lorenza. Depois o da Garamond, que só podia estar fechada. No entanto, se esta noite ainda é hoje, tudo aconteceu ontem. Mas de ontem a esta noite transcorreu uma eternidade.

Já à tardinha dei-me conta de que estava em jejum. Queria tranquilidade, e uma boa comida. Junto ao Forum des Halles entrei num restaurante que me prometia peixe. Até demais. A mesa estava bem defronte a um aquário. Um universo bastante irreal capaz de arremessar-me novamente num clima de suspeita absoluta. Nada é por acaso. Aquele peixe parece um hesicasta asmático que está perdendo a fé e acusa Deus de haver diminuído o sentido do Universo. Sabaoth Sabaoth, como consegues ser tão maligno a ponto de me fazer acreditar que não existe? Como um câncer, a carne se estende sobre o mundo... Aquele outro parece a Minnie, fica piscando os longos cílios e faz uma boquinha em coração. Minnie é a noiva de Mickey. Almoço uma salada louca com um hadoque molengo como carne de bebê. Com mel e pimenta. Os paulicianos estão aqui. Aquele plana atrás dos corais como o aeroplano de Breguet — longas batidas de asas de lepidóptero, pareço alguém que fita embevecido o seu feto de homúnculo abandonado no fundo de um atanor agora esburacado, atirado no lixo em frente à casa de Flamel. E depois um peixe templar, todo escamado de negro, busca Noffo Dei. Passa raspando ao hesicasta asmático, que navega absorto e irritado para o indizível. Volto a olhar, do outro lado da rua percebo a insígnia de um outro restaurante, CHEZ R... Rosa-cruz? Reuchlin? Rosispergius? Rackovskyragotzitzarogi? Pistas, pistas.

Vejamos, a única maneira de causar constrangimento ao diabo é fazê-lo acreditar que não acreditamos nele. Não há muito o que raciocinar sobre a corrida noturna por Paris, e sobre a visão da Torre. Sair do Conservatoire, depois de se ter visto ou acreditado ver aquilo que se viu, e viver a cidade como um pesadelo, é normal. Mas que foi que vi no Conservatoire?

Tinha necessidade absoluta de falar com o Dr. Wagner. Não sei por que havia metido na cabeça que aquilo era a panaceia, mas foi assim. Terapia da palavra.

Como consegui chegar até de manhã? Creio haver entrado num cinema em que levavam *A dama de Xangai*, de Orson Welles. Quando chegou a cena dos espelhos, não aguentei mais e saí. Mas talvez não seja verdade, posso ter apenas imaginado.

Hoje de manhã telefonei às nove ao Dr. Wagner, o nome Garamond me permitiu ultrapassar a barreira da secretária, o doutor pareceu lembrar-se de mim, e diante da urgência que lhe impunha me disse que fosse para lá imediatamente, às nove e meia, antes que chegassem os primeiros clientes. Pareceu-me gentil e compreensivo.

Talvez eu tenha sonhado até a visita ao Dr. Wagner. A secretária fez-me as perguntas de costume, preparou uma ficha, fez-me pagar a consulta. Por sorte já tinha a passagem de volta.

Um consultório de dimensões reduzidas, sem o clássico divã. Janelas para o Sena, à esquerda a sombra da Torre. O Dr. Wagner ouviu-me com afabilidade profissional — no fundo era justo, não estava mais diante de um de seus editores, mas de um de seus clientes. Com um gesto amplo e pacato convidou-me a sentar diante dele, do outro lado da mesa, como um empregado de ministério. "*Et alors?*" Assim dizendo, imprimiu um impulso à poltrona giratória, ficando de costas para mim. Estava de cabeça baixa, e me pareceu que tivesse as mãos postas. Só me restava falar.

E falei, como uma catarata, botei tudo para fora, do princípio ao fim, o que pensava havia dois anos passados, o que pensava no ano anterior, aquilo que pensava que Belbo tivesse pensado, e Diotallevi. E principalmente o que havia acontecido na noite de São João.

Wagner não me interrompeu uma só vez, não anuiu jamais nem mostrou desaprovação. Pelo que sei, podia ter até mergulhado no sono. Mas devia ser a sua técnica. E eu falando. Terapia da palavra.

Depois esperei palavras, suas, que me salvassem.

Wagner ergueu-se, com extrema lentidão. Sem se voltar em minha direção, deu uma volta em torno da escrivaninha e chegou até a janela. Agora olhava através dos vidros, as mãos cruzadas por trás das costas, absorto.

Em silêncio, por cerca de dez, quinze minutos.

Depois, sempre de costas para mim, com voz incolor, calma, tranquilizadora: *"Monsieur, vous êtes fou."*

Ele permaneceu imóvel, eu também. Depois de outros cinco minutos, compreendi que não havia mais o que dizer. Fim da sessão.

Saí sem me despedir. A secretária abriu-me um amplo sorriso, e me achei na avenue Elisée Reclus.

Eram onze horas. Apanhei minhas coisas no hotel e me precipitei para o aeroporto, confiando na sorte. Tive que esperar duas horas, e enquanto esperava telefonei para a Garamond, a cobrar, porque não tinha mais dinheiro. Atendeu Gudrun, parecia apatetada mais que de costume, tive de lhe gritar três vezes para que dissesse sim, *oui, yes*, que aceitava a chamada a cobrar.

Chorava: Diotallevi havia morrido sábado à meia-noite.

"E ninguém, nenhum de seus amigos no enterro, hoje de manhã, que vergonha! Nem mesmo o Sr. Garamond, que dizem estar de viagem no exterior. Só eu, a Grazia, Luciano e um senhor todo de preto, barba, suíças em caracol e um chapelão que parecia um papa-defuntos. Sabe Deus de onde vinha. Mas onde estava, Sr. Casaubon? E onde está Belbo? Que está acontecendo?"

Murmurei explicações confusas e desliguei o telefone. Chamaram meu voo, e entrei no avião.

Parte 9

JESOD

A TEORIA SOCIAL DA CONSPIRAÇÃO

> *A teoria social da conspiração... é uma consequência da falta de referência a Deus, e da consequente pergunta: "Quem está em seu lugar?"*
>
> (Karl Popper, *Conjectures and Refutations*, Londres, Routledge, 1969, I, 4)

A viagem me fez bem. Não só havia deixado Paris, mas tinha deixado o subsolo, na verdade até mesmo o solo, a crosta terrestre. Céu e montanhas ainda brancas de neve. A solidão a dez mil metros de altura, e aquela sensação de embriaguez que o voo sempre dá, a pressurização, a passagem por uma leve turbulência. Pensava que só lá em cima é que estava voltando a ter os pés em terra. E decidi fazer um balanço dos fatos, primeiramente arrolando-os em minha agenda, depois deixando-me seguir, de olhos fechados.

Resolvi anotar antes de tudo as evidências inconfundíveis.

Não restava dúvida de que Diotallevi havia morrido. Gudrun me tinha dito. Gudrun sempre permaneceu fora de nossa história, não seria capaz de entendê-la, e portanto acabou sendo a única pessoa a dizer a verdade. Depois era também certo que Garamond não estava em Milão. É verdade que poderia estar em qualquer outro lugar, mas o fato de que ali não estava e não esteve nos últimos dias passados deixava crer que estivesse em Paris, onde o vi.

Da mesma forma, Belbo não estava.

Ora, vamos admitir que o que vi sábado à noite em Saint-Martin-des-Champs tenha de fato acontecido. Talvez não como o tenha visto, dopado pela música e os incensos, mas alguma coisa terá acontecido. É como a história de Amparo. Ao voltar para casa não estava certa de ter sido possuída pela Pombagira, mas sabia certamente que estivera naquela tenda de umbanda, e acreditava que — ou se havia comportado como se — a Pombagira a tivesse possuído.

Finalmente, aquilo que Lia me disse na montanha era verdade, sua leitura era absolutamente convincente, a mensagem de Provins não passava de um rol de roupa. Jamais tinha havido reuniões de templários na Grange-aux-Dîmes. Não havia Plano nem mensagem alguns.

O rol de roupa tinha sido para nós um jogo de palavras cruzadas com casas ainda vazias, mas sem as definições. Logo, é preciso preencher as casas de modo que tudo se encaixe devidamente. Mas talvez o exemplo seja impreciso. Nas palavras cruzadas cruzam-se palavras e as palavras devem cruzar-se numa letra comum. No nosso jogo não cruzávamos palavras, mas conceitos e fatos, e portanto as regras eram diferentes, e eram fundamentalmente três.

Primeira regra, os conceitos se ligam por analogia. Não há regras para se decidir de início se uma analogia é boa ou má, porque qualquer coisa é semelhante a qualquer outra sob certo grau de relacionamento. Exemplo. Batata se cruza com maçã, porque ambas são vegetais e arrendondadas. De maçã vai-se a serpente, por conexão bíblica. De serpente a rosca, pela semelhança de forma, de rosca a salva-vidas e daí a roupa de banho, de banho a carta náutica, de carta náutica a papel higiênico, de higiene ao álcool, do álcool à droga, da droga à seringa, da seringa ao buraco, do buraco ao terreno, do terreno à batata.

Perfeito. A segunda regra diz de fato que, se ao fim *tout se tient*, o jogo é válido. De batata a batata, *tout se tient*. Logo é certo.

Terceira regra: as conexões não devem ser inéditas, já devem ter sido usadas pelo menos uma vez, melhor ainda se várias por outros. Somente assim os cruzamentos parecem verdadeiros, por serem óbvios.

Que era pois a ideia do Sr. Garamond: os livros dos diabólicos não devem inovar, devem repetir o que já foi dito, senão onde irá acabar a força da Tradição?

E assim fizemos. Não inventamos nada, salvo a disposição das peças. Assim havia feito Ardenti, não tinha inventado nada, simplesmente havia disposto as peças de maneira tacanha, por ser menos culto do que nós, e não ter as peças todas.

Eles tinham as peças, mas não o esquema da palavra cruzada. E além disso — mais uma vez — éramos mais brilhantes do que eles.

Lembrava-me de uma frase que Lia me dissera na montanha, quando me reprovou por ter feito um jogo baixo: "As pessoas têm fome de planos, se você lhes oferece um, caem em cima como uma alcateia de lobos. Basta inventar que creem. Não é necessário aparentá-lo mais imaginário do que de fato é."

No fundo, acontece sempre assim. Um jovem Eróstrato se amargura por não saber como ficar famoso. Aí vê um filme em que um rapaz franzino dispara contra a rainha da country music e se torna o acontecimento do dia. Encontrou a fórmula, sai dali, vai e mata John Lennon.

É o mesmo para os AEPs. Que faço para me tornar um poeta publicado que acaba nas enciclopédias? E Garamond explica: simples, basta pagar. O AEP nunca havia pensado nisso antes, mas visto que existe o plano da Manuzio, identifica-se com ele. O AEP está convencido de que esperava pela Manuzio desde a infância, só não sabia que ela existia.

Consequência, inventamos um Plano inexistente e Eles não só o tomaram por bom, como também se convenceram de que estavam nele desde muito, ou seja, identificáramos fragmentos de seus projetos desordenados e confusos como momentos do Plano, o nosso, preparado segundo uma irrefutável lógica da analogia, do indício, da suspeita.

Mas, se inventando um plano, os outros o realizam, o Plano é como se existisse, logo, passa a existir.

A partir desse momento turbas de diabólicos percorrerão o mundo à procura do mapa.

Oferecemos um mapa a pessoas que procuravam vencer uma obscura frustração que tinham. Qual? A resposta tinha sido sugerida pelo último *file* de Belbo: não haveria falha se de fato tivesse havido um Plano. Derrota, mas não por culpa tua. Sucumbir diante de uma conspiração cósmica não é vergonha. Não és covarde, és mártir.

Não te lamentes de seres mortal, presa de mil microrganismos que não dominas, não és responsável pelos teus pés pouco preênseis, pelo desaparecimento da cauda, dos cabelos e dos dentes que não voltam a crescer, dos neurônios que semeias de passagem, das veias que se endurecem. São os Anjos Invejosos.

E o mesmo vale para a vida de todo dia. Como as quedas da bolsa. Ocorrem porque alguém executa um movimento falho qualquer, e todos os movimentos falhados criam juntos o pânico. Assim, quem não tem os nervos bons pergunta: mas quem foi que arquitetou esta conspiração, a quem favorece? E ai! Se não encontras um inimigo que tenha conspirado, sentirias a culpa. Ou ainda, como te sentes culpado, inventas uma conspiração, ou mesmo várias. E, para vencê-las, deves organizar o teu complô.

E quanto mais inventivos os complôs alheios, para justificar tua incompreensão, tanto mais te enamoras deles, e concebes o teu à medida daqueles. Que foi o que aconteceu quando entre jesuítas e baconianos, paulicianos e neotemplários, cada um exprobrava o plano do outro. Diotallevi havia advertido então: "Certo, atribuis a outro aquilo que estás fazendo, e como estás fazendo uma coisa odiosa os outros se tornam odiosos. Mas como os outros no entanto gostariam, em geral, de fazer precisamente aquela coisa odiosa que estás fazendo, colaboram contigo deixando crer que — sim — na realidade aquilo que lhes atribuem é o que sempre desejaram fazer. Deus cega aqueles que quer perder, basta ajudá-lo."

Um complô, se deve haver um complô, deve ser secreto. Devia haver um segredo que se o conhecêssemos não nos sentiríamos mais frustrados, porque ou o segredo levaria à salvação ou o conhecimento do segredo se identificaria com a salvação. Existe um segredo assim tão luminoso?

Certo, com a condição de não conhecê-lo nunca. Revelado, não poderia senão desiludir-nos. Não me havia falado Agliè da tensão para o mistério, que agitava a época dos Antoninos? E no entanto acabara de chegar alguém que se declarava filho de Deus, o filho de Deus que se faz carne, e redime os pecados do mundo. Era um mistério de pouca monta? E prometia a salvação a todos, bastava amar o seu próximo. Era um segredo de nada? E deixava como legado que quem pronunciasse as palavras certas no momento exato poderia transformar um pedaço de pão e meio copo de vinho na carne e no sangue do filho de Deus, e com eles nutrir-se. Era um enigma de se jogar fora? E induzia os Padres da Igreja a conjecturar, e depois a declarar, que Deus fosse Uno e Trino e que o Espírito procedia do Pai e do Filho, mas não o Filho do Pai e do Espírito. Era uma formulazinha para os Hílicos? No entanto, aqueles que tinham agora a salvação ao alcance da mão — *do it yourself* —, nada. A revelação está toda aqui? Que banalidade: e haja histéricos com suas liburnas por todo o Mediterrâneo em busca de um outro saber perdido, do qual aquele dogma dos trinta denários fosse apenas o véu superficial, a parábola para os pobres de espírito, o hieróglifo alusivo, um piscar de olhos aos Pneumáticos. O mistério trinitário? Fácil demais, deve haver algo por trás disso.

Houve alguém, Rubinstein, creio, que quando lhe perguntaram se acreditava em Deus, respondia: "Oh não, creio... em algo muito maior..." Mas havia também um outro (talvez Chesterton?) que disse: "quando os homens não creem mais em Deus, não é que não creem mais em nada, mas creem em tudo."

Tudo não é um segredo muito grande. Não há segredos grandes demais, porquanto mal são revelados, parecem pequenos. Um segredo que se esvazia. Um segredo que deflui. O segredo da planta orchis é que ela diz respeito e age sobre os testículos, mas os testículos estão aí para significar um signo zodiacal, este uma hierarquia angélica, esta uma gama musical, a gama uma relação entre humores, e assim por diante, e a iniciação consiste em aprender a não se parar nunca, descasca-se o universo como se fosse uma cebola, e como a cebola é toda casca, imaginemos uma cebola infinita, que tenha o centro em toda parte e a circunferência em lugar algum, feita para anel de Moebius.

O verdadeiro iniciado é aquele que sabe que o mais poderoso dos segredos é um segredo sem conteúdo, porque nenhum inimigo conseguirá fazê-lo confessar, nenhum fiel conseguirá subtraí-lo.

Agora me parecia mais lógica, consequente, a dinâmica do rito noturno diante do Pêndulo. Belbo havia sustentado possuir um segredo, e por isso havia adquirido poder sobre Eles. O impulso imediato, até mesmo o de um homem prudente como Agliè, que logo bateu o tantã para convocar os demais, era o de arrancá-lo de Belbo. E quanto mais este se recusava a revelá-lo, tanto maior imaginavam que fosse o segredo, e quanto mais jurava não possuí-lo, tanto mais ficavam convencidos de que o possuía e de que era um segredo verdadeiro, porquanto se fosse falso já o teria revelado.

Por séculos a procura desse segredo era o cimento que os mantinha unidos, para além das excomunhões, das lutas intestinas, dos ataques de surpresa. Agora estavam prestes a conhecê-lo. E foram assaltados por dois temores: que o segredo fosse decepcionante, e que — tornando-se conhecido de todos — não restasse mais nenhum segredo. Teria sido o fim deles.

Foi nesse ponto que Agliè intuiu que, se Belbo tivesse falado, todos teriam sabido, e ele, Agliè, teria perdido a aura imprecisa que lhe conferia carisma e poder. Se Belbo o confiasse a ele apenas, Agliè continuaria a ser São Germano, o imortal — a dilação de sua morte coincidia com a dilação do segredo. Tentou induzir Belbo a falar-lhe ao ouvido, e quando compreendeu que isso não seria possível, provocou-o não só preconizando a sua rendição, mas ainda mais dando-lhe o espetáculo de sua fatuidade. Oh, conhecia-o bem, o velho conde, sabia que a gente daquelas bandas é marcada pela teimosia e o senso de ridículo até mesmo sob o medo. Obrigou-o a erguer o tom do desafio e a dizer não de modo categórico.

E os outros, pelo mesmo temor, preferiram matá-lo. Perdiam o mapa — teriam séculos para buscá-lo ainda — mas salvavam o frescor de seu decrépito e baboso desejo.

Lembrava-me de uma história que me havia contado Amparo. Antes de vir para a Itália, tinha passado alguns meses em Nova York, e fora morar num daqueles bairros que eram cenário de filmes de ação policial. Voltava para casa sozinha, às duas da manhã. E quando lhe perguntei se não tinha medo dos maníacos sexuais, ela me revelou seu método. Mal o maníaco se aproximava e começava a agir como tal, ela o tomava pelo braço e dizia: "Oba, então vamos para a cama." O sujeito fugia, confuso.

Se és um maníaco sexual, não queres o sexo, só queres desejá-lo, no máximo roubá-lo, possivelmente sem a aquiescência ou o conhecimento da vítima. Se te põem diante do sexo e dizem Aqui e Agora, é natural que fujas, senão que raio de maníaco serias.

E ficamos a excitar-lhes a vontade, a oferecer-lhes um segredo que mais vazio não podia ser, porque nem mesmo nós o conhecíamos, mas que ainda por cima sabíamos ser falso.

O avião sobrevoava o monte Branco e os passageiros passaram todos para o mesmo lado para não perderem a revelação daquele obtuso bubão crescido por distonia das correntes subterrâneas. Eu pensava que, se o que estava pensando era certo, talvez agora as correntes não existissem, tanto como não existiu a mensagem de Provins, mas a história da decifração do Plano, assim como a havíamos reconstruído, outra coisa não era senão a História.

Voltava na memória ao último *file* de Belbo. Mas, então, se o ser é assim vazio e frágil a ponto de suster-se apenas sobre a ilusão daqueles que buscam o seu segredo, na verdade — como disse Amparo aquela noite na tenda, após sua derrota — então não há redenção, somos todos escravos, dai-nos um patrão, que o merecemos...

Não é possível. Não é possível porque Lia me ensinou que há outra coisa, e tenho a prova disso, chama-se Giulio e neste momento está brincando num vale, e puxa uma cabra pelo rabo. Não é possível porque Belbo disse duas vezes não.

O primeiro não disse-o ao Abulafia, e a quem tentasse violar seu segredo. "Tens a senha?" era a pergunta. E a resposta, a chave do saber, era "não". Há nisso algo de verdadeiro, e não é apenas saber que a palavra mágica não existe, mas que tampouco a sabemos. Mas quem saiba admiti-lo pode saber algo, pelo menos o quanto pude saber.

O segundo não disse-o sábado à noite, recusando a salvação que lhe era oferecida. Podia ter inventado um mapa qualquer, citar um daqueles que eu lhe havia mostrado, que, com o Pêndulo apenso daquela maneira, aquele bando de insensatos jamais teria identificado o Umbilicus Mundi, e se acaso o houvessem, teriam perdido outros decênios em compreender que não era aquele. Em vez disso, não quis render-se, preferiu a morte.

Não é que não quisesse curvar-se à lascívia do poder, não quis curvar-se à sua falta de sentido. E isso quer dizer que sabia de qualquer maneira que, por frágil que seja o nosso ser, por infinita e sem escopo que seja nossa interrogação do mundo, há algo que tem mais sentido que o resto.

Que teria intuído Belbo, talvez apenas naquele momento, que lhe permitiu contradizer seu último *file* desesperado, e não delegar seu destino a quem lhe garantia um Plano qualquer? Que havia compreendido — finalmente — capaz de lhe permitir jogar a vida, como se tudo quanto devesse saber já tivesse descoberto havia muito, sem se dar conta senão agora, e como se diante desse seu único, verdadeiro e absoluto segredo, tudo quanto acontecia no Conservatoire, fosse irremediavelmente estúpido — e estúpido àquela altura fosse o obstinar-se em viver?

Faltava-me algo, um elo da cadeia. Parecia-me conhecer agora todos os planos de Belbo, da vida à morte, menos um.

Na chegada, enquanto procurava o passaporte, encontrei no bolso a chave desta casa. Eu a havia apanhado quinta-feira passada junto com a do apartamento de Belbo. Lembrei-me daquele dia em que Belbo nos mostrou o velho armário que continha, dizia, sua *opera omnia*, ou a sua juvenília. Talvez Belbo tivesse escrito algo que não se podia encontrar no Abulafia, e esse algo estava sepultado certamente aqui em ***.

Nada havia de racional na minha conjectura. Uma boa razão — disse — para achá-la boa. Enfim.

Fui à procura de meu carro, e vim para cá.

Não encontrei nem mesmo a velha parenta dos Canepa, ou zeladora que fosse, que vimos daquela vez. Talvez tivesse morrido também ela no entretempo. Aqui não há ninguém. Atravessei as várias salas, havia cheiro de mofo, pensei talvez acender o braseirinho em um dos quartos. Mas fazia sentido aquecer a cama no verão, mal se abrem as janelas entra o ar tépido da noite.

Mas a Lua não veio com o crepúsculo. Como em Paris sábado à noite. Só foi sair muito mais tarde, só agora vejo aquele pouco que lá está — menos que em Paris — a levantar-se lentamente acima das colinas mais baixas, num vale entre o Bricco e outra corcova amarela, talvez já toda ceifada.

Creio haver chegado aqui pelas seis da tarde, estava ainda claro. Não trouxe nada de comer, depois, andando pela casa, entrei na cozinha e encontrei um salame pendurado a uma trave. Jantei salame e água fresca, creio que lá pelas dez. Agora estou com sede, trouxe aqui para o escritório do tio Carlos uma garrafa de água, que emborco a cada dez minutos, depois desço, volto a enchê-la, e recomeço. Devem ser três da manhã agora. Mas a luz está apagada e tenho dificuldade em enxergar o relógio. Reflito, olhando a janela. Há como uns pirilampos, umas estrelas cadentes nos flancos das colinas. Raros carros que passam, descendo para o vale, ou subindo para os vilarejos lá nos cocurutos. Quando Belbo era rapazinho, não devia ver essas coisas. Não havia os carros, não havia aquelas estradas, à noite se fazia blecaute.

Abri o armário da juvenília, mal aqui cheguei. Completamente atulhado de papel, que compreendia desde os cadernos de dever da escola primária aos cadernos de poesia e prosa dos tempos de adolescência. Todos escrevem poesia na mocidade, depois os verdadeiros poetas tratam de destruí-las e os maus poetas tratam de publicá-las. Belbo era demasiadamente alheado para salvá-las, indefeso demais para destruí-las. Sepultou-as no armário de tio Carlos.

Li durante algumas horas. E por outras longas horas, até este momento, meditei sobre o último texto que havia encontrado, quando estava quase para desistir.

Não sei quando Belbo o teria escrito. São folhas e mais folhas onde se entrelaçam nas entrelinhas caligrafias diversas, ou a mesma caligrafia em tempos diversos. Como se o houvesse escrito muito cedo, aos 16 ou 17 anos, depois o tivesse encostado, e voltasse a ele mais tarde aos 20, depois de novo aos 30, e mesmo mais tarde. Até então não devia ter desistido de escrever — para depois só recomeçar com o Abulafia, mas sem ousar recuperar estas linhas, submetendo-as à humilhação eletrônica.

Ao lê-las, parecem contar uma história bem conhecida, os acontecimentos de *** entre 1943 e 1945, tio Carlos, os *partigiani*, o oratório, Cecilia, a corneta. Conheço o prólogo, eram os temas obsessivos do Belbo sensível, ébrio desiludido e dolente. A literatura de memórias, também ele o sabia, era o último refúgio da canalha.

Mas eu não sou um crítico literário, sou mais uma vez Sam Spade, em busca da última pista.

E foi assim que encontrei o Texto-Chave. Representa provavelmente o último capítulo da história de Belbo em ***. Depois, não deve ter acontecido mais nada.

QUANDO A GUIRLANDA QUE RODEAVA
A CORNETA COMEÇOU A ARDER

Quando a guirlanda que rodeava a corneta começou a arder,
vi abrir-se um buraco do teto e uma língua de fogo projetar-
se com toda a força da boca da corneta e penetrar nos
cadáveres. Em seguida, o buraco foi novamente
fechado e a corneta foi afastada.

(Johann Valentin Andreae, *Die Chymische Hochzeit des*
Christian Rosencreutz, Strassburg, Zetzner,
1616, 6, pp. 125-126)

O texto contém lacunas, superposições, falhas, palavras *biffées* — vê-se mesmo que acabo de chegar de Paris. Mais do que relê-lo, revivo-o.

Devia ser aí pelos fins de abril de 1945. Os exércitos alemães já estavam agora em retirada, os fascistas se dispersando. Em todo caso, *** estava agora, definitivamente, sob o controle dos *partigiani*.

Depois da última batalha, aquela que Jacopo nos havia contado exatamente nesta casa (há quase dois anos), várias brigadas *partigiane* combinaram reunir-se em ***, para daí investirem contra a cidade. Esperavam apenas um sinal da Rádio Londres, deviam pôr-se em movimento quando Milão também estivesse pronta a insurgir-se.

Haviam chegado também componentes das formações garibaldinas, comandados por Ras, um gigante de barba negra, muito popular na região: estavam vestidos com uniformes de fantasia, cada um diferente do outro, com exceção dos lenços e da estrela no peito, que eram ambos vermelhos, e empunhavam armas ocasionais, um com um velho fuzil, outro com uma metralhadora apanhada do inimigo. Faziam contraste com as brigadas badoglianas, de lenço azul, uniforme cáqui semelhante ao inglês, e as novíssimas metralhadoras sten. Os aliados ajudavam os badoglianos com material generosamente lançado de paraquedas à noite, quando passava, como agora fazia havia dois anos, todas as noites às onze horas, o misterioso Espião, avião de reconhecimento inglês que ninguém sabia o que estava reconhecendo, já que não se viam luzes por quilômetros e quilômetros.

Havia tensões entre garibaldinos e badoglianos, diziam que na noite da batalha os badoglianos se haviam arremessado contra o inimigo gritando "Viva o rei", mas alguns deles afirmavam que era por força do hábito, que se havia de gritar quando se parte para o assalto, isto não queria dizer que fossem necessariamente monárquicos e sabiam também eles que o rei tinha grandes culpas. Os garibaldinos criticavam, pode gritar viva o rei quem se lança a um assalto a baioneta em campo aberto, mas não escondendo-se numa esquina de rua com o sten na mão. É que estavam mesmo vendidos aos ingleses.

Contudo, haviam chegado a um *modus vivendi*, todos queriam um comando unificado para o ataque à cidade, e a escolha recaiu em Terzi, que comandava a brigada mais bem treinada, era o mais antigo veterano, tinha feito a grande guerra, um herói que desfrutava a confiança do comando aliado.

Nos dias que se seguiram, creio que com alguma antecedência à insurreição de Milão, partiram todos para conquistar a cidade. Haviam chegado boas notícias, a operação tivera êxito, as brigadas estavam regressando vitoriosas a ***, mas tinha havido mortos, corria boato de que Ras morrera em combate e que Terzi estava ferido.

Aí, uma tarde começaram a ouvir o ruído das viaturas, de cantos de vitória, as pessoas correram para a praça principal, da estrada estadual estavam chegando os primeiros contingentes, punhos erguidos, um agitar de armas das janelas dos carros ou da carroceria dos caminhões. Ao longo do caminho já haviam coberto os *partigiani* de flores.

De repente alguém gritou Ras Ras, e Ras lá estava, acachapado no para-lama traseiro de um dodge, com a barba desgrenhada e os tufos de pelos negros e suados que lhe saíam da camisa aberta ao peito, a saudar a multidão sorridente.

Junto com Ras havia descido do dodge também Rampini, um rapaz míope que tocava na banda, pouco mais velho que os outros, que desaparecera havia três meses, diziam que para reunir-se aos *partigiani*. E de fato lá estava ele, com o lenço vermelho ao pescoço, o dólmã cáqui, umas calças azuis. Era o uniforme da banda de Dom Tico, mas usava agora um cinturão com o coldre e a pistola. Com seus óculos espessos que lhe valeram tantas ironias por parte de seus velhos colegas do oratório, olhava agora as garotas que se aproximavam como se fosse Flash Gordon. Jacopo se perguntava se Cecilia estaria ali também.

No espaço de meia hora a praça estava colorida de *partigiani*, a multidão gritava em voz alta Terzi, Terzi, e queria um discurso.

Numa varanda do prédio da prefeitura apareceu Terzi, apoiado em sua muleta, pálido, procurando com a mão acalmar a turba. Jacopo esperava o discurso, porque toda a sua infância, como a de todos os meninos de sua idade, havia sido marcada por grandes e históricos discursos do Duce, de que se recitavam de cor na escola as citações mais significativas, ou seja, se decorava tudo, porquanto todas as frases eram citações significativas.

Obtido o silêncio, Terzi falou, com voz rouca, que se ouvia a custo. Disse apenas: "Cidadãos, amigos. Depois de tantos e penosos sacrifícios... eis-nos aqui. Glória aos que tombaram pela liberdade."

E chega. Voltou para dentro.

Mas lá fora a multidão gritava, os *partigiani* erguiam as metralhadoras, os stens, os fuzis, os noventa e um, e disparavam rajadas de festim, com as cápsulas a caírem em torno e os garotos que se enfiavam entre as pernas dos soldados, e dos civis, porque uma colheita assim jamais tinham feito, havendo o risco de a guerra terminar dentro de um mês.

Contudo, havia mortos. Por uma coincidência atroz, eram ambos de San Davide, um lugarejo logo acima de ***, e as famílias reclamavam sepultura para os seus mortos no cemitério local.

O comando *partigiano* havia resolvido que deviam fazer um funeral solene, as companhias em formação, os carros fúnebres enfeitados, a banda de música do município, o pároco da catedral. E a banda do oratório.

Dom Tico aquiesceu no ato. Antes de mais nada, dizia, porque sempre tivera sentimentos antifascistas. Depois, como murmuravam os músicos, era um ano em que os fizera estudar como exercício duas marchas fúnebres, e tinha que fazê-las executar um dia ou outro. Por fim, diziam os maliciosos do lugar, para fazer esquecer a *Giovinezza*.*

A história da *Giovinezza* tinha sido assim.

Meses antes, antes de haverem chegado os *partigiani*, a banda de Dom Tico tinha saído para uma festa de não sei que padroeiro, e foram detidos no caminho pelas Brigadas Negras. "Toque a *Giovinezza*, reverendo", comandou o capitão, tamborilando os dedos sobre o cano da metralhadora. Que fazer, como se aprenderia a dizer depois? Dom Tico tinha dito, rapazes, vamos tentar, a pele é a pele. Marcara o tom com o diapasão, e o horrendo amontoado de entes cacofônicos havia atravessado *** tocando algo que só "a mais temerária esperança de resgate" teria permitido confundir com a *Giovinezza*. Uma vergonha para todos. Por terem cedido, dizia depois Dom Tico, mas principalmente por terem tocado como cães. Padre sim, antifascista também, mas antes de tudo a arte pela arte.

Jacopo não estava aquele dia. Tivera amigdalite. Só estavam Annibale Cantalamessa e Pio Bo, cuja simples presença deve ter contribuído de maneira radical para a queda do fascismo. Mas para Belbo o problema era outro, pelo menos no momento em que o escrevia. Tinha perdido outra ocasião de saber se saberia dizer não. Talvez por isso tenha morrido enforcado no Pêndulo.

Em síntese, haviam marcado os funerais para o domingo de manhã. Na praça da matriz estavam todos. Terzi com suas colunas, tio Carlos e algumas pessoas importantes da comunidade, com condecoração da grande guerra ao peito, e não importava quem tinha sido fascista quem não tinha, tratava-se de homenagear os heróis. Lá estava o clero, a banda do município, de terno preto, os carros fúnebres puxados a cavalos com gualdrapas de franjas brancas, creme, prateadas e pretas. O cocheiro vinha vestido como um marechal de Napoleão, chapéu de dois bicos, mantelete e capa grande, nas mesmas cores dos arneses dos cavalos. E havia a banda do oratório, boné de viseira, paletozinho cáqui e calças azuis, luzida de metais, negra de madeiras e cintilante de pratos e de bombos.

Entre *** e San Davide havia uns 5 ou 6 quilômetros de curvas em subida. Daquelas que os aposentados, aos domingos à tarde, percorrem a jogar bocha,

---

* *Giovinezza* era o hino fascista. (*N. do T.*)

uma partida, uma parada, um garrafão de vinho, outra partida, e assim por diante, até chegarem ao santuário no alto.

Alguns quilômetros morro acima não são nada para quem joga bocha, e talvez seja fácil percorrê-los em formação, armas aos ombros, o olhar firme, respirando o ar fresco da primavera. Mas é preciso experimentar fazê-lo tocando, as bochechas infladas, o suor que cai aos borbotões, o fôlego que falha. A banda municipal estava cansada de fazer aquilo, mas para os meninos do oratório tinha sido uma prova. Aguentaram como heróis, Dom Tico batia o diapasão no ar, os clarins guinchavam exaustos, os saxofones baliam asfixiados, o bombardino e a corneta lançavam gritos de agonia, mas tinham conseguido chegar até os pés da ladeira que levava ao cemitério. Há muito que Annibale Cantalamessa e Pio Bo só fingiam tocar, mas Jacopo havia mantido o seu papel de cão de pastor, sob o olhar bendizente de Dom Tico. Peito a peito com a banda municipal, não tinham feito má figura, a ponto de Terzi e outros comandantes das brigadas dizerem: bravo, rapazes, foi uma façanha soberba.

Um comandante de lenço azul e um arco-íris de condecorações das duas guerras mundiais, dissera: "Reverendo, deixa os rapazes descansarem aqui mesmo, que eles não aguentam mais. Deixem para sair mais tarde, no fim. Vamos arranjar uma caminhonete para levá-los a ***."

Correram todos para a hospedaria, e os músicos da banda municipal, velhos executantes tornados coriáceos à força de tantos funerais, sem a menor discrição haviam corrido para as mesas encomendando dobrada e vinho à vontade. E lá ficaram a dar tripas à tripa até a noite. Os rapazes de Dom Tico, ao contrário, se haviam aglomerado junto ao balcão, onde o dono estava servindo granitês de menta, verdes como uma experiência química. O gelo afundava de um jato na garganta e fazia vir uma dorzinha no meio da testa, como sinusite.

Depois voltaram para o cemitério, onde a caminhonete estava à espera. Iam subindo em vozerio, e já agora estavam todos apinhados, todos de pé, chocando-se com os instrumentos, quando saiu do cemitério o comandante, e falou: "Reverendo, para a cerimônia final precisamos do corneteiro, sabe, para os toques de praxe. Coisa de uns cinco minutos."

"Corneteiro", chamara Dom Tico, profissional. E o desgraçado titular do privilégio, ora suado de granitê verde e saudoso da boia familiar, indolente campesino impermeável a qualquer frêmito estético e a qualquer solidariedade de ideias, começou a lamentar-se, que já era tarde, que queria voltar para casa, que já não tinha mais saliva, et cetera et cetera, pondo em embaraço Dom Tico, que se envergonhava em frente do comandante.

E, naquele ponto, Jacopo, entrevendo na glória do entardecer a imagem suave de Cecilia, avançou e disse: "Se ele me emprestar a corneta, eu toco."

Brilho de reconhecimento nos olhos de Dom Tico, suado alívio do esquálido corneteiro titular. Troca de instrumentos, como duas sentinelas.

E Jacopo adentrou o cemitério, guiado pelo psicopompo com as condecorações de Adis Abeba. Tudo em torno era branco, o muro batido pelo sol, os túmulos, as flores das árvores da cerca, a sobrepeliz do pároco pronto para a bênção, salvo o marrom fanado das fotos sobre as lápides. E a grande mancha de colorido que forneciam os ranchos de soldados enfileirados diante das sepulturas.

"Meu jovem", disse o chefe, "você fica aqui ao meu lado, e depois ao meu comando, dê o toque de atenção, sentido. Em seguida, ao comando, o toque de recolher. Fácil, não?"

Facílimo. Salvo que Jacopo nunca havia tocado nem o atenção nem o recolher.

Segurava a corneta com o braço direito encolhido, contra as costelas, a boca do instrumento ligeiramente para baixo, como se faz com uma carabina, esperava, peito para a frente barriga para dentro cabeça erguida.

Terzi pronunciava um discurso enxuto, de frases muito curtas. Jacopo pensava que para emitir o toque devia erguer os olhos para o céu e se assim ficasse o Sol o teria cegado. Mas assim morre um corneteiro e já que se morre apenas uma vez, tanto melhor que o fizesse bem.

Então o comandante lhe sussurrou: "Agora." E começava a gritar: "Aaa..." E Jacopo não sabia como era o toque de atenção.

A estrutura melódica devia ser bem mais complexa, mas naquele momento só fora capaz de tocar dó-mi-sol-dó, e àqueles rudes homens de guerra parecia bastar. O dó final fora entoado depois de haver tomado fôlego, de modo a prolongá-lo ao máximo, para dar-lhe tempo — como escrevera Belbo — de chegar até o sol.

Os *partigiani* mantinham-se imóveis em atenção. Os vivos imóveis como os mortos.

Só os coveiros se moviam, ouvia-se o rumor dos ataúdes que desciam às fossas, e o friccionar das cordas contra a madeira dos caixões ao serem retiradas. Mas era um movimento débil, como o chispar de um reflexo sobre uma esfera, daí aquela leve variação de luz que serve apenas para dizer que na Esfera nada escorre.

A seguir, o rumor abstrato de um apresentar-armas. O pároco havia murmurado as fórmulas da aspersão, os comandantes se haviam aproximado das covas e nelas atirado um punhado de terra. E naquele momento uma ordem repentina provocou uma descarga para o céu, tá-tá-tá, ta-pum, e os pássaros debandaram em gritaria das árvores em flor. Mas mesmo aquilo não era movimento, era como se sempre o mesmo instante se apresentasse sob perspectivas diversas, e olhar um instante para sempre não quer dizer olhá-lo enquanto o tempo passa.

Por isso Jacopo se mantinha firme, insensível à própria queda das cápsulas que lhe rolavam aos pés, não tinha voltado a colocar a corneta de lado, porém mantinha-a ainda na boca, os dedos sobre as chaves, rígido na atenção, o instrumento que apontava diagonalmente para o alto. Ainda estava tocando.

Sua longuíssima nota final não se havia ainda interrompido: imperceptível aos demais, saía ainda da boca da corneta como um sopro leve, uma aragem que ele continuava a emitir na embocadura mantendo a língua entre os lábios levemente abertos, sem premi-los contra o bocal do instrumento. Este se mantinha estendido sem apoiar-se no rosto, por pura tensão dos cotovelos e das costas.

Jacopo continuava a emitir aquela ilusão de nota por sentir que naquele momento estava desnovelando um fio que freava o Sol. O astro se havia paralisado no seu curso, fixara-se num meio-dia que poderia durar por toda a eternidade. E tudo dependia de Jacopo, bastava interromper aquele contato, afrouxar o fio, e o Sol teria corrido dali, como um balãozinho, e com ele o dia e o evento daquele dia, aquela ação sem fases, aquela sequência sem antes nem depois, que se desenvolvia imóvel só porque assim era no seu poder de querer e de fazer.

Se tivesse parado para emitir uma nova nota, ter-se-ia ouvido como que um rasgo, bem mais fragoroso que o das rajadas que o estavam ensurdecendo, e os relógios voltariam a palpitar taquicardíacos.

Jacopo desejava com toda a alma que aquele homem ao lado não comandasse o descansar — poderia recusar-me, dizia para si, e permaneceria assim para sempre, fazendo durar o fôlego enquanto pudesse.

Creio que ele tivesse entrado naquele estado de aturdimento e vertigem que se apossa do mergulhador quando tenta não voltar à tona e quer prolongar a inércia que o faz deslizar pelo fundo. Tanto que, ao procurar depois exprimir o que então sentira, as frases do caderno que eu agora estava lendo se rompiam assintáticas, mutiladas por pontos de suspensão, raquíticas de elipses. Mas estava claro que naquele momento — não, não disse assim, mas estava claro: naquele momento estava possuindo Cecilia.

É que Jacopo Belbo não podia ter compreendido então — nem compreendia agora quando escrevia inconsciente sobre si mesmo — que estava celebrando uma vez para sempre as suas núpcias químicas, com Cecilia, com Lorenza, com Sophia, com a terra e com o céu. Único talvez entre os mortais, estava levando finalmente a termo a Grande Obra.

Ninguém lhe tinha dito ainda que o Graal é uma taça, mas igualmente uma lança, e sua corneta levantada como um cálice era ao mesmo tempo uma arma, um instrumento de dulcíssimo domínio, que dardejava para o céu e ligava a terra com o Polo Místico. Com o único Ponto Fixo que o universo jamais teve: com aquele que ele fazia existir, só por aquele instante, com o seu sopro.

Diotallevi não lhe havia ainda dito que se pode estar em Jesod, a sefirah do Fundamento, o signo da aliança do arco superior que se tende para enviar flechas à altura de Malkut, que é seu alvo. Jesod é a gota que brota da flecha para produzir a árvore e o fruto, é a *anima mundi* porque é o momento em que a força viril, procriando, lega-lhes todos os estados do ser.

Saber romper aquele Cingulum Veneris significa reparar o erro do Demiurgo.

Como se pode passar uma vida procurando a Ocasião, sem se dar conta de que o momento decisivo, aquele que justifica o nascimento e a morte, já passou? Não retorna, mas foi, irreversivelmente, pleno, fulgurante, generoso como toda revelação.

Aquele dia Jacopo Belbo fixou nos olhos a Verdade. A única que lhe seria concedida, porque a verdade que estava aprendendo é que a verdade é brevíssima (depois, o resto é interpretação). Por isso estava tentando domar a impaciência do tempo.

Não havia compreendido então, certamente. Nem mesmo quando escrevia a respeito, ou quando decidira não mais escrever.

Compreendi-o eu esta noite: é preciso que o autor morra para que o leitor se dê conta de sua verdade.

A obsessão pelo Pêndulo, que havia acompanhado Jacopo Belbo por toda a sua vida adulta, tinha sido — como os endereços perdidos do sonho — a imagem daquele outro momento, registrado e depois suprimido, em que ele havia de fato tocado a abóbada do mundo. E este, o momento em que havia congelado o espaço e o tempo disparando sua flecha de Zenão, não tinha sido um signo, um sintoma, uma alusão, uma figura, uma sinatura, um enigma: era o que era e nada significava senão aquilo, o momento impreterível quando as contas estão feitas.

Jacopo Belbo não tinha compreendido que tivera seu momento e que este lhe deveria bastar por toda a vida. Não o havia reconhecido, havia passado o resto de seus dias a procurar além, até o desespero. Ou talvez o suspeitasse, de outra forma não teria voltado com tamanha frequência à lembrança da corneta. Mas recordava-a como perdida, no entanto a havia ganho.

Creio, espero, rogo que, no instante em que morreu oscilando com o Pêndulo, Jacopo Belbo tenha compreendido isso, e encontrado a paz.

Depois foi ordenado o descansar. Teria cedido de qualquer maneira, pois o fôlego já lhe faltava. Havia interrompido o contato, depois havia soado uma só nota, alta e de intensidade decrescente, suave, para habituar o mundo à melancolia que estava à sua espera.

O comandante lhe dissera: "Bravo, meu rapaz. Agora pode ir. Bela corneta."

O pároco foi-se rapidamente, os *partigiani* desceram por outro portão onde os esperavam suas viaturas, os coveiros se retiraram após tapar as fossas. Mas Jacopo saiu por último. Não conseguia abandonar aquele recanto de felicidade.

A caminhonete do oratório não estava mais na pracinha.

Jacopo perguntava-se como era possível, como fora que Dom Tico podia tê-lo abandonado assim. À distância do tempo, a resposta mais provável é que tenha havido um equívoco, que alguém tenha dito a Dom Tico que os *partigiani* levariam o rapaz para baixo. Mas Jacopo naquele momento havia pensado — e não sem razão — que entre o atenção e o descansar haviam passado muitos séculos, os rapazes esperado até a velhice, a morte, e suas cinzas se tivessem dispersado para formar aquela leve névoa que agora estava azulando a extensão das colinas diante de seus olhos.

Jacopo estava só. Às suas costas, um cemitério agora vazio, nas mãos a corneta, diante dele as colinas que se esfumavam cada vez mais azuladas umas atrás das outras no conglomerado do infinito e, vingador, sob sua cabeça, o sol em liberdade.

Resolveu chorar.

Mas de repente apareceu o coche funerário com seu cocheiro engalanado como um general do imperador, todo de creme e preto e prata, os cavalos ataviados de máscaras barbáricas que deixavam descobertos apenas os olhos, cobertos de gualdrapas, as coluninhas sinuosas que sustentavam o tímpano assírio--greco-egípcio, todo branco e dourado. O homem do bicorne havia sustado um instante diante daquele corneteiro solitário e Jacopo lhe havia perguntado: "Pode me levar para casa?"

O homem era de boa paz. Jacopo subiu para a boleia ao lado dele, e no carro dos mortos havia iniciado seu retorno ao mundo dos vivos. Aquele Caronte de folga esporeava taciturno os seus corcéis fúnebres pelos morros abaixo, Jacopo hirto e hierático, com a corneta recolhida sob o braço, a viseira do boné luzente, compenetrado de seu novo papel, inopinado.

Desceram as colinas, a cada curva abria-se uma nova extensão de videiras azuis azinhavradas, sempre numa luminosidade que ofuscava, e após um tempo incalculável havia aproado em ***. Atravessaram a praça principal, com seus alpendres, deserta como só podem ser desertas as praças da província num domingo de tarde. Um colega de escola numa esquina da praça avistara Jacopo sobre o coche, a corneta embaixo do braço, o olhar fixo no infinito, e lhe fizera um sinal de admiração.

Jacopo entrou em casa, não queria comer, nem contou coisa alguma. Agachou--se na varanda, e se pôs a tocar a corneta como se tivesse surdina, soprando baixinho para não perturbar o silêncio da sesta.

O pai veio para junto dele e sem maldade, com a serenidade de quem conhece as leis da vida, disse-lhe: "Dentro de um mês, se tudo correr como se espera, voltamos para casa. Não vai querer tocar corneta na cidade. O dono da casa nos mandaria embora. Então é melhor começar a esquecê-la. Se você tem mesmo tendência para a música, vamos lhe arranjar umas lições de piano." Depois, vendo-lhe os olhos brilhantes: "Vamos lá, seu bobo. Não está vendo que os dias ruins acabaram?"

No dia seguinte Jacopo devolveu a corneta a Dom Tico. Duas semanas depois a família abandonava ***, regressando ao futuro.

Parte 10

MALKUT

120

MAS O MAL ESTÁ EM QUE ELES TÊM
POR CERTO QUE ESTÃO NA LUZ

Mas o que me parece deplorável é que vejo alguns insensatos e estúpidos idólatras, os quais... imitam as grandezas do culto do Egito; e que buscam a divindade, de que não têm a mínima ideia, nos excrementos de coisas mortas e inanimadas; que com tudo isso escarnecem não apenas dos divinos e cautelosos cultores, mas também de nós... e o que é pior, triunfam com isso, vendo seus loucos ritos granjearem tanta reputação... — Não se mostre fastidiado com isso, ó Momo, disse Ísis, porque o fado ordenou a vicissitude das trevas e da luz. — Mas o mal está, respondeu Momo, em que eles têm por certo que estão na luz.

(Giordano Bruno, *Spaccio della bestia trionfante*, 3)

Deveria estar em paz. Compreendi. Não disse um daqueles que a salvação nos chega quando se atinge a plenitude da consciência?

Compreendi. Devia estar em paz. Quem dizia que a paz surge da contemplação da ordem, da ordem compreendida, usufruída, realizada sem resíduos, alegria, triunfo, cessação do esforço? Tudo está claro, límpido, e a vista se pousa sobre o todo e suas partes, e vê como as partes convergem para o todo, surpreende o centro onde escorre a linfa, o sopro, a raiz do porquê...

Eu devo estar extenuado pela paz. Da janela do escritório de tio Carlos contemplo a colina, e esse retalho de Lua que está surgindo. A ampla corcova do Bricco, os dorsais mais modulados das colinas ao fundo contam a história de lentos e sonolentos tumultos da Mãe Terra, que, espreguiçando e bocejando, fazia e desfazia cerúleos planos no cavernoso relampaguear de cem vulcões. Nenhuma direção profunda das correntes subterrâneas. A terra se escamava em sua sonolência e trocava uma superfície por outra. Onde antes pastavam amonites, diamantes. Onde antes germinavam diamantes, vides. A lógica das morainas, da avalanche, do desmoronamento. Desloca-se uma pedrinha do lugar, por acaso, trepida, cai, deixa espaço na descida (ah, o horror!), uma outra lhe cai em cima, e eis o alto. Superfície Superfície de superfície sobre superfície. A sabedoria da Terra. E de Lia. O abismo é o sorvedouro de uma planície. Por que adorar o sorvedouro?

Mas por que a compreensão não me dá paz? Por que amar o Destino, se te mata tanto quanto a Providência e o Complô dos Arcontes? Talvez não tenha ainda compreendido tudo, falta-me um espaço, um intervalo.

Onde li que no momento final, quando a vida, superfície sobre superfície, está encrostada de experiência, ficamos sabendo de tudo, o segredo, o poder e a glória, por que nasceste, por que estás morrendo, e como tudo teria podido ocorrer de outra forma? És sábio. Mas a maior sabedoria, naquele momento, é saber que soubeste tarde demais. Compreende-se tudo quando não há mais nada para se compreender.

Agora sei qual é a Lei do Reino, da pobre, desesperada, maltrapilha Malkut onde se exilou a Sabedoria, andando tateante para recuperar a própria lucidez perdida. A verdade de Malkut, a única verdade que brilha na noite das sefirot, é que a Sabedoria se mostra nua em Malkut, e descobre que o próprio mistério está no não ser, nem que seja por um momento, que é o último. Depois recomeçam os Outros.

E com os outros os diabólicos, a procurar abismos onde se oculta o segredo que é a sua loucura.

Ao longo das faldas do Bricco estendem-se filas e filas de vinhedos. Agora as vi, nunca tinha visto iguais nos meus tempos. Nenhuma Doutrina dos Números jamais poderá dizer se nascem em subida ou em descida. Em meio às fileiras, mas deve-se caminhar por elas descalço os calcanhares um tanto calosos, desde pequeno, estão os pés de pêssego. São pêssegos amarelos que crescem apenas entre as fileiras de uvas, esborracham-se com a pressão do polegar, e o caroço solta quase por si, limpinho como após um tratamento químico, exceto pela presença de algum bicho gordo e branco da polpa que a ele permanece aderido por instantes. Pode-se comê-los sem quase sentir o veludo da pele, que te faz correr arrepios desde a língua até a virilha. Houve época em que por ali pastavam dinossauros. Depois outra superfície recobriu aquela. Contudo, como Belbo no momento em que tocava a corneta, quando dei uma mordida no pêssego compreendi o Reino e estava unificado com ele. Depois, só argúcia. Inventa, inventa o Plano, Casaubon. Foi o que fizeram todos, para explicar os dinossauros e os pêssegos.

Compreendi. A certeza de que nada havia para compreender, esta devia ser a minha paz e o meu triunfo. Mas aqui estou eu, que compreendi tudo, e Eles à minha procura, pensando que possuo a revelação que sordidamente desejam. Não basta haver compreendido, se os outros se recusam e continuam a interrogar. Estão à minha procura, devem ter encontrado minha pista em Paris, sabem que agora estou aqui, ainda querem o Mapa. E por mais que lhes diga que não há mapa algum, sempre haverão de querê-lo. Belbo tinha razão: mas vai te foder, imbecil, que vais querer, matar-me? Pois vamos acabar com isto. Matem-me, mas que o Mapa não existe, não digo, que ninguém aprende a ser esperto sozinho...

Dá-me pena pensar que não verei mais Lia e meu filho, a Coisa, Giulio, minha Pedra Filosofal. Mas as pedras sobrevivem sozinhas. Talvez esteja agora vivendo o seu Momento. Achou uma bola, uma formiga, uma folhinha de grama, e está vendo no abismo o paraíso. Também ele há de sabê-lo tarde demais. Será bom, que consuma assim, sozinho, o seu dia.

Merda. Mas nos dá raiva. Paciência, logo que morrer esquecerei.

É noite alta, vim de Paris esta manhã, onde deixei demasiadas pistas. Já terão tempo de adivinhar onde estou. Daqui a pouco chegarão. Queria escrever tudo que pensei desde aquela noite até agora. Mas se Eles o lessem, extrairiam de meus escritos outra nebulosa teoria e passariam a eternidade procurando decifrar a mensagem secreta que se oculta por trás da minha história. É impossível, diriam, que nos tenha contado apenas que estava brincando conosco. Não, talvez ele não soubesse, mas o Ser nos enviava uma mensagem através de seu silêncio.

Que tenha escrito ou não, não faz diferença. Procurariam sempre um outro sentido, até mesmo no meu silêncio. Foram feitos assim. Estão cegos à revelação. Malkut é Malkut e basta.

Mas vá-se lá dizer-lhes. Não têm fé.

E agora tanto faz estar aqui, esperando, enquanto olho a colina.

É tão bela.

Índice das ilustrações

p. 12, Árvore sefirótica
de Cesare Evola, *De divinis attributis, quae Sephirot ab Hebraeis nuncupantur*, Veneza, 1589, p.102

p. 15, Trecho de Isaac Luria ("A extensão da luz no vácuo")
de P. S . Gruberger, ed., *Ten Luminous Emanations*, vol. 2, Jerusalém, 1973, p. 7

p. 151, Rótula
de Tritêmio, *Clavis Steganographiae*, Frankfurt, 1606

p. 164, The Seal of Focalor
de A. E. Waite, *The book of Black Magic*, Londres, 1898

p. 448, Monas Ierogliphica
de J. V. Andreae, *Die Chymische Hochzeit des Christian Rosencreutz*, Estrasburgo, Zetzner, 1616, p. 5

p. 490, Cópia do mapa-múndi da Biblioteca de Turim (séc. XII)
de Léon Gautier, *La Chevalerie*, Paris, Palmé, 1884, p. 153

p. 490, Mapa-múndi
de Macróbio, *In Somnium Scipionis*, Veneza, Gryphius, 1565, p. 144

p. 490, Planisfério cosmográfico
de Robert Fludd, *Utriusque Cosmi Historia, II, De Naturae Simia*, Frankfurt, de Bry, 1624, p. 545

p. 505, Epilogismus Combinationis Linearis
de A. Kircher, *Ars Magna Sciendi*, Amsterdã, Jansson, 1669, p. 170

p. 572, Rótulas
de Tritêmio, *Clavis Steganographiae*, Frankfurt, 1606

Este livro foi composto na tipografia
Minion Pro, em corpo 11/15
e impresso em papel off-white
na IPSIS Gráfica